# EL SEGUNDO SUEÑO

Joana Ynes de la crúz Monja nobisia de
este combto De nra Ser epr Digo que pes-
toy Dentro Del termo De laño de aproba en
En el Conforme alo Dispuesto por el S.do
Conco Puedo Hazer testamdo y Renumco
sias De qualesquier Vienes que me
Pertenescan y Para poderlo Jazer
A Vm Pido y Supp co Se sirba de Concederme
Lisa Para otorgar testamto y Renumco
sias ante qualquier Scriuo SKL en la
Resebire mrd Con Justta y en lo neo &c.

Juana ynes de la +

# EL SEGUNDO SUEÑO
## Alicia Gaspar de Alba

Traducción de Bettina Blanch Tyroller

**grijalbo mondadori**

Título original:
SOR JUANA'S SECOND DREAM
Traducido de la edición original de
The University of New Mexico Press, Albuquerque
© 1999, Alicia Gaspar de Alba
© 2001 de la edición en castellano para todo el mundo:
  GRIJALBO MONDADORI, S.A.
  Aragó, 385, 08013 Barcelona
  www.grijalbo.com
© 2001, Bettina Blanch Tyroller, por la traducción
*Primera edición*
*Reservados todos los derechos*
ISBN: 84-253-3561-2
Impreso en Italia por Milanostampa, Farigliano

*Para Deena, única musa,*
*y a la memoria de mi*
Honey *Carmen Gaspar*
*de Alba (1946-1994)*

Firmas de Sor Juana Inés en 1689, 1691, 1692 y 1695.

No soy yo la que pensáis,
sino es que allá me habéis dado
otro ser en vuestras plumas
y otro aliento en vuestros labios,
y diversa de mí misma
entre vuestras plumas ando,
no como soy, sino como
quisisteis imaginarlo.

JUANA INÉS DE LA CRUZ


*Saber es sueño, mas ese sueño es todo lo que sabemos de nosotros y en él reside nuestra grandeza.*

OCTAVIO PAZ

# ÍNDICE

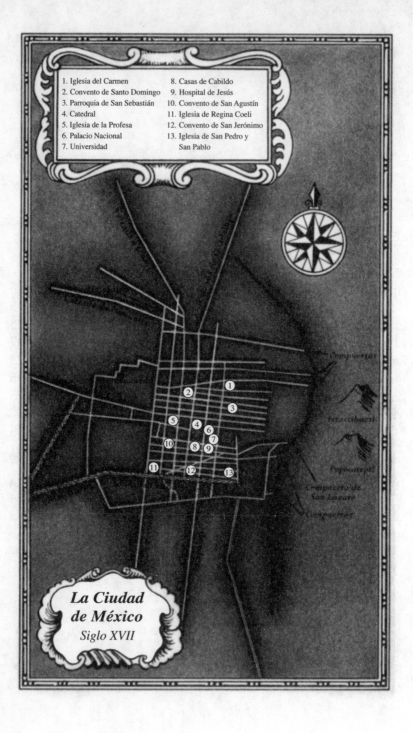

1. Iglesia del Carmen
2. Convento de Santo Domingo
3. Parroquia de San Sebastián
4. Catedral
5. Iglesia de la Profesa
6. Palacio Nacional
7. Universidad
8. Casas de Cabildo
9. Hospital de Jesús
10. Convento de San Agustín
11. Iglesia de Regina Coeli
12. Convento de San Jerónimo
13. Iglesia de San Pedro y San Pablo

La Ciudad de México

Siglo XVII

# APERTURA

## Junio de 1693

# PEÓN DE ALFIL

—¡Fuera de mi vista, ramera desvergonzada! —rugió Su Ilustrísima, el arzobispo Francisco de Aguiar y Seijas.

Con los azules ojos centelleantes por el horror, arrojó su copa a la muchacha que en aquel instante cruzaba el umbral con una chocolatera rebosante. Sobresaltada, la muchacha dejó caer la chocolatera sobre las losas desnudas de la biblioteca, y don Manuel Fernández de Santa Cruz, obispo de Puebla, se cubrió los oídos para amortiguar el estruendo de la porcelana al hacerse añicos.

El arzobispo se puso en pie.

—¡Esto es intolerable! ¿Cuántas veces tengo que deciros, Antonio, que jamás debe atenderme una mujer? No pienso permanecer aquí ni un minuto más.

El padre Antonio Núñez de Miranda se levantó, pero don Manuel siguió sentado, limpiándose las uñas con una púa horcajada.

—Os ruego me perdonéis por hacer venir a la doncella en lugar del camarero, Ilustrísima —se disculpó el padre Núñez—. Ha sido el error propio de un anciano, pero por fortuna no se ha producido daño alguno.

—Habéis permitido que la presencia de una mujer profane esta estancia, y sabéis que eso me ocasiona daños irreparables en el hígado.

—Perdonadme, Ilustrísima —repitió el padre Núñez—. No volverá a suceder. Mandaré que azoten a la muchacha por entrar aquí, pero os ruego que no os vayáis aún. Debemos comentar la crónica que ha propuesto la superiora de sor Juana. La madre Andrea espera vuestra respuesta desde la Cuaresma, y ya estamos en Pentecostés. Me resulta incómodo seguir prestando mis servicios en San Jerónimo sin tratar el tema con ella, Ilustrísima.

—Nada podría convencerme para que me quedara —insistió el arzobispo.

—¿Por qué no vamos a vuestro patio privado, Antonio? —sugirió el obispo—. Sé que los sirvientes no tienen acceso a vuestro santuario, y tal vez podríamos almorzar algo salado después de toda esta... —se interrumpió al tiempo que dedicaba un ademán desdeñoso a la bandeja de pastelillos de albaricoque, de los que ya había engullido la mitad—. Toda esta comida dulce y blanda me perjudica los dientes.

El jardín de rosas del patio había sido el único aliciente del padre Núñez durante las largas semanas de su enfermedad. Se levantaba para asistir a los santos oficios tal como era su obligación, sin molestarse siquiera en calzarse ni peinarse, se disciplinaba tres veces al día e incluso lograba escribir discursos para la reunión semanal de la Hermandad de María, si bien era Sigüenza quien los pronunciaba en su lugar. Sin embargo, no decía misa, no tomaba confesión, no pronunciaba sermones, no preparaba lecciones para sus discípulos ni se ocupaba de ninguna de sus causas benéficas; por el contrario, prefería permanecer en casa, leyendo vidas de santos o barriendo la iglesia y la frailía. Sabía que la ciudad lo necesitaba tras la devastación del verano anterior, pero no tenía fuerzas suficientes para encargarse de nada. Sólo la posibilidad de que sus rosas se marchitaran después de dedicar tantos años a cultivarlas, podarlas, hablar con Dios a través de ellas y experimentar con distintas variedades traídas de Valencia y Castilla, había impedido que sucumbiera por completo a la enfermedad, y se ocupaba de ellas tijeras y regadera en ristre.

Era su único lujo, un lujo por el que se flagelaba casi con tanta vehemencia como por su soberbia. Gustaba de sentarse allí todas las mañanas con el rosario, almorzar allí, conversar con sus mejores amigos y discípulos. Le repugnaba la idea de compartir su santuario con el arzobispo, pues esperaba que lo criticara por dedicarse a la frivolidad que entrañaba cultivar rosas. Pero para su sorpresa, el arzobispo era un gran admirador de las flores hermosas e incluso poseía algunos rosales.

–Lo que me sorprende de la oferta de sor Juana de redactar una nueva crónica es que sabe que será utilizada contra ella –comentó don Manuel desde el banco en el que se había atrincherado con el plato de pan y rodajas de salchichón que el cocinero les había preparado como almuerzo–. ¿Cómo no va a saberlo después de la *Carta atenagórica*? –Alargó el plato hacia el arzobispo–. ¿Gustáis, Ilustrísima?

El arzobispo arrugó la nariz al oler el salchichón y meneó la cabeza antes de tomar asiento frente al obispo, a la sombra de una higuera. El padre Núñez se acomodó en el retallo de la fuente, entre ambos clérigos, y deslizó una mano por el agua.

–¿No veis, Antonio, que esa mujer intenta engatusarnos para recuperar sus privilegios con esa crónica? –señaló el arzobispo.

–Sin lugar a dudas, tal es su intención, Ilustrísima, pero confío sin reservas en la madre Andrea y sé que se cerciorará de que sor Juana no se extralimita. Además, creo que con esa crónica firmará su propia sentencia. No creo que el hecho de que plasme por escrito sus pecados pueda perjudicar a la Iglesia.

–¿Tenemos que leer otro documento? –se quejó el obispo–. ¿Acaso no hemos recabado ya suficientes testimonios de las otras hermanas para someterlos a la revisión del Tribunal? Además de sus libros y esas cartas, tenemos muchas pruebas de los pecados de Juana, Antonio.

–¿Me equivoco o antaño mantenía usted una buena amistad con Juana, don Manuel?

–Tal vez cierta relación intelectual, pero en ningún caso una amistad –contradijo el obispo mientras sumergía un pedazo de pan en aceite–. Cierto es que era una de mis favorecidas y sigo admirando algunas de sus primeras obras, pero cada vez me repele más la insolencia de que hace gala en sus escritos. Me atrevería a afirmar que odia a los hombres e incluso reconozco que la lógica que emplea contra mi género ha llegado a hacerme tambalear.

La retórica de esa mujer es peligrosa, Antonio; podría llegar a convencer al mismísimo Papa si se lo propusiera.

—¿Y de qué puede convencernos a nosotros si escribe una crónica de sus pecados? Ya sabemos que es una pecadora.

—Como destinatario de una de sus crónicas —repuso el obispo—, puedo aseguraros que distorsionará la lógica y la historia en su propio beneficio. Tiene el poder del verbo y es una maestra de la retórica; incluso es posible que haga tambalear a la Inquisición, por no mencionar que tiene un impresor en España.

—¿Acaso el Santo Oficio se tambalea con facilidad? Maestra de la retórica o no, no es más que una mujer y monja por añadidura. Sólo los débiles de voluntad se dejarán convencer por sus palabras.

—¿Insinuáis que la voluntad de un español como yo es más débil que la de un criollo?

—Yo no adopté la identidad de una monja para amonestarla —replicó el padre Núñez.

—Fuisteis vos quien la acogió de nuevo después de que ella prescindiera de vos hace más de una década. Si su petición hubiera ido dirigida a mí, la habría devuelto sin tan siquiera romper el sello.

—Don Manuel, por favor, todos sabemos que fue usted amigo suyo, y acaba de reconocer que la admira. Sin duda no habría podido mostrarse muy objetivo.

—Discrepo. A fin de cuentas, fui yo quien la desenmascaró.

—Por favor, hermanos —intercedió el arzobispo—, no recurramos a la cobardía del altercado fútil. La cuestión, Antonio, es qué vais a hacer vos para ayudarnos a enderezar a la infame Juana Inés de la Cruz.

—No dudéis ni un instante de que volveré a llevarla por el buen camino, Ilustrísima.

—¡No digáis sandeces! No quiero que la salvéis, sino que acabéis con ella. ¿Por qué perder el tiempo con esa descreída? Una vez despojada de los sacramentos dejará de ser asunto vuestro.

—Os ruego me perdonéis, señores, pero ¿pretendemos purificar o crucificar a María Magdalena? —inquirió el padre Núñez—. Tenía entendido, tras tratar exhaustivamente el tema con mis compañeros del Santo Oficio, que su objetivo consistía en la retractación, no la excomunión. Por eso me he molestado en incluirla en la lista de penitentes para la octava...

El obispo lanzó una risita ahogada tras la servilleta.

—¿Crucificar a María Magdalena? ¡Os habéis hecho un lío con las metáforas, Antonio!

El padre Núñez apretó el puño bajo el agua de la fuente y contuvo el impulso de partirle la cara al obispo. «¿Cómo se atreve a atiborrarse de mi comida en mi jardín?», pensó. Sintió que el sudor le corría bajo el cilicio y la piel empezaba a escocerle, por lo que estaba agradecido.

—Estoy hablando del alma de una mujer, señor, no de un libro de retórica.

El arzobispo le arrojó un higo que reventó sobre su sotana.

—Antonio, ¿os importaría hacerme el favor de no volver a pronunciar esas dos palabras juntas en mi presencia? Las mujeres carecen de alma. Sin embargo, ésta tiene cerebro, y no permitiré que publique otro tratado para que lo utilice en contra nuestra. Eso sería la gota que colmaría el vaso de bilis que me ha estado haciendo tragar desde que llegué a Nueva España. Cada palabra que escribe favorece a mis enemigos. ¡No seáis estúpido!

—Pero Ilustrísima, ¿por qué complicar tanto las cosas? No se trata más que de la renovación de los votos de una monja. Unas bodas de plata.

—De lo que se trata —contradijo el arzobispo— es de nuestra única oportunidad de hacerle pagar las ofensas que ha infligido a la fe y la humanidad. El obispo ya ha dado el primer paso con la publicación de esa *Carta* blasfema. Ahora quiero que se expurgue su bliblioteca y se comparen todos y cada uno de los textos que posee con el *Índice*. En vuestra calidad de censor de la Inquisición, Antonio, deberéis seleccionar todos los libros prohibidos. Yo me encargaré de despojarla de todo lo que valora. ¿Puedo contar con su respaldo en esta empresa?

«Pero mis ojos... —quería exclamar el padre Núñez—, no veo nada con estos ojos.»

—No veo la necesidad de tomarse tantas molestias cuando lo único que hace falta es una confesión exhaustiva y una renuncia absoluta a su pasado. Puedo conseguir eso, Ilustrísima, sé que puedo.

—Estoy más que harto de vuestra nesciencia, Antonio. Queremos que se someta a la Iglesia de una vez por todas. ¿Puede ayudarnos a lograrlo?

En las comisuras de los labios del arzobispo había aparecido un poco de espumilla blanca.

—Pero ¿por qué excomulgarla, Ilustrísima? ¿De verdad quiere arrojarla al mundo sin punto de referencia alguno? Sin marido, sin votos...

El báculo del arzobispo lo golpeó en las rodillas.

—Decidme, Antonio, vos que fuisteis desairado por esta hija de una ramera criolla, ¿acaso no mortifica a los patriarcas de nuestra fe con cada palabra que garabatea? ¡Esas obras! ¡Esos poemas de amor que no van dirigidos a Nuestro Salvador, sino a virreyes y virreinas! ¡Esa escandalosa respuesta! ¡Y ahora esos libros! ¡Dos volúmenes de sus escritos circulando por España! Uno de ellos incluye una advertencia, ¡una advertencia, que conste!, acerca de la influencia secreta de las estrellas que originó su afecto por la condesa de Paredes. Y el otro lleva la firma de siete españoles que se muestran de acuerdo con su crítica de Vieyra. ¿Sabe cómo me hace quedar ante mis amigos de España y Portugal el rumor de que una monja dispone cómo debe interpretar la Biblia el arzobispo de México? ¿Está tan ciego que cree en la posibilidad de que esa mujer se retracte?

—Estoy convencido de que la salvación siempre es posible, Ilustrísima.

—¿Es que no lo entendéis, Antonio? No hay lugar para las mujeres en la comunidad de Dios.

—Pero Juana no es una hereje, Ilustrísima, de eso doy fe. Está completamente equivocada, de lo cual soy en parte responsable por haberla abandonado en un momento crítico. Pero convertirla en anatema sería un gravísimo error, Ilustrísima.

—¿Os atrevéis a contradecirme, Antonio?

—Perdonadme, Ilustrísima, nada más lejos de mi intención, pero todos sabemos que Juana no es como las demás monjas; es más que una mujer. Los mismos teólogos a los que habéis hecho referencia convienen en ello. ¿Acaso no dijo uno de ellos que es un hombre en todos los aspectos? ¿Excomulgaríamos a un sacerdote por hacer lo que ha hecho ella, por escribir, publicar y dar rienda suelta a una vida intelectual? No ha cometido herejía alguna.

—Os contradecís, Antonio —terció don Manuel con la boca llena de salchichón—. Antes habéis dicho que no es más que una mujer y una monja, y ahora afirmáis que es más que una mujer. Puede que tengáis razón. No sólo ha dado rienda suelta a una vida intelectual. Hemos recabado numerosas pruebas de que Juana y la antigua virreina mantenían una... digamos amistad especialmente íntima.

—Por favor, Manuel, no me echéis a perder el apetito —espetó el arzobispo con otra mueca—. Ya oiremos todo eso en la confesión.

—No sé nada de ninguna confesión salvo la que ella y yo llevamos preparando hace siete semanas —aseguró el padre Núñez.

—Hemos decidido... es decir, el obispo de Puebla y yo hemos decidido que en lugar de la crónica escrita para la que nos pidió permiso su madre superiora, Juana deberá confesar en público, en la sala del Tribunal, durante todos los días que sean necesarios para divulgar todos sus pecados y humillarla ante el mundo entero. Eso acabará con nuestra décima musa.

—Pero no se trata de un juicio, señores, sólo de una confesión, y las confesiones son privadas.

—Ésta no, Antonio, al menos si es que quiere seguir llevando el hábito de san Jerónimo.

—Sólo necesita penitencia y absolución, Ilustrísima.

El obispo eructó cubriéndose la boca con la mano, se levantó y se plantó ante el padre Núñez, casi restregándole la tripa por la cara. Apestaba a ajo y carne curada, y tenía manchas de aceite en el fajín.

—Como su padre confesor sois vos el encargado de administrar la penitencia, Antonio. Dejaremos que el Tribunal decida si merece la absolución. Sólo necesitamos saber si podemos contar con la influencia que ejercéis sobre los inquisidores.

El padre Núñez se rascó enérgicamente el cilicio sin alzar la vista para que el obispo no advirtiera el enojo pintado en su mirada. No le quedaba más remedio que aceptar que aquella era la penitencia que los pecados de Juana habían tejido. Y sin lugar a dudas constituiría su último acto de salvación antes de que las tinieblas misericordiosas se cernieran sobre sus ojos para llevarlo junto al Todopoderoso.

–No soy más que un soldado de Cristo –musitó con la mirada clavada en el raído dobladillo de su sotana–. No tengo ningún derecho a desobedecer vuestras órdenes.

ENROQUE

1664–1670

# 1

Tío Juan las miraba ceñudo por encima del muslo de pollo, paseando los ojos gélidos entre su esposa y Juana Inés. La mandíbula le crujió cuando trituró el cartílago que remataba el hueso. Los párpados de tía María aleteaban como mariposas. Juana Inés miraba a su tío fijamente.

—¿Dónde habéis estado? —inquirió tío Juan al tiempo que el hueso se quebraba entre sus dientes.

—En misa, esposo —repuso tía María antes de que Juana Inés pudiera abrir la boca—. Y en el camino de vuelta hemos pasado por la botica para comprar las hierbas de tu infusión.

Tío Juan masticó el hueso hasta extraer la médula, escupió las astillas al suelo y tomó un sorbo de vino.

—¿Y no habéis ido a ningún otro sitio? —insistió mientras se deslizaba la lengua por los dientes para sacar fragmentos de hueso de entre ellos.

Tía María bajó la mirada y negó con la cabeza.

—Están mintiendo, padre —terció Nico, el mayor de sus hijos—. Las he visto en el ajusticiamiento.

—Yo también —corroboró Fernando, el menor—. Y Juanita miraba por esos lentes tan raros que usa madre cuando va al teatro.

El arrebol que cubría las mejillas de tía María casaba con las rosas que ornaban la mesa.

—Mírame, María —ordenó tío Juan—. ¿Dicen la verdad? ¿Habéis

25

ido a la ejecución? –quiso saber en cuanto sus miradas se encontraron.

–Sí, tío –repuso Juana Inés, incapaz de seguir soportando la humillación de su tía–. Toda la ciudad estaba allí. Era un espectáculo público, no una ceremonia clandestina.

–Se me da un ardite lo que fuera, doña Insolencia. Recuerdo perfectamente haberos dicho anoche que no quería que os acercarais siquiera a la Plaza Mayor. Las esposas y sobrinas de los hidalgos no asisten a los ajusticiamientos.

–Resultaba casi imposible evitar verla, esposo –aseguró tía María–. Teníamos encargos que hacer después de misa, y la botica está bajo las arcadas de la plaza.

Tío Juan le cruzó el rostro de un bofetón.

–¡Menudo ejemplo das! –espetó al tiempo que fragmentos oscuros de médula ósea salían disparados de su boca para ir a estrellarse sobre el mantel–. Por eso se ha tornado tan insolente esta marisabia.

Se volvió hacia Juana Inés con el ceño fruncido, pero la muchacha sostuvo su mirada, desafiando su autoridad. Era la expresión que siempre lo impulsaba a abofetearla. Se puso en pie con brusquedad y se inclinó sobre la mesa, pero la voz de la criada le impidió pegar a su sobrina.

–Disculpad, señor.

–¿Qué quieres?

–Un mensajero, señor. Dice que viene de palacio.

–¿Quién lo dice? Por el amor de Dios, mujer, hazlo pasar.

Tío Juan irguió la espalda, se quitó la servilleta del cuello y carraspeó cuando se abrió la puerta del comedor. Juana Inés había esperado ver a un paje con librea, pero no era más que un rapaz menudo, un mulato de las calles que traía una carta con el sello azul de palacio.

–¿Quién eres? –inquirió tío Juan.

El muchacho le entregó la carta y dejó extendida la mano izquierda para recibir una propina. Fascinado por la carta y el sello, tío Juan lo despidió con un ademán.

–Dadle algo de comer –ordenó con aire ausente.

Tía María se levantó de inmediato y salió del comedor con el muchacho.

–Abridla, tío –urgió Juana Inés sin poder contenerse.

–Abridla, tío –la imitó despectivamente su prima Gloria, al tiempo que le propinaba un puntapié en el tobillo.

Juana Inés sintió que los ojos se le nublaban por el dolor, pero guardó silencio y no devolvió el golpe, sino que se limitó a permanecer sentada, a la espera de que tío Juan se dejara de monsergas y abriera la misiva de una vez.

–Mirad, va dirigida a mí, don Juan de Mata, presente –leyó en voz alta antes de mostrar la caligrafía a sus hijos–. Mi primera citación de palacio. Sabía que este día llegaría.

–¿Cómo sabéis que es una citación, tío?

–¿Qué otra cosa puede ser, idiota? El palacio no envía misivas para interesarse por la salud de uno.

Tío Juan cogió el cuchillo e intentó separar el sello sin romperlo, pero no logró evitar que cayera desmenuzado en su plato. Dejó el cuchillo a un lado, abrió la carta con cierta dificultad y leyó el texto varias veces.

–¡No doy crédito! –exclamó al fin.

–¿Qué dice, padre? –preguntó Gloria.

–¡María! –rugió tío Juan a tal volumen que su voz rebotó en las vigas de la estancia–. ¡Quieren que Juana Inés vaya a palacio!

Tía María entró corriendo en el comedor.

–Léeme la carta –pidió sin resuello.

Apreciado don Juan de Mata –leyó tío Juan–. Su Excelencia, la virreina, marquesa de Mancera, solicita el honor de conocer a vuestra sobrina. La corte ansía conocer a la joven erudita que tanto da que hablar en Ciudad de México. Nos complacerá concederle una audiencia el próximo jueves después de vísperas.

Firmado: el virrey de México

–¡Que Dios nos ampare! –exclamó tía María, santiguándose a toda prisa.

Juana Inés no osaba respirar ni alzar la mirada. En su cabeza oía una y otra vez aquella expresión, «la joven erudita que tanto da que hablar en Ciudad de México», y de repente la acometió una oleada de pánico ante la posibilidad de que su tío no accediera a los deseos del virrey. Siempre la llamaba marisabia (mari por niña y sabia por su erudición, como si ambos términos fueran mutuamente excluyentes) y despreciaba los esfuerzos que dedicaba a sus estudios. «¿Dónde se ha visto eso de una niña erudita? ¿Acaso pretendes llamar la atención de la Inquisición?», gritaba.

Cierto que Juana Inés había aprendido a leer a los tres años, que se había inculcado sola los rudimentos de la retórica, la geometría y la astronomía, que sabía un poco de filosofía griega y derecho romano; cierto asimismo que había aprendido latín en veinte lecciones, pero no se consideraba una erudita y mucho menos un prodigio, como algunos gustaban de llamarla para escarnio de sus tutores, que temían que cualquier día la Inquisición los acusara de albergar a una hereje en el seno de su familia. Pero los criados propagaban los rumores, y la ciudad bullía por la noticia de una muchacha que leía las constelaciones con la misma facilidad que las partituras.

—No es natural que una joven sepa tanto como sabes tú, Juana Inés —la había amonestado con frecuencia su tía—. Deberías aprender a bordar y hacer ganchillo, como tu prima Gloria. Esos quehaceres son aptos para las jóvenes; la Inquisición no puede considerar pecaminosa una buena labor de aguja.

Juana Inés no discutía con su tía; de hecho, compadecía a aquella pobre mujer, con el léxico y la caligrafía de una niña, pero sabía que su inteligencia no sería enhebrada en una aguja. Sabía que su mente era el trazado que aguja e hilo intentaban seguir, la tela sin la cual el dibujo de nada serviría.

—¿Puedo ir, tío? Me gustaría tanto ver el palacio...

—¿Puedo ir, tío? —volvió a mofarse su prima Gloria—. ¡Comadreja!

—Merece un buen cachete por ser tan engreída —añadió Nico.

—¡Engreída! —repitió Fernando al tiempo que le arrojaba un mendrugo de pan.

—Basta, niños —los regañó tía María—. Vuestro comportamiento es muy poco caballeroso.

—No sé, Juanita —masculló su tío al tiempo que se mesaba la barba y contemplaba por la puerta abierta del comedor el patio bañado en la luz tenue del crepúsculo—. Primero debo averiguar a qué se debe todo esto. Podría resultarnos beneficioso, pero también cabe la posibilidad de que hayas metido a la familia en un aprieto. Y además, por supuesto, está el asunto de tu castigo por haberme desobedecido e ido a la ejecución cuando te lo había prohibido de forma expresa.

—Te dije que se convertiría en un estorbo —recordó Nico a su padre con los ojos negros relucientes bajo la línea oscura de sus cejas—. Todos los estudiantes hablan de ella; dicen que es un chico disfrazado.

—Lo sabía —gimió tía María, llevándose las manos a la cara—. No se puede confiar en los criados. Quién sabe qué historias habrán ido contando. Esto podría significar tu fin, Juanita.

«¡No seáis estúpida!», quiso gritar a su tía, pero el temor a que su tío le prohibiera visitar a la virreina le hizo contener la exasperación. Debía abordar el asunto de otro modo, apelar a la única lógica que su tío comprendía.

—Pocos hidalgos son llamados a la presencia de la virreina, tío —advirtió en voz baja.

Gloria le propinó otro puntapié por debajo de la mesa mientras sonreía beatíficamente para no granjearse una reprimenda de su madre. Juana Inés se inclinó hacia delante y le pellizcó el muslo con todas sus fuerzas al tiempo que la desafiaba con la mirada a quejarse.

—También cabe la posibilidad de que me ofrezcan un puesto en palacio —prosiguió.

—¿Haciendo qué? —espetó su tía—. En las tareas domésticas eres tan inútil como tus primos. ¿Qué servicio podrías prestarle a la señora marquesa?

—Podría leerle en voz alta, supongo, que es lo único que sabe hacer —terció Fernando antes de sepultar la nariz en el libro imaginario que formó con ambas manos.

—La niña tiene cierta razón, María —comentó tío Juan, llevándose a la boca una aceituna adobada con ajo—. Si pretendieran acusarla de algo, la virreina no querría conocerla. Tales asuntos corresponden a la Inquisición.

Los ojos le relucían como zafiros ante la perspectiva de que una pariente suya formara parte del personal de palacio. Juana

Inés sabía que había picado el anzuelo, pero aún no le había dado su consentimiento. Dedicó a sus primos una de sus miradas más altivas.

–Siempre se sale con la suya –lloriqueó Gloria mientras se frotaba el muslo bajo la mesa–. Incluso cuando se porta mal y desobedece. ¿Por qué no quiere conocerme a mí la virreina? Yo soy hija de un hidalgo.

–A buen seguro, porque la corte no necesita más bufones –replicó Juana Inés sin poder contenerse.

Los hoyuelos de Gloria dieron paso a líneas de disgusto.

–¡Juanita! –la reprendió tía María.

–Puede que necesiten una rata de biblioteca –se burló Fernando con una carcajada.

–Por favor, niños, os estáis comportando de un modo insufrible. Se trata de una situación muy seria –les recordó tía María.

Tío Juan pulía el hueso de la aceituna entre los dientes.

–Todo esto podría resultarnos muy favorable, María –indicó–. Podría conferir más peso a ese escudo de armas que aún estoy pagando.

–Estaré encantada de entregaros cuanto me paguen, tío, si es que pagan.

–Espero que paguen –intervino Nico.

Tío Juan apuró su copa y se levantó.

–En fin, creo que lo consultaré con la almohada, María. Debo decidir si Juana Inés es merecedora de semejante honor..., y esta noche me parece que no lo es.

–Pero, tío...

–He dicho que lo consultaré con la almohada, Juanita. Aún falta mucho para el jueves.

–Sí, pero no querréis ofender a la virreina, tío.

–Ya estamos otra vez –resopló Nico–. No tiene remedio; discutiría incluso con el diablo si pudiera.

–Silencio, hijo –ordenó tío Juan con sequedad–. Esta clase de comentarios son precisamente los que divulgan los criados. Juanita, haré algunas indagaciones y cuando sepa a ciencia cierta qué intenciones lleva la virreina, te haré saber mi decisión. Buenas noches.

Durante toda aquella semana, Juana Inés deambuló sin rumbo por la casa, incapaz de concentrarse en sus estudios, distraída en misa, tan silenciosa en las comidas que parecía como si se hubiese alejado de su cuerpo. Cada día encendía en la catedral una vela a san Judas, patrón de los imposibles, y rezaba con fervor a todos los santos para que intercedieran por ella. También pasaba largas horas en la librería de don Lázaro, pero sin concentrarse en los libros que hojeaba, sino matando el tiempo y poniendo secretamente en tela de juicio la autoridad de su tío para decidir qué podía o no podía hacer ella. El jueves por la mañana, tío Juan aún no le había dado respuesta alguna, y Juana Inés estaba convencida de que había decidido prohibirle la visita. Estaba ante un envío recién llegado de diarios y cajas de escritura cuando la esposa del librero se acercó a ella.

—Felicidades, doña Ramírez —exclamó.

Juana Inés la miró con el ceño fruncido.

—No me digáis que no sabéis la noticia. Acaban de comunicarnos que el virrey pretende ofreceros un puesto en palacio. ¡Qué fortuna la vuestra, una joven de vuestra posición social en palacio!

—¿Estáis segura, señora?

—Bien, podría tratarse de un rumor, pero lo he sabido de una fuente fidedigna.

Llevada por un impulso, Juana Inés abrazó a la mujer.

Don Lázaro quedó tan impresionado que se ofreció a apartarle una caja de escritura por si el rumor resultaba ser cierto y Juana Inés podía gastarse los doce pesos que costaba la caja y sus cien hojas de pergamino.

Juana Inés dio las gracias a ambos, se subió el dobladillo del vestido y recorrió casi a la carrera las cinco manzanas que la separaban de la casa de su tío, deteniéndose sólo ante la catedral para comprar a un buhonero una rueda de santa Catalina. Santa Catalina, patrona de los estudiantes y las universidades, se le antojaba más acertada que san Judas. Juana Inés tenía dieciséis años y sobrellevaba la estupidez y maneras ridículas de los Mata desde hacía ocho. La idea de vivir en la corte, aunque sólo fuese fregando los suelos de palacio, le parecía un milagro. A buen seguro, la corte dispondría de una biblioteca excepcional y el virrey no temería a la Inquisición.

—¿Dónde está el coche de mi tío? ¿Ha salido? —preguntó sin resuello a la mestiza que barría el vestíbulo.

—Vuestro tío ha ido a palacio, señora, y vuestra tía os espera en la sala de costura.

Juana Inés subió la escalera como una exhalación.

Su tía le estaba arreglando uno de sus vestidos de seda y Gloria había preparado a toda prisa un baúl con todas las pertenencias de su prima por si la virreina pedía a Juana Inés que se quedara en palacio.

—¿Por qué no me lo decíais, tía María? Sabéis que llevo toda la semana con el alma en vilo.

—Tu tío se ha enojado mucho al no verte en el desayuno. Quería darte la noticia personalmente. Tal vez habría sido tu último ágape con la familia.

—He ido a misa, no sabía nada. Oh, tía, ¿de verdad creéis que querrán acogerme?

—Según las fuentes de tu tío, tales son sus intenciones. Si deciden que les gustas, por supuesto, si les resultas útil. Vamos, ponte esto. Espero que no acabes llevando este vestido a tu auto de fe, Juanita —masculló tía María con varios alfileres entre los labios—. ¿Qué le diría a tu madre si te tacharan de hereje? Creería que es culpa mía por haberme mostrado demasiado indulgente contigo.

—¿De verdad harían eso, madre? —preguntó Gloria con los ojos centelleantes—. ¿Arrastrarían a Juana Inés por toda la ciudad ataviada con un sambenito y la obligarían a comer ceniza en público?

—Escuchadme —atajó Juana Inés—. No habrá ningún auto de fe. Puede que tampoco me ofrezcan ningún puesto, así que no creas que te librarás de mí tan fácilmente, Gloria. Pero no te preocupes, haré cuanto esté en mi mano para impresionar a la virreina.

Aquella noche, una vez se hubo despedido con abundantes lágrimas de su tía María, tío Juan la acompañó a palacio en su carruaje más suntuoso. Juana Inés no había ido a ninguna parte a solas con su tío desde que fuese a buscarla a casa de su padre en Panoayan ocho años atrás. El recuerdo la trastornaba, de modo que parpadeó con fuerza para desterrarlo de su mente. Se dijo que su tío no intentaría nada en aquel breve trayecto, pero aun así se apretujó cuanto pudo contra la portezuela.

—Ese vestido de tu tía te sienta muy bien, Juanita —elogió tío Juan.

—Gracias, tío —murmuró ella.

Acto seguido entrelazó las manos sobre el regazo y miró por la ventanilla hasta que llegaron a la entrada principal de palacio. Un lacayo enfundado en casaca y gorra de terciopelo verde la ayudó a apearse. Los condujeron por un espacioso jardín de rosas en cuyo centro se veía una glorieta con torreta hasta una sala de espera con largos bancos alineados contra las paredes. Juana Inés y su tío eran los únicos que esperaban ser recibidos.

—Espero que te comportes como corresponde a la sobrina de un hidalgo —advirtió tío Juan mientras se paseaba por la estancia.

—Sí, tío.

—Lo he dispuesto todo; ahora depende de ti, Juanita.

—Lo sé, tío.

—¡Y no te muestres beligerante!

Juana Inés contuvo la lengua y se concentró en el dibujo de rombos que ornaba los puños de blonda de su vestido. Recibían el nombre de trapecios, una figura geométrica más fácil de dibujar que de crear con una aguja de ganchillo. Su tío seguía paseándose al tiempo que ensayaba una y otra vez la presentación. Justo antes de que los hicieran pasar a la sala de audiencias, Juana Inés se colgó la rueda de santa Catalina al cuello. En el enorme salón, los virreyes ocupaban sendas butacas doradas que pese a su gran tamaño quedaban empequeñecidas por la enormidad de la chimenea ante la que se hallaban. Estaban flanqueadas por caballeros y damas de la corte, todos ellos ataviados con suntuosos terciopelos y sedas; a su espalda, los últimos rayos coralinos del sol poniente iluminaban las abovedadas paredes de mármol.

Juana Inés no oyó las primeras presentaciones. Miró fijamente a la virreina, suplicándole en silencio que la acogiera en su casa, que la salvara de la ignorancia de los Mata. El virrey, don Antonio Sebastián de Toledo, marqués de Mancera, se rizaba el extremo del fino bigote y estudiaba el rostro de Juana Inés con las cejas enarcadas.

—¿Y decís que aprendió latín sola? —preguntó a su tío.

—Bien, contó con la ayuda de un preceptor durante un tiempo,

Excelencia, pero por lo demás, ella misma se ha encargado de sus estudios. También sabe de muchas otras materias; es una joven extraordinariamente estudiosa. Impresiona a todas nuestras amistades con su conversación. Por supuesto, nosotros no comprendemos por qué...

—¿Toca algún instrumento musical? —lo interrumpió decidido el virrey.

—Oh, posee un gran talento musical, Excelencia. Domina sobre todo la mandolina y la vihuela. Le encanta cocinar, pero no se le da demasiado bien la costura...

Los dedos de Juana Inés se habían tornado rígidos como maderos. Sabía lo que estaba a punto de suceder.

—Que nos haga una demostración —exclamó el virrey antes de chasquear los dedos para que acudiera un paje—. Trae una mandolina de la sala de música —ordenó el virrey al joven—. Deprisa.

El paje se inclinó ante él y salió del salón sin tardanza. Su tío siguió ensalzando sus aptitudes musicales, pero Juana Inés apenas lo oía; estaba demasiado ocupada intentando decidir qué pieza debía tocar. Debía ser algo modesto y original que al mismo tiempo se hallara a la altura de los elogios de su tío, y por tanto debía ser... ¿Cómo describirlo? Inolvidable. Debía tocar la pieza más inolvidable y delicada que había compuesto en su vida.

La virreina le dedicó una sonrisa al tiempo que se abanicaba indolente con un abanico que mostraba un dragón chino.

—¿Con qué nos deleitaréis, doña Ramírez de Asbaje? —le preguntó el virrey.

—Me gustaría tocar una composición propia, con la venia de Vuestras Excelencias —repuso Juana Inés con una docilidad que la sorprendió.

—Adelante, querida, nos encantará escucharla —terció por fin la virreina—. ¿Tiene título vuestra composición?

En aquel instante regresó el paje.

—Entrégasela a la joven señora —instruyó el virrey.

Juana Inés cogió la mandolina y amoldó su vientre a las listas de caoba y pícea del instrumento. Aspiró la fragancia de la madera virgen y afinó la mandolina, consciente de la importancia de aquella interpretación, consciente asimismo de la mirada de la virreina, de las hebillas enjoyadas de los zapatos del virrey y de la respiración alterada de su tío.

—Juanita, la marquesa te ha preguntado si la composición tiene título —le recordó tío Juan.

Juana Inés alzó la mirada y miró a la virreina.

—La llamo «La celda», el nombre de la habitación de la hacienda de mi abuelo en la que nací.

—Qué nombre tan peculiar —exclamó la virreina.

Juana Inés respiró hondó, rodeó con la mano izquierda el mástil de la mandolina y con el plectro en la mano derecha empezó a tocar. Había compuesto la pieza la tenebrosa mañana del día que cumplió quince años, tras despertar de un sueño. En él, su abuelo estaba de pie en la orilla del río bañado en un círculo de luz y apoyado en un báculo de obispo. Para llegar hasta él, Juana Inés se vio obligada a cruzar el río flotando boca arriba con las manos por encima de la cabeza, pero cuando alcanzó la otra orilla era una mujer (ni su madre ni ninguna de sus hermanas), una mujer desconocida la que la esperaba con un chal negro en la mano. «¿Dónde está mi abuelo?», preguntó Juana Inés. «No tengas miedo; ahora estás a salvo», respondió la mujer. Al despertar oyó aquella música en su mente. Las notas poseían la delicadeza del bautismo y el misterio de la muerte, por lo que la había llamado «La celda». Su madre la había traído al mundo en aquella habitación, y ocho años más tarde su abuelo había muerto allí.

Juana Inés desgranó las últimas notas, descansó la mandolina sobre el regazo y miró de nuevo a la virreina.

—¡Excelente! —alabó el virrey, aplaudiendo con delicadeza.

Junto a él, la virreina miraba a Juana con una expresión que ésta no alcanzó a descifrar, una expresión que le aceleró el pulso con una pregunta para la que carecía de palabras.

—Tenemos entendido que sois una gran conversadora —observó el virrey—, que podéis hablar de cualquier tema que se os plantee. ¿Es cierto eso, doña Ramírez?

—A buen seguro no sé tanto como vos, señor marqués —repuso Juana Inés—. A fin de cuentas, no soy más que una muchacha y carezco de educación formal. Sencillamente he leído bastantes libros y tengo buena memoria.

—Si pudiera escoger entre comer y leer, a estas alturas sería un saco de huesos —intervino su tío—. Pero si incluso renuncia al queso...

—Aquí nadie la obligará a escoger —aseguró el virrey al tiempo que sonreía a Juana Inés por debajo del bigote—. ¿Os gustaría quedaros en palacio como dama de compañía de la marquesa?

—Sería su esclava si me lo pidiese —se apresuró a responder Juana Inés con inconmensurable alivio.

—Bien, señora marquesa —dijo el virrey, volviéndose hacia su esposa—. ¿Cuál es vuestra opinión?

—Creo que habéis tomado una sabia decisión, esposo —contestó la virreina mientras cerraba el abanico y ladeaba la cabeza como si pretendiera estudiar a Juana Inés desde un ángulo distinto—. Estoy segura de que Juana Inés será una fuente de inspiración para mí.

Juana Inés bajó la vista e intentó contener el temblor de su barbilla, pero no logró evitar las lágrimas de gratitud que le resbalaban por las mejillas y caían entre las cuerdas de la mandolina.

—Y me parece que ahora está bautizando la mandolina —rió el virrey.

Juana Inés se levantó de un salto y trató de limpiar el instrumento con la manga del vestido de seda.

—No os preocupéis —la apaciguó el virrey—. Ahora os pertenece, para que podáis seguir deleitando a la marquesa con vuestra música... ¿Puede empezar inmediatamente? —añadió, volviéndose hacia tío Juan.

—Esta misma noche, si así lo deseáis, Excelencia.

—¡Magnífico! Me gustan los hombres previsores. Bienvenida a palacio, doña Ramírez.

Juana Inés se arrojó a los pies de la virreina y besó una y otra vez el dobladillo de brocado de su vestido.

—¡Gracias, señora! ¡Gracias! —fue lo único que alcanzó a decir.

La mano de la virreina se acercó a ella y Juana Inés contuvo el aliento por un instante, pero la marquesa sólo quería examinar la medalla.

—Qué imagen tan fascinante —exclamó con la medalla de plata sobre la palma de la mano—. Explicadnos qué significa, Juana Inés.

—Es la rueda de santa Catalina de Alejandría, señora, en la que el emperador romano iba a torturarla por negarse a desposarlo. Es el símbolo de su resistencia a la voluntad del emperador.

–Muy original... Pero, os lo ruego, levantaos.

Juana Inés obedeció y se alisó las arrugas del vestido.

–¿No vais a despediros de vuestro tío, niña?

Juana Inés vio con el rabillo del ojo que el virrey y su tío se dirigían a la puerta del gran salón, sin duda disponiendo las condiciones de sus servicios.

–Adiós, tío –exclamó para complacer a la virreina, si bien en el fondo de su corazón le habría gustado gritar «hasta nunca».

–Decidme, Juana Inés –prosiguió la marquesa–, ¿jugáis al dominó y a las cartas? Ninguna de mis damas parece sentir la misma pasión que yo por los juegos de mesa.

Juana Inés percibió vagamente el tintineo de las risas de las damas.

–Espero que juguéis conmigo de vez en cuando.

–Por vos aprendería a hablar en latín al revés, señora –aseguró Juana Inés.

–¡Un juego lingüístico, qué interesante! –exclamó la virreina antes de dar unas palmadas para reunir a su séquito–. Señoras, esta noche celebraremos un concurso de trabalenguas. Os espero en mis aposentos para cenar en privado, Juana Inés.

De repente, Juana Inés se vio envuelta en una nube de faldas y abanicos que medio la empujó, medio la sacó en volandas del salón.

–Con el tiempo que llevamos a su servicio, y nunca nos ha convocado a una cena en privado –refunfuñó una de ellas.

# 2

*9 de diciembre de 1664*

Querida madre:

Tía María afirma que el correo funciona bien entre la ciudad y las provincias, y asegura que recibiste mi última carta, pero llevo casi un mes en palacio y aún no tengo noticias tuyas, por lo que debo suponer que mi misiva se perdió por el camino. Por si todavía no lo sabes, la noticia de que me he convertido en dama de compañía de nuestra nueva virreina será una grata sorpresa para vos, que siempre temiste que no lograra encontrar una posición adecuada a causa de lo que llamabas mi inclinación hacia el aprendizaje. En palacio no me queda mucho tiempo para aprender, al menos lo que antes aprendía en los libros. Estoy siempre rodeada de gente, y parece existir la norma tácita de que todos deben estar de buen humor y mostrarse solícitos en todo momento. Eso, junto con la falta de tiempo para la lectura, ha sido lo más difícil para mí. No soy de naturaleza optimista, como bien sabes, y me aproximo más al ermitaño que al juglar; sin embargo, aquí me he convertido en una suerte de bardo de la corte, y siempre me están pidiendo que recite un poema, toque una canción o participe en un juego de adivinanzas. Se respira tal ambiente de buen humor y actividad chispeante que hasta el más mínimo atisbo de ceño o suspiro provoca una reprimenda. Sé que no debería quejarme y, en honor a la verdad, no es tal el propósito de mi carta, pero vos me conocéis mejor que nadie y sabéis cuán

38

difícil me resulta sonreír y reír a todas horas, no abrir un libro, no pasar tiempo a solas deambulando por el jardín y poniendo a prueba mi memoria. No obstante, ¿quién habría dicho que acabaría aquí? ¿Vendrás a la ciudad a visitarme? ¿Traeréis con vos a Josefa y María? Creo haber olvidado vuestra apariencia, y desde luego no podéis esperar que yo sea la misma después de ocho años. Debo dejaros. La siesta toca a su fin y debo pintarme el lunar, rizarme el cabello (ese mismo cabello indómito que se resistía a permanecer rizado más de una hora) e ir a los aposentos de la virreina a tocar la mandolina. Por favor, ruega de mi parte a Josefa y María que me escriban.

Tu otra hija,
Juana Inés Ramírez

Después de las primeras semanas, durante las que había vagado por palacio sumida en un trance de incredulidad, explorando los numerosos patios, salones, jardines y galerías, Juana Inés halló la vida de la corte sorprendentemente superficial, pero muy intensa a un tiempo. La marquesa le otorgó el título de secretaria personal, lo que significaba que por las mañanas, tras la misa celebrada en la capilla de palacio, se sentaba al escritorio del salón de la marquesa y se encargaba de la mayor parte de su correspondencia, después de lo cual acompañaba a su señora en su paseo diario por uno de los jardines. Antes del almuerzo leía en voz alta mientras la marquesa bordaba con las otras damas de compañía; durante la hora de la siesta, tocaba la mandolina en los aposentos de la marquesa para ayudarla a conciliar el sueño. Por las tardes posaba para retratos en su patio particular ataviada con disfraces ridículos y por las noches, después de vísperas, si no había invitados a los que entretener ni había previsto ningún galanteo de palacio ni representaciones especiales en el teatro de la corte, jugaba con la marquesa al dominó o a las cartas.

Mes a mes, las exigencias que le imponía la virreina aumentaban, por lo que al término de su primer año al servicio de la marquesa se la conocía no sólo como su secretaria personal, sino también como su favorita y amiga más íntima. También el virrey buscaba su compañía y se complacía en conversar con ella y desafiarla a partidas de ajedrez. Juana Inés le dejaba ganar a veces, pero lo cierto era que estaban más enfrascados en sus discusiones que en el juego, y el virrey dio en llamarla Atenea de compañía cuando sólo la virreina estaba presente.

Además de sus tareas habituales debía asistir a toda suerte de acontecimientos públicos con el virrey y la virreina, como representaciones teatrales y corridas de toros, acompañarlos a paseos en carruaje por la Alameda y meriendas campestres en Chapultepec, entretener a los invitados con su talento musical, asistir a la virreina en todos los asuntos de Estado, participar en tertulias intelectuales con los cortesanos y formar parte del séquito de palacio, justo detrás del palanquín de la señora marquesa, en las procesiones de Corpus Christi. Por todo ello, los dos primeros años que pasó en palacio fueron un perpetuo circo, y si bien sabía que la arena del reloj caía en alguna parte, Juana Inés no podía zafarse del espectáculo que constituía la vida en la corte. Por primera vez desde la muerte de su abuelo se había convertido en el centro de atención.

En agradecimiento por el soneto que había compuesto para conmemorar la muerte del rey Felipe, el virrey mandó crear un tintero de plata en forma de lechuza con ojos de granate y una dedicatoria grabada en la parte inferior con letras diminutas: «A nuestra Atenea de compañía, con todo nuestro afecto, Leonor y Antonio, virreyes de México, 1666».

Asimismo, el virrey le abrió una cuenta en la librería para que pudiera comprar un libro al mes, cualquier libro que se le antojara, siempre y cuando no estuviera prohibido. Lo primero que consignó Juana Inés en la cuenta fue el saldo que debía por su caja de escritura, su Caja de Pandora, como solía llamarla y seguiría llamándola en el futuro.

No tenía tiempo para escribir ni estudiar, por supuesto, sólo en las horas que mediaban entre el toque de queda y maitines. Tenía por costumbre dejar a las otras damas murmurando sobre algún cortesano y se dirigía hacia la biblioteca del virrey, situada en el ala oeste del palacio, para sentarse a la inmensa mesa de roble colocada junto a la ventana. Le gustaba abrir los postigos y escuchar el borboteo de la fuente en el patio mientras trabajaba, así como los sonidos procedentes del mercado nocturno de la ciudad. El virrey le había cedido uno de sus armarios y entregado la única llave que lo abría; en él, Juana Inés guardaba a buen recaudo su exigua biblioteca, sus diarios y cuadernos, además de la Caja de Pandora.

Cuando las campanas llamaban a maitines, los ojos le ardían por el humo que despedía la lámpara de aceite, pero si era afortunada, las telarañas de angustia que se habían acumulado en su ser durante el día se habían disuelto. Sabía que la fuente de esa angustia no se debía sólo a carecer de tiempo para sí misma, que era algo vago y traslúcido como el sueño que tenía, que no lograba nombrar, si bien a veces llenaba páginas enteras de la Caja de Pandora con elucubraciones incoherentes sobre aquella sensación que sabía a melancolía y aprensión.

Las noches en que el estudio apaciguaba la agitación de su mente regresaba despacio a los aposentos de las damas, deteniéndose por el camino en un banco del patio principal para escuchar a los ruiseñores en las magnolias y, más lejos, las voces de las hermanas carmelitas que cantaban las alabanzas matutinas en su convento. Las noches en que la angustia no se dejaba vencer, cuando incluso escribir en su diario representaba una tortura, se dirigía a la capilla de palacio, donde los sacerdotes de la corte se reunían para cantar el oficio de medianoche. Se sentaba al fondo de la capilla, al pie del nicho de san Pedro, santo patrón de su abuelo, y aspiraba el timbre profundo del canto llano que resonaba por toda la nave, un canto que en ocasiones hacía aflorar lágrimas a sus ojos y a veces la sumía en sueños sobrecogedores.

Cierta noche, cuando salía de la capilla, se topó con la virreina que cruzaba sonámbula el patio envuelta sólo en un camisón transparente. Las aréolas oscuras de sus pezones se veían erectas y el triángulo púbico se marcaba con toda claridad a través de la tela. Buscaba a Juana Inés y la llamaba con voz estentórea que por alguna razón se mezcló con el cántico de los sacerdotes. De repente, alguien le dio una palmada en el hombro para despertarla. El capellán mayor se inclinó sobre ella con el ceño fruncido y señaló la puerta.

Por las mañanas le resultaba arduo despertar a tiempo para la misa y por lo general era la última en abandonar los aposentos de las damas. Ajustándose aún el corpiño o la mantilla, cruzaba la galería del ala este y los cuatro patios de palacio hasta entrar en la capilla por la puerta lateral y deslizarse en el asiento que le correspondía junto a la marquesa. Oía los murmullos de las otras damas mientras pugnaba por recobrar el aliento. Por su parte, la marquesa le lanzaba una mirada por encima del hombro y meneaba levemente la cabeza.

–No sé por qué os acostáis tan tarde –se quejó la virreina un día durante el desayuno–. Mirad qué ojeras. Estáis echando a perder vuestro cutis, Juanita.

–Son las únicas horas que tengo para estudiar, señora, y siempre procuro no molestar.

–Pues a mí siempre me despertáis cuando regresáis –aseguró la dama Eugenia.

–Y a mí –corroboró la dama Cristina.

–Todas nos desvelamos por su causa –añadió la dama Hilda.

–Tal vez deba pedir a mi esposo que os asigne una habitación para vos sola, Juanita –comentó la virreina–. No quiero riñas entre mis damas.

–No reñimos, marquesa –aseveró Hilda–. Sólo queremos hacerle entender que sus hábitos nocturnos nos afectan a todas.

–Es la única que se duerme en misa –terció doña Cristina.

–¡Yo no me duermo! –espetó Juana Inés.

–¡Señoras, por favor! Me decepcionáis. Veo que tendré que trasladaros de inmediato, Juanita. Recoged vuestras pertenencias después del desayuno; haré que un paje las lleve a vuestra nueva habitación. Creo que os instalaré en mi ala.

–Perdonadme, marquesa, pero no creo que ninguna de nosotras considerara justo que la más joven y... y menos privilegiada de nosotras dispusiera de una habitación para ella sola –objetó Eugenia.

–Estoy de acuerdo con doña Eugenia –se apresuró a convenir Juana Inés, aterrada ante la idea de caer en desgracia entre sus compañeras–. No quiero ningún privilegio especial. Tal vez si tuviera un poco más de tiempo durante el día...

–Y ahora quiere escabullirse de sus obligaciones –resopló doña Cristina.

—Su obligación es complacerme —le recordó la virreina con sequedad—, y me complace que continúe con sus estudios. No olvidéis que es la erudita de la corte. Decidme, Juana, ¿os robo demasiado tiempo? Quiero la verdad.

—Por supuesto que no, señora.

—Es evidente que sí. Os acaparo durante todo el día, y por ello os veis obligada a recurrir a los estudios nocturnos en la biblioteca. Veamos, os habéis tornado tan indispensable para mí que...

Juana Inés advirtió que las otras damas se miraban exasperadas.

—Marquesa, os lo ruego, no necesito favor especial alguno.

—Supongo que podría prescindir de vos durante el paseo matinal y en el salón por las noches, siempre y cuando no haya invitados. ¿Creéis que esos ratos serían suficientes? ¿O tal vez preferiríais disponer de la hora de la siesta?

Juana Inés se había acostumbrado a trabajar de noche y no imaginaba intentar estudiar en medio del bullicio diurno. Asimismo, debía reconocer que había tomado gusto a las actividades que se desarrollaban por las noches en el salón de la virreina. Entre partida y partida del juego que hubieran elegido, los cortesanos que se congregaban en torno a la mesa siempre la agasajaban con comentarios halagadores o le planteaban acertijos que sólo ella parecía capaz de descifrar. Eso provocaba risas y muy buen humor, granjeándole el aprecio de los caballeros, si bien lo que más anhelaba era la aprobación y la alegría de la virreina.

—Tal vez sería mejor la hora de la siesta —sugirió.

—Ay, querida, había olvidado cuánta falta me hace vuestra mandolina.

—Que trabaje por la mañana —propuso doña Eugenia—. Una de nosotras puede acompañaros a pasear, marquesa.

De tal modo quedó decidido que Juana Inés estudiaría tras despachar la correspondencia. Eso la obligaba a sacar sus libros y diarios de la biblioteca del virrey, quien se reunía con sus consejeros allí por las mañanas, pero la marquesa le cedió una habitación pequeña contigua a su salón con una ventana salediza que daba al huerto y la hizo amueblar con un escritorio de generosas dimensiones, un armario con cerradura y una butaca mullida. Juana Inés pidió la llave de la habitación y guardaba también bajo llave los diarios y cuadernos cuando no permanecía encerrada toda la mañana e incluso la noche entera, pues su cuerpo no podía descansar hasta que terminaba de plasmar todos los acontecimientos y sensaciones del día. En ocasiones se saltaba la comida y la marquesa se enojaba con ella, pero el virrey la elogiaba por su disciplina y diligencia, sin saber que dedicaba más tiempo a describir sus sentimientos que a leer los volúmenes de historia y filosofía que compraba en la librería de don Lázaro.

## 3 de septiembre de 1666

Me atormenta una extraña melancolía que es en parte añoranza, en parte soledad y en parte un anhelo que no alcanzo a nombrar. Qué absurdo sentirse sola en la corte cuando estoy rodeada de damas y caballeros, y estos últimos buscan mi compañía casi tanto como la marquesa y el virrey. Las damas me siguen la corriente pero no me aprecian. Cuando llegué a la corte, ninguna de ellas quería compartir su lecho conmigo, de modo que me asignaron el camastro junto a la ventana, donde, según las oí cuchichear, esperaban que me diera un aire que me obligara a marcharme de palacio. La virreina no tolera enfermedades en su séquito, dicen. No se dan cuenta de que el aire que respiraba en la hacienda de mi abuelo, allá en las colinas, era mucho más frío que el de la ciudad. Además, me gusta tener mi propia cama, por incómoda que sea.

Soy la única criolla de entre las damas, además de la más joven, y no comprenden ni aprueban que me haya convertido en la consentida de la marquesa. Todas ellas son elegantes damas españolas, según afirman, si bien he oído decir a algunos cortesanos que algunas de mis compañeras son criollas como yo y que otras llegaron de España poco después de nacer, y por tanto llevan aquí casi toda su vida.

Don Fabio de García y Godoy y yo hemos debatido si pueden o no ser consideradas criollas si no nacieron en Nueva España pero han pasado aquí toda su vida, se han criado con el aire, el agua, la luz, las costumbres, el habla y la comida del Nuevo Mundo. ¿Qué las distingue de alguien como yo, cuando la única diferencia existente entre nosotras es que mi tierra natal yace al pie de los volcanes y la suya se encuentra al otro lado del océano? Tenemos el mismo aspecto, hablamos igual, procedemos de la misma ascendencia. ¿Basta entonces el lugar de nacimiento para determinar la posición?, me pregunto. La sociedad en la que has crecido, en la que aprendiste tus conocimientos y valores, ¿no guarda relación alguna con quién eres? Como buen sevillano incondicional que es, don Fabio no lo cree. El lugar de nacimiento lo es todo, según dice. La tierra donde naces marca tu destino. Tened en cuenta la diferencia entre las personalidades cultas de Sevilla y los bárbaros de Barcelona o los estúpidos supersticiosos de Galicia, me recuerda. ¿Qué me decís de los léperos mendigos que no cesan de llegar de España?, le preguntó en cierta ocasión el atezado don Víctor, criollo como yo. El responsable es este país, respondió don Fabio. Se tornan disolutos en cuanto pisan esta tierra de vicio y disipación.

¿Cómo describiríais a los oriundos de Nueva España?, le pregunté. Por entonces ya nos rodeaba el resto de la corte, inclusive la marquesa y el virrey, y advertí que don Fabio se estaba alterando un tanto a causa de la concurrencia. Reflexionó sobre mi pregunta y por fin meneó la cabeza. Carecía de descripción alguna para los habitantes de Nueva España, concluyó. A fin de cuentas, no era su país y no conocía a los indígenas. Los demás caballeros peninsulares se apresuraron a aportar su granito de arena. Salvajes, exclamó uno. Magos, añadió otro. Primitivos, ladrones, perezosos, mulas, borrachos. Incluso el virrey expresó su opinión. Al igual que los esclavos, los indios no eran más que seres insurrectos que siempre tramaban venganza contra sus amos.

Acababa de leer la extensa *Historia verdadera de la conquista de la Nueva España*, de Bernal Díaz del Castillo, por lo que se adueñó de mí una furia justiciera que me impulsó a darles a todos una lección de historia de la provincia del imperio azteca. Señalé que la Corona española había construido una provincia sobre los cimientos de tan excelsa civilización. No eran ladrones, perezosos, mulas ni borrachos, les aseguré, antes de que los españoles llegaran cargados de enfermedades y licores, y se apoderaran de cuanto les venía en gana, entre otras muchas cosas de las mujeres indígenas. Y sólo se les consideraba salvajes y magos porque depositaban su fe en augurios e ídolos en lugar de en el símbolo de la cruz. ¿Qué diferencia había entre el sacrificio humano y las innumerables muertes ocasionadas por las guerras religiosas de Europa? ¿Acaso no sabían que el calendario de los aztecas, sus conocimientos astronómicos y sus códigos eran tan avanzados que incluso vaticinaron su propio hundimiento, que la arrogante mente de los españoles sólo alcanzó a atribuir a la brujería? Los pueblos primitivos no construyen pirámides, carreteras, plazas, fortalezas ni aviarios, proseguí. Y la codicia española, agregué como colofón mirando fijamente al virrey, perjudicó infinitamente más al país y sus gentes que cualquier insurrección abyecta de las castas.

Estaba tan alterada que no soportaba la idea de merendar entre ellos y supliqué a la marquesa que me disculpara, pues tenía jaqueca y había perdido el apetito. Tras las campanadas que anunciaban la queda, la virreina acudió a mi estudio con una jarra de chocolate caliente y un bollo dulce.

—Suponía que os encontraría aquí —comentó—. Las damas dicen que ni siquiera habéis ido al dormitorio común. Creía que teníais jaqueca, querida.

—No teníais por qué molestaros, señora. De verdad, no tengo apetito. Estoy demasiado furiosa para tener apetito.

—Por supuesto que estáis furiosa. Estos debates sobre países siempre acaban de esta guisa. Pero ¿por qué atormentaros a causa de ese currutaco de Fabio? Ese hombre mancilla el buen nombre de los sevillanos. No todos somos tan obtusos, Juanita. Vamos, tomaos el chocolate.

En aquel instante me percaté de que no me había movido de mi silla y la marquesa seguía de pie.

—Perdonadme, señora —farfullé al tiempo que me levantaba de un salto para cederle mi asiento—. Sentaos, por favor. ¿Podéis quedaros un rato?

—Cuando os asigné este cuarto no sabía que se convertiría en vuestra celda, Juanita —comentó la virreina mientras intentaba embutir las abultadas faldas y enaguas entre los brazos de la estrecha butaca—. Disponéis de un palacio entero por el que deambular, y sin embargo os encerráis aquí.

Prorrumpí en llanto sin razón aparente. La virreina me hizo sentar a sus pies, apoyó mi cabeza sobre su regazo y empezó a acariciarme el cabello, la mejilla, la oreja y la sien.

–Qué orejas tan diminutas tenéis, Juanita. Creo que deberíais realzarlas con perlas.

Mis lágrimas arreciaron, y no me di cuenta de que estaba estropeando el terciopelo negro de su vestido hasta que ya era demasiado tarde. Continúa de luto por el rey, y todos debemos vestir de negro, un color que casa a la perfección con mi extraño abatimiento. Cuando la oleada de emociones remitió por fin, la marquesa me ordenó que me acostara y me condujo al dormitorio común de las damas rodeándome la cintura con el brazo. Desde aquella noche, mi melancolía se ha acentuado y no puedo mirar a la marquesa sin pensar en sus dedos, su voz y sus muslos bajo el miriñaque.

*25 de noviembre de 1666 (festividad de santa Catalina)*

Hoy me siento como santa Catalina, acosada por alguien resuelto a distraerme de mi trabajo. Tras nuestra pequeña discusión, don Fabio no me ha dejado en paz. Hace ya dos meses que insiste en sentarse junto a mí en cada ágape, ser mi compañero en las partidas de cartas (a menos, claro está, que juegue la marquesa, ocasiones en que se sobrentiende que jugaré con ella), acompañarme a la plaza, la catedral, la arcada y la librería. Al principio me sentía halagada por sus atenciones y experimentaba cierta satisfacción malsana porque tanto Cristina como Hilda beben los vientos por don Fabio, pero su presencia constante se ha tornado tediosa, y me aburren sus galanterías y deferencias, que no son más que disfraces de un intento de seducción. Cuando intento provocar una discusión, se limita a inclinar la cabeza y me elogia por mi inteligencia. Me llama marisabia, su marisabia. Ayer intentó besarme cuando regresábamos de la corrida de toros y fingió ofenderse cuando le indiqué que no me complacían sus truculentos avances. Me he visto obligada a solicitar una audiencia privada con el virrey para rogarle que me ayude a desembarazarme del molesto don Fabio. El virrey lanzó una carcajada al escuchar mi descripción del comportamiento de don Fabio, pero accedió a otorgarle una subsecretaría para darle otra ocupación aparte de la de perseguir a las damas de compañía. Qué detestable soportar a todas horas la compañía de un hombre, sobre todo un hombre que ni siquiera se presta a discutir.

*13 de enero de 1667*

Por fin ha tocado a su fin la temporada navideña (no he tenido siquiera un instante para garabatear cuatro apuntes en este diario) y he podido volver a enfrascarme en mis estudios. Es el único modo de desterrar esta angustia que no cesa. Sé que el hecho de pasar tanto tiempo en compañía de la marquesa desencadena ese temblor en mi vientre, sobre todo ahora que doña Eugenia ha enfermado y no puede atenderla en el baño. No comprendo por qué mis manos desean deslizarse por la arquitectura de su cuerpo. En el agua espumosa, su piel es la seda más pura y fina. Dice que tengo unos dedos creados para lavar cabellos, que le gusta el cosquilleo de mis uñas sobre su cuero cabelludo. Cuando me dice tales cosas, froto con más fuerza y contengo las palabras que pugnan por brotar de mis labios. Vuestra cabeza es el sol, y yo un planeta insignificante de su órbita. ¿De dónde salen estas palabras, estos pensamientos que pueblan mis sueños y dejan tras de sí un rastro húmedo en mis muslos, un humor que no es orina ni menstruo?

Dios Todopoderoso, Virgen del Socorro, ¿acaso no existe remedio para esta sensación que me atormenta como una aflicción y al tiempo me proporciona tal placer ilícito? ¿Probó Eva la manzana por voluntad propia o fue algo en la naturaleza de la costilla de la que surgió lo que le impidió resistirse a la serpiente?

—Tengo una idea excelente, señora —anunció el virrey a la corte una tarde de primavera durante el almuerzo—. El palacio patrocinará un torneo entre nuestra excepcional Juana Inés y los miembros más eruditos de la universidad. Convocaré a catedráticos de todas las materias, teología, música, poesía, filosofía, física, matemáticas y astronomía, y los desafiaremos a que encuentren alguna laguna en la educación de Juana Inés.

—Pero si sólo tengo dieciocho años, Excelencia —intentó disuadirlo Juana Inés, sintiendo que la harina de maíz frita de la quesadilla de flor de calabacín se le adhería a la garganta—, y además no soy más que una dama de compañía. A buen seguro, no he aprendido lo suficiente para participar en semejante certamen. Aún no.

—Tonterías —espetó el virrey—. Si respondéis a sus preguntas como jugáis al ajedrez, estoy convencido de que los asombraréis y venceréis a todos.

Don Fabio se volvió para mirarla con sus enormes ojos castaños y frunció los labios.

—Magnífica idea, Excelencia. Estoy seguro de que resultará de lo más entretenido. ¿No estáis de acuerdo, Juana Inés?

—No, don Fabio, no estoy de acuerdo. No se me antoja entretenida la humillación pública.

—¡Bah! Habéis leído a Virgilio, Ovidio, Heráclito, Pitágoras, Galileo, sin lugar a dudas, y a Aristóteles. Seréis vos quien los humilléis a todos, Juanita —vaticinó el virrey—. Sois una humanista, podéis conversar sobre cualquier tema, de eso doy fe. Los profesores, por el contrario, se especializan en los angostos confines de sus materias. Un especialista en matemáticas sería incapaz de responder a una pregunta de física aunque le fuera la vida en ello.

—Tal vez Sigüenza... —aventuró uno de los caballeros.

—Si dejara de perseguir a las señoras, tal vez —se burló el virrey, lo que provocó risitas ahogadas entre las damas.

—Qué impropio de un jesuita —refunfuñó don Fabio.

—Pues a mí me parece impropio de una dama competir con hombres —terció doña Cristina.

—¿De veras? —exclamó la virreina con una sonrisa falsa—. ¿Preferiríais acaso que compitiera conmigo?

Doña Cristina enrojeció hasta la raíz del cabello y clavó la mirada en su plato.

—No será una competición —señaló el virrey—, sino más bien un recital, un torneo de memoria. Tengo fe ciega en las facultades de Juana Inés.

«Confunde la memoria con el conocimiento», se dijo Juana Inés, pero decidió dejarle que creyera lo que se le antojara.

—¿Qué decís, Juanita? ¿Os dejáis convencer?

—Como gustéis, señor.

Y por debajo de la mesa se pellizcó la pierna por todas las horas que había desperdiciado absorta en sus deseos pecaminosos cuando debería haber memorizado temarios de teología.

—¡Estupendo! —exclamó el virrey antes de apartar la silla de la mesa para levantarse e indicar al subsecretario por señas que lo siguiera—. Vamos, tenemos muchas cartas que redactar y un torneo que organizar. Señora... —se volvió hacia su esposa—. Señalad vuestro calendario para... Veamos, Juanita, ¿cuánto tiempo necesitaréis para prepararos?

Juanita se ruborizó ante la naturaleza repentina de aquella decisión.

—¿Tres meses? —sugirió vacilante.

—Magnífico. Tres meses a partir de hoy. Entonces será... será... —Chasqueó los dedos para que el subsecretario acudiera en su ayuda.

—Mediados de verano —indicó don Fabio.

—Muy bien, mediados de verano entonces. Las clases habrán terminado y los profesores estarán ociosos. Además, para esos días el luto ya habrá acabado. Magnífico. Ya os digo yo que sois un genio, Juana Inés.

La virreina le dedicó una sonrisa desde el otro lado de la mesa.

—Puesto que no podéis ir a la universidad, la universidad vendrá a vos —sentenció.

# 3

*11 de julio de 1667*

Perdonadme, Padre, porque he pecado; mi última confesión fue el día de san Juan. Perdonadme por no acudir al confesionario, pero no podía expresar este pecado en voz alta, Padre, y es posible que jamás pueda expresarlo por escrito. Tal vez ya sepáis, ya lo hayáis adivinado por mi lamentable comportamiento en presencia de la señora. Una fiebre vernal, lo llaman las damas, comentando con sorna cómo ha afectado a algunos cortesanos, pero sé que lo que me aflige no guarda relación alguna con la estación ni es natural para mi sexo. Sin embargo, nada puedo hacer, Padre, al igual que no puedo alterar el color de mis ojos o la forma de mis huesos. Castigadme como castigaríais al más vil de los pecadores, pero no me hagáis decíroslo. Arrancadme la lengua, Padre, sacadme los ojos, confinadme en un convento. Haced lo que se os antoje, pero no me hagáis hablar. Ruego a la más pura, a la más benévola, Nuestra Señora de Guadalupe, que me libre de esta fealdad. Ocultadme bajo vuestra túnica, Señora, aplastadme bajo vuestros pies como si fuera una serpiente.

—Abrid esta puerta, Juana Inés, o haré que la eche abajo uno de los albañiles —amenazó la marquesa desde el otro lado de la puerta barrada—. ¿Qué os ocurre, muchacha? ¿Acaso os ha picado la viruela y guardáis cuarentena?

Pero Juana Inés no podía contestar, sino que dejó caer la pluma sobre el pergamino y sintió que la fealdad se henchía en su interior y le brotaba de los ojos en forma de lágrimas inocentes.

—Comprendo que estéis asustada, Juana —prosiguió la marquesa—, pero el virrey y los profesores os esperan en el salón. No querréis avergonzar a la corte, ¿verdad?

«Si vos supierais —pensó Juana Inés—, si conocierais este pecado que no puedo confesar.» Pero la marquesa estaba en lo cierto; si se negaba a participar en el torneo, el palacio quedaría en ridículo, y no podía permitir que su propia fealdad contaminara los planes del virrey.

La marquesa ordenó a su paje que volviera a golpear la puerta.

—Sí, señora —contestó por fin Juana—. Ahora mismo voy.

—Gracias a Dios que habéis recobrado la razón, niña. Apresuraos. Todos han acabado de cenar. Me temo que no tendréis tiempo de comer, querida.

—No tengo apetito, señora —aseguró Juana Inés al tiempo que sostenía la confesión que acababa de escribir sobre una vela encendida.

Guardó la caja de escritura bajo la cama, abrió el ropero y repasó sus hermosos vestidos, todos ellos presentes de la marquesa, pero no podía llevar nada que estimulara la fealdad y la distrajera. En aquel torneo, lo único que importaba era su memoria; su cuerpo y su rostro carecían de importancia, y por tanto llevaría el vestido más sencillo, el negro con cuello de encaje blanco y botones de marfil.

En el espejo, sus ojos aparecían enrojecidos como si se los hubiera restregado con higos chumbos, y su piel tenía el color de la pulpa del maguey. Vertió agua en la jofaina y se humedeció el cabello. Se lo trenzaría sin más y lo adornaría sólo con un lazo negro. No llevaría joya alguna, ni siquiera el camafeo que le había enviado su madre ni mucho menos la gargantilla que la marquesa le había regalado al cumplir los dieciocho años ni las perlas que realzaban sus orejas. Apartó la pesada cómoda de la puerta, convencida de que el paje de la marquesa la esperaría al otro lado, pero en la galería sólo vio a unas esclavas cubriendo las jaulas de los pájaros.

Respirando despacio para relajar los músculos del cuello, Juana Inés se dirigió hacia el gran salón en el que se celebraría el certamen sin inquietarse por las preguntas que le plantearían. En el fondo de su corazón sabía que la fe que el virrey depositaba en su intelecto no era infundada y había estudiado con suficiente ahínco para merecer una licenciatura, de ello no le cabía la menor duda. Sin embargo, ahí estaba, en el día en que más necesitaba pensar con absoluta claridad, absorta en esa cosa, ese anhelo que la había empujado por fin a la transgresión.

Intentó pensar en otra cosa. ¿Qué le preguntarían sobre teología, la materia que peor se le daba? La diferencia entre Calvino y Lutero... Pero no lograba desterrar de su mente la escena catalizadora del pecado que había intentado confesar a la Caja de Pandora.

Durante tres meses se había consagrado por entero a sus libros. Eludía toda compañía, sobre todo la de la virreina, renunció a las festividades de Carnaval y Corpus Christi, comía en su diminuto estudio y pidió que le instalaran allí un camastro para no molestar a sus compañeras. La fuerza de voluntad y el amor natural que profesaba a los estudios le habían permitido subyugar la melancolía y los anhelos. Pero la noche anterior, al dirigirse hacia el dormitorio para descansar más cómodamente en previsión del arduo concurso que la esperaba al día siguiente, presenció una escena que, sin lugar a dudas, el diablo le había reservado para su perdición.

Era tarde, como de costumbre, y todas las damas dormían a pierna suelta cuando entró sigilosa en la habitación común. No quería hacer ruido buscando su camisón en el ropero, de modo que se despojó de todas las prendas salvo la camisola y se deslizó entre las sábanas. A punto estaba de reposar la cabeza sobre la almohada cuando oyó una risita ahogada procedente del patio de las doncellas, la zona privada de las damas de compañía. Entreabrió el postigo para mirar. Era poco después de maitines y la luz plateada de la luna bañaba el patio. Vio a doña Eugenia con uno de los cortesanos, don Víctor, de pie al lado de la fuente, muy juntos. Don Víctor estaba detrás de ella y le hacía cosquillas en el cuello con la lengua mientras le oprimía los pechos con las manos y apretaba las caderas contra sus nalgas.

Juana Inés se aferró con fuerza al alféizar, sabedora de que no debía espiar, pero incapaz de desviar la vista hasta que una de las damas se quejó de la luz que se filtraba por el postigo entreabierto.

Sin darse cuenta de lo que hacía, Juana Inés volvió a acostarse, y sus dedos hallaron la fuente de todos sus anhelos. No dejó de tocar, hurgar, frotar y apretar las caderas contra el colchón hasta que Eugenia regresó al dormitorio oliendo a sudor de caballo. Las campanas tocaron a prima. Sólo entonces logró conciliar el sueño y durmió como no dormía desde que abandonara Panoayan, el sueño profundo e inocente de una niña saciada. Pero no era inocente. No era inocente en absoluto.


—Al fin llegáis, Juana.

Una voz masculina la arrancó de su ensimismamiento, y se dio cuenta de que había llegado ante la gran puerta doble del salón del este. Uno de los porteros le había dirigido la palabra.

—Eso parece, Silvio —replicó con la esperanza de que una fachada de sequedad encubriera cualquier indicio de aflicción.

Entró sin esperar a que Silvio le abriera la puerta. El chambelán y sus ayudantes servían tazas de chocolate a los cuarenta examinadores sentados en la parte delantera del salón. El arzobispo, fray Payo de Ribera, los hidalgos más nobles y sus esposas, estudiantes de la universidad, los familiares de los caballeros y damas de compañía... Todos habían sido invitados a asistir al certamen, y otra sección de la estancia estaba atestada de dominicos, franciscanos y jesuitas. Entre ellos se contaba el padre Antonio Núñez de Miranda, confesor y guía espiritual de la corte, la clase de sacerdote que, según se rumoreaba, veneraba el látigo con la misma pasión que la cruz y manchaba las paredes de sus aposentos con su propia sangre. Juana Inés se sentía vulnerable, convencida de que la fealdad de su alma sería patente a los ojos del padre Núñez, y si no de fray Payo o el abad de San Francisco. Por un instante le acometió la sensación de que la memoria y todo lo que había aprendido se evaporaba en el ardor de su miedo.

—Por fin, Juana Inés —exclamó el virrey al tiempo que se levantaba para recibirla—. Caballeros, es para mí un inmenso placer presentaros a la protegida de la corte, amiga y compañera de la virreina, doña Juana Inés Ramírez de Asbaje.

Juana Inés se situó junto al banco colocado frente al público e hizo una reverencia.

—Perdonadme por haceros esperar. He estado indispuesta —explicó con voz temblorosa.

—¿Queréis que aplacemos el torneo, Juana? —inquirió el virrey.

—No querría que los profesores creyeran que me rindo sin luchar —repuso Juana Inés antes de sentarse—. Estoy preparada para comenzar. Gracias, señor virrey.

—Magnífico —se alegró el virrey, volviéndose hacia el público—. Fray Payo, padres, apreciadas damas, nobles caballeros, como sabéis, nos hemos reunido aquí para poner a prueba la educación de nuestra protegida, que, como también sabéis, ha adquirido sin la ayuda ni guía de maestro alguno. Comprobaremos si nuestros excelsos profesores de la Real y Pontificia Universidad de México logran encontrar alguna laguna en la formación de Juana Inés o si Juana Inés logra encontrar imperfecciones en la vuestra.

Uno de los profesores lanzó una risita ahogada cubriéndose la boca con el puño de satén.

—Señor López —exclamó el virrey—. Puesto que estáis de tan buen humor, os concederé el honor de formular la primera pregunta.

Dicho aquello, el virrey volvió a acomodarse en la butaca de terciopelo morado junto a la marquesa.

Resuelta a rehuir la luz verde y dorada de los ojos de la virreina, Juana Inés miró fijamente al padre Núñez en un intento de averiguar si conocía su secreto. El sacerdote le dedicó un ademán paternal y los temores de la muchacha se disiparon, dando paso a la fuerza de su memoria. Sabía que la palidez y los ojos inyectados en sangre la traicionaban, le conferían el aspecto de la chiquilla insípida y atemorizada a la que los profesores consideraban con condescendencia o desdén. Sin embargo, estaba decidida a ganar el torneo, y si conseguía conservar intacta la lógica y no sentirse como un mono actuando en la plaza mayor, el triunfo sería suyo.

—Doña Ramírez —empezó el profesor López—, puesto que comenzamos por la filosofía, como está mandado, sería para mí un honor escuchar de vuestros eruditos labios las cinco condiciones del ave solitaria según san Juan de la Cruz.

Juana Inés cerró los ojos, se concentró en la imagen de su diario de citas y por fin visualizó su mano copiando el texto al que el profesor López hacía referencia.

—Debe volar a la cumbre más alta, no temer la soledad, cantar a los cielos, ser de color indefinido y canto suave. Y añadiré, señor, si bien no me habéis pedido que me extienda, que san Juan de la Cruz se refería al alma humana. Copié el pasaje en mi cuaderno porque era la primera vez que leía una idea que hacía aflorar lágrimas a mis ojos, y os aseguro que el llanto no forma parte de mi naturaleza, señor.

—¿Qué decís, señor López? —preguntó el virrey a su invitado—. ¿Ha satisfecho Juana Inés vuestra curiosidad?

El profesor apretó los labios y asintió a regañadientes.

—Reconozco vuestro acierto al evaluar la memoria de la muchacha, Excelencia —murmuró.

—¡Siguiente! —exclamó el virrey.

Un profesor entrado en años y con la peluca algo ladeada se puso en pie.

—Ah, don Jorge —saludó el virrey—. Confío en que vuestra pregunta represente un desafío algo mayor para nuestra protegida que la anterior.

—Antaño, el arte de la poesía, al igual que todas las demás artes, se consideraba sólo una imitación, un artificio que imitaba el único arte verdadero —graznó el anciano—. ¿Qué opinaban los griegos de la poesía, joven señora, y del fenómeno de la inspiración?

*Perdonadme, Padre, porque no puedo evitar el pecado, pecados profundos y terribles que florecen como hongos envenenados en mis sueños.*

—Doña Ramírez, ¿podríais definir las matemáticas según Pitágoras y explicar la aportación de Euclides a dicha materia, así como el principio de Arquímedes?

*El amor anida en mi corazón, Padre, pero es un amor vil, antinatural, innombrable, pero también tan profundo y puro que casi se me antoja sagrado.*

—Una pregunta de la Facultad de Música, tal vez —sugirió el virrey, mirando al público con una sonrisa sardónica.

Un hombre tocado con bonete de terciopelo marrón y borla verde se levantó de su asiento.

*He profanado la bondad de la virreina, Padre. Ella ha depositado en mí su confianza, me ha amado, se ha mostrado generosa en extremo, y yo en cambio la he mancillado con mi fealdad. Como dice san Agustín: «He ensuciado la corriente de amistad con la mugre de la obscenidad y he enturbiado sus aguas cristalinas con el río infernal de la lujuria».*

—¿Querríais explicarnos la diferencia entre la retórica deliberativa, forense y epideíctica, doña Ramírez, y crear un silogismo basado en un entimema popular basado en la última de ellas?

*La ayudo en el baño. Le trenzo el cabello. Le sirvo chocolate. La atiendo, como es mi obligación, como las otras damas. Pero ninguna de ellas, lo sé, está manchada como yo. Entre ellas refunfuñan por la obstinación de la virreina, por su mal genio, por el modo en que las trata, como si fueran esclavas.*

—Hace unos instantes hablabais de la naturaleza de la luz y la iluminación espiritual, doña Ramírez. Examinemos el tema de la luz desde una perspectiva menos esotérica y más mundana. Me refiero, por supuesto, al sol, y os pregunto concretamente, si bien dando un rodeo, acerca de Copérnico, ¿qué teoría de Copérnico escandalizó al Santo Oficio? ¿Y quién y qué demostraron que Copérnico estaba en lo cierto?

*Sé que tienen razón, Padre, pero no la culpo. Es una artista atrapada en un cuerpo de mujer. La comprendo, pues también yo me siento atrapada en mi cuerpo.*

—¿Podríais nombrar los cuatro textos del Código de Justiniano y explicar su uso en el derecho romano, Juanita? —pidió el rector de la universidad, íntimo amigo del virrey.

*No siempre he sido consciente de mis sentimientos, Padre. Me asaltaron la semana pasada, cuando estábamos... cuando estaba... estábamos en el jardín. La marquesa realizaba un dibujo que quería titular «Atenea entre calas» y me había ordenado posar para ella envuelta en una sábana amarilla colocada de modo que parecía una túnica griega. Había arrancado una cala del tallo para ponérmela tras la oreja, y yo señalé que, como patrona de la guerra, no era muy probable que Atenea llevara flores en el cabello. Inten-*

*té convencerla de que cambiara el título del dibujo por «Afrodita entre ca-*
*las», pero ella se echó a reír. Eso no resultaría original, Juana Inés, respon-*
*dió. Todo el mundo espera que la diosa del amor se rodee de flores, no así la*
*diosa de la sabiduría y patrona de la guerra. Quiero plasmar a Atenea tal*
*como podría haber sido sin su armadura, ágil, despreocupada, voluptuosa,*
*libre de pensamientos bélicos, inocente pero suculenta, como las calas.*

—¿Poseéis alguna prueba escolástica o aun científica que avale esa singular conjetura vuestra, esa premisa inconsecuente según la cual las mujeres pueden aspirar a las mismas dimensiones mentales y espirituales que los hombres? Según la cual las mujeres son, de hecho... —el escuálido profesor de retórica miró en derredor con una risita burlona—... iguales a los hombres.

Varios presentes corearon sus risas.

—No se trata de una premisa inconsecuente, señor de la Cadena —replicó Juana Inés con el rostro arrebolado—. Dicen las Sagradas Escrituras que Dios creó al hombre a su imagen y semejanza, y a la mujer del hombre. De ello se deriva que también la mujer fue creada a imagen y semejanza de Dios. El entimema demuestra, no refuta la igualdad entre hombre y mujer, pues uno fue creado en imitación de Dios y la otra en imitación de la imitación de la perfección. Puesto que sabemos que Dios no comete errores, Su reproducción de Sí mismo fue perfecta, al igual que la reproducción de la imagen perfecta. Por tanto, no es posible que el hombre sea más perfecto que la mujer, ya que ambos fueron creados a la imagen perfecta de Dios.

—Bien argumentado, Juana Inés —alabó la virreina.

Varios profesores se volvieron hacia la marquesa con miradas enojadas. Junto a ella, el virrey supervisaba la puntuación en una tablilla. Por cada pregunta que respondía acertadamente, Juana Inés recibía un punto, mientras que las preguntas que no contestaba otorgaban tantos a los profesores. Por el momento, advirtió la joven, sólo su propia columna sumaba puntos.

—Otra pregunta de la Facultad de Matemáticas y Astrología —pidió el virrey—. Doctor Sigüenza, aún no habéis intervenido.

Un joven con la coronilla calva y rodeada de cabello largo y lacio se levantó de su asiento entre los sacerdotes. Llevaba sotana de jesuita y gruesos anteojos de erudito.

—Doña Ramírez, ¿creéis en la influencia del zodíaco sobre el carácter y el destino de las personas? Los mayas tenían una forma de interpretar los cielos a través de letras de su alfabeto...

*Y entonces la marquesa hizo un comentario sobre el color amarillo, diciendo que realzaba las motas avellanadas de mis ojos y disipaba la palidez melancólica de mi tez. Nunca había reparado en la expresividad de tu boca, Juana Inés, dijo, y las rodillas empezaron a temblarme. Tal vez fue la inusual descripción que la marquesa hizo de las calas lo que me desarmó, lo que me tornó tan susceptible al sonido de su voz, o tal vez el sol me había dado demasiado tiempo sobre la cabeza (llevábamos toda la mañana en el jardín), pero en cualquier caso me sentía aturdida. Percibí que me acometía un ataque de vértigo, y el cuerpo entero me escocía como si acabara de abalanzarse sobre mí un enjambre de abejas.*

*Me vi obligada a sentarme. La marquesa se alarmó sobremanera; se culpó por haberme causado lo que interpretó como una insolación y ordenó de inmediato a una de las criadas que trajera un abanico y una jarra de agua. Luego me condujo a la fresca sombra del cenador, empezó a abanicarme y canturrearme como si fuera su hija. Pero no fue un sentimiento filial lo que yo experimentaba en aquellos instantes. Y no fue un instinto filial lo que me impulsó a reposar la cabeza contra su pecho e intoxicarme con su proximidad. Padre, estoy tan avergonzada, tan asustada... La amo tanto...*


—No os he oído, doña Ramírez.

—Perdonadme, señor —se disculpó Juana Inés, dándose cuenta de que se había adentrado en exceso en ese hemisferio peligroso de su mente en el que la lógica carecía de raíces—. ¿Podríais repetir la pregunta, por favor? Me temo que estoy un poco cansada.

—Por supuesto, querida —terció la virreina antes de volverse hacia el virrey y añadir—: Tal vez ya hemos visto suficiente, esposo. Por mi parte estoy convencida de que lo que he presenciado hoy equivale a un galeón real desembarazándose de las molestas flechas de varias canoas.

—Una analogía exquisita, señora —elogió el virrey—, pero me gustaría escuchar la respuesta de nuestro galeón a esta última pregunta. Proceded, don Carlos.

—Preguntaba a nuestra joven erudita si sabe qué simbolizaba la letra O para esa civilización tan avanzada, si bien pagana, que eran los mayas —repitió el joven jesuita, colega del padre Núñez, Carlos de Sigüenza y Góngora, que sentado con los brazos cruzados, le guiñó el ojo aumentadísimo por la gruesa lente.

—Como sabéis, señor, no se ha escrito gran cosa acerca de la historia y la filosofía del antiguo México aparte de lo que ha producido vuestra ilustre pluma —repuso Juana Inés—, pero en la hacienda de mi abuelo, donde crecí, había un jardinero maya que me contó una historia sobre tres letras sagradas. Si no me falla la memoria, eran la T, la G y la O. Era un hombre muy anciano y yo sólo una niña ávida de relatos. Por desgracia, lo único que recuerdo es lo siguiente: érase una vez un árbol bendito que recibía el nombre de Árbol de la Vida. Era tan alto que sus ramas rozaban la Vía Láctea, el sendero en espiral por el que viajaban los dioses y en el que se desplegaba la existencia. La fruta de aquel árbol era la mente humana, madura y redonda como una granada, con semillas llenas de lo que denominaba «La Nada y el Todo».

—¡Basta ya de tanta charlatanería pagana! —gritó de repente una voz.

Era el padre Núñez, que se había puesto en pie a espaldas del arzobispo con el rostro blanco como la nieve.

—¡El zodíaco! ¡El árbol de la vida! ¡El sendero en espiral! ¡La igualdad de las mujeres! Me escandaliza, Excelencia, que hayáis permitido a esta muchacha salpicar sus estudios de lecturas tan arcanas y profanas.

—Es un escándalo, sin duda —corroboró don Carlos, guiñando de nuevo el ojo a Juana Inés.

El arzobispo miró al padre Núñez con el ceño fruncido.

—Un galeón real, sin lugar a dudas —sentenció el virrey al tiempo que se levantaba—. Con el marcador en cuarenta a cero, proclamo a la protegida de la corte vencedora de este torneo.

Empezó a aplaudir, y el resto del público siguió su ejemplo, pero Juana Inés percibió que el aire entre sus palmas se había tornado tan tenso como sus propias cuerdas vocales.

—Un refrigerio y algo de música nos aguardan en el patio —anunció la virreina.

Procurando hacer caso omiso de sus miradas furtivas y sus ademanes, Juana Inés siguió con la mirada a las señoras cuchicheantes y a los caballeros indignados que cruzaron el umbral abovedado en pos de la marquesa. Había esperado que la virreina la felicitara de algún modo, tal vez con un beso, un abrazo, una sonrisa. Pero la marquesa ni siquiera le había dedicado una mirada, y Juana Inés se sentía paralizada en el banco, abandonada. A dos metros de distancia, el virrey, el arzobispo y el padre Núñez hablaban acerca de su educación.

—¿Cómo puede saber que algo está prohibido si no tiene maestros? —preguntó el arzobispo al padre Núñez.

—Como censor del Santo Oficio, Ilustrísima, me veo obligado a dar parte de ella. Su alma corre peligro de excomunión si prosigue con sus estudios herejes.

—Seamos razonables, padre Núñez —intercedió el virrey—. Sabéis desde que la muchacha vive en palacio que es una devoradora de libros y posee facultades de memoria excepcionales. ¿Acaso es culpa suya si recuerda cosas que no debería? ¿Excomulgará la Santa Sede a una joven por tener buena memoria?

—Juana de Arco fue quemada en la pira por escuchar a los ángeles —señaló el padre Núñez—, y eso que era una heroína nacional.

—Os excedéis en vuestro celo —lo reprendió el arzobispo con una risita.

El imán negro de los ojos del padre Núñez obligó a Juana Inés a apartar la mirada del collar de encaje de su vestido.

—Miradla, Ilustrísima —exclamó—. Sabe que ha agraviado a Dios y a Nuestra Madre Iglesia, ¿verdad, Juana Inés? Venid aquí, hija mía, debemos hablar del futuro de vuestra alma.

Juana Inés se acercó a él como una sonámbula, arrastrando tras de sí su victoria sobre los profesores como si de una pesada cruz se tratara.

—Os ruego me perdonéis, querida —se disculpó el virrey—. No tenía idea de que el torneo acabaría de este modo. Confío en que el padre Núñez —dijo, lanzando al sacerdote una fulminante mirada de soslayo— no condene mi alma si os felicito por una actuación que no sólo ha superado mis expectativas, sino también ha intensificado mi admiración por vuestro talento y, sin lugar a dudas, os ha granjeado el respeto de vuestros colegas. Y es que pese a vuestro sexo y edad, querida mía, sois colega suya, de eso estoy plenamente convencido.

–No puedo por menos que convenir con el virrey –intervino el arzobispo–. Mis más sinceras felicitaciones, Juanita. Si algunos de mis prelados poseyeran vuestra inteligencia...

En el patio empezó a sonar la música. El virrey se llevó la mano de Juana Inés a los labios y le rozó los dedos con el bigote–. ¿Me concedéis el honor de acompañaros a vuestra recepción?

–Querría hablar con la muchacha a solas, señor –pidió el padre Núñez.

El virrey asintió y abandonó el salón en compañía del arzobispo. Juana Inés se sentía abandonada a su suerte. El padre Núñez alzó la mano derecha. Juana Inés retrocedió un paso, convencida de que el sacerdote la abofetearía, pero el padre Núñez se limitó a trazar una cruz en el aire, su condenación o su salvación.

–Sé que no sois una hereje, niña, y comprendo lo que dice el virrey acerca de vuestra memoria y vuestra voraz afición a los libros. Por esta razón tengo una propuesta para vos, un modo de encaminar vuestra mente hacia un aprendizaje superior y al tiempo salvar vuestra alma. ¿Qué os parece la idea de ser una esposa?

–¿Os referís al matrimonio? –exclamó Juana Inés, llevándose la mano a la medalla de santa Catalina.

–El más grande de los matrimonios –puntualizó el sacerdote, cuyos ojos refulgían como la obsidiana.

Juana Inés cerró los ojos e imaginó las manos de un hombre sobre su cuerpo, sus labios y barba sobre su rostro, su vientre cargado de hijos, su mente arrugada como una pasa.

–¡Oh, no, padre! –imploró al tiempo que se aferraba a las amplias mangas de su sotana–. Os ruego que no me obliguéis a contraer matrimonio. ¡Por favor, padre!

–No me refiero a un matrimonio terrenal, simplona. Dentro de ese vestido negro veo a una humilde y obediente esposa de Cristo, tal vez de la orden de las carmelitas. Eso es, las carmelitas os despojarán de esa vanidad que os ha adentrado en tierras peligrosas.

–¿Las carmelitas, padre? –musitó Juana Inés con un nudo en la garganta.

El padre Núñez alzó la mirada hacia las velas del candelabro e hizo el triple signo de la cruz.

–Ahora veo la infinita sabiduría de tus designios, Padre –suspiró.

–Pero estoy inscrita como hija de la Iglesia, padre –le recordó Juana Inés–. No tengo padre ni dote; nunca podré ser monja. Yo soy...

¿Qué era? ¿Qué podía ser?

–Soy una pecadora, padre.

–Por supuesto, hija mía –repuso el padre Núñez–. Por supuesto.

# 4

Juana Inés no duró ni tres meses entre las carmelitas.

—¡Santa Madre de Dios! —profirió la marquesa cuando la muchacha apareció de repente en el jardín de rosas del palacio—. ¿Sois vos, Juanita? Me habéis asustado. Parecéis Lázaro recién llegado de entre los muertos. ¡Pero si estás hecha un saco de huesos! ¿Qué os han hecho?

De pie ante el caballete a la sombra de las magnolias, con la bata manchada de distintos colores, la marquesa abrió los brazos y la estrechó contra sí.

—Pero ¿qué os han hecho? Ángel mío, pobre ángel mío. Parecéis muerta de hambre. ¿Y qué le han hecho a vuestro hermoso cabello?

Juana Inés aspiró la fragancia del óleo sobre la piel de la marquesa. La suavidad de sus senos contra los huesos de su pecho despertó sus ansias y reavivó el dolor en todos sus miembros, al tiempo que el entumecimiento de tres meses se disipaba bajo las caricias de la marquesa.

—He leído la *Guía espiritual* de la orden de las carmelitas —decía la marquesa—, ese panfleto obsceno. ¿Cómo he podido dejar tu vida en sus manos? ¡Cilicios para dormir y fajas de cáñamo alrededor de los pechos! ¡Qué insensatez por parte del padre Núñez enviaros a esa cámara de tortura que se llama a sí misma convento! Hubiera debido llevaros a las jerónimas o a las agustinas. ¡Ese hombre es un sádico! Y las carmelitas, unas criminales. Me prometieron que cuidarían de vos. ¿Acaso no os daban nunca de comer, mi pobrecita Juana Inés?

La joven no confesó a la virreina que fue ella quien decidió dejar de comer, que el dolor que le causara marcharse de palacio le había cerrado el estómago. Al principio, las carmelitas la elogiaron por su fuerza de voluntad y devoción. Creían que ayunaba por alguna razón sagrada. A sus ojos, Juana Inés era una visionaria, otra Teresa que vivía de dolor y aire. De vez en cuando, alguien le llevaba una esponja empapada en agua con miel. Más adelante intentaron que comiera caldos, trataron de despertarle el apetito con el aroma del pan recién hecho, pero Juana Inés no tenía hambre, ni deseo alguno de vivir, ni fuerza para abrir la boca siquiera. Llegó un momento en que las piernas ya no la sostenían. El padre Núñez acudió para confesarla por última vez, y lo único que consiguió articular fue «marquesa». El sacerdote le espetó que era débil, que sabía que utilizaba el ayuno como estratagema para regresar a palacio. No comprendía que la palabra «marquesa» era su confesión, el significante de su pecado. Las carmelitas se sintieron traicionadas cuando se marchó; su visionaria no era más que una niña aquejada de añoranza.

—¿Por qué no me avisasteis, Juana Inés? El virrey y yo habríamos enviado por vos de haberlo sabido.

—No nos permitían escribir, señora. Me confiscaron las plumas, los cuadernos, la mandolina e incluso el rosario de jade que me regalasteis. Una vez, de todos modos intenté escribir. Robé un poco de pergamino, una pluma y un poco de tinta de la enfermería, y lo escondí todo en los pliegues de la cinturilla. Pero una de las monjas enfermas me sorprendió y notificó mi infracción a la abadesa.

—¿El padre Núñez sabía que os marchabais hoy?

—La abadesa se lo dijo.

—¿Y ha permitido que vengáis sola en vuestro estado?

—El convento de San José está a sólo una manzana de palacio, señora.

—Aun así, debería haber tenido la decencia, si no la compasión, de acompañaros. A fin de cuentas, le faltó tiempo para llevaros a esa guarida de iniquidad. Cuando el marqués vuelva de Santa Fe y tenga noticia de este asunto, cuando lea ese manual de tortura que las carmelitas llaman guía espiritual, estoy segura de que reprenderá al padre Núñez. Y ahora, Juana Inés, vamos, habéis de comer algo.

La marquesa la sostuvo con firmeza por la cintura mientras la conducía hasta la mesita de mármol situada junto a la fuente, a la que Juana Inés y el virrey jugaban sus partidas de ajedrez por las tardes. Una de las damas de compañía había llevado una bandeja con agua de hibisco y cáscaras de lima azucarada rellenas de coco.

—Juana Inés, os presento a Ester —anunció la marquesa, señalando a la joven que servía dos vasos de refrescante agua de Jamaica—. Vino para sustituiros cuando el padre Núñez os arrancó de mi lado.

Juana Inés no podía mirar a la muchacha sin preguntarse si también a ella la afligía aquella fealdad que la había apartado de palacio. Pero no, Ester era inocente; en sus ojos no vio más que el reflejo azul celeste de las baldosas de la fuente.

—Gracias, Ester, podéis retiraros. Sentaos, Juana Inés, os sostendré el vaso mientras os acomodáis.

Bebió un sorbo y apretó la mandíbula al sentir la acidez del líquido. Llevaba una semana sin tomar más que agua y claras de huevo crudas a fin de hacer acopio de fuerzas para marcharse del convento.

—¿Habéis leído el diario que os dejé en mi caja, señora? —inquirió después de que la marquesa tomara un bocado de pastelillo.

La marquesa se limpió los labios con una servilleta de encaje.

—Por supuesto. Sabéis que leo cuanto escribís. Fue muy amable por vuestra parte ponerlo a mi disposición.

—Me alegro de no haberlo llevado conmigo, porque sin duda me lo habrían confiscado.

La marquesa meneó la cabeza sin apartar la mirada del vaso.

—Habría sido una lástima; es una caja preciosa.

—De haber sabido que sería una cobarde incapaz de soportar los rigores del noviciado, jamás os habría dejado una crónica tan obscena.

—No me ha parecido en absoluto obscena, Juana Inés.

—¿Ahora ya sabéis por qué me fui de palacio?

—Sospechaba que estabais atribulada por alguna razón.

—¿Y aun así no habéis dado parte de mí al padre Núñez y toleráis mi presencia? ¿Por qué, señora?

—¿Acaso hace falta que os explique el amor que siento por vos, Juana Inés? ¿De qué voy a acusaros? ¿De ser ingenua? ¿De estar confusa? ¿De necesitar amor? Sólo habéis pasado ocho años de vuestra vida junto a vuestra madre y veis en mí a su sustituta. ¿Qué mal hay en ello?

—Perdonad que os contradiga, señora, pero nunca, ni con las carmelitas, ni en palacio, ni siquiera con los Mata, ni una sola vez en los once años que llevo lejos de casa he añorado a mi madre como he añorado regresar a vuestro lado estos últimos tres meses. No puedo vivir sin vos. Lo que siento por vos es pecado, lo sé; pero he estado en el purgatorio, señora. Me han sangrado con todos los métodos imaginables. He llevado fajas de pelo de camello y me he flagelado hasta sangrar, pero nada de todo ello ha logrado limpiar el pecado, ni siquiera las fiebres.

—El amor nunca es pecado, Juana Inés. El amor es nuestra alma y al igual que la Palabra, carece de género —musitó la marquesa.

—¿Habéis pedido al padre Núñez su opinión al respecto? ¿O tal vez a vuestro esposo? ¿Qué creéis que dirían si les contarais lo que he escrito en mi diario? ¿Creéis que la Inquisición consideraría amor filial el amor que siento por vos? ¿O bien me acusarían de blasfema, de hereje, para luego encender las antorchas en el quemadero?

—Juana Inés, tendéis a exagerar la nota. Hace años que nadie arde en el quemadero. Ya no se hace, es espantosamente salvaje. Además, nadie va a descubrirlo, querida. He quemado las páginas, tanto por vuestra seguridad como por la mía. Los hombres y los sacerdotes no comprenden que existen distintas clases de amor, que una mujer puede amar a otra tal vez más de lo que un hombre puede llegar a amar a su esposa, ni que una mujer puede amar a otra entre cuyos brazos siente la calidez del amor materno. Los hombres no entienden esas cosas, pueden ser muy crueles, y por ello más vale que no volvamos a hablar de ello. Pero os ruego que no estigmaticéis vuestros sentimientos. No flageléis también vuestro espíritu. Algún día, el hombre adecuado os hará olvidarlo todo.

—No quiero un hombre, marquesa.

—Comprendo que en mi deseo egoísta de manteneros a mi lado he descuidado mis obligaciones. Doña Eugenia y don Víctor se desposaron pocas semanas después de vuestra partida. Por su parte, doña Hilda ha encontrado un buen partido en el hijo de la viuda de Calderón y contraerá matrimonio con él en primavera. Debo pedir al virrey que empiece a hacer indagaciones en vuestro nombre.

—Os ruego que no os molestéis, marquesa. No me casaré jamás.

—Pero aún sois joven y muy hermosa, Juanita. Por supuesto que os caséis y tendréis hijos preciosos e inteligentes.

—Si mi supervivencia dependiera de un hombre, señora, ya yacería en mi tumba.

La marquesa alargó la mano y le acarició la muñeca con el pulgar manchado de pintura.

—Eres quince años más joven que yo y pocos años mayor que mi hija, a la que no veo desde que llegué a Nueva España, de modo que, como comprenderás, me resulta difícil no hacerte de madre. Pero al oírte hablar con tal candidez, al recordar esos versos de tu diario, cierro los ojos e intento separar tus palabras de tu sexo, y lo cierto es que me siento... cómo describirlo... halagada... más aún... conmovida por la profundidad de tu devoción.

Juana Inés ya no podía seguir conteniéndose.

—No sé qué es el deseo, marquesa —espetó, oprimiendo la mano de su señora—. Sólo sé que tiene vuestro rostro, vuestro cuerpo, vuestra fragancia.

La marquesa bajó la mirada y retiró la mano. Sus facciones estaban teñidas de rubor y los párpados le temblaban.

—Perdonadme si os he avergonzado, señora.

La marquesa negó con la cabeza, pero sin apartar la mirada de la bandeja de pastelillos.

—No hay nada que perdonar, querida. Sois quien sois, y siempre os amaré como la hija a la que encontré en Nueva España. Lo único que os pido es que no volvamos a hablar de ello, que no escribáis más versos que puedan poner en peligro nuestra seguridad, que mantengáis en secreto vuestros sueños y no os arriesguéis a que los descubran miradas indiscretas.

—¡Os lo juro, señora!

La marquesa levantó la vista, y Juana advirtió que los rayos verdes y dorados que de ordinario le rodeaban el iris habían dado paso a un gélido fulgor gris.

—Si os resulta más fácil, querida, pediré a Ester que siga ocupando vuestro lugar. Es evidente que necesitáis tiempo para ordenar vuestros sentimientos.

Juana Inés se obligó a mostrar ecuanimidad.

—Marquesa, en cuanto me restablezca os serviré como antes, pero sólo hasta que encuentre otro puesto. No puedo seguir viviendo aquí y fingir que no siento lo que siento.

—Debéis hacer lo que os plazca, querida. Para empezar deberíais acostaros. Necesitáis mucho reposo después de todo lo que habéis pasado. Puedo instalaros en una habitación privada si preferís no dormir en el dormitorio de las damas de compañía.

—Si me permitís volver a mi pequeño estudio, estaré encantada de dormir allí.

—Tal vez sea otro claustro lo que buscáis.

Juana Inés se sintió bullir de vergüenza.

—Tal vez —murmuró.

Durante los meses siguientes sólo vio a la marquesa a la hora del almuerzo, ocasión en la que apenas hablaban. Cuando acudió a los aposentos de la marquesa al atardecer para asistirla en el baño como siempre había hecho, Ester le comunicó que la marquesa quería que descansara y recuperara fuerzas. Cuando pidió su mandolina a fin de poder tocar para su señora durante la hora de la siesta, Ester le dijo que ahora otra dama de compañía desempeñaba aquella tarea. Cuando sufrió otro acceso de fiebre, fue Ester quien cuidó de ella, llevándole infusiones de hierbas y paños húmedos. Cuando el virrey regresó de la provincia septentrional de Santa Fe, ocupó todo el tiempo de Juana con largas historias sobre su viaje y partidas aún más largas de ajedrez, sin reparar en el silencio y la actitud distante de su esposa.

La marquesa emprendía viajes de varios días acompañada de Ester, otras tres damas y la habitual bandada de esclavos y lacayos, para visitar a amigos en Puebla, pasar un tiempo en la casa de Chapultepec o descansar en los baños termales de Belén. En tales ocasiones, Juana quedaba encargada de la vida social del virrey. En ausencia de su esposa, el virrey se tornaba irascible y se peleaba con todo el mundo, sobre todo con fray Payo, el arzobispo, que de repente ya no era bienvenido en palacio. Cuando la marquesa regresaba de sus excursiones, el virrey daba un baile o una fiesta de palacio que Juana debía organizar y supervisar. Asimismo, debía sentarse entre el virrey y la virreina durante los paseos en carruaje que daban los domingos por la Alameda, y entretenerlos con sus comentarios, pero siempre iban acompañados de algún hidalgo y su esposa, y la marquesa rehuía la mirada de Juana.

Con permiso del virrey, Juana Inés empezó a reunirse con su tía María en la catedral para las vísperas dominicales. Gloria estaba a punto de casarse, Nico era padre de gemelos, el tío Juan estaba aquejado de gota, lo que Juana no lamentaba, y Fernando se había alistado en la marina real y estaba destinado en Vera Cruz a la espera de su primera travesía a La Coruña.

—¡Dios mío, ojalá pudiera cambiar yo también mi vida de ese modo! —exclamó Juana.

—Siempre has querido lo que no podías tener, Juanita —la amonestó su tía.

La mejor y peor noticia era que su hermana Josefa se había trasladado a la ciudad con su segundo marido, Villena, pero éste, celoso hasta la locura, jamás la perdía de vista y no le permitía visitar a ningún miembro de su familia. Juana Inés envió una carta a Josefa por mediación de su tía, rogándole que fuera a visitarla a la corte, pero jamás recibió respuesta ni logró averiguar dónde vivía su hermana. Circulaba el rumor de que el esposo de su madre, don Diego, tenía una amante en México. Juana escribió a su madre, pero no osó preguntarle por don Diego. La respuesta de su madre, redactada con la caligrafía de un escribano público, estaba repleta de relatos sobre «los niños», es decir, el hijo y las dos hijas de don Diego. «Inesilla es más inteligente que Antonia —contaba su madre— y me recuerda mucho a ti, Juanita, con su curiosidad insaciable y una mente muy madura para su edad. Cualquier día de éstos llevaré a las niñas a visitar a su hermana mayor en la corte.» Juana no esperaba que lo hiciera y, por supuesto, nunca lo hizo.

Durante aquella época estudió poco y se obligó a no escribir, tal como había prometido a la marquesa, si bien le resultó muy arduo cumplir esa promesa. Por las noches, como de costumbre, escribía y reescribía estrofas de un largo poema sobre los efectos irracionales del amor y la necesidad de discreción, sustituyendo los pronombres femeninos por masculinos para el caso de que la marquesa descubriera las composiciones. Un tormento de amor, lo denominaba, una agonía extrema, un anhelo delirante y despótico, un pesar traicionero que la impulsaba a irritarse con facilidad y ofender a aquella por quien habría dado la vida. En cierta ocasión, la marquesa le pidió que fuera a buscar su bastidor de bordado al cuarto de costura para poder mostrar al virrey los nuevos motivos que quería emplear para las mantelerías navideñas, pero Juana fingió estar enfrascada en la partida de ajedrez y no oír su petición.

La fría y lluviosa mañana del vigésimo cumpleaños de Juana, la marquesa acudió a su habitación y le regaló un ejemplar de *El banquete* de Platón, un libro tan censurado por la Inquisición que cualquiera al que sorprendieran con él en su poder se convertiría de inmediato en reo.

—No lo conservéis —susurró la marquesa—, pero leedlo. Feliz cumpleaños, querida.

—Os echo de menos, señora —dijo Juana antes de que la marquesa saliera de la estancia.

La virreina se detuvo en el umbral.

—Mi esposo quiere dar una recepción en vuestro honor esta noche, Juana Inés. Podemos hablar entonces, si queréis.

Juana lloró durante una hora tras la marcha de su señora y sintió deseos de arrojar el libro al patio, a la vista de todo el mundo. En la primera página, la marquesa había escrito la fecha y una críptica dedicatoria: «12 de noviembre de 1668. Prudencia. Material incendiario». Entre las hojas del libro encontró un papel doblado, una página de la Caja de Pandora, la última entrada que Juana había escrito en su diario, el cual la marquesa afirmaba haber quemado.

*13 de agosto de 1667*

Mañana parto para el convento de San José. Me siento distanciada de mi cuerpo, como si me viera a mí misma abandonando físicamente el palacio. ¿Por qué siempre tengo que alejarme de aquellos a quienes amo? Primero mi familia en Panoayan, luego mi tía María, ahora la marquesa y el virrey. ¿Y cómo se prepara una para abandonar el mundo en cuerpo sin abandonarlo también en alma? ¿Debo llevar equipaje? ¿Qué me llevo? ¿Se me permitirá conservar mis libros, escribir en mi diario? ¿Me obligarán a llevar túnicas de arpillera e ir descalza, como dicen que van las carmelitas? ¿O quizá las novicias no están obligadas a someterse a tales disciplinas? Pero, por otra parte, ¿por qué no van a estarlo, si se disponen a convertirse en hijas de la severa madre Teresa?

Dentro de dos días será la festividad de la Ascensión, y en las calles, los buhoneros ya se han congregado en la plaza, preparados para la celebración. Han llegado de sus aldeas en las colinas y las provincias más remotas con mercancías de toda índole engalanadas con imágenes de la Virgen.

No tengo ánimos para acompañar a las otras damas a comprar los dulces especiales que a la marquesa le gusta repartir entre las hordas de niños agolpados bajo su balcón. Algunas han intentado convencerme de que me una a ellas.

—Es nuestro último día juntas, Juana Inés. ¿Acaso no queréis ver por última vez a ese joven que os guiñó el ojo en los soportales?

Qué poco saben ellas.

Incluso la marquesa me regaña por mi ensimismamiento.

—Tendréis todo el tiempo del mundo para permanecer enclaustrada una vez ingreséis en el convento, Juanita. Deberíais salir, mezclaros entre la muchedumbre, participar en los festejos. Os queda un solo día de libertad, querida. ¿Por qué echarlo a perder encerrándoos de esta manera?

Pero no lograrán sacarme de la extraña inercia que me atenaza. Veo a los criados atar las banderas a los postigos de palacio, colgar los colores del virrey de los balcones, ribetear las balaustradas de lazos y flámulas, pero lo único que deseo es sepultar el rostro en la almohada. Me siento muy vieja, y la idea de partir me pesa sobremanera.

Sin embargo, debo dejar de compadecerme de mí misma y no desperdiciar el último día que me queda junto a la marquesa encerrada en esta habitación. Estaré enclaustrada el resto de mi vida; la marquesa tiene razón. Hoy todavía soy libre. Me situaré a espaldas de la marquesa en su balcón y la observaré mientras contempla el bullicio de la plaza, el regateo de los buhoneros, los malabaristas, los actores ensayando sus números satíricos, los miembros de los distintos gremios y cofradías disponiendo sus puestos, los peregrinos... Quiero absorber cada centímetro de su cuerpo con la mirada. No podría soportar que advirtiera el latido de mi corazón con los ojos, pero no seré objeto de su mirada, por lo que podré regalarme con su presencia. Que Dios me perdone. No puedo contener este deseo de confesar mis sentimientos. Tal vez le deje este diario como testimonio de mis pecados. También le dejaré mi medalla de santa Catalina, como recordatorio.

El convento se encuentra sólo a una manzana de distancia, pero tengo la sensación de emprender un viaje a las antípodas, un viaje del que no habré de volver jamás.


La vergüenza que le provocaban sus propias palabras la hizo prorrumpir de nuevo en llanto. Arrugó la página y la arrojó a las llamas del brasero. En aquel instante oyó que las campanas de la catedral llamaban a misa mayor, pero fuera hacía frío y Juana no se sentía con fuerzas de asistir al oficio. Tampoco se veía capaz de almorzar con los demás. Permanecería acostada e intentaría descubrir qué mensajes le transmitía la marquesa a través de Platón.

Había leído pasajes de *El banquete* en otros textos, pero se trataba de citas seleccionadas y fragmentadas que no revelaban la verdadera naturaleza del diálogo, que en realidad era un debate filosófico en torno al significado y el personaje de Eros, Amor.

Para Fedro, Amor era el más anciano, noble y poderoso de los dioses, que proporcionaba virtud y felicidad después de la muerte. Pausanias dividía el Amor en dos categorías: el amor divino, que los jóvenes inteligentes en busca de iluminación espiritual sentían unos por otros, y el amor mundano, que no era sino deseo físico hacia las mujeres y los muchachos. El físico Erímaco se mostraba de acuerdo con la dicotomía de Pausanias, pero señalaba que ambas formas de amor existían en el cuerpo, y que el conocimiento de ambas era esencial para el desempeño de su profesión. Para Agatón, Amor no era el más anciano, sino el más joven de los dioses, el poeta de la vida que confería orden al universo.

Por supuesto, Sócrates discrepaba de todos sus colegas y afirmaba que Amor no era ni dios ni mortal, sino un *daimon* suspendido en el vacío existente entre los dioses y la humanidad. Además, afirmaba Sócrates, según la sabia Diotima, su mentora en temas de Amor, el único deseo al que atendía Amor era el deseo de aquello que no podía poseer, es decir, no el deseo de bondad, belleza o conocimiento carnal, sino de inmortalidad. A causa de este deseo de inmortalidad, proseguía Diotima, los hombres engendraban hijos y daban rienda suelta a sus ambiciones, persiguiendo la fama para así inscribir sus nombres en el manuscrito de la eternidad. De hecho, el Amor iba unido a la creación, aseguraba Sócrates, pero existían distintos modos de manifestar ese deseo. La creación podía ser un impulso físico de la clase que engendraba hijos o bien un impulso espiritual, una comunión de mentes que traía consigo la búsqueda de la sabiduría y la virtud. O en el mejor de los casos, la creación podía ser un impulso poético que daba vida a escritos inmortales como los de Homero o Hesíodo. Al margen de aquel pasaje, la marquesa había escrito en letra diminuta:

> Éste es tu deseo, Juana Inés. Lo que sientes es amor por el aprendizaje, no amor por el cuerpo.

Pero fue la definición de Aristófanes lo que cortó el aliento a Juana Inés, pues según el ancestral autor de comedias, hubo un tiempo, cuando los seres humanos tenían cuatro manos, cuatro piernas y una cabeza con dos caras, en que existían tres sexos. El Hombre se componía de dos cuerpos masculinos, la Mujer, de dos femeninos, y el Hombre-Mujer o Andrógino constaba de un cuerpo masculino y otro femenino. Puesto que su fuerza y su valor eran doblemente grandes, la humanidad devino arrogante y llegó a lanzar un ataque contra el cielo. A fin de castigar tamaño agravio y dar a la humanidad la lección de la humildad, Zeus decidió partirlos por la mitad y, con ayuda de Apolo, transformó a los seres humanos en su estado actual. Desde entonces, el Hombre, la Mujer y el Hombre-Mujer buscan su otra mitad, y esa búsqueda, según Aristófanes, ese deseo de reunificación, era la esencia del Amor.

> Los hombres que son una mitad de esa doble naturaleza que recibía el nombre de Andrógino aman a las mujeres... Las mujeres que son una mitad de las mujeres no se interesan por los hombres, sino por las mujeres; las compañeras femeninas son de esta naturaleza. Pero aquellos que son una mitad del hombre siguen al hombre, y mientras son jóvenes, al ser una parte del hombre original, buscan la compañía de los hombres y los abrazan, y son los mejores muchachos y jóvenes, pues poseen la naturaleza más viril.

Juana leyó y releyó aquel pasaje mientras se debatía entre el gozo y la desesperación. Por fantasioso que pareciera el relato de Aristófanes, al menos explicaba el origen de sus propios sentimientos, al menos arrancaba su deseo del profundo pozo de la vergüenza en el que llevaba recluida más de un año.

No obstante, se daba cuenta de que la marquesa no era su otra mitad, pues si Aristófanes estaba en lo cierto, cuando dos mitades se encontraban, se reconocían al instante e intentaban volver a unirse. A todas luces, la marquesa descendía del sexo andrógino, razón por la que se aferraba al virrey y expresaba su deseo de inmortalidad engendrando hijos. Por contra, Juana procedía del sexo femenino, motivo por el cual sentía aquella afiliación innata por la marquesa y manifestaba su amor y deseo mediante un impulso poético y la inclinación al estudio.

Copió el pasaje de Aristófanes en un cuaderno y acto seguido escribió una nota para la marquesa en el margen, junto al texto de Aristófanes:

> Ahora comprendo que tenéis razón, señora, y jamás podré agradeceros bastante la claridad prometeica que estas palabras han arrojado

sobre el tenebroso laberinto de mi corazón. Os echo tanto de menos que me duele el costado, e imagino que Adán debió de sentir el mismo dolor al descubrir que le faltaba una costilla.

La nota confería un carácter aún más incendiario al libro. Juana sabía que la marquesa lo quemaría, pero ¿qué importaba? El texto había cumplido su cometido.

Marcó la página con una cinta, envolvió el delgado libro en una bufanda vieja y ordenó a uno de los esclavos que se lo devolviera a la marquesa, ahora más convencida que nunca de que debía marcharse de palacio. ¿Y adónde iría si no al único lugar en el que podría continuar con sus estudios y en el que nadie esperaría que buscara y encontrara a una mitad que no era la suya? ¿Y quién la ayudaría a volver allí sino el padre Núñez?

En su fiesta de aniversario, Juana se sintió extraordinariamente optimista, charló con todo el mundo, aceptó cumplidos con inusual aplomo y accedió a todas las peticiones para que cantara o recitara poemas. El virrey le regaló un juego de ajedrez con piezas de estilo egipcio y tablero de ónice y mármol. La marquesa le devolvió la Caja de Pandora llena de pergamino ribeteado en oro, para reemplazar lo que se perdió, según expresaba en la tarjeta. Los cortesanos y las damas habían hecho una colecta y comprado un reloj de péndulo para recordarle que no debía estudiar hasta altas horas de la noche, según dijeron. Bebió más vino de lo habitual y al percibir la primera punzada de melancolía causada por la libación, besó a todos los presentes, les agradeció con efusividad la inolvidable fiesta y se retiró a su diminuto estudio seguida de dos pajes cargados de obsequios.

Durante un mes asistió al rosario en la capilla, permaneciendo todo el rato de rodillas mientras los Misterios Gloriosos, los Misterios Dolorosos y los misterios de su corazón se deslizaban entre sus dedos. En cada cuenta de palo de rosa, cada decena de Ave Marías, cada Padrenuestro, cada Credo y cada Acto de Contrición rogaba a san Judas y a la Virgen de Guadalupe que le dieran fuerzas suficientes para tomar aquella decisión. Sabía que sería una decisión permanente, que esta vez no podría volver a palacio. Y por supuesto, ni pensar en refugiarse en casa de su tía. Por fin, el día de san Juan de la Cruz (de la Cruz, pensó, tomaré su nombre) se sintió preparada para acudir al padre Núñez.

—Bendecidme, padre, porque he pecado.

—Hablad, hija mía. Dios os escucha.

—He hecho oídos sordos a la llamada de Dios, padre. Llevo doce meses oculta bajo las alas de palacio, rehuyendo la verdad que cada noche me atormenta en sueños.

—¿Qué habéis soñado, hija mía?

—Es un sueño antiguo, padre. La primera vez que lo tuve contaba quince años y no recordé los símbolos importantes como los recuerdo ahora. Veo a un hombre que sostiene un báculo dorado de obispo. Ante él fluye un río y a su espalda se alza una casa, una gran casa de cristal. El hombre me llama, no con palabras, sino con su voluntad, y me dice que a fin de llegar a la casa de cristal, debo atravesar el río flotando boca arriba. Pero tengo miedo, padre, y desoigo la llamada del hombre.

—¿Qué teméis, hija mía?

—Temo a la extraña mujer que siempre aparece una vez he atravesado el río. Me alarga un chal negro, me lleva a la casa de cristal, y nunca más puedo volver al río.

—Es la reclusión lo que teméis, Juana Inés, así como la obediencia. ¿Quién es el hombre?

—Siempre he pensado que era mi abuelo.

—No, hija mía, es Jesucristo. El río es la barrera entre el pecado y la salvación, y la casa de cristal es tu alma. ¿Acaso no lo veis? Jesucristo os llama a Su casa, pues vive en vuestra alma. Pero la casa también es la Iglesia, el hombre también es un obispo y el río también es lugar de bautismo.

—Dios quiere que vuelva al convento, ¿verdad, padre?

—Hija mía, me llena de gozo oíros decir eso. Os he estado observando desde que volvisteis del convento de las carmelitas. Os he visto rezar en la capilla cada tarde, arrodillada ante Nuestra Señora con una expresión devota en el rostro, si bien también he advertido pesar y confusión. Ahora sé que no regresasteis para rehuir vuestra vocación, como creí al principio, sino para reforzarla a vuestro propio paso y por vuestros propios medios. Tal vez las carmelitas os exigieran demasiado. Debería haberos enviado a otro lugar.

–La marquesa sugirió las jerónimas o las agustinas, padre.

–Sí, son menos severas. Puede que la marquesa esté en lo cierto. La Casa de San Jerónimo es una buena casa. Para una criolla.

–Después de lo que sucedió en San José, padre, me avergüenza volver a solicitar el patrocinio del virrey.

–Y así debe ser, Juana Inés. Pese a las dificultades que sufristeis, lo cierto es que nos deshonrasteis a todos. Pero dejad en mis manos el asunto de vuestro patrocinio. Creo que podré convencer a mis buenos amigos de que aporten los tres mil pesos que piden en San Jerónimo. Me aventuro a afirmar que a don Pedro Velázquez de la Cadena nada le complacería más que ofrecer su patrocinio al virrey. Sigue agraviado por aquella farsa del torneo. Al fin y al cabo, fue una desgracia para su hermano, un distinguido profesor de retórica, como bien sabéis, al igual que para todos los demás eruditos, verse vencidos por una jovencita.

–No pretendía ofender a nadie, padre.

–Descuidad, hija mía. De la Cadena culpa al virrey, no a vos, y creo que ofrecer su patrocinio lo ayudaría a sentirse vengado. De este modo tendrá ocasión de sugerir al virrey formas de reorientar vuestra erudita mente hacia destinos más sublimes y apartaros de espectáculos públicos. Iré a verlo de inmediato y luego escribiré a la madre superiora de San Jerónimo.

–Estoy dispuesta a partir cuando me lo ordenéis, padre. Sé que no puedo escapar del destino que Dios me ha dado.

Dicho aquello cerró los ojos y vio la imagen de la Mujer de Aristófanes, dos cabezas sobre un solo cuello. El rostro de ambas cabezas era el suyo, en un caso enmarcado por un velo de monja, en el otro tocada con la puntiaguda capucha amarilla de las penitentes.

# 5

El convento de Santa Paula, de la Orden de San Jerónimo, se hallaba a unos dos kilómetros al sur de palacio, junto al canal de Santa Rosa, en la calle del mercado de carne de la ciudad. El claustro y la iglesia estaban rodeados de un muro de tezontle volcánico rojo, a lo largo del cual creían inmensos ágaves. Más allá de la calzada sur, Juana Inés divisó los campos y las chabolas humeantes de San Juan Letrán, donde vivían los negros y mulatos, y al oeste del barrio, la cúpula de la iglesia de Regina Coeli, el más rico de los conventos de la ciudad.

En el patio de la iglesia se apeó del coche del padre Núñez como en sueños, aún insegura de poder cumplir sus votos y permanecer en el convento para siempre. Ya había fracasado una vez, el año pasado, al regresar a palacio tras sólo tres meses en el convento de las carmelitas. A la sazón no comprendía que ingresar en un convento era como morir en vida, no estaba preparada para el sacrificio que se le exigía. ¿Acaso el torero sale a la arena sabiendo que aquella será su última faena? ¿Acaso el marinero embarca para un viaje del que sabe que no regresará jamás? Juana Inés alzó la mirada hacia la imagen barbuda de san Jerónimo, esculpida sobre la arcada de la iglesia, se santiguó al tiempo que le imploraba valor y resignación, y siguió al padre Núñez hasta el portal del convento.

—Antes de que llame a la puerta, hija mía, ¿hay algo que queráis confesar? —preguntó el sacerdote—. Observo que os tiembla la barbilla.

—No, padre, no tiemblo. Es que este momento es muy solemne para mí.

—¿No tenéis ninguna duda que confesar? ¿Ninguna reserva? No toleraré más humillaciones, Juana Inés. Una vez crucéis este umbral, no volveréis a salir, por muy gravemente que enferméis. Viviréis y moriréis en este convento.

Juana Inés tragó el líquido amargo que de repente le llenaba la boca.

—Lo comprendo, padre, y os aseguro que no albergo ninguna duda.

El padre Núñez tiró del cordón situado a la derecha del portal y casi de inmediato aparecieron dos ojos oscuros en la mirilla.

—Dios os guarde, hermana. Os traigo otra oveja para vuestro rebaño y os ruego nos anunciéis a la madre superiora.

—Os estábamos esperando, padre Núñez —repuso la hermana portera con una voz que recordó a Juana a las damas de compañía más coquetas de palacio—. Reuníos conmigo en la reja del segundo locutorio, por favor.

Una vez en el lugar indicado, Juana Inés oyó el tintineo de unas llaves y el chirrido de los goznes cuando la reja oxidada se abrió lo justo para franquearles la entrada.

—Adelante, por favor.

La hermana portera llevaba el rostro velado y tenía las manos nudosas de una anciana. La siguieron por un diminuto patio embaldosado, lleno de geranios en macetas y coronado por una acacia en flor.

—He enviado a una criada a anunciar vuestra llegada a la madre Paula, padre —explicó la hermana antes de abrir los largos postigos que hacían las veces de puerta en el locutorio—. Tomad asiento, por favor.

Juana Inés se sobresaltó al advertir la elegancia de aquella estancia, tan distinta del tenebroso locutorio del convento de San José, con sus bancos austeros y sus paredes de granito desnudas. Aquí, todas las paredes estaban cubiertas de tapices con imágenes de la aparición de la Virgen de Guadalupe al indio Juan Diego y alfombras turcas se extendían sobre el suelo al pie de butacas mullidas y mesas de mármol. Un gran jarrón con flores de la pascua decoraba el cofre profusamente tallado, y la luz de la tarde entraba oblicua entre los postigos que llegaban del suelo al techo. En un lado del aparador de la esquina había una jofaina y una palangana de porcelana y, en el otro, una pluma, un tintero y un libro de visitas encuadernado en piel.

Una reja separaba aquella habitación de la contigua, menos suntuosa, sin tapices ni alfombras turcas, y con una sola ventana con celosías situada por encima de la puerta. No obstante, las butacas disponían de los mismos almohadones de terciopelo; sobre el aparador, idéntico al del locutorio, un jarrón lucía rosas y claveles, y de la pared pendía un cuadro de la Virgen y el Niño Jesús con marco dorado.

—Como veis, querida, las jerónimas no tienen el mismo maestro que las carmelitas.

—No es lo que esperaba —musitó sin poder disimular el deleite que todo aquello le causaba.

—Aquí viviréis muy cómoda, Juana Inés, teniendo en cuenta cuánto os consentía el virrey. Ah, ahí viene la madre Paula.

Por una estrecha puerta situada al otro lado de la reja entraron dos monjas con velos negros, amplios hábitos blancos de manchas anchísimas y las manos ocultas entre los largos escapularios negros. Por encima de los escudillos sujetos a las pecheras, sus rostros se asemejaban tanto que parecían hermanas, con sus ojos tristes y la tez rosada de las religiosas, si bien la más anciana cojeaba como si padeciera artritis.

—¿No llevan el rostro cubierto, padre? —susurró Juana Inés.

—Como ya os he dicho, hija mía, éstas no son las modestas hijas de santa Teresa —repuso el sacerdote en voz alta.

Aún más asombroso fue el hecho de que la hermana portera se adelantara y abriera la puerta de la reja para que las monjas pudieran entrar en la sala de visitas y se situaran frente al padre Núñez y Juana Inés. El sacerdote retrocedió un paso para incrementar la distancia respecto a ellas.

—Buenas tardes —saludó la monja más joven, que aun así parecía diez años mayor que la marquesa—. En nombre de las hermanas de San Jerónimo, os damos la bienvenida. Por favor, padre Núñez, sentaos y poneos cómodo.

El padre Núñez negó con la cabeza.

–No se trata de una visita de cortesía, sor Catalina; sólo he venido a traeros a otra oveja para vuestro rebaño –se volvió hacia la monja de más edad–. Madre Paula, os presento a Juana Inés Ramírez de Asbaje, a quien precede su reputación de joven erudita. Puede que hayáis oído hablar de ella.

Juana Inés hizo una reverencia.

Los ojos de sor Catalina refulgieron como llamas verdes.

–Desde luego que sí, ¿verdad, madre? –exclamó–. La consentida de palacio. Bienvenida a nuestra humilde casa, doña Ramírez. Soy la vicaria, la asistente de la madre superiora.

La madre Paula miró a Juana con sus tristes ojos grises y la saludó con una inclinación de cabeza.

–Ha sido dama de compañía de la virreina durante los últimos cuatro años –explicó el padre Núñez–. Asimismo, ha sido novicia durante un breve período en las carmelitas, de modo que la vida del convento no es ninguna novedad para ella, pero lamento decir que ha vivido espantosamente mimada y que su espíritu no soportó los rigores del convento carmelita. No obstante, manifiesta el deseo sincero de servir a Dios y centrar todas sus facultades intelectuales en el más elevado de los aprendizajes.

Introdujo la mano en el saquito de cáñamo que utilizaba como bolsa y sacó un pequeño rollo.

–He aquí la carta de patrocinio de don Pedro Velázquez de la Cadena. Él os proporcionará la dote.

–Gracias, padre Núñez –intervino por fin la madre Paula con voz tan serena como su mirada–, por honrar nuestro rebaño con tan excepcional oveja. ¿De verdad no aceptaréis un pequeño refrigerio por vuestros esfuerzos? ¿Ni siquiera una taza de chocolate?

–El mejor refrigerio, madre, será ver a esta joven cruzar esa puerta y despedirse de los pecados del mundo.

–Como gustéis, reverendo padre –dijo la madre Paula–. Sor Catalina, llevad a la hermana Juana ante la maestra de novicias.

Hermana Juana... El título resonaba en su cabeza. «A partir de ahora seré la hermana Juana.» Sintió que un escalofrío la recorría de pies a cabeza.

—¿Sabe ya qué nombre desea adoptar, padre? —inquirió sor Catalina.

—De la Cruz —repuso al instante Juana Inés—. Juana Inés de la Cruz, como san Juan.

—Buena elección, hija mía —alabó la madre Paula.

—Bien, Juana Inés de la Cruz, rezad por que el Espíritu Santo no tarde en empapar vuestra alma de humildad y gracia —advirtió el padre Núñez.

Juana Inés hizo otra reverencia, esta vez dirigida al sacerdote, y de repente recordó que su baúl de libros y ropas seguía atado al coche.

—¿Y mis libros, padre? ¿Mis cosas?

—Cuanto necesitéis os será suministrado aquí —replicó el sacerdote.

—Pero carecemos de biblioteca, padre —objetó sor Catalina—. No tenemos el material adecuado para satisfacer las necesidades de una erudita.

—No es una erudita, sor Catalina, sino una muchacha rebelde cuyas únicas necesidades consisten en volver a dirigir su alma hacia el Padre celestial. Me llevaré vuestro baúl, Juana Inés, y donaré su contenido al Colegio de las Niñas.

—Pero, padre...

—Tal vez, padre Núñez —terció la madre Paula con una ecuanimidad rayana en la indiferencia—, podríais considerar la posibilidad de donar el contenido del baúl de la hermana Juana a nuestro colegio. A las internas les vendría de maravilla tener libros nuevos y, por supuesto, Juana, aquí no necesitaréis vuestras ropas habituales, a excepción de algunas prendas interiores, y perdonad mi indiscreción, padre. Podemos donarlas a nuestras beatas, Dios las bendiga, que trabajan tan duro como las criadas y son tan devotas como cualquier hermana.

Juana Inés quería protestar. No le importaba la ropa, pero aquellos libros se los había regalado el virrey, y nadie podía tenerlos sino ella. Abrió la boca para hablar, pero la mirada de sor Catalina le advirtió que debía callar y escuchar.

—Eso me ahorraría un viaje al barrio pobre —admitió el padre Núñez—. Necesitaré ayuda para meterlo.

—Descuidad, padre —dijo sor Catalina—. Ahora mismo mando a mis criadas. Vamos, madre, doña Ramírez..., quiero decir, hermana Juana, llegaremos tarde a nona. Con vuestro permiso, padre Núñez...

—Podéis retiraros, hermana —concedió el padre Núñez—. Juana Inés, espero veros convertida en monja florida por Pascua. Por mi parte, encenderé velas en la iglesia y correré con los gastos.

Juana Inés volvió a inclinarse.

—Gracias, padre.

—Estudiad con ahínco, disciplinaos y consagrad todos vuestros pensamientos al Todopoderoso. He aquí la fórmula de la verdadera piedad.

—Sí, padre.

—Buenos días, padre Núñez —se despidió sor Catalina antes de tomar la mano de Juana y hacerla cruzar la reja con mirada triunfal—. No os desesperéis, hija mía —masculló entre dientes—. Tendréis vuestros libros y cuanto deseéis mientras pueda hacer valer mi influencia con la madre superiora.

La mano de sor Catalina era cálida como el pan recién hecho.

La madre Paula se rezagó un instante para firmar un documento que le presentó el padre Núñez, y sor Catalina ordenó a la hermana portera que se encargara de la descarga del baúl. Acto seguido, las tres mujeres cruzaron la puerta interior que daba a un angosto vestíbulo. Juana oyó que la hermana portera cerraba con llave a su espalda, pero no se volvió.

Más allá de la verja de hierro que se alzaba al final del vestíbulo, cruzaron un patio sombreado por un magnolio que flanqueaba la pared sur del templo.

—¿Qué es eso? —preguntó Juana Inés, señalando tres pequeños edificios adosados a la pared de la iglesia que parecían retretes.

—Confesionarios, hija mía —explicó la madre superiora—. Bajad la voz, por favor.

Sor Catalina se detuvo e hizo a un lado la cortina de estameña oscura que cerraba uno de los confesionarios. El interior estaba cubierto de azulejos amarillos de flor de lis y olía a incienso.

–Después de pronunciar los votos permanentes, jamás volveréis a poner los pies en la nave de la iglesia, donde se encuentran los confesionarios comunes –advirtió sor Catalina–. Sólo las profesas utilizan éstos, y comulgamos a través de una rejilla que hay entre el coro inferior y la nave.

–¿Las novicias también?

–Las novicias también, hija mía –terció la madre Paula–. La clausura durante la misa se aplica a todas nosotras.

–Démonos prisa –urgió sor Catalina–. La maestra de novicias está deseosa de conoceros. Nunca había tenido una pupila tan ilustre.

En el centro del enorme claustro central del convento se alzaba una fuente de terracota dispuesta a cuatro niveles, redonda y profunda como los estanques de palacio, rodeada de macetas con geranios, orquídeas y lirios de todos los colores. Frente a la fuente estaba el pozo. Rosales de todas clases se encaramaban a las columnas de las galerías superiores y vistosas bunganvillas se derramaban sobre las balaustradas. En torno a la galería inferior crecían hibiscos rojos y azules entre azaleas anaranjadas de flores tan grandes que no se podían abarcar ni con las dos manos. Alrededor del perímetro del convento se erigía un muro interior de agaves azules y chumberas cargadas de frutos. De las ramas de los limoneros pendían jaulas de pájaros y el romero crecía salvaje entre las losas. El aire olía a cítricos y lluvia de tarde.

Entonces Juana Inés reparó en las muchachas. El lugar estaba lleno de mujeres y muchachas, además de algún niño pequeño en pantalón corto que perseguía a las criadas. Había chiquillas con velos blancos cortos, muchachas que parecían novicias y lucían el tradicional velo largo blanco, monjas de todas las edades con sus velos negros y escapularios... Todas estaban enfrascadas en distintas actividades a la sombra de exuberantes magnolias y sauces. Criadas de todas las castas, desde negras y mulatas hasta mestizas y zambas, iban de un lado a otro ataviadas con sus delantales verdes y pañuelos de cabeza. En palacio, las criadas no podían salir a los patios, pero aquí campaban a sus anchas. Barrían las galerías, cargaban ropa blanca y leña, transportaban cubos de agua y cestas de fruta. El movimiento constante le recordaba Panoayan, al igual que el cacareo de un gallo no demasiado lejos.

–... a la hora del recreo –decía en aquel momento sor Catalina–. A algunas de nosotras nos gusta pasar el tiempo libre aquí con las niñas, pero casi todas prefieren dedicarse a la contemplación silenciosa en sus celdas.

–¿Aún hay más? –se asombró Juana.

–En este convento viven más de trescientas almas, hija mía –explicó la madre Paula–, entre hermanas, novicias, internas y beatas.

–¿Qué es una beata, madre?

La madre Paula señaló a una mujer ataviada con un velo pardo corto y un delantal negro sobre el vestido también pardo que podaba los rosales.

–Hermanas legas –repuso–. Consagran su vida al convento, pero no tienen dinero suficiente para profesar.

–Parecen sombras –comentó Juana Inés, reparando en otra que recogía higos chumbos.

–Son invisibles –observó sor Catalina–. Eso es lo que desean.

–No habléis nunca con las beatas, hija mía, y procurad guardar silencio –advirtió la madre Paula–. Sabemos que sois de naturaleza inquisitiva, pero tened en cuenta que una novicia callada produce una mejor impresión.

En aquel momento, un puñado de hermanas se agolpó a su alrededor en una nube de blanco y negro. Juana Inés aspiró una profunda bocanada de aire para atrapar la fragancia de las magnolias, el romero y la lluvia inminente, esa mezcla de aromas que tanto le recordaba a su hogar.


*1 de febrero de 1669*

A qué extraño mundo se me ocurrió ir, un mundo de mujeres, oraciones y el tañido incesante de las campanas. Es un lugar hermoso, pero impregnado de tristeza, tan distinto de palacio... donde el más leve atisbo de congoja llamaría la atención. Tal vez confundo el silencio que reina entre las hermanas con una melancolía que en realidad no existe. Supongo que ese silencio inherente es algo que deberé aprender, pero ¿cómo puedo guardar silencio cuando hay tanto en que pensar, tanto que ver, discernir y explicar? Aún no añoro a la marquesa; es difícil añorarla después de sólo unos días, sobre todo porque sor Catalina me presta mucha atención. Sor Mariana, nuestra maestra, me advierte que tenga cuidado, que no conviene a una novicia gozar del favor de la hermana vicaria. No me cree cuando le aseguro que siempre me ocurre lo mismo, que siempre soy la favorita de alguien, sean la marquesa, el virrey o los cortesanos. No lo hago adrede. Ella lo llama vanidad, el pecado que atormentará mi noviciado. Yo le explico el significado de la palabra vanidad, que implica estar orgullosa de una misma y nada tiene que ver con las preferencias de los demás, pero me contesta que debo abrir el manual de las novicias y leer el apartado relativo a la modestia.

—Son vuestros ojos —señala—. No hay modestia en vuestra mirada, Juana. Mantenéis la cabeza demasiado erguida, os conducís con soberbia, atraéis demasiado la atención cuando os movéis, y cuando alguien se dirige a vos, lo miráis fijamente, como ahora.

—¿Acaso debo agachar la cabeza como una vaca, o ser invisible, como las beatas?

—Oh, Juana, cuán difícil os resultará la vida en el convento.

—No lo comprendo, hermana. ¿Cómo pueden mis ojos granjearme el favor de sor Catalina?

—Los ojos son el espejo y la ventana del alma, Juana. Si mantenemos la ventana abierta, todos pueden mirar dentro, quedar atrapados en la belleza del alma y no querer volver a marcharse jamás. Creo que eso le ha sucedido a sor Catalina.

—¿Queréis decir que la he hechizado con mis ojos?

—Lo que quiero decir, Juana, es que debéis cerrar la ventana, no permitir que nada ni nadie distraiga vuestra alma, pues si os distraéis, distraéis a los demás.

Modestia en los ojos, la cabeza, el cuerpo, los brazos, incluso los pies... y ésa no es más que una de las virtudes que deben aprender las novicias. Hay muchas otras, como la obediencia, la humildad, la paciencia, la gratitud, la diligencia, la perseverancia, la penitencia, la castidad. Cada una de ellas implica actos internos y externos que debemos practicar, además de aprender de memoria sus motivos y explicaciones.

87

Pasaré el resto del día practicando la modestia de la mirada, sea cual sea su significado.

*3 de febrero de 1669*

He encontrado una amiga. Su nombre, o mejor dicho el nombre que quiere adoptar, es Andrea de la Encarnación. Es de la Diócesis del Corazón Encarnado de Jesús y parece totalmente convencida de su vocación. Sor Mariana la considera la más devota de las novicias y dice que no le sorprendería si algún día la eligieran madre superiora de la orden. Me desaconseja trabar amistad con ella; afirma que la amistad, sobre todo con una persona en particular, pone en grave peligro la virtud del silencio y despierta la tentación de hablar, lo cual entorpece la práctica de la perfección.

Pese a su devoción y su piedad, Andrea busca mi compañía. Según me ha contado, es huérfana, y una prima mayor que ella, su única pariente viva, la ingresó en San Jerónimo. Le conté que mi madre me envió a la capital tras la muerte de mi abuelo, que también yo soy huérfana en cierto sentido. Andrea quería que le refiriera cosas de las carmelitas, pero sólo le dije que había enfermado y abandonado el convento. Ese episodio sólo es asunto mío. Sin embargo, le encantan las historias que le cuento sobre palacio.

—¿Por qué ingresaste en el convento, Juana? A buen seguro podrías haberte quedado en palacio. Parece que ahí tenías muchos amigos, personas que te querían, tal vez incluso algún joven que habría acabado pidiendo tu mano.

¿Cómo voy a revelarle la verdadera razón de mi marcha?

—Ese joven habría pedido algo más que mi mano, Andrea, y no estaba dispuesta a dárselo.

—Basta, Juana —pidió Andrea con el rostro arrebolado—. No deberías tener pensamientos impuros.

—Por eso estoy aquí, Andrea, para proteger la pureza de mis pensamientos.

La estoy ayudando a memorizar las virtudes. Le asombra la cantidad de cosas que soy capaz de recordar (aunque a ella se le da mil veces mejor practicar lo que nos predican), y le he enseñado algunos de mis trucos preferidos para ayudarla a mejorar su memoria.

*6 de febrero de 1669*

Las comidas de aquí son infinitamente mejores que en palacio, pero cuando vivía allí se me antojaban los más deliciosos manjares que había probado en mi vida, aunque con frecuencia demasiado pesados para mi delicado estómago. Aquí no se sirven platos extravagantes, pero todo se cocina acompañado de salsas tan exquisitas y condimentado con tal variedad de hierbas que me resulta difícil no saborearlo (una de nuestras virtudes consiste en abstenernos de los placeres del paladar). La cocinera jefa del refectorio procede de la costa de Yucatán y sus platos me recuerdan mucho a la cocina de Francisca en Panoayan, con el mismo aroma suculento de los chiles asados, el ajo, el cilantro y la especia oscura del chocolate. La comida de hoy es mi favorita, estofado de tocino con garbanzos y patatas en salsa de azafrán. Las monjas comen en sus propias cocinas; sólo las novicias comen en el refectorio, por supuesto siempre en compañía de sor Mariana y sus ayudantes, sor Beatriz y sor Rosario.

Yo me siento a la izquierda de sor Mariana y Andrea a su derecha. Sé que todas las demás nos consideran las favoritas de la maestra. Me resulta extraño vivir entre tantas mujeres, todas ataviadas con los mismos velos y hábitos blancos, estudiando los mismos libros mientras nos destetamos de nuestras respectivas naturalezas.

*10 de febrero de 1669*

Mi madre me ha enviado una carta en la que me felicita por haber ingresado en el convento. «Sabía que tu educación te sería de utilidad algún día —escribe— y me siento agradecida por haber encontrado un lugar en el que dar buen uso a tus conocimientos.» Quiere enviarme a la hija de Francisca, la pequeña Juanilla (aunque ya no es pequeña, pues cuando me fui de Panoayan tenía cuatro años, por lo que ahora contará dieciséis o diecisiete), para que me atienda en el convento, pero sor Mariana no lo permite. Creo que escribiré a la marquesa para contárselo. ¿Por qué no puedo tener mi propia doncella? Las demás hermanas tienen muchas doncellas. No seré novicia toda la vida, y sería maravilloso tener a Juanilla aquí, un retazo del hogar después de tantos años.

# 6

Sor Catalina tocó el triángulo para llamar al orden en el capítulo del viernes. Como las otras novicias, Juana estaba sentada en las últimas filas de la sala, las filas blancas, como las llamaban, pues sólo las monjas podían sentarse delante. Los bancos estaban dispuestos en dos semicírculos encarados y separados por un amplio pasillo. En la parte anterior de la sala, bajo un inmenso crucifijo negro suspendido de las vigas del techo con gruesas sogas, se hallaba la mesa principal, a la que se sentaban la madre superiora, la vicaria, la archivera, la tesorera y la jefa de vigilancia.

En las dos semanas que llevaba en San Jerónimo, Juana ya había discernido las facciones que competían por el poder en el convento gracias a sor Rosario, la ayudante de la maestra de novicias, que se enorgullecía de mantener a las novicias informadas de las corrientes políticas que imperaban en la orden. Según sor Rosario, la jefa de vigilancia, sor Clotilde, estaba resentida contra sor Catalina desde hacía quince años. Desde que la madre Paula de San Bartolomé otorgara a sor Catalina el título de vicaria, sor Clotilde consideraba suya la misión de minar la autoridad de su compañera por cualquier medio. Los sobornos extravagantes y las espeluznantes amenazas pronunciadas durante trances místicos eran los métodos de sor Clotilde, y gracias a ellos se había granjeado las simpatías de las vigilantas y todos los demás cargos secundarios de la junta, entre ellos la hermana portera, la cillerera, la sacristana y la encargada de la enfermería. Ahora tenía la mira puesta en la archivera y la maestra de novicias.

–Por supuesto, sor Mariana no sucumbirá –había asegurado sor Rosario–, así que no os preocupéis por eso, pero mantened los ojos bien abiertos, muchachas, y aguzad el oído –advirtió antes de llevarse un dedo a los labios–. Y no olvidéis hablar siempre en voz baja para que nadie os oiga –prosiguió, moviendo la cabeza para recalcar sus palabras–. Todas las vigilantas tienen el oído muy fino.

Aunque sor Catalina no era la madre superiora, la madre Paula permitía que su ayudante dirigiera el capítulo de los viernes como le placiera y sólo intervenía cuando sor Catalina se enzarzaba en disputas personales con sor Clotilde o cuando se imponía tomar alguna decisión de carácter administrativo. Por lo demás permanecía sentada junto a su ayudante en la mesa principal, rezando el rosario mientras sor Catalina escuchaba las quejas e imponía la penitencia que consideraba adecuada para cada infracción.

–A continuación, la archivera leerá la lista de quejas de esta semana –anunció.

Sor Luisa de San Simón, cara de caballo, como la llamaban algunas de las novicias a causa de su larguísima barbilla, carraspeó, miró de soslayo a la jefa de vigilancia y esperó a que le dieran permiso para hablar. Sor Catalina le dirigió una inclinación de cabeza. La archivera carraspeó de nuevo y abrió el Libro de Quejas.

–Sor Mariana ha acudido a las vigilantas para acusar a la madre superiora de favoritismo en asuntos del noviciado –leyó a toda prisa, sin atreverse a alzar la mirada.

Juana advirtió que sor Catalina miraba alternativamente a sor Clotilde y a la madre Paula. Las otras dos vigilantas, la pálida y flaca sor Melchora de Jesús y la espigadísima sor Bernarda de San José, que estaban sentadas en primera fila, mantenían la vista clavada en sus escapularios. Sor Mariana, maestra de novicias, se levantó.

–Perdonad la interrupción, madre, pero juro por el sagrado rosario que jamás han brotado de mis labios semejantes palabras.

–Los labios no son lo único que habla, hermana –replicó Melchora desde el otro lado del pasillo–. Sin duda recordaréis la nota que enviasteis a sor Clotilde para hablarle de la nueva novicia. ¿O acaso también lo negáis?

—No niego haber redactado una queja, madre —admitió sor Mariana con voz temblorosa—, pero en ella no acusaba a la madre superiora de nada, y por descontado, en ningún momento empleé la palabra «favoritismo».

—¿A qué hacía referencia la queja, hermana? —quiso saber sor Catalina, clavando su verde mirada en la maestra.

—La nueva novicia, la hermana Juana Inés de la Cruz, me comentó que su madre iba a enviarle una esclava como presente por haber ingresado en la orden, y le contesté que no podía tener esclavas hasta que pronunciara los votos permanentes y dispusiera de una celda propia. Por lo visto, la hermana Juana escribió a la virreina para contarle el caso, y la madre Paula le ha dado permiso para recibir a la esclava. A ello hacía referencia mi queja, sor Melchora.

Juana se sentía traicionada; no podía confiar en nadie. Incluso aquellas que fingían estar de su parte, como sor Mariana, no hacían más que juzgar cada una de sus acciones. No llevaba allí más que dos semanas, pero ya veía moros en la costa, como solía decir su abuelo.

—Comprendo —musitó sor Catalina—. Supongo que el resto ha sido interpretación. Por favor, sentaos, sor Mariana —pidió antes de volverse hacia la madre superiora—. Al parecer tenemos entre manos un motivo de debate, madre. ¿Queréis que proceda?

—Con todos los respetos, madre, discrepo —intervino sor Clotilde—. No considero que este asunto sea motivo de debate. A fin de cuentas, una de las reglas del convento prohíbe que las novicias tengan esclavas.

—Por favor, sor Elena —pidió sor Catalina a una de las monjas más ancianas—. Vos que fuisteis archivera durante tanto tiempo y que tan versada estáis en las reglas del convento. ¿Es cierto lo que afirma sor Clotilde?

—Tal vez se trate de una regla tácita —observó sor Elena—. Las novicias no tienen los mismos privilegios que nosotras, madre.

—Además —añadió sor Melchora—, permitir que la novicia poseyera una esclava contravendría los votos que va a pronunciar.

—Estaba hablando con sor Elena, si no os importa, hermanas —les recordó sor Catalina—. Elena, ¿recordáis alguna regla de esta índole?

—Yo puedo responder a eso, hermana vicaria —intervino otra monja al tiempo que se ponía en pie, una mujer más alta que un hombre y de voz acorde con su constitución.

—Os remito a mi pupila —farfulló la anciana sor Elena—. A buen seguro, su memoria es más precisa que la mía, y además ha sido mi aprendiza durante muchos años.

—En tal caso, proceded, sor Rafaela —instó sor Catalina—. Contadnos lo que sepáis.

—Es cierto, madre Paula —empezó Rafaela, mirando fijamente a sor Clotilde—, que las novicias no tienen los mismos privilegios que nosotras, pero tener esclavas no contraviene nuestros votos, pues todas tenemos esclavas. La hermana Clotilde debería saberlo.

—Así pues, sor Rafaela, decís que se niega a las novicias cualquier derecho a poseer esclavas sobre la base del rango y el privilegio, pero que no existe una regla explícita al respecto —señaló sor Catalina.

—No que yo recuerde —repuso sor Rafaela antes de volverse hacia sor Clotilde y agregar con una mueca—: Y eso que llevo diez años como aprendiza de la archivera.

—Por supuesto que lo sé, sor Rafaela —se sulfuró sor Clotilde con otra mueca—. El problema no reside en la esclava. La Orden de San Jerónimo no nos exige renunciar a los criados, pero sí exige a las novicias observar el régimen del noviciado, lo que implica vivir en comunidad y no en celdas individuales como nosotras. Si la hermana Juana obtuviera permiso para tener una esclava, necesitaría una celda propia, y en la historia del convento de San Jerónimo nunca ha habido una novicia con celda propia.

—Pero ¿acaso tenemos historia, hermana? —interrumpió sor Catalina—. Quiero decir una historia escrita a la que poder remitirnos.

—Tal vez podríamos preguntar a las hermanas cuántas de ellas recuerdan algún precedente, madre —sugirió sor Melchora—. Haced memoria, hermanas —solicitó, volviéndose hacia la congregación—. Pensad en vuestro noviciado. ¿Alguna de vosotras recuerda a alguna novicia que viviera en una celda individual?

Todas las presentes se miraron con curiosidad, pero ninguna levantó la mano.

—Ya lo veis, hermana vicaria —indicó sor Melchora al tiempo que se encaraba con sor Catalina—. Tengamos o no una historia escrita, me parece obvio que si nadie recuerda a ninguna novicia que dispusiera de su propia celda en la casa de San Jerónimo, debemos asumir que tal situación constituye una anomalía, tal vez incluso una aberración, lo que, según se mire, podría llegar a considerarse un acto subversivo, merecedor de pesquisas y el castigo de nuestros superiores. Francamente, madre, me sorprende que vos y la madre Paula os ocupéis siquiera de este asunto que es tan evidente.

—¿Tienen las novicias permiso para hablar? —intervino Juana de repente.

No había tenido intención de decir nada, pero los errores de lógica que se ponían de manifiesto en aquella asamblea le resultaban intolerables.

—¡Sentaos inmediatamente! —ordenó sor Mariana—. Las novicias no hablan a menos que la hermana vicaria se dirija a ellas en primer lugar.

Sor Catalina volvió a levantarse.

—Insto a la hermana Juana a que hable —dijo, tocando el triángulo para dar mayor énfasis a sus palabras—. Poneos en pie, Juana Inés, y oigamos vuestra defensa.

Juana se levantó y escudriñó los rostros que la miraban con fijeza. Acostumbrada a ser el centro de atención, se sentía muy cómoda con aquella oportunidad de demostrar el poder de su lógica.

—No hablaré en mi defensa. Con todos los respetos hacia sor Melchora, madre, considero necesario señalar que es una generalización exagerada afirmar que porque algo nunca se ha hecho en la historia del convento es una aberración. De hecho, se trata de una falta de lógica absoluta. Puede que dicha conclusión sea cierta bajo determinadas circunstancias, pero generalizar y aplicarla a todas las situaciones posibles refutaría las leyes más básicas de la razón.

Como jefa de vigilancia, sor Clotilde tenía derecho a emplear cualquier medio que hiciera falta para corregir a las hermanas descarriadas. En aquel momento se dirigió al centro de la sala capitular y ordenó a sor Mariana que llevara a su insolente pupila ante la mesa principal. Sor Catalina miró de nuevo a la madre Paula y desvió la vista cuando el azote de la vigilanta castigó las manos de Juana, dejando feos verdugones. Juana intentó no amilanarse. Ni siquiera su tío le había pegado jamás de aquella forma, y por supuesto, ninguna persona de palacio habría osado levantarle la mano.

—Debéis aprender a contener la lengua si queréis hacer honor a vuestros votos —la amonestó sor Clotilde con una mirada gélida en sus ojos castaños.

Juana examinó los verdugones y supo que no podría escribir en varios días.

—Gracias por ayudarme a doblegar mi espíritu rebelde, hermana —citó del manual de la novicia.

—Podéis volver a vuestro sitio —dijo sor Clotilde.

—¿Podemos proceder? —pidió sor Catalina, a todas luces molesta por aquel alarde de disciplina.

Sor Mariana llegó corriendo del lavadero contiguo con un paño húmedo para las manos de Juana.

—Creo que este asunto requiere vuestra atención, madre —anunció sor Melchora.

La madre Paula se santiguó con el crucifijo de su rosario, volvió a sujetárselo al hombro y apoyó los codos sobre la mesa. Miró primero a Juana, luego a cada una de las vigilantas, entornando los ojos al mirar a sor Clotilde, y por fin habló.

—Sor Luisa, tened la bondad de tomar nota de cuanto voy a decir. Lo que se desprende de este supuesto debate es un hecho que me ha preocupado sobremanera durante los quince años que llevo siendo la abadesa de esta casa. La casa de San Jerónimo necesita una crónica escrita de su historia. Hemos descuidado nuestro deber durante todos estos años. Por lo tanto, he tomado la decisión, y os aseguro que el arzobispo la respaldará, de encomendar a la hermana Juana Inés de la Cruz esta tarea por su reputación de erudita. A este fin redactará su última voluntad y firmará su testamento de fe tan pronto como podamos contar con la presencia de un escribano real y un testigo que nos permita conferir carácter oficial al documento. Asimismo, vivirá en una celda individual, atendida por su esclava, y aparte de los oficios obligatorios, el capítulo de los viernes y las clases en compañía de las otras novicias, quedará exenta de todos los deberes propios del noviciado.

—¿Qué dirá el Tribunal, madre? —atajó la hermana Clotilde—. ¿Qué pensará de esta violación del protocolo? ¿No sufriremos todas las consecuencias? ¿No quedará la Casa de San Jerónimo...?

—Ni el Tribunal ni la Audiencia intervendrán en este asunto, hermana. Los conventos están sometidos a la autoridad de sus superiores, eso es cierto, pero también se nos permite dirigirlos como creamos más conveniente y asignar las tareas que consideremos necesarias para la supervivencia de la orden. Estoy convencida de que una orden sin historia no puede sobrevivir y no tengo intención de condenarnos al olvido. Nuestro padre, san Jerónimo, era cronista y erudito. ¿Acaso creéis justo que una orden consagrada a su memoria carezca de crónica histórica en Nueva España? ¿Qué decís, hermana Juana?

Sor Catalina miraba a la congregación con una sonrisa.

Juana se levantó y entrelazó las maltrechas manos ante el breve escapulario.

—¿Os veis capaz de haceros cargo de esta tarea y crear un documento erudito y digno de nuestro santo patrón?

Sor Mariana la miró meneando la cabeza, pero Juana fingió no ver el gesto.

—Me sentiría muy honrada de poder seguir los pasos de san Jerónimo y consagrar mi vida a esta tarea, si bien me considero indigna de semejante distinción.

—Todas somos indignas, hermana, pero vuestros logros no pasan inadvertidos. Os encomiendo la redacción de la crónica y espero que la terminéis antes de que abandone este mundo. Asimismo, que conste que ninguna de nosotras volverá a azotar jamás a la hermana Juana. Al convento no le convendría que la corte o el arzobispo descubrieran que aquí se maltrata a su protegida. Dicho esto, declaro concluido el capítulo. Hermana Juana, seguidnos al priorato.

Sor Catalina tocó el triángulo tres veces, y la congregación salió al claustro en completo silencio.

Una vez en el priorato, la madre Paula dictó dos cartas a sor Luisa, una dirigida a la virreina para ponerla al corriente del resultado de la asamblea y la otra dirigida a la escribanía real para solicitar que enviaran a un escribano a fin de que actuara como testigo en la firma del testamento de fe de Juana.

No se trataba de pronunciar los votos permanentes, ya que eso no sucedería hasta que hubiera cumplido todos los requisitos del noviciado, momento a partir del cual ya no podría volver atrás. Le quedaba un año entero para retractarse, pero ¿por qué iba a retractarse si a todas luces el convento era el único lugar en el que refugiarse de una vida marcada por su sexo y no por su intelecto? Al menos allí podía olvidar su sexo y seguir el camino de la iluminación. «La piedad y la iluminación no son la misma cosa, Juana», le advirtió una vocecilla interior; sin embargo, hizo caso omiso de ella, diciéndose que era posible enriquecer el espíritu al tiempo que se cultivaba el intelecto.

*15 de febrero de 1669*

Por la presente, yo, Juana Inés de la Cruz, novicia del convento de nuestro padre san Jerónimo, declaro que me encuentro en el año de probación, durante el cual, según el decreto del Santo Oficio, puedo firmar mi testamento y renunciar a cuantos bienes me pertenezcan. A este fin, ruego a Vuestra Gracia me conceda licencia para firmar mi testamento y renuncia ante cualquier escribano real. Ruego me sea concedida esta gracia, con justicia, al servicio, etc.

La noche siguiente, la madre Paula recibió la respuesta de palacio, que sor Catalina se apresuró a llevar al dormitorio común de las novicias para comunicársela a Juana.

Ilustre madre Paula:

Hemos sabido que habéis concedido a nuestra querida Juana Inés el honor de escribir la historia del convento. Como símbolo de la gratitud de la corte por haber acogido con tanta calidez los talentos que nuestra querida Juanita llevó consigo a vuestra santa casa, mi esposo, el marqués de Mancera y virrey de Nueva España, ha decidido comprar una celda en su nombre. Por supuesto, el coste carece de importancia, y os rogamos busquéis la celda que más se ajuste a las necesidades de la misión que le habéis encomendado. Por fuerza necesitará espacio suficiente para albergar su creciente biblioteca, sin la cual se vería incapaz de desempeñar tan distinguida tarea. Os ruego remitáis los honorarios a palacio en cuanto Juana Inés se haya instalado en su nueva celda.

Vuestra más sincera admiradora,

Leonor Carreto, marquesa de Mancera

P. D.: En caso de que sea necesario desalojar a otra hermana para asignar la celda más apropiada a Juana Inés, os ruego la compenséis por las molestias con una cantidad equivalente a un año de alojamiento y manutención, y adjuntéis dicha cantidad a los honorarios.


Isabel Ramírez llegó dos días después de que Juana firmara en el Libro de Profesiones del convento. Juana no habría reconocido a su madre de no ser por su voz y su fragante abrazo de vainilla. Habían transcurrido más de doce años desde la última vez que se vieran. La acompañaba un niño, y tras ellos estaba la hija de Francisca, Juanilla, con quien de pequeña había jugado a escuela en Panoayan. También formaban parte del séquito un notario y tres testigos. Juanilla tenía cuatro años menos que Juana, pero pese a ello la llamaba como siempre la había llamado Francisca, es decir, «la niña Juana».

—Puesto que precisa de inmediato alguien que la atienda y sirva —dictó doña Isabel al notario en el despacho de sor Catalina—, dono a mi hija Juana Ramírez de Asbaje de forma irrevocable y vitalicia esta mulata, de dieciséis años de edad más o menos, nacida y criada en mi casa, hija de Francisca de Jesús, también esclava mía.

El notario le pidió que hablara más despacio.

—Por la presente cedo, renuncio y transfiero todos mis derechos y la propiedad de dicha mulata, para que así, a partir de este día, mi hija pueda hacer uso de ella como le plazca, pueda incluso venderla, donarla o transferirla sin que el convento ni su administración lo impidan ni pretendan ejercer derecho alguno sobre ella. Asimismo, acepto que esta donación no puede rebasar los quince sueldos que estipula la ley...

Juana advirtió que los testigos empezaban a aburrirse. Sor Catalina, por su parte, se abanicaba impasible.

—... jamás revocará esto por testamento, codicilo ni ningún otro medio de expresión...

Juana contempló a Juanilla, asombrada ante el parecido que guardaba con Francisca. La misma figura achaparrada, la tez leonada, los ojos negros que siempre parecían entornados a causa de la tirantez de las trenzas...

—... pues tal es mi voluntad expresa, y ruego se enmiende todo error o defecto de este documento.

En cuanto acabó de dictar el texto, el escriba y los testigos quedaron atónitos al saber que, pese a su perspicacia, doña Isabel no sabía escribir y por tanto no podía firmar; uno de los testigos puso su nombre sobre la marca de la dama. Las monjas permitieron a Juana saltarse las clases y demás obligaciones durante todo el día para que así pudiera estar con su madre y medio hermano en el locutorio hasta vísperas. Pasaron casi todo el tiempo escuchando al niño, Dieguito, al que Juana profesó de inmediato una antipatía irracional. De vez en cuando advertía la mirada llorosa de su madre clavada en ella y desviaba la vista para que su expresión no la delatara. Cuando las campanas llamaron a vísperas, Juana no permitió que su madre la tocara, segura de que se desmoronaría si sentía de nuevo su abrazo. Los siguió con la mirada por entre los barrotes de la reja y acto seguido corrió al coro inferior para no llegar tarde a vísperas. Rezó sus oraciones con un hilillo de voz tensa, pero por lo menos logró contener el llanto. No era ella, sino la niñita abandonada de ocho años la que sentía deseos de llorar.


Para llegar a la celda de la madre Paula, situada en el confín sudeste del convento, había que ascender varias escaleras angostas que daban a los floridos tejados y galerías de celdas agregadas al edificio principal. Desde la galería que discurría ante la celda de la madre Paula se disfrutaba de una espléndida vista del patio y el campanario, al otro lado del convento.

La celda consistía en dos estancias unidas por una cocina y, al final de una breve escalera, un espacioso salón con suelo de losas blancas y negras, dos ventanales abovedados con vistas a los volcanes y un cubículo con una bañera embaldosada. Juana no tenía idea de que las jerónimas vivieran en medio de semejante suntuosidad. Había esperado una sola habitación del tamaño de su estudio en palacio, pero la madre Paula le cedía todos sus aposentos.

–Iré a vivir con Catalina –le había anunciado la madre Paula–. Empieza a costarme subir y bajar escaleras. Id a inspeccionar mi vieja celda, a ver si os conviene, querida. Podéis conservar todo el mobiliario si lo deseáis, todo a excepción de mi mecedora.

–No suméis la avaricia a la vanidad, Juana –le advirtió sor Mariana–. No haréis sino acercar la tentación incluso a la madre superiora.

–Yo no le he pedido que renuncie a su celda –intentó defenderse Juana, pero sor Mariana la hizo callar con un gesto.

–Debéis comprender, Juana, que vuestras acciones traerán consigo los vicios de los celos, la envidia y el resentimiento entre vuestras hermanas, y que acabaréis recogiendo lo mismo que ahora sembráis.

Pero Juana no estaba para vaciedades.

Con ayuda de Juanilla y de las siervas de sor Catalina, Juana retiró los objetos de la celda de la madre Paula que no deseaba conservar. Se quedó con la cama y la pequeña cómoda que la acompañaba, el ropero doble con su espejo oval biselado, la mesa de comedor, los bancos del salón, que trasladó a la habitación delantera, y las mesas de caballete con sus taburetes, en los que la madre Paula había enseñado a sus discípulas y que Juana utilizaría en el estudio. Todo lo demás, las sillas tambaleantes, las mesillas zanquivanas, las lámparas desportilladas y manchadas de hollín, los cortinajes apolillados y el viejo aparador devorado por las termitas, sería subastado a beneficio de los pobres.

Bajo la inflexible supervisión de Juana, Juanilla y las criadas de sor Catalina fregaron y enceraron los suelos hasta dejarlos relucientes como los chorros del oro, pintaron las paredes, revistieron la estufa y la bañera con azulejos nuevos y repararon los postigos rotos de todas las ventanas. Con el consentimiento del virrey, encargó un plumón y almohadones nuevos, cortinas de encaje para el salón, sillas con respaldo de cuero para la mesa del comedor, platos de cerámica de Puebla y cubertería de plata de Taxco. Asignó a Juanilla la pequeña habitación situada junto a la cocina y la amuebló con un camastro de la enfermería, un baúl y una mesa. Para su estudio encargó una mesa especial, el doble de grande que la de palacio, flanqueada por estantes y con un compartimento secreto bajo el cajón principal. Asimismo encargó suficientes estanterías de excelente nogal para cubrir tres paredes desde el suelo hasta el techo.

Tardó medio año en acondicionar la celda tal como la quería, y durante ese período terminó el noviciado y vivió en el dormitorio común con las demás novicias. Pero mientras las novicias se ocupaban en las tareas del convento, algunas en los campos de flores, recogiendo lirios para la Pascua y amapolas para Corpus Christi, otras en el huerto, recolectando fruta para las conservas estivales, y varias en la lavandería, almidonando y tiñendo mantillas, Juana se sentaba en la modesta biblioteca de la archivera a investigar la historia de la Orden de San Jerónimo en Nueva España. Los libros estaban polvorientos, carcomidos por los gusanos y húmedos. Muchos tenían el lomo roto y la encuadernación estropeada, por lo que pidió permiso para enviar a reparar los más dañados. Su viejo amigo don Lázaro le haría un buen precio.

Llegado el día del velorio, ella y Andrea habían superado todos los exámenes con honores y obtenido los dos primeros premios de su promoción. Caminaron juntas hasta el altar para recibir los velos y escapularios negros, con sus hábitos y griñones de hilo, los inmensos rosarios y escudillos con la imagen de la Anunciación grabada en ellos, y los pesados anillos de oro, todo ello bendecido por el padre Núñez y ungido con un incensario humeante. Entre los asistentes se encontraban no sólo el virrey y la virreina, el arzobispo y varios representantes de la Iglesia y los municipios, sino también la mitad de la nobleza de Ciudad de México.

Más tarde, durante la celebración en el locutorio más espacioso, dispuestas en pulcra hilera y con guirnaldas de lirios, rosas y violetas sobre el velo, recibieron la bendición especial de fray Payo, mientras el claustro refulgía bañado en la luz de las luminarias y los fuegos artificiales estallaban sobre el patio de la portería. El padre Núñez se paseaba orgulloso como si aquella ceremonia se celebrara en honor de su propia nieta.

La virreina no conocía al resto de su familia; por su parte, Juana no conocía a sus hermanastras y era la primera vez que veía a sus hermanas mayores, María y Josefa, desde que abandonara Panoayan. También había venido su tía María. Le resultaba extraño verlos a todos allí, sobre todo a las tres mujeres que formaban un triángulo en la abstrusa geometría de su afecto: su madre, que la había apartado de su lado, su tía, que la había acogido, y la marquesa, que la había impulsado a alejarse del mundo. Había perdonado a su madre muchos años antes, al comprender que el hecho de sacarla de Panoayan la había salvado de un destino como el de Josefa, encerrada en casa de su esposo y criando hijos como si de roedores se tratara. A su tía no podía culparla de nada salvo de ser una representante demasiado típica de su sexo, de corazón tierno pero desencaminado, esclava sin remisión de su esposo. A la marquesa no la podía perdonar, la misma marquesa que la lisonjeaba como si no supiera cómo se sentía, como si no hubiera visto con sus propios ojos los versos y las confesiones de Juana.

–No puede ser la misma Juana que conocía en la corte –comentaba en aquel instante a doña Isabel al tiempo que ajustaba el rosario sujeto al hombro de Juana–. Era tan joven y tímida la última vez que la vi...

–Era aún más joven la última vez que la vi yo –terció Josefa, quien, situada al otro lado de Juana, le alisaba el velo–. Siempre supe que llegaría muy lejos.

–Nunca se conformó con ser sólo una niña –agregó entonces su madre.

–O una novicia –señaló Andrea con una sonrisa.

–¿Recuerdas cuando Juanita nos seguía a la escuela, Josefa? –rememoró María–. Imaginad, marquesa, le dijo a la maestra que nuestra madre había solicitado expresamente que le enseñara a leer, pero debía guardar el secreto porque Juanita quería darle una sorpresa a nuestro abuelo por su cumpleaños.

Todos los presentes estallaron en carcajadas.

–¡Y sólo tenía tres años! –exclamó Josefa.

Más risas.

—Siempre quería salirse con la suya —recordó su madre—. ¡Incluso quería que la vistiera de muchacho para que pudiera ir a la universidad!

—Cuando vivía con nosotros, lo único que quería era ir a los toros —refirió la tía María—. Vivíamos cerca de la plaza, y le encantaba ver las corridas desde la azotea. Siempre ha sido tan...

—¿Diferente? —sugirió la marquesa.

—Obstinada —sentenció su tía.

—Única —añadió su madre—. No era como sus hermanas.

—Tenía más en común con mis hijos que con su prima Gloria —aseguró su tía—, salvo que le gustaba cocinar. Recuerdo todas las disputas que teníamos por el bordado —prosiguió, omitiendo los bofetones que daba a Juana cada vez que se equivocaba en una puntada—. ¡Cómo odiaba la cesta de la costura!

—Y aún la odia —terció Andrea—. Deberíais ver las veces que sor Mariana la regaña por rezagarse en la sala de costura.

—Ay, señoras, si supierais lo que yo he visto y vos os habéis perdido... —exclamó la marquesa al tiempo que entrelazaba las manos con ademán dramático—. Si hubierais visto cómo manejó a aquellos... —bajó la voz— pomposos profesores. Fue impresionante. La mente de esta muchacha es el tesoro más valioso de Nueva España.

Juana empezaba a sentirse ridícula y hambrienta, pero sabía que sería una grosería dejar a las damas para dirigirse al aparador. Además, su tío Juan estaba con los demás hombres, bebiendo vino y comiendo aceitunas, fingiendo interesarse por la conversación del virrey, pero incapaz de apartar la vista de su sobrina y la joven amiga de ésta. Por supuesto, Andrea no advertía sus atenciones, pero Juana percibía un desagradable calor en el cuello cada vez que reparaba en su mirada, y el velo que le cubría la cabeza la mareaba y dejaba sin resuello.

En un momento dado, la marquesa interceptó la expresión del tío Juan, advirtió la incomodidad de Juana y dirigió al hombre una mirada francamente hostil, pues adivinaba sus intenciones.

—Sé que ésta será una vida excelente para ti, querida —dijo en voz lo bastante alta para que la oyeran los hombres—. Hay tantos hombres lascivos en el mundo que ninguna joven está a salvo de ellos. ¿No estáis de acuerdo, señora de Mata? Espero que vuestra hija esté casada...

Al poco, sus tíos abandonaron la celebración y Juana pudo por fin respirar tranquila.

—Gracias —susurró a la marquesa, quien le oprimió la mano.

—Vamos a tomar otro trozo de tarta, Juana —propuso Andrea.

—Id vos, Andrea. A buen seguro que mi madre y mi hermana os acompañarán, ¿no es cierto?

—¿A tomar más tarta? ¿Por qué no? —exclamó su madre.

Doña Isabel y Josefa dieron el brazo a Andrea y se encaminaron hacia el aparador. La marquesa permaneció junto a Juana.

—¿Te ha mirado siempre así, Juana Inés? No me sorprende que estuvieras tan confusa en palacio.

Juana no osaba mirar a la virreina, de modo que se limitó a menear la cabeza.

—No era él quien me confundía, marquesa.

—No imagino qué habría sido de ti si no te hubiera llevado a la corte. ¡Hay que ver! Estoy muy orgullosa de ti, Juana Inés. Y el virrey no tiene palabras para expresar su contento.

Las damas se habían reunido con los hombres junto al aparador. La marquesa condujo a Juana hasta un banco situado en un rincón y la hizo sentarse.

—Dime, Juanita —musitó—. Ahora tienes cuanto quieres, una dedicación noble, una celda propia, una familia que te ama y te admira, y el respaldo de las personas más importantes de la ciudad. Querida, ¿eres feliz? ¿Has encontrado tu lugar por fin?

En un alarde de atrevimiento, Juana tomó la mano de la marquesa, se la llevó a los labios y besó el delicado hueso de la muñeca.

—Teneros cerca me hace feliz, señora. En vuestra ausencia estoy simplemente satisfecha, aunque también muy agradecida por haber hallado el camino de la salvación.

—Vamos, Laura —llamó en aquel instante el virrey desde el umbral, empleando el sobrenombre con que se dirigía a su esposa—. No permitiremos que monopolices a nuestra ilustre joven en este día. ¡Debéis venir a ver los fuegos artificiales, Juanita!

—Disculpadme, señora —murmuró Juana Inés al tiempo que soltaba la mano de la marquesa y se levantaba.

Andrea se unió a ella. Ambas cruzaron los brazos bajo los nuevos escapularios, tal como sor Mariana les había enseñado, y salieron al patio para contemplar los fuegos de artificio y mezclarse entre los invitados. El padre Núñez se colocó junto a Juana con una sonrisa radiante.

—Lo habéis conseguido, Juanita —dijo, muy satisfecho de sí mismo—. Ahora pertenecéis por entero a Dios.

«No pertenezco a hombre alguno», pensó ella. Esbozó una sonrisa y alzó la mirada hacia las chispas doradas que iluminaban el sedoso cielo negro del Anahuac, sintiendo el peso del velo sobre los hombros.

Cuando la celebración tocó a su fin, y Juana y Andrea formaron para completas con las demás monjas, Juana supo que había tomado la decisión correcta, la única decisión posible. Una vez en su celda pasó largo rato mirándose al espejo colgado entre los dos roperos alargados del vestidor. Enmarcado en el griñón blanco y la lana negra del velo, su rostro se antojaba pequeño, casi infantil, pese a que ya casi contaba veintiún años y las arrugas empezaban a hacer su aparición alrededor de los ojos. Tenía los ojos almendrados, las cejas negras y la pequeña boca en forma de corazón de los Ramírez, rasgos que ella y sus hermanas habían heredado de su madre; pero aquella nariz, de puente fino y punta algo más ancha, los dientes algo inclinados hacia adentro y el hoyuelo diminuto de la barbilla delataban, según le habían dicho, la sangre vasca que corría por sus venas y era evidente que sólo se podían deber a su padre desconocido.

A fin de lograr su ingreso en el convento, que no admitía a hijas ilegítimas, el padre Núñez había mentido acerca de su ascendencia y recurrido al apellido como argumento en contra de la ilegitimidad.

—El hecho de que no conocierais a vuestro padre no significa que no lo tuvierais —señaló—. Un bastardo es un niño sin nombre, pero en cambio vos lleváis el nombre de vuestro padre aunque no lo tengáis.

Por un lado, Juana sabía que se trataba de una mentira, pero por otro, le parecía una explicación lógica.

# EL JUEGO MEDIO

## 1672-1680

# 7

Entre las tablillas de madera de la reja que dividía el locutorio, Juana observó a su amigo don Carlos de Sigüenza y Góngora avivar el brasero con el fuelle. Se conocían desde el famoso campeonato de palacio, pero, al poco, don Carlos había sido expulsado de su orden por conducta impropia, tras lo cual había pasado casi tres años intentando ser readmitido. Por fin lo habían nombrado capellán del hospital Amor de Dios y le habían otorgado un puesto de profesor en la universidad. Poco tiempo atrás lo habían elegido catedrático de Matemáticas y Astrología.

Las primeras veces que don Carlos había acompañado al virrey y a la marquesa en sus visitas periódicas al locutorio de San Jerónimo, Juana lo había considerado un hombre más bien frágil y flemático cuyas constantes quejas por el aire frío que entraba por las ventanas abiertas se le antojaban indicadoras de una mente débil. Pero qué equivocada estaba acerca de la mente y el espíritu que anidaban en aquel cuerpo escuálido. De todos sus visitantes, don Carlos no sólo era el más asiduo, pues acudía cada jueves por la tarde, sino que también destacaba porque, como afirmaba con frecuencia, buscaba la compañía de Juana para refrescar sus facultades retóricas y poéticas. Todos los jueves por la tarde desde hacía dos años, si Juana no tenía otros invitados, escuchaban y comentaban los manuscritos que cada uno de ellos estaba leyendo, y estudiaban hasta el más intrincado detalle de Cicerón, Longino,

Kircher, Cervantes y el pariente lejano de don Carlos, Luis de Góngora. Generoso hasta el exceso, don Carlos siempre le prestaba libros y olvidaba reclamarlos.

—Si fuerais hombre, sor Juana, ¿cómo os gustaría llamaros?

—Qué preguntas tan extrañas hacéis, don Carlos.

—En eso coincidís con mis alumnos, madre. Sin embargo, mi pregunta tiene una buena razón de ser. Decidme, ¿cómo os gustaría llamaros?

—La única vez que deseé ser hombre, o mejor dicho, tener el privilegio reservado a los hombres de recibir una educación formal, tenía cinco años. ¿Cuál es el propósito de vuestra pregunta?

—La semana pasada me dijisteis que anheláis viajar, ver mundo. Eso me dio una idea para una relación que me gustaría escribir algún día sobre un joven caribeño, con toda probabilidad un esclavo, que se hace marinero y navega por todo el mundo. Puesto que la idea procede de vos, he pensado que el joven debería llevar vuestro apellido, Ramírez, pero me falta un nombre de pila y no se me ocurre ninguno apropiado para ese joven que os simboliza.

—Me gusta la idea de plasmarlo como esclavo si es que queréis que me simbolice, pero ¿por qué caribeño y no de nuestra tierra?

Don Carlos se acarició las dos mitades oscuras del mostacho con ambos dedos índices y frunció los labios encarnados como si meditara la pregunta. No se llevaban más que tres años, él Acuario, ella Escorpión, él hijo del aire, ella del agua (cómo detestaría don Carlos saber que Juana Inés lo estaba calibrando en términos astrológicos), pero la curva de su espalda, sus gruesos anteojos, las rodillas huesudas cruzadas bajo la sotana, la frente ancha y la sabia intensidad de su mirada le conferían la imagen de una persona mucho mayor.

—Yo sólo he viajado hasta Yucatán por el este y hasta Oaxaca por el sur —musitó, mesándose la barba rala—, de modo que nada sé del Caribe. No obstante, cuando me asaltó por primera vez la idea de la relación, imaginé a un joven caribeño que de algún modo, gracias a su inteligencia sobresaliente, su elocuencia y su habilidad con los instrumentos de navegación llegaba hasta la costa de Yucatán, desde donde viajaba hasta Ciudad de México y se convertía en una persona importante.

—¿Profesor universitario, quizá? —insinuó Juana, detectando en el personaje imaginario un esbozo de la personalidad de don Carlos—. ¿Profesor de matemáticas, tal vez?

—No, no, profesor no. No hay nada menos estimulante que enseñar a una horda de muchachos ignorantes con aliento a pulque. Os ruego no me recordéis la universidad, hermana. Todavía les debo sesenta y cinco pesos.

—Tal vez si acudierais a vuestras clases con más frecuencia, no os impondrían tantas sanciones —sugirió Juana.

Pocas cosas la enojaban ya de don Carlos, salvo la escasa seriedad con que se tomaba la docencia. Había competido con brillantez por el puesto, según le había contado fray Payo, dejando en ridículo a sus adversarios tanto con la calidad de su discurso como con su pasión por las matemáticas, pero en realidad detestaba la enseñanza. Lo que deseaba era experimentar, afirmaba, investigar, cuestionar, escribir; no tenía tiempo para preparar clases y exámenes superficiales, aconsejar a sus alumnos y soportar interminables reuniones con sus compañeros. Había demasiado que aprender, se producían demasiados cambios en el mundo de la ciencia para desperdiciar el tiempo enseñando a ignorantes a los que sólo interesaba la charlatanería de la astrología y no la búsqueda de la verdad a través de las matemáticas. Que los adjuntos se rompieran los cuernos enseñándoles a jugar con el zodíaco, espetaba, o que se enseñaran a sí mismos. Él tenía mejores cosas que hacer, como leer a Descartes, Kepler, Kircher, Galeno, Abelardo, las frutas prohibidas del árbol de la sabiduría que le mantenían la sangre viva en las venas y la chispa encendida en los ojos. Juana comprendía sus tribulaciones, pero le parecía injusto y egoísta que hiciera caso omiso de sus alumnos, que los privara del saber que podía transmitirles.

—De acuerdo, no es profesor —concedió—. ¿Científico, tal vez? ¿Un Nostradamus de la ciencia?

—O poeta —sugirió don Carlos, frunciendo los labios con su habitual delicadeza—. Un poeta que, por ser caribeño, es capaz de componer sonetos en español, latín, náhuatl e incluso los distintos dialectos de los negros.

—Me parece que en el Caribe no hablan náhuatl, don Carlos.

III

–Pero ese tal Ramírez es más que inteligente; es un genio capaz de aprender lenguas extranjeras tan fácilmente como un loro aprende a imitar sonidos. Y tenéis razón, también debería ser científico, pero no un Nostradamus. ¡Me sorprendéis, sor Juana!

–Así pues, ¿el personaje comparte vuestro desdén hacia la astrología?

–Es la única actitud inteligente, hermana.

–No obstante, los marinos deben guiarse por las estrellas cuando no pueden confiar en el sol ni la luna, don Carlos. Tal vez como científico renegaría de la astrología, pero como marino se guiaría por los astros.

–Hermana, sois poetisa y retórica a un tiempo.

–Y vuestro personaje es poeta y científico. Empiezo a creer, don Carlos, que este Ramírez es el vástago fantasmal de nuestras dos mentes.

Las chupadas mejillas de don Carlos se tiñeron de rubor. Se quitó los anteojos, los sostuvo a la luz que entraba por la ventana y los frotó vigorosamente con el dobladillo de la sotana.

–¿Os he avergonzado? –inquirió Juana–. Parecéis avergonzado, amigo mío.

Don Carlos se ajustó los anteojos, pero no la miró.

–Tal vez deberíamos poner manos a la obra –propuso con voz tensa–. Tengo una tesis sobre santo Tomás y Quetzalcóatl que me gustaría exponeros.

–¿Otra monografía sobre los aztecas?

–Esta vez es un tratado más religioso que histórico –puntualizó él–. ¿Vos tenéis algo?

–Me temo que sólo otra comisión del cabildo –suspiró Juana.

–Ojalá recibiera yo comisiones –exclamó don Carlos–. Tengo entendido que pagan bien.

–No demasiado –aseguró ella mientras se preguntaba si su atrevida alusión a los vástagos habría sido la causante de la inquietud de su amigo–. Además, si recibierais encargos, no os quedaría tiempo para narrar las aventuras de vuestro talentoso Ramírez.

Tal como había esperado, don Carlos se ruborizó de nuevo.

–Vaya, no sé qué he dicho que os incomoda tanto.

Don Carlos cruzó los brazos sobre el pecho y por fin la miró fijamente.

—No se trata de un tema del que podamos hablar a través de esta reja, hermana.

—Pues entonces no podremos hablar de él jamás, ya que esta reja siempre se interpondrá entre nosotros, don Carlos. Sólo se me permite prescindir de ella con las visitantes más ilustres. Ni siquiera mi madre tiene ese privilegio.

—La reja simboliza aquello a lo que aludo, hermana.

—Muy bien, si tan difícil os resulta hablar de ello que debéis recurrir a los acertijos, no me lo contéis. No estoy de humor para adivinanzas. Espero que vuestro tratado sobre santo Tomás y Quetzalcóatl sea más claro.

Don Carlos se levantó con tal rapidez que, por un instante, Juana tuvo la impresión de que la luz había cambiado en el locutorio. Parpadeó varias veces, pero su amigo seguía allí, al otro lado de la reja, el rostro alargado entre dos tablillas. Parecía estar nervioso, sin resuello, y Juana sintió que la espalda se le quedaba rígida contra el respaldo de la silla. Don Carlos se humedeció los labios con la lengua antes de hablar.

—Estabais en lo cierto respecto a Ramírez —empezó.

—¿Al decir que es un vástago de nuestras dos mentes? —replicó Juana con un esfuerzo.

—Cuando me expulsaron del seminario, juré que jamás volvería a permitir que mi corazón dominara mi razón. Era un simplón por aquel entonces, una víctima de la lujuria que ardía entre mis piernas. Hermana, os ruego que no me miréis con esa expresión tan horrorizada, pues no digo que sienta eso por vos. De hecho, es una lástima que los jesuitas no quieran readmitirme, pues ahora el celibato es inherente a mí. Sin embargo, me siento muy atraído por vos, sor Juana. Vuestra mente es un imán para la mía, la carga negativa de mi carga positiva. Nos veo unidos por algo más grande que el amor humano, tal vez por el deseo de conocimientos, la devoción por el aprendizaje, la razón. Pero a renglón seguido me digo que tal vez me estoy engañando a mí mismo con tan grandiosas ideas y me pregunto si mi deseo de consumar nuestras almas no enmascara tal vez el deseo de amaros como un hombre amaría a una mujer.

La angustia se adueñó de ella mientras escuchaba aquella declaración. ¿Y si Melchora entraba en el locutorio de improviso? ¿O una de las espías de que se servía, o Juanilla llevándoles el chocolate caliente? Sintió el cuello agarrotado y las manos empezaron a sudarle. ¿Qué podía responder a semejante confesión? ¿Que se sentía traicionada, insultada, acosada, repelida? Don Carlos era su amigo, su compañero de letras y estudios. ¿Por qué hablaba de deseo y consumación? Juana no había apartado la mirada de él y en aquel instante advirtió que el rubor de las mejillas se propagaba a la frente, a las orejas y al signo de exclamación invertido que era su perilla. Se aferraba a la reja con los dedos doblados, y sus nudillos se veían angulosos y blancos como la nieve.

—Veo que os he disgustado —quebró por fin el silencio—. Supongo que no queréis volver a verme jamás. Me iré ahora mismo si así lo deseáis.

Juana quiso negar con la cabeza, pero el dolor del cuello se lo impidió.

—Comprended que no estoy acostumbrada a escuchar declaraciones de esta naturaleza. Perdonadme por haberos hecho tantas preguntas.

Don Carlos se apartó de la reja.

—Soy yo quien debe disculparse, sor Juana. No volveré a molestaros si es eso lo que queréis.

—No me molestáis, don Carlos. Cuento con vuestras visitas, con nuestro trabajo en común. Además, comprendo muy bien lo que sentís, pues también yo he conocido esa clase de confusión... También yo he sido víctima de una pasión pecaminosa. Es un vicio obstinado, sin lugar a dudas.

—Cierto, hermana, y más aún en las mentes consagradas a la razón.

—Un duelo constante.

—¡Exacto!

—Os ruego toméis asiento, don Carlos. Olvidemos todo este desafortunado asunto y sigamos con nuestro trabajo.

—Gracias por mostraros tan noble, sor Juana.

—Pero si la nobleza no es una cualidad adscrita a las mujeres, ¿verdad, don Carlos?

–Y sin embargo, vos poseéis mucha.

–Según cierto caballero de Perú, cuya identidad no revelaré, poseo demasiadas cualidades masculinas.

–Qué absurdo. ¿Y decís que es peruano?

–Oh, sí, una carta interesantísima, por cierto. Debería mostrárosla. Llegó acompañada de unas vasijas de arcilla. Muy poético, ¿no os parece?

–¿Un insulto acompañado de un presente? Espero que se lo devolvierais al remitente.

–Las vasijas formaban parte integrante del insulto, don Carlos. Eran recordatorios de mi sexo, el recipiente de la vida, el sexo débil. Decidí conservarlas y plantar en ellas semillas de geranio –explicó, riendo por la ironía del asunto.

Don Carlos se la quedó mirando con fijeza.

–Deberíais revelarme su nombre para que pudiera decirle lo que pienso...

–Que me defendiera un hombre no haría más que reforzar sus argumentos. Creedme, don Carlos, ya me ocupo yo de decirle lo que pienso. La semana que viene habré terminado la carta y os la leeré.

–¿Y cuáles son vuestros argumentos, sor Juana? Si ya habéis empezado a escribir la respuesta, sin duda ya conoceréis su hilo conductor.

–Mi enfoque se basa en abrumar a nuestro amigo peruano con referencias a la mitología griega, pero el hilo conductor de la carta reside en la etimología de la palabra mujer, *uxor*, el nombre que en latín reciben sólo las mujeres casadas. Puesto que no estoy casada, no soy una mujer, pues lo que define a la mujer es su relación con un nombre como esposa. Al no haber conocido varón, una virgen no es una mujer, y una monja que ha renunciado a toda relación mundana y sobre todo a las relaciones con los hombres es virgen y, por tanto, no es una mujer. «Con que a mí no es bien mirado –le diré– que como a mujer me miren, pues no soy mujer que a alguno de mujer pueda servirle. Sólo sé que mi cuerpo, sin inclinación hacia estado alguno, es neutro, abstracto, guardián sólo de lo que mi alma consigna.»

–A fe mía, sor Juana, creo que empezaré a usar vuestros escritos en mis clases.

–¿Y arriesgaros a agravar vuestras sanciones, don Carlos? No lo permitiré.

–Vuestro discurso es el epítome de la razón. Vuestras palabras encierran tal precisión, tal exactitud matemática…

Juana Inés oyó un golpecito a su espalda. Para su alivio, era Juanilla, que les traía el chocolate y el turrón. La muchacha dejó la bandeja sobre el aparador, hizo una reverencia y se dispuso a abandonar la estancia, pero Juana le pidió que se quedara y escuchara la historia de don Carlos acerca de un joven aventurero llamado Ramírez. Pese a la reja, se sentía mucho más segura en presencia de Juanilla.

Aquella noche durmió mal. Imágenes que había ocultado en los confines más recónditos de su mente volvieron a atormentarla, y el sueño que no había tenido desde hacía años resurgió entre los oscuros pliegues de su memoria.

–Vivirás con el tío Juan y la tía María, Juana Inés –anunció su hermana mayor, Josefa–. Quédate quieta y deja que te trence el pelo. Debemos darnos prisa. Ahora nuestro tío es un hidalgo; tiene muchos asuntos que atender y no está acostumbrado a que una niña lo haga esperar.

El tío Juan había viajado a Puebla para comprar un escudo de armas a un anciano hidalgo cuya familia entera había sucumbido a la viruela. En el camino de regreso a la ciudad de México se detuvo en Panoayan para presentar sus respetos a su suegro, pero allí lo encontró difunto y amortajado de negro.

–Pero yo no quiero irme de Panoayan, Josefa –dijo Juana.

–¿Acaso no estás contenta? Vivirás cerca de palacio, rodeada de estudiantes y damas. Siempre quisiste ir a Ciudad de México, ¿no te acuerdas? No parabas de importunar a madre para que te enviara a la universidad.

–Eso fue hace mucho tiempo, Josefa. Ahora no quiero irme.

–Pues todo está dispuesto, Juana Inés. El abuelo quería que te trasladaras a la ciudad cuando muriera.

–¿Fue idea del abuelo? ¿Sabía que el tío Juan vendría?

–Eso dice mamá. Lo escribió en su testamento. Y ahora date

prisa. ¡Oh, no! ¡El mozo está sacando las mulas del establo! Se marcha, Juana Inés. Vamos, ponte el vestido. ¡Apúrate!

Juana salió de la casa de su abuelo con la sensación de que no regresaría jamás. El pequeño baúl que le había preparado su madre estaba atado con correas al lomo de la nerviosa mula que le habían asignado. Mientras su tío se despedía de la familia, el mozo la ayudó a montar, y el pelo crespo del animal le pinchó las pantorrillas. No se volvió, pues sabía que su madre sostenía en brazos al pequeño Diego y que su padrastro, don Diego, estaba junto a ella. Ninguno de los dos la despedirían agitando el brazo; se limitarían a seguirla con la mirada.

Sus hermanas, Josefa y María, agitaban sendos pañuelos en el balcón de la biblioteca del abuelo.

—¡Adiós, Juanita! Cuídate y no causes problemas a la tía María.

Los cascos de la mula chocaban contra el sendero adoquinado que conducía a la entrada de la hacienda. Juana se sintió al borde del llanto al ver a Francisca y su hijita junto a la verja.

—Adiós, niña —se despidió Francisca cuando pasó junto a ella, el rostro oscuro reluciente por las lágrimas.

—¿Qué pasó? —oyó gritar a Juanilla, la menor de sus hijas, llamada así en honor de Juana—. ¿Qué pasó? ¿Por qué se va la niña Juana?

—Juanita, ¿son lágrimas eso que veo rodar por tu cara? —preguntó el tío Juan, volviéndose para mirarla desde su mula.

Juana Inés meneó la cabeza y se miró las manos enguantadas, deseando poder quitarse los guantes, las medias, el tieso vestido almidonado y la estúpida cofia para zambullirse en el arroyo y alejarse flotando.

Atravesaron la concurrida plaza del pueblo, perseguidos por los hijos de las mujeres indias acuclilladas junto a sus vasijas y cestas, sus manojos de hierbas silvestres, sus haces de leña y sus ñames.

—Pasaremos la noche en Chalco —anunció su tío—. De allí iremos en canoa hasta la ciudad. ¿Has subido alguna vez a una canoa, Juanita?

De nuevo meneó la cabeza. El balanceo de la mula le daba dolor de cabeza y le producía náuseas. Además, no podía desterrar de su mente la última conversación que había sostenido con su madre.

—¿Por qué tengo que irme, madre?

—Es tu única oportunidad de salir de aquí, Juana Inés. ¿Acaso no lo entiendes? Dios nos ha enviado a tu tío por esta razón, para que pueda llevarte con él a su casa. Tu tía me ha contado que tienen una hermosa casa cerca de la plaza. Vivirás con una prima de tu edad y amigos de buena cuna. ¡Será emocionante! No te preocupes, chaparrita, no estarás tan lejos, ya lo verás. Desde la ciudad verás el Popocatéptl y el Iztaccíhuatl. Estarás mucho más cerca de lo que crees.

—Pero el abuelo no quería que me fuese, ¿verdad?

—Tu abuelo estaba muy enfermo, pequeña, y ya no estaba al corriente de lo que sucedía.

—No quiero marcharme, madre.

—Aquí ya no queda nada para ti, Juana Inés. Tus dos hermanas se casarán muy pronto, y yo debo ocuparme del pequeño Diego y tu padrastro. No podré pasar tanto tiempo contigo como antes, y muerto tu abuelo, ¿con quién vas a jugar al ajedrez? Además, ya ni siquiera tenemos su biblioteca. Nos hemos visto obligados a vender la colección entera.

—¿Habéis vendido sus libros? ¿Todos sus libros?

—¿Quieres llevarte uno? Estoy segura de que nadie advertirá su falta. Adelante, Juanita, escoge el que quieras.

—Quiero su almanaque. Y también su libro sobre flores.

—Josefa, ve a buscarlos y guárdalos en el baúl. Eres muy valiente, Juana Inés; el abuelo estaría muy orgulloso de ti. Y no te preocupes. Cada vez que alces la mirada hacia el Popocatéptl y el Iztaccíhuatl, me sentirás junto a ti. Y puedes escribirme cuantas cartas quieras.

—¿Me contestarás, madre?

—Ya sabes que no escribo, querida, pero pensaré en ti todos los días. Ahora ven aquí y abrázame fuerte.

Juana Inés siempre recordaría la fragancia de vainilla de la piel de su madre.

En compañía de su tío dejó atrás el olor a copal y a caléndula quemada que manaba del cementerio, donde su abuelo había recibido sepultura la semana anterior, el camino que conducía a la escuela de Amecameca, donde había aprendido a leer, el canal que bordeaba la casa de Nepantla en la que había nacido, la parroquia de Chimahualcán, donde había sido bautizada, el mercado de Yecapixtla, donde su abuelo vendía la lana y el trigo. En cada lugar que marcaba un recuerdo, se volvía para contemplar los volcanes, el Popocatépetl y el Iztaccíhuatl, para asegurarse de que seguían allí.

Se detuvieron a la sombra de un inmenso ahuehuete a las afueras de Tlalmanalco para tomar un almuerzo consistente en pan, aceitunas y tasajo. Más tarde, su tío extendió un sarape y se apoyó contra el tronco del árbol. Luego se colocó otro sarape sobre el regazo y ordenó a Juana Inés que se sentara junto a él para que pudiera contarle una historia.

—¿Qué clase de historia? —preguntó ella sin levantarse de la roca en la que estaba sentada y desde la que garabateaba letras en la arena con una ramita.

—La historia de una princesa.

—No me gustan las princesas.

—¿Qué te parece una historia de aventuras?

Juana Inés dio cuenta de la última aceituna y se quedó mirando las brillantes listas del sarape, deseando que su tío la dejara en paz.

—Ya sé —bostezó su tío—. Seguro que te gustan las historias de magia. ¿Conoces la de la lámpara mágica?

—No.

—Se dice «No, tío». Ya tienes ocho años, Juanita; debes dirigirte a tus mayores con el debido respeto. Que te criaras en el campo no significa que puedas comportarte sin modales.

—No, tío, no conozco la historia de la lámpara mágica —se corrigió Juana Inés.

En aquel instante divisó una tarántula que se acercaba perezosa a las mulas. A lo lejos, las campanas del monasterio de Tlalmanalco anunciaron el servicio de la tarde. Su abuelo había muerto por la tarde.

—... el niño se llamaba Aladino —narraba su tío— y estaba muy afligido porque en la mazmorra hacía frío y estaba oscuro, y desde allí oía a sus hermanos comiendo y riendo.

—¿Por qué estaba encerrado en la mazmorra, tío?

—No me estás escuchando, Juanita. Aladino está encerrado en la mazmorra porque sus hermanos sienten celos de él. Al morir su padre, Aladino hereda toda su fortuna, el castillo, las tierras, el ganado y el título de hidalgo. Por eso, sus hermanos deciden encerrarlo en la mazmorra y matarlo de hambre para así poder quedarse con la herencia y repartirla entre ellos. Pasan muchos días, Aladino tiene sed, hambre y frío, pero cada noche sueña...

—Me parece que no se puede sobrevivir muchos días sin agua, tío.

—Deja de interrumpirme y escucha la historia, Juanita. Cada noche sueña con una hermosa muchacha que lo urge a buscar una lámpara mágica. «La lámpara te salvará, Aladino —le repite una y otra vez la joven—. Encuentra la lámpara; está muy cerca de ti. Encuentra la lámpara y frótala tres veces.»

»Al principio, Aladino hace caso omiso del sueño, pero un día, débil por el hambre y el frío, decide seguir el consejo de la hermosa muchacha, se pone a gatas y empieza a buscar la lámpara mágica. La mazmorra está oscura como boca de lobo, y además es grande y está llena de huesos, pero por fin encuentra la lámpara en el rincón más alejado. Si bien la oscuridad es demasiado absoluta para verla, de inmediato sabe que es de oro fino, y su aceite huele a las almendras más dulces. Aladino la sostiene con delicadeza, resiguiendo con los dedos el pitón largo y curvado...

Juana Inés observaba a los halcones sobrevolando en círculos los campos de caña de azúcar y cacao que coloreaban las colinas mientras su tío desgranaba la tontorrona historia, pero en aquel instante advirtió un cambio en su voz que la hizo volverse hacia él. El tío Juan tenía los ojos cerrados, las rodillas dobladas y las manos sepultadas bajo el sarape.

«Frótala tres veces, Aladino —había advertido la hermosa muchacha—. Frótala tres veces, y aparecerá un genio.»

Juana Inés observó que su tío movía las manos bajo el sarape y que le temblaban las rodillas.

—Aladino frotó la lámpara, pero nada sucedió. «Ojalá la hermosa muchacha estuviera aquí para enseñarme a hacerlo bien», suspiró en voz alta. Y de repente, la hermosa muchacha estaba sentada junto a él.

El tío Juan abrió los ojos azules y los clavó en Juana Inés.

—Ven aquí, Juanita, y siéntate en mi regazo.

Juana Inés sintió una suerte de palpitación en el vientre. De repente tenía miedo. Se vio a sí misma echando a correr como un cervato en busca de Francisca, Josefa y su madre.

—Juanita, ¿acaso no te han enseñado a obedecer a tus mayores? Ven aquí, he dicho.

No veía los volcanes entre las gruesas ramas del árbol. El camino aparecía desierto a excepción de las mulas, la tarántula y los halcones volando a lo lejos. Estaba completamente sola.

—Si no haces lo que te ordeno, Juana Inés Ramírez, te echaré a la calle como ha hecho tu madre. Ven aquí ahora mismo.

Juana Inés obedeció por fin. El tío Juan quería que se sentara a horcajadas sobre sus piernas.

—Buena chica, así me gusta. Ahora quítate los guantes.

Juana Inés se desabrochó los botones de los guantes y se los arrancó, casi desgarrando las costuras. Acto seguido, su tío retiró el sarape y le mostró la cosa más espeluznante que había visto en su vida. Cerró los ojos con fuerza para no verlo.

—Ahora viene la mejor parte de la historia —jadeó su tío con voz ronca—. Abre los ojos.

Juana Inés obedeció.

—Escupe en mi mano, y te enseñaré a invocar al genio de la lámpara.

Escupió en su palma y lo vio estremecerse mientras se frotaba la saliva por toda aquella cosa tiesa que apuntaba hacia su delantal.

—Mírame.

Frotaba cada vez más aprisa mientras con la otra mano se tocaba entre las piernas. Juana Inés percibió que flexionaba los músculos, y el movimiento le recordó ir montada sobre la mula. La palpitación de su vientre había rebasado el ombligo y se había extendido hasta su garganta. Le cruzó por la mente la imagen de su padre una de las escasas veces que lo había visto, inclinado sobre su madre en la cama. Su madre le daba la espalda, y él la zarandeaba al tiempo que profería insultos y amenazas. Al cabo de un rato, su madre se incorporó llorando, y el hombre la abofeteó. Al salir de la habitación, a punto estuvo de tropezar con Juana Inés en el umbral. La cogió de la mano y la volvió a acostar junto a Josefa y María.

—«Vuestros deseos son órdenes para mí —dijo la hermosa muchacha a Aladino—. ¿Qué deseáis, amo?»

La voz de su tío había cambiado de nuevo y ahora parecía a punto de quedarse sin aliento.

—«Vuestros deseos son órdenes para mí. ¿Qué deseáis, amo?» Repítelo, Juanita.

—Vuestros deseos son órdenes para mí qué deseáis amo —recitó de corrido.

De algún modo, un pájaro carpintero se había colado en su pecho y le martilleaba las costillas.

—Ahora fingiremos que tú eres el genio, y yo Aladino —anunció su tío.

Juana Inés lo miró con fijeza. Si corría como alma que lleva el diablo, podía llegar al monasterio; los monjes enviarían a buscar a su madre.

—Si no me sigues la corriente me voy a enfadar mucho, Juanita. No querrás que te deje aquí sola, en medio de la nada, ¿verdad? Con todos los caníbales y cimarrones que andan sueltos por estas colinas. Cógela, Juanita.

—Por favor, tío, no quiero escuchar el resto de la historia. Estoy mareada. ¿Podemos irnos?

Su tío le cogió la mano con fuerza.

—Deseo que Aladino frote la lámpara.

Juana Inés se estremeció de pies a cabeza y se mordió el labio inferior para contener el llanto.

—«Debéis frotarla tres veces, amo. Os mostraré cómo.» Dilo, Juanita.

El tío Juan arqueó la espalda, y la cosa quedó prendida en el delantal de Juana.

—Debéisfrotarlatresvecesamoosmostrarécómo —farfulló al tiempo que apartaba el delantal, aterrada.

—Aquí dentro hay un genio que te concederá todos tus deseos si te portas muy bien. Frota la lámpara.

Guió su mano hacia la cosa.

La lámpara ardía y el pitón estaba resbaladizo.

—«Arriba y abajo, amo, arriba y abajo, amo.» ¡Dilo, hija de puta!

—Arribayabajoamoarribayabajoamo.

Iba a llorar. Sus dientes se clavaron en el labio inferior. Cada vez que su tío empujaba su mano hacia abajo, una mata de pelos hirsutos le rozaban los dedos. Empezaba a oler a lana mojada.

—«¡Ya viene, amo! ¡Ya llega el genio!» —profirió su tío.

Sus piernas se estremecieron bajo las de Juana. El sudor le fluía profuso por el rostro y le goteaba sobre el cuello rizado del traje. De repente le oprimió los dedos con más fuerza aún. Juana intentó liberar la mano, pero estaba atrapada, y sintió que la cosa palpitaba en su palma. Entonces su tío se quedó muy quieto, y las aceitunas que ella había comido le volaron garganta arriba. Juana Inés vomitó sobre el sarape en el momento en que el aceite caliente de la lámpara de Aladino se derramaba entre sus dedos.

—¡Baja ahora mismo! —gritó su tío al tiempo que la empujaba y arrojaba el sarape manchado al suelo—. Mira lo que has hecho.

Juana se arrastró hasta el otro lado del tronco y rompió a llorar mientras rogaba a su madre, su hermana, su abuelo, Francisca, la Virgen o a quien fuera que la llevara a casa.

—¡Por el amor de Dios, como si te hubiera hecho daño! —espetó su tío mientras orinaba contra el tronco del árbol—. ¡Vámonos! Me has estropeado la siesta. Y recoge el sarape. Lo lavarás en cuanto lleguemos a algún río; y ya puedes ir rezando a Dios que quede limpio, porque de lo contrario tu tía te despellejará viva.

El tío Juan no volvió a acercarse a ella ni a dirigirle la palabra durante el resto del viaje. En la posada de Chalco durmieron sobre jergones en una estancia atestada de viajeros. Al amanecer ya habían desayunado atole y cordero frío, y se encaminaban al embarcadero. Bajo el toldo oscuro de la canoa de quilla plana, Juana Inés ya no veía los volcanes. Envuelta en la bruma matutina, sin otro sonido que el chapoteo de los remos en el agua y los gallos cantando a lo lejos, comprendió que había dejado su infancia en Panoayan. No le quedaba más remedio que vivir y crecer en la ciudad de México.

Durante las primeras semanas que pasó en casa de su tío, no pudo mirar a su tía María a los ojos, pues se sentía sucia y perversa por el incidente ocurrido bajo el ahuehuete. Dormía con su prima Gloria, y su tío no volvió a molestarla jamás, pero no dejaba de soñar que mataba al genio que salía de la lámpara de Aladino. Envuelto en un sarape y con el rostro de su tío, el genio flotaba sobre su lecho, y Juana le clavaba la pluma una y otra vez, hasta que incluso su silueta quedaba emborronada en un charco de tinta sangrienta.

# 8

La enfermedad penetraba en los intestinos y formaba una sustancia negra y putrefacta, más densa que el agua y la sangre, pero menos que las más blandas de las heces, que surgía de los irritados anos de las pacientes. Eran en su mayoría novicias, aunque también cayeron enfermas sor Rosario y un par de hermanas legas que trabajaban en el ala de las novicias. Todas ellas ardían de fiebre, y sus ojos estaban vidriosos y relucientes como azulejos. Con los rostros fríos, húmedos y manchados, los labios resecos y los dientes castañeteantes, temblaban y se agitaban en el lecho, segregando aquella sustancia negra a todas horas, por lo que había que cambiar las sábanas y lavar a las pacientes de forma constante. En muchas ocasiones, las monjas se deshacían de ropa interior y camisones, pues no les daba tiempo a lavarlos y además resultaba harto difícil eliminar los lamparones y el hedor. Incluso la ropa de cama quedaba manchada de gris y amarillo.

Todo eso lo recordaba, pero ¿cómo había llegado hasta allí? ¿Por qué había decidido ayudar a sor Elvira en la enfermería? Intentó levantar el brazo y mirar el mordisco que le lastimaba la mano, pero descubrió que tenía los brazos y las piernas atados al camastro. El esfuerzo que supuso intentar incorporarse reavivó los retortijones en su vientre, y sintió que la sustancia escapaba de su cuerpo en un torrente caliente. Abrió la boca para llamar a sor Elvira, pero de sus labios no brotó sonido alguno. Se dio cuenta de que veía borroso, y que los ojos se le ponían en blanco una y otra vez.

Volvió a dormirse y esta vez soñó que introducía la lengua entre las piernas de una de las novicias y percibía el sabor amargo de su sexo infectado.

Nunca había realizado aquella clase de tarea, ni siquiera en las carmelitas, donde no le habían escatimado largas horas de fregado y lavado de ropa, y en su interior despertó cierta admiración hacia sor Elvira que la espoleó. De eso debía de tratarse ser una verdadera monja, pensó, ese perpetuo dar, agradecer a Dios las desgracias, aprender la retórica de la compasión.

—Hemos puesto una vela a san José por vos, Juana —oyó.

El pánico se adueñó de ella al pensar que no había salido del convento de las carmelitas. Seguía en San José, y sor Elvira era la enfermera que intentaba obligarla a beber agua y comer pan.

—¿Estáis confirmada, Juana?

«¡No! —quiso gritar—. Me fui de San José. Me fui de palacio. Esto es San Jerónimo, estoy en el convento de Santa Paula de la Orden de San Jerónimo. He adoptado el nombre de Juana Inés de la Cruz.» Su cuerpo fue presa de convulsiones involuntarias.

—¡Mirad, Elvira! ¡Tiene un ataque!

—Calmaos, madre, sólo es la fiebre. Hacemos cuanto podemos.

—Sabía que sería demasiado peligroso. Debería haber obedecido a mi instinto. ¿Por qué permitiría que me convenciese?

—Juana puede llegar a ser muy persuasiva, madre.

—Me dijo que había tenido una visión, la Señora del Apocalipsis que le hablaba de una epidemia. ¿Cómo no iba a creerla?

—Nunca se había revelado como visionaria.

—Eso mismo le contesté yo. «¿Desde cuándo se os aparece el Espíritu Santo, Juana?», le pregunté. Puede que no sea más que una indigestión, pero ella no lo creía así.

«No quiero que vengan, madre. Decidle que no me las envíe. No es justo, ¿acaso no lo comprende? ¿Por qué iba a hacer esto por ella? Nada le debo.»

Había recibido una carta de su madre en que le anunciaba que, tras largas deliberaciones, ella y su esposo habían tomado la decisión de enviar a sus hijas, las hermanastras de Juana, Antonia, de catorce años, e Inés, de doce, a San Jerónimo en calidad de internas. Era la única forma de proteger su pureza, escribía su madre, y si no era demasiada molestia, ¿podían contar con que Juana las alojara en su celda? La madre superiora ya le había comunicado que no habría espacio en el dormitorio común de las internas hasta al cabo de un año cuando menos, pero que los aposentos de Juana eran lo bastante amplios para colocar otra cama, siempre y cuando Juana Inés diera su consentimiento, por supuesto. Don Diego acompañaría a las niñas a tiempo para la festividad de san Jerónimo, a finales de septiembre, y Juana debía escribirle para notificarle si necesitaba que llevaran algo consigo, lo que fuera. Doña Isabel sabía que debería proporcionarles sábanas, mantas, almohadas y dinero para el alojamiento y la manutención (la madre Paula ya había reducido su cuantía a la mitad, bendita sea) y asimismo enviaría sacos de cacao y caña de azúcar para la cocina del convento. En la posdata explicaba que la madre Catalina había aconsejado que las niñas fueran presentadas como primas de Juana.

Juana arrugó la carta y empezó a pasearse por el estudio. «¡No doy crédito! –pensó–. Mi madre me saca de su casa a los ocho años, pasa casi trece años sin verme y ahora pretende que asuma la responsabilidad de sus dos mocosas.» ¡Primas, vaya! Todo el mundo en el convento sabía que su madre tenía un segundo esposo y una segunda familia. Juana sólo había visto a las niñas en dos ocasiones en que su madre las había llevado a la ciudad de México, la primera para el velorio y la segunda con motivo de su anterior cumpleaños. Las dos veces le habían parecido malcriadas hasta la médula, en particular la menor, Inés, que no cesaba de interrumpir las conversaciones de los adultos con declaraciones inoportunas. Inesilla, como la llamaba su madre.

Y la otra, más tonta que un zapato, permitiendo que su hermana hablara por las dos mientras ella se retorcía los tirabuzones entre los dedos.

«¡Y ahora vendrán aquí a vivir conmigo! ¿Con qué derecho? –exclamó a solas–. ¿Por qué no se ocupa mi madre de sus hijos?» Debía hacer algo para evitar la desgracia. ¿Quién se creía su madre que era, si podía saberse? Daba por hecha una familiaridad, una confianza que Juana no compartía. No tenía obligación alguna de acoger a aquellas niñas. En absoluto. Y sin embargo, ¿cómo decirle a su madre que no quería hacerlo? ¿Que envidiaba los años que esas muchachas habían pasado junto a su madre mientras Juana pasaba del hogar de los Mata al palacio y luego al convento como perro sin amo?

Se había quedado sin aliento. Sentía el aire espeso y ardiente en su garganta, pero no podía inhalar ni la más insignificante bocanada. Le temblaba la cabeza, y una especie de líquido le llenaba, tumultuoso, los oídos. Los calambres le atenazaban las entrañas con intensidad creciente.

—¡Respirad, Juana!

Una mano fría la abofeteó.

—¡Juana, respirad!

Otro bofetón.

—Agua, por favor, madre, traed agua.

Agua fría sobre el rostro, en la garganta. Estaba a punto de ahogarse. Tosió y por fin consiguió aspirar profundamente.

—Muy bien, Juana. Eso es, respirad. Despacio, despacio.

—Creo que le está bajando la fiebre, madre.

—A veces es peor cuando baja la fiebre.

—¿A qué os referís?

—No puedo volver a sangrarla. Tendremos que esperar y rezar.

—¿Debemos hacer venir al padre Núñez?

—Dios mío, ¿por qué le hice caso?

«¡Piensa, Juana, piensa! —se dijo—. Olvida el dolor. Intenta recordar cómo llegaste hasta aquí, qué te trajo.» Alguien le humedeció la boca y ella sorbió el agua con avidez.

Sus alumnas preparaban la función que representarían el día de la Asunción. El virrey, la marquesa y los patrocinadores del convento habían sido invitados, y las internas se afanaban en confeccionar cestitas de encaje que llenarían con pétalos de rosa y flores de azahar para distribuirlas entre los asistentes. Juana había enviado a sus alumnas de música al claustro para que ensayaran el villancico que aún no había terminado de componer, pese a que llevaba semanas trabajando en él. Pero la carta de su madre la había trastornado y enojado, y había pasado la mayor parte del tiempo intentando encontrar la forma de evitar que su madre se saliera con la suya.

Oía con toda claridad las voces de las muchachas en el claustro. *Silencio, atended, pues María está cantando. Escuchad, oíd su voz tan divina.* Ensayaban el estribillo, y Juana advirtió que no estaban conjuntadas, pero no tenía fuerzas para salir a corregirlas. En aquel instante oyó a una hermana lega salir de la enfermería y pedir a las alumnas que bajaran la voz, pues molestaban a las hermanas enfermas. Juana se dirigió a la ventana para ordenarles que entraran en clase y entonces se le ocurrió la idea. La hermana lega cruzaba el patio con una pila de orinales para vaciarlos, y Juana recordó que sor Elvira, encargada de la enfermería, tenía docenas de pacientes aquejadas de fiebres.

«Si me presento voluntaria para ayudar en la enfermería, es posible que contraiga la enfermedad. Mi madre descartaría la idea de enviarme a sus mocosas si supiera que tengo las fiebres.»

«Piensa en las consecuencias, Juana –le advirtió una vocecilla interior–. Las fiebres son una enfemerdad muy grave, y los remedios de sor Elvira no han demostrado ser demasiado eficaces. ¿No sería más sencillo escribir a tu madre y anunciarle que te niegas a acoger a sus hijas o cuando menos urdir algún pretexto razonable para no cumplir su deseo?»

Pero aquella vocecilla nada sabía del corazón de Juana. Era la voz de la lógica, la voz que pertenecía a su parte racional, y no era su parte racional la que se sentía abandonada por su madre e insultada por aquellas chiquillas. No era su ser racional el que tendría que lidiar con la oleada de emociones que la inundaría y le impediría estudiar, escribir, pensar incluso. Cuando su ser emocional se hacía con las riendas, lo único que experimentaba era dolor, furia y tedio, y lo único que obtenía de ello era tiempo desperdiciado. Su vida entera estaba en peligro, razonó, de modo que debía adoptar medidas extremas para protegerla. Su ser racional tendría que comprenderlo.

Esperaría hasta después de la representación para exponer su decisión a la madre superiora, decidió, pero al atardecer, cuando las beatas disponían las sillas en el patio y colgaban el telón entre dos balaustradas, mientras las actrices y el coro ensayaban una vez más antes de que las puertas se abrieran para recibir a los invitados, Juana alegó una terrible jaqueca que le impediría supervisar la función entre bambalinas, como solía hacer, salir a saludar a su término y asistir a la recepción que tendría lugar más tarde en el patio. Suponía que aquella jaqueca la favorecería y conferiría más credibilidad a la historia que estaba urdiendo para contársela a la madre superiora.

En un principio, la madre Catalina se negó en redondo a que Juana ayudara en la enfermería, pero la joven la convenció inventando una visión inducida por la jaqueca, acaecida el día de la Asunción, ni más ni menos, en la que la Señora del Apocalipsis le había hablado de un gran sacrificio que debía hacer por la orden.

—¿Y estáis dispuesta a hacerlo, Juana?

—¿Qué otra cosa me recomendáis? Podríais enviar a una sustituta en mi lugar, pero eso no haría más que avivar la ira.

—Sí, es curioso que ningún otro convento tenga brotes. Puede que sea la ira de Dios. Pero ¿qué hemos hecho nosotras para merecerla, Juana?

—A eso me refiero, madre. No hay modo de saberlo. Tal vez Dios esté poniendo a prueba nuestra fe.

—No me sorprendería. Por lo visto, cada vez hay más jóvenes que ingresan aquí por conveniencia, y no por razones de fe.

—Creedme, madre, de no haber sido la Señora del Apocalipsis quien se me apareció, no os habría importunado con este mensaje, cualquiera que sea su significado.

—Tal vez signifique que si hacéis este sacrificio, si obedecéis Su orden, habréis superado vuestra prueba y la enfermedad no os atacará. ¿Lo creéis posible o una soberana estupidez?

—Me parece muy posible, madre.

—Bien, en ese caso, no veo qué otra cosa podemos hacer.

—Estoy a vuestra entera disposición, madre.

—Vuestras acciones serán elogiadas, querida. Mencionaré vuestra visión en el capítulo del viernes y me cercioraré de que las demás hemanas aprecien el sacrificio que habéis decidido hacer por nosotras. Asimismo, indicaré a sor Rafaela que lo plasme en el archivo.

—No es necesario, madre.

–Sé por qué tuvisteis esa visión, ¿vos no, acaso? Porque sois la única persona valiente de este lugar. Ninguna de las otras me habría revelado semejante cosa. A decir verdad, de haber tenido yo tal visión, tampoco se lo habría revelado a nadie. ¿Qué persona en su sano juicio se expondría voluntariamente a las fiebres? Por supuesto, no quiero decir con eso que no estéis en vuestro sano juicio, Juana, pero las visiones...

–Sé a qué os referís, madre. Y no os inquietéis. Tomaré las precauciones necesarias.

Juana salió del despacho de la madre superiora embargada por la euforia. Fue derecha a la enfermería, trocó el velo largo por el corto que llevaba el personal de ese recinto, se remangó y empezó a vaciar orinales. Sor Elvira experimentó tal alivio al recibir ayuda que se arrodilló de inmediato y rezó un decenario entero de Credos.

A mitad de la primera semana, Juana lamentó la decisión que había tomado. No soportaba la idea de ingerir alimento alguno y cuando lograba dormirse, los sueños la devolvían a la enfermería, donde continuaba lavando, enjugando y oliendo los efectos de la dolencia. A finales de semana resultó ser demasiado tarde. Presa del delirio, una de las novicias a las que limpiaba el sudor le mordió la mano hasta hacerle sangre. Juana sabía que la infección no tardaría en propagarse por todo su cuerpo. Incluso sor Elvira, conocida por haber rehuido todos los males que habían atacado el convento en las dos décadas pasadas, se balanceaba al borde de la infección. Las dos ayudantes de sor Elvira cayeron enfermas a principios de la segunda semana, y tres días más tarde Juana dejó caer un montón de sábanas sucias que llevaba a la lavandería cuando un dolor más intenso que diez cólicos juntos le retorció las entrañas.

–¿Me oís, hija mía?

Vio a su abuelo inclinado sobre ella, pero entonces logró enfocar la vista y comprendió que se trataba del padre Núñez, que le ungía la frente con un aceite de olor rancio.

–En el nombre del Padre, del Hijo y del Espíritu Santo.

¿Qué significaba aquel aceite? Sabía que significaba algo, pero no era el bautismo, ni la iniciación a la familia de Cristo, sino otra cosa, algo de índole terminal, como la muerte. De repente comprendió qué hacía el padre Núñez y agitó brazos y piernas en un intento de desatarse.

«¡No voy a morir! –intentó gritar al sacerdote–. ¡Sacadme de aquí! ¡No quiero vuestra extremaunción! ¡Apartad de mí ese aceite!» Pero el murmullo monótono de sus plegarias no se detuvo, y el aceite le goteaba por las sienes.

En otra ocasión le pareció ver a la marquesa inclinada sobre ella, sentir sus manos frescas en las mejillas, sus labios dulces sobre los labios, su aliento en el rostro mientras susurraba su nombre. Despierta, Juana, quiero hablar contigo. Despierta por mí.

Por fin abrió los ojos. La fiebre había desaparecido, la infección había quedado reducida a una jaqueca y una sed insaciable. La lengua se le antojaba un pedazo de tasajo. La curva de su vientre había quedado cóncava contra sus costillas. La madre Catalina y Andrea estaban sentadas en sendos taburetes a ambos lados de la cama; se dio cuenta de que ya no estaba en la enfermería, sino en su propio lecho. Sólo llevaba la camisola, y su piel olía a agua de rosas y jabón castellano. Vio una jofaina de agua grisácea y una pila de toallas mojadas a los pies del taburete de Andrea.

–Amiga mía –logró farfullar–. Gracias.

–No debes cansarte –advirtió Andrea–. Toma un poco de té.

El brebaje carecía de sabor, pero el líquido caliente le empapó la lengua, le humedeció las cuerdas vocales y le suavizó las paredes resecas del estómago.

–Basta, basta –exclamó Andrea–. Lleva panal y un poco de láudano; te hará vomitar si tomas demasiado.

–El peligro ya ha pasado, Juana –anunció la madre superiora al tiempo que le daba palmaditas en la mano–. San Jerónimo ha intercedido por vos.

–Pero san Jerónimo no es el patrón de las enfermedades contagiosas, sino san Roque, madre –puntualizó Juana en un susurro.

–¿No os acordáis, hija mía? –suspiró la madre Catalina, acariciándole el rostro–. No dejabais de invocarlo, de suplicar que intercediera por vos. «San José no», decíais. «¡San Jerónimo!»

–Creí que estaba en otro lugar –repuso Juana antes de tomar otro sorbo de té.

La madre Catalina le besó la mano.

—Estábamos tan preocupadas por vos... Vino el padre Núñez, y también la marquesa. Casi prorrumpió en llanto al veros.

—¿Vino la marquesa? ¿Aquí, a mi celda?

—Con su propio médico —añadió la madre Catalina—. Y las novicias han estado rezando en el salón.

—Y te has curado —intervino Andrea con una sonrisa mientras alisaba la ropa de cama—. La Señora te ha devuelto.

Juana apuró el té.

—¿Qué Señora?

—No lo recuerda —señaló la madre Catalina a Andrea—. La Señora de la visión, Juana. Os ha impuesto una prueba muy dura.

Entonces recordó la razón de la enfermedad que ella misma se había provocado.

—¿Habéis avisado a mi madre? Mis hermanas...

—Vuestras primas, querida, llegarán en diciembre. No queríamos alarmar a vuestra madre hasta estar seguras de que os repondríais, de modo que nos limitamos a solicitarle que pospusiera el viaje alrededor de un mes. En cuanto el médico nos aseguró que estabais fuera de peligro, le escribí una carta.

¡Por supuesto! ¡Qué estúpida había sido! Su enfermedad no había evitado nada, había arriesgado la vida por nada. ¡Y ni siquiera había recibido la confirmación! Podía haber pasado toda la eternidad en el purgatorio. Dejó caer la cabeza sobre la almohada y dio rienda suelta al llanto. Oyó la voz de su ser racional refocilándose en su derrota. *Otra solución, una salida más eficaz, habría sido confiar en la madre Catalina para que ella evitara la llegada de las niñas.* ¿Por qué no se le había ocurrido? Las lágrimas empezaron a mojarle el cabello.

—Necesita reposar, madre —aconsejó Andrea antes de recoger la jofaina y los paños.

—Os pondréis bien, querida. No temáis nada; ya estáis a salvo.

*No temáis nada; ya estáis a salvo.* Las palabras de aquel viejo sueño que había utilizado para ingresar en el convento. Las lágrimas se le antojaban cascadas de agua sobre el rostro. Oyó a las dos monjas abrir la puerta, y el murmullo de los rezos de las novicias flotó hacia ella como en un sueño. Se durmió deseando no volver a despertar, pero cada vez que volvía en sí, ahí estaba Andrea con un cuenco de caldo de pollo o una infusión de manzanilla, o Juanilla masajeándole los pies y las manos con aceite de alcanfor para activar la circulación de la sangre en sus extremidades, o la madre Catalina en plena noche, dando cabezadas sobre su libro de oraciones. Y un buen día estaba curada y no le quedó más remedio que levantarse y vestirse para los rezos.

Supo que sor Rosario había muerto a causa de la enfermedad, al igual que cuatro de las novicias y una beata. Todas las puertas del convento lucían lazos negros y, por respeto a los difuntos, las hermanas habían sustituido los velos blancos por otros negros y llevaron el rostro cubierto de gasa durante un mes entero, período de duelo durante el cual no admitieron visitas.

Andrea no se alejaba de Juana, atenta a cualquier indicio de recaída y a la posibilidad de más visiones apocalípticas, aunque no sucedió ninguna de las dos cosas.

—¿Realmente se te apareció la Virgen, Juana? —le preguntó una tarde al regresar de completas, tras el cual habían permanecido en el coro inferior para que Andrea pudiera rezar un decenario especial de Padrenuestros al Sagrado Corazón—. ¿Cómo era?

—A decir verdad, no la distinguí demasiado bien —se excusó Juana, sin atreverse a confesar la verdad ni siquiera a Andrea—. La fiebre me nublaba la vista.

—Entonces, ¿no viste nada? ¿Ni ángeles velando por ella, ni demonios retorciéndose a sus pies, ni almas alzando las manos para que los sacaran del purgatorio? Eso es lo que cuentan los místicos.

—En verdad —repuso Juana, recurriendo a los conocimientos que poseía de los textos místicos para dar a su amiga una descripción convincente de la visión—, por un instante logré enfocar la vista, y entonces vi unas nubes bordeadas de rayos de luz. La voz de la Virgen parecía surgir de esas nubes, pero de repente distinguí muy vagamente su silueta. Al principio creí que era mi abuela quien me hablaba. Me dijo que era la madre de mi madre y me habló de un sacrificio que debía hacer para demostrar mi amor por ella.

—Creía que guardaba relación con la orden. Eso fue lo que nos contó la madre Catalina.

–Dijo que me había elegido como representante de la orden para que mi sacrificio fuera prueba de la devoción de la orden.

–Supongo que es lógico que te eligiera a ti, Juana... Quiero decir, no eres la hija más devota de San Jerónimo, pero aun así te eligió a ti. ¡Cuán afortunada eres!

–Imagino que tienes razón, pero no sabía que sería tan peligroso –replicó Juana.

–La fe duele, Juana.

Se hallaban junto a la fuente, a punto de separarse para dirigirse a sus respectivas celdas, Andrea al tugurio de una sola estancia que había escogido, Juana a sus aposentos, situados en la planta superior. Caía la noche, y el patio aparecía iluminado por los farolillos. De improviso, Juana sintió el impulso de abrazar a su amiga porque estaban a solas y la amaba por su inocencia.

–Por todos los santos, Juana. ¿Por qué has hecho eso?

–¿Has reparado en la diferencia que existe entre la fe y la esperanza?

–No cambies de tema. Sabes que no se nos permite tocarnos.

–He llegado a la conclusión... No, espera, no te vayas. He llegado a la conclusión de que la fe significa creer en algo cierto, mientras que la esperanza va unida a la expectativa y el deseo. Creo que cuando confundimos la esperanza con la fe, cuando nuestros deseos y expectativas se ven frustrados, percibimos que la fe duele. Pero si creemos sólo en lo que es cierto, la fe no puede doler, pues se basa en la verdad. ¿Tiene sentido lo que digo?

–¿Qué voy a hacer contigo, Juana? Desobedeces nuestros votos con tanta facilidad, aunque sin pretender hacer daño alguno... Y sin embargo, comprometes mi fe constantemente, y lo único que puedo esperar es que algún día en verdad se te aparezca el Espíritu Santo.

–La esperanza duele, Andrea –sentenció Juana.

Pero su amiga ya se había alejado, y allí no quedaba nadie para escucharla salvo los gatos acurrucados entre las macetas de orquídeas sobre el borde de la fuente.

En lugar de regresar a la celda, salió al huerto a recoger un tomate para comérselo antes de acostarse. Las luciérnagas volaban sobre los lechos de orégano y salvia que crecían a ambos lados del sendero de grava. El canto de los grillos en el huerto y el croar de los sapos al otro lado del muro conventual le recordaron las silenciosas noches de palacio, cuando toda la corte se había retirado temprano y Juana tenía el lugar para ella sola.

«Pero allí podías cruzar la verja si así lo deseabas», se recordó.

Escoltada por un paje, gustaba de pasear por la Plaza Mayor, sorteando los tenderetes del mercado, deteniéndose aquí y allá para admirar una seda china o un tejido indio. Al otro lado del canal, bajo los soportales del municipio, observaba a los jóvenes amantes que se besaban por las esquinas y a los estudiantes que se congregaban en torno a las mesitas exteriores de las pulquerías para debatir las distintas asignaturas que cursaban. En ocasiones se situaba estratégicamente cerca de las mesas de los escribientes y escuchaba el patético torrente de versos enamorados que les dictaban sus clientes de corazón roto. Cómo añoraba aquellos largos paseos, que siempre acababan en la librería de don Lázaro.

*Aquí estás encerrada, Juana. Todo tu mundo se limita a estos muros.*

Pero ingresé aquí por voluntad propia.

*¿Qué voluntad propia? No tenías otra elección, Juana. No con tus inclinaciones.*

## 9

Antonia e Inés llegaron la segunda semana de diciembre. Juana no se reunió con su padrastro en el locutorio, y él tampoco solicitó verla, sino que se limitó a tratar con la madre Catalina. Acompañadas por sor Clara, la nueva hermana portera, las muchachas y sus equipajes irrumpieron en la celda de Juana. Por supuesto, no compartiría dormitorio con ellas, por lo que había trasladado su dormitorio a la planta superior, haciendo un hueco en la parte occidental de la biblioteca para colocar la cama y el escritorio, y cedió la habitación de la planta inferior a sus hermanas. Inés se quejó de las dimensiones del cuarto, de la delgadez del colchón sobre el viejo y precario lecho que debía compartir con su hermana, de la distancia que separaba sus aposentos del retrete, de la falta de doncellas que las atendieran y de que Juana permitiera a Juanilla sentarse a la mesa con ellas.

—¡Madre no lo permitiría jamás! —gimoteó—. ¿Verdad que no, Antonia?

Antonia fingía comer su plato de pollo con arroz.

—Pero ya no estás en casa de madre, ¿verdad que no? —replicó Juana, consciente de que ahora mandaba ella y de que sus hermanastras deberían obedecerla en todo, y esa era su venganza por el hecho de que ellas hubieran crecido junto a su madre, junto a la madre de Juana.

—¡Pues entonces comeré en mi habitación! —espetó Inés.

—O comes en la mesa, señorita, o no comes. No habéis venido de vacaciones ni a descansar, sino a estudiar y aprender, sobre todo humildad. Asistiréis a todas vuestras clases, todos los días de la semana, y sólo vendréis aquí para almorzar. En los ratos de ocio ayudaréis en la cocina o en la lavandería. Yo trabajo durante todo el día y no quiero a nadie en las inmediaciones de mi celda. Después de vísperas os retiraréis a vuestra habitación a leer y estudiar. No asistiréis a completas ni a maitines. En mis aposentos limitaréis las conversaciones, pues el parloteo incesante altera mi tranquilidad y por tanto mis estudios. Los domigos, después de misa, y sólo si os comportáis como Dios manda, se os permitirá acompañar a Juanilla al mercado. Si eso os parece indigno, permaneceréis en vuestra habitación el resto del día. El quid de la cuestión reside en no interponeros en mi camino y haceros casi invisibles. Y ahora, ¿te importaría repetir lo que he dicho, Antonia?

Las muchachas escribieron innumerables cartas a su madre para suplicarle que las sacara de la celda de Juana, de San Jerónimo y de la ciudad de México. Juana las interceptaba todas y las quemaba en el brasero. Su madre siempre había hecho caso omiso de las cartas que ella le había enviado implorándole que la dejara abandonar la casa de los Mata, así que, ¿por qué iba a prestar atención a las súplicas de sus dos mocosas?

El tercer domingo de marzo, su tía María la visitó en el locutorio ataviada de negro. El tío Juan había muerto de una enfermedad venérea, anunció. Puesto que todos sus hijos habían contraído matrimonio, nada le quedaba en la ciudad, de modo que se disponía a regresar a Nepantla.

—Ahora que tu pobre madre vuelve a estar sola...

—¿Por qué está sola? ¿Acaso ha muerto don Diego?

—¿No te lo ha contado? ¿Crees que hizo el largo viaje hasta la ciudad de México sólo para traer a sus hijas al convento? Aquí tiene familia. Ha abandonado a tu madre.

—Por el amor de Dios, tía, qué escándalo.

—Lo único que puedo decir es que Juan tenía sus defectos, pues todos los hombres son iguales en ese aspecto, pero al menos no abandonó a su familia.

Juana tragó saliva.

—Pobre madre.

—Yo en tu lugar no la compadecería. Isabel siempre ha sido la más fuerte de todas. Sin embargo, tienes razón... Pobre. Creo que amaba a don Diego, a diferencia de a tu padre y ese otro hombre que no hacía más que utilizarla. Por mi parte, nunca estuve enamorada de tu tío, que en paz descanse, pero nos respetábamos, y cuidaba bien de nosotros. No se podía pedir más. En cambio tu madre, Juanita, siempre es ella quien se encarga de todo, ¿no es así? Es una auténtica soldado. Y mira qué hija ha criado.

—Vos me criasteis tanto tiempo como ella, tía, y la marquesa hizo el resto.

—Ah, sí, la marquesa, todos le estamos muy agradecidos. En verdad floreciste en palacio. ¿Cómo te ha sentado la noticia de su partida, querida?

—¿La partida de quién?

—Virgen santa, Juanita, ¿acaso sigues tan enferma que no lees la gaceta? ¿O es que te pasas la vida con la nariz metida en tus libros? El virrey y la marquesa regresan a España. Aguardan órdenes del rey, pero creen —eso dicen todos— que partirán en la siguiente flota.

El chocolate se tornó ácido en el vientre de Juana.

—¡Sólo faltan dos meses!

—No, no en la flota de este año, sino del próximo.

—No puedo creer que no me lo haya dicho. ¿Estáis segura, tía? No siempre se puede dar crédito a los rumores.

—Los cortesanos no hablan de otra cosa. Fue tu primo, Nico, quien me lo contó. Tiene amigos en palacio.

No podía perder más tiempo charlando con su tía.

—Tía, ¿os importaría esperar a que escriba una nota para la marquesa? Os agradecería mucho que se la hicierais llegar.

—Está bien. ¿Te permiten...?

—Gracias, tía. Volveré dentro de un momento. Tomad un poco más de chocolate.

Juana salió del locutorio como una exhalación y corrió a la biblioteca de la hermana archivera. No tenía tiempo de ir a su celda para escribir la misiva. Sor Rafaela alzó la vista de sus textos y la miró ceñuda, pero no le preguntó qué hacía. Juana cogió una hoja de pergamino en blanco y escribió la nota sin sentarse siquiera.

*19 de febrero de 1673*

Querida marquesa:

Acabo de escuchar los rumores de vuestra inminente partida, y si bien no es mi intención abrumaros con reproches, deseo expresaros cuánto lamento haber perdido vuestra confianza. No os he visto desde que me recobré de mi enfermedad, pero sabedora de la frenética actividad de palacio antes de Pascua, atribuí vuestra ausencia a esta razón. Sin embargo, ahora ya no puedo sino suponer que ya no me contáis entre vuestras amistades. Si no estoy en lo cierto, os ruego me visitéis y me digáis que los rumores de vuestra marcha son infundados.

Sinceramente vuestra,

Juana Inés

La marquesa no acudió, pero envió una nota de respuesta en la que se disculpaba por no haber dado la noticia a Juana y le aseguraba con gran elocuencia que jamás perdería la confianza ni la amistad de la virreina. Juana leyó la nota tantas veces que se grabó su contenido en la memoria:

Te amo tanto como tú a mí, querida. Si no te he hablado de nuestros planes es porque la idea de no volverte a ver jamás me apena más que abandonar esta tierra que tanto he llegado a querer. Iré a visitarte después de Pascua.

Tu amiga para siempre,

Leonor Carreto de Mancera

Al ver que el día de san Juan llegaba y se iba sin recibir la visita de la marquesa, Juana, con el corazón en un puño, envió a Juanilla a palacio para averiguar si ya habían partido.

—Siguen aquí, madre, pero las criadas dicen que su señoría ha vuelto a caer enferma y lleva semanas sin salir de su habitación.

—¿Que ha vuelto a caer enferma? No me dijo que había estado enferma. ¿Qué le sucede?

—Tiene agua en los pulmones... o fuego, una de las dos cosas.

—Por el amor de Dios, Juanilla, eres mi único vínculo con el mundo exterior. Podrías prestar más atención.

—Sea lo que sea, dicen que se muere, madre.

Juana fue a ver a la madre Catalina y le solicitó permiso para salir del convento y quedarse junto a la marquesa hasta que sanara, ahora que ya tenía experiencia con los enfermos...

—De ningún modo —denegó la madre Catalina—. Aún estáis convaleciente, como quien dice, y no tengo intención de permitir que os expongáis a otra infección.

—Pero madre, la marquesa es como una madre para mí...

—Lo lamento, Juana. Ya sabéis que accedo a cuanto me pedís, pero creí que iba a perderos por culpa de aquella fiebre. No volveré a correr ese riesgo.

—Pero ya estoy curada, madre...

—No insistáis, Juana. No puedo permitirlo. Os ruego que lo comprendáis.

—Pero, madre...

—Ya habéis oído a la madre superiora, hermana —terció sor Bernarda, la nueva vicaria, que acababa de entrar desde la antesala—. ¿No tenéis clase? Vuestras alumnas se quejan a menudo de que nunca os ven.

Por las noches, Juana abría la Caja de Pandora y componía verso tras verso de insípida poesía que apenas reflejaba la frustración causada por el encierro. Antonia e Inés pagaban por su malhumor. Si sorbían la sopa ruidosamente, olvidaban el sigilo al subir la escalera o hablaban en voz alta en su habitación, Juana las regañaba. Les prohibió escribir más cartas a su madre y, en una ocasión, cuando la hermana portera anunció que su padre las esperaba en el locutorio, Juana fue a verlo y en menos de dos minutos le explicó que las jóvenes no podían recibir visitas a placer, que las visitas constituían un privilegio que se obtenía tras pasar un año en el convento.

—Pero si sólo son alumnas internas —protestó don Diego.

—Precisamente por eso —insistió Juana—. Buenas tardes, don Diego. Les comunicaré que habéis preguntado por ellas.

Pero no lo hizo

Juanilla iba al palacio con regularidad y trabó amistad con varias

esclavas de la virreina, lo que le permitió dar a Juana informes deta-
llados de la salud de la marquesa. Por lo visto, el calor estival había
resultado especialmente dañino para sus débiles pulmones, pero
ahora que el tiempo se había tornado más fresco, podía sentarse en
el jardín y respirar con normalidad. Juana le envió un ungüento
mentolado que recomendaba sor Elvira, así como un soneto que,
después de meses de retoques, consideró apto para la marquesa.

> En la vida que siempre tuya fue,
> Laura divina, y siempre lo será,
> la Parca fiera, que en seguirme da,
> quiso asentar por triunfo el mortal pie.
>
> Yo de su atrevimiento me admiré:
> que si debajo de su imperio está,
> tener poder no puede en ella ya,
> pues del suyo contigo me libré.
>
> Para cortar el hilo que no hiló,
> la tijera mortal abierta vi.
> ¡Ay, Parca fiera!, dije entonces yo;
> mira que sola Laura manda aquí.
> Ella, corrida, al punto se apartó,
> y dejóme morir sólo por ti.

Era su forma de decirle a la marquesa lo que ya sabía. Empleando el pretexto de su propia enfermedad, Juana intentó animarla
para que se repusiera recordándole que su vida estaba en manos de
la marquesa, que ni siquiera el Destino la poseía como la poseía la
marquesa.

La última vez que vio a su amiga fue el día de su vigesimo-
quinto cumpleaños. Juana no pudo evitar reprocharle que hubiera llevado consigo a su séquito en lugar de acudir sola, y no logró
hablar de corazón, ni siquiera con ayuda de la enrevesada sintaxis
de la alegoría.

—Querida Juana, ¿es necesario que me abrumes de este modo?
Desde mi enfermedad me fatigo con facilidad.

—Sísifo se fatigaba cada día, señora, pero eso no lo eximía de su
castigo.

–Sé que estás enojada conmigo, querida, por marcharme y por no avisarte de que partíamos, pero los asuntos de Estado son complejos, Juana Inés, y nada se sabe con certeza hasta el último momento.

–Perséfone era la diosa de la primavera, además de reina de los muertos.

–¡Te comportas de un modo exasperante, Juanita! Quería celebrar tu cumpleaños contigo. ¿No te complace mi regalo? Mandé hacer la mandolina expresamente para ti. Acércate, Juana Inés. Dame un beso y toca para mí. Seamos amigas de nuevo.

Juana permaneció inmóvil. La madre Catalina había accedido a la petición de la virreina de que Juana pudiera sentarse con ella en el locutorio, pero la joven se había negado. Desde su asiento habitual al otro lado de la reja, observaba a la marquesa mientras su corazón se hacía trizas en silencio.

En cuanto la marquesa y sus damas de compañía se marcharon, Juana fue al despacho de la madre Catalina para comunicarle que haría voto de silencio y soledad hasta que el virrey y la virreina abandonaran México en abril.

–Pero aún faltan cinco meses, Juana. ¿Por qué insistís en infligiros tan estrafalarios castigos? Además, ¿no queréis saludar al nuevo virrey cuando venga a visitar San Jerónimo?

–He perdido todo interés por palacio –repuso Juana–. Por lo que a mí respecta, jamás habrá otro virrey como el marqués de Mancera.

Corría el rumor de que el nuevo virrey, el duque de Veragua, había conseguido su cargo pujando más alto que sus competidores, pero también de que era un anciano enfermo que tenía muy pocas posibilidades de sobrevivir al largo viaje a Nueva España.

–Comprendo la aflicción de vuestra pérdida, Juana –aseguró la madre Catalina–. Cuando perdí a mi cuarto hijo, me refugié en el convento para huir del dolor. Pero vos sois demasiado joven para sucumbir a la pena.

–No me siento joven desde que abandoné Panoayan, madre.

La madre Catalina exhaló un suspiro, llamó a la vicaria y le ordenó buscar a una sustituta para las clases de Juana.

Por primera vez en los cinco años de su profesión, Juana recurrió a la disciplina y la oración verdaderas, y no permitía que Juanilla se acercara a palacio por temor a enterarse de algo que su corazón no pudiera soportar. Cuatro días después de la llegada oficial del duque a México, el día de la Virgen de Guadalupe, sonaron las campanas a difuntos, y Juana tuvo la certeza de que la marquesa había fallecido, pero resultó ser el duque de Veragua, cuyo virreinato no había durado ni una semana. La marquesa no supo que jamás volvería a ver a Juana hasta que ya fue demasiado tarde.

*1 de marzo de 1674*

Juana Inés:

El marques y yo hemos estado tan espantosamente ocupados estas últimas semanas preparando nuestro viaje que no hemos tenido tiempo de hacerte una visita. Hoy he venido a verte sola, pero me han informado de que has hecho voto de silencio y soledad. Debo decir, querida, que me ha decepcionado la noticia, pues nos quedan apenas unos días en México. Se me antoja egoísta por tu parte alejarte así de nosotros. En fin, tal vez reconsideres tu postura. Tardaremos un mes entero en llegar a Vera Cruz. Hemos sabido que la flota estará lista para zarpar a comienzos de mayo, por lo que abandonaremos Ciudad de México el 2 de abril. Me gustaría mucho verte una vez más antes de partir.

Leonor Carreto de Mancera

*12 de marzo de 1674*

Sigo sin tener noticias tuyas, Juana Inés. No puedo creer que me niegues el placer de tu compañía después de todo lo que hemos significado la una para la otra durante estos últimos diez años. Hazme saber al menos cómo te encuentras. He dado instrucciones al paje de que espere tu respuesta delante del convento. El inminente viaje me llena de angustia, Juana Inés; te ruego que no la avives aún más. Aguardo tu respuesta.

Leonor (la virreina)

Apreciada marquesa de Mancera:

Vuestra misiva ha sido entregada a sor Juana Inés de la Cruz. Puesto que sor Juana no puede satisfacer vuestra petición, me he tomado la libertad de contestaros yo misma. Os aseguro que nuestra Juana está muy bien, consagrada por entero a la plegaria y la meditación. Se ha propuesto escribir otras cinco loas a la Virgen María para nuestro rosario. A fin de facilitar la tarea, ha decidido ayunar además de guardar silencio, pero sus criadas me aseguran que conserva las fuerzas con caldos y agua de arroz. Os agradezco profundamente vuestro interés y os garantizo que sor Juana es tan querida para todas nosotras, aquí en la Casa de San Jerónimo, como para vos, y que siempre velaremos por su bienestar. Estoy convencida de que hablo en nombre de sor Juana al decir que añorará sobremanera vuestra compañía y que os desea el más sereno de los viajes.

A diecisiete de marzo del año de Nuestro Señor 1674.

A vuestro servicio,

Madre Catalina de San Esteban, priora
Convento de Santa Paula de la Orden de San Jerónimo

La madre Catalina había decidido que lo mejor sería no quebrar el voto de silencio y soledad de Juana, por lo que no le había entregado nota alguna. Las guardó en su celda hasta que los marqueses de Mancera abandonaron la ciudad y Juana salió de su retiro. A fin de cuentas, como explicó más tarde a Juana, era su deber velar por los corazones así como por las almas de sus hijas religiosas. Y el corazón de Juana, como rezaba el viejo dicho, era como una vasija de barro que ha ido demasiadas veces al pozo.

*1 de abril de 1674*

Queridísima Juana Inés:

Es la víspera de nuestra partida, y no logro conciliar el sueño. Tras el toque de queda me he puesto a pasear por el balcón, pensando en ti, sola en tu celda, recordando nuestras maravillosas conversaciones en el locutorio, los deliciosos dulces de tu criada, tu encantadora música, la gracia con que llevas el velo. Ofreces un aspecto imponente con el hábito, querida, y te hace aparentar muchos más años de los veinticinco que tienes. Con él pareces más una sacerdotisa que una monja.

Esta noche, mientras paseaba inquieta, he comprendido que eres más sabia que yo. Te llevo quince años, pero pese a ello me sigo mostrando caprichosa y llamo insistente a la puerta de tu soledad como una niña malcriada y sin costumbre de no salirse con la suya. Entiendo ahora que tu soledad es la coraza en la que te has refugiado y también entiendo, Juana Inés, que tu amor es el regalo más preciado que me ha dado México. Siempre llevaré ese regalo en mi seno, y tal vez algún día llegue a cerrar la brecha de mi corazón que crece a medida que se avecina el momento de partir. Nunca te olvidaré, Juana Inés Ramírez de Asbaje. Te ruego me escribas en cuanto puedas. Sé que deberé esperar mucho tiempo a recibir tus cartas, pero me obligaré a ser paciente. Entretanto contemplaré «Atenea entre calas» y recordaré todo lo que me has contado. Que Dios y la Virgen te bendigan como mereces. Tu amiga que te quiere,

Laura

P.D.: He encargado una silla especial para ti, de brazos anchos y respaldo muy cómodo. Los ebanistas de palacio te la entregarán cuando esté lista. Te ruego la aceptes como mi obsequio de despedida. Cada vez que te sientes en ella, recuerda cuánto significas para mí. Adiós, Juana Inés. No me olvides.

Una mañana, tres semanas después de la última misiva de la marquesa, al regresar de confesarse con el padre Núñez, Juana se topó con Andrea y la madre Catalina, que se dirigían a su celda. Los ojos de la madre Catalina aparecían empañados de lágrimas, mientras que Andrea llevaba una carta y algo colgado de una cadena de oro. Juana reconoció al instante la medalla de santa Catalina.

Querida Juana Inés:
Lamento tener que comunicaros que nuestra amada Laura cayó enferma durante el viaje y se ha ido para siempre. Se la llevó una pestilencia que segó su vida en dos días. Sus estragados restos mortales tuvieron que ser sepultados de inmediato. Su corazón latía débil y triste por abandonar México, y nada podría haberla salvado. Yace en el camposanto del convento de San Francisco, en Tepeaca. Su alma reposa ahora en el jardín del Creador, que en paz descanse. También yo dejo el corazón en Nueva España.
Vuestro en mi dolor,
Antonio Sebastián de Toledo, marqués de Mancera
*21 de abril de 1674 d.C.*

Juana no pudo derramar una sola lágrima. Guardó vigilia en el coro todas las noches durante una semana, obligándose a recordar cada detalle de los cuatros años que pasara en palacio, el rostro y la voz de la marquesa, la fragancia de la pomada que gustaba de aplicarse en el cabello, el brillo de sus ojos cuando Juana le recitaba poesía o jugaba una excelente partida de dominó, su costumbre de frotarse un diente con el meñique cuando se concentraba en el juego de cartas... Sin embargo, ninguno de aquellos recuerdos contribuyó a sacar la pena de Juana a la superficie. Aunque sentía punzadas de dolor en la garganta y el vientre mientras yacía postrada sobre las losas frías del coro, era incapaz de llorar. Aquel endurecimiento de su corazón era lo que más había temido en el mundo. Llevaba años preparándose para la partida de la marquesa, diciéndose una y otra vez que algún día se vería separada de ella por el abismo del océano. Pero ahora se había precipitado a un abismo más profundo, llevándose consigo el conocimiento del amor secreto de Juana. Se colgó del cuello la cadena de oro con la medalla de santa Catalina y juró no volver a quitársela jamás.

# 10

*Mueran contigo, Laura, pues moriste,*
*los afectos en vano te desean,*
*los ojos a quien privas de que vean*
*hermosa luz que a un tiempo concediste.*
*Muera mi lira infausta en que influiste...*
*en que influiste... Muera mi lira infausta...*

—¡Sor Juana! ¿Estáis ahí?

La voz de la madre superiora la sobresaltó. Había ido a la pequeña capilla de piedra del cementerio para componer su segundo poema por la muerte de la marquesa. La capilla sólo se utilizaba para las exequias de las beatas, por lo que casi siempre estaba desierta. En los días en que la espalda le dolía por pasar demasiado tiempo inclinada sobre su mesa, cuando las paredes forradas de libros de su estudio parecían cernirse amenazadoras sobre ella, le gustaba sentarse allí, contemplar la lluvia, inhalar la fragancia del romero que crecía silvestre entre las tumbas. Habían transcurrido ocho meses desde la muerte de la marquesa, y Juana apenas empezaba a recobrarse de la melancolía que había entumecido todos sus sentidos.

Al oír la voz de la madre Catalina, abrió los ojos e intentó disimular el disgusto que siempre le causaban las interrupciones. Miró por la ranura en forma de cruz que hacía las veces de ventana y vio acercarse a la madre Catalina acompañada de una chiquilla vestida al estilo popular. Suspiró y salió al encuentro de la madre superiora en el sendero enlosado que descendía hacia el camposanto desde el jardín.

–¿Me buscabais, madre? Estaba rezando el rosario, como sabéis –explicó, intentando no mirar el colorido atuendo de la niña, que mantenía la vista baja.

–Perdonad que os interrumpa, hermana –se disculpó la madre Catalina con una sonrisa que resaltaba sus hoyuelos–, pero no creo que os moleste demasiado. Os he traído un regalo.

Desde su última reelección como madre superiora, la madre Catalina no cesaba de hacerle obsequios de toda clase. Juana entrelazó las manos bajo el escapulario negro e intentó aparentar interés.

–¿Otro, madre? Sois demasiado generosa conmigo.

–Niña, has olvidado hacer una reverencia a nuestra ilustre sor Juana Inés de la Cruz.

La pequeña no debía de contar más de diez u once años. Se inclinó sin alzar la mirada, y Juana paseó la mirada por la falda roja, la faja verde, la blusa amarilla y el chal color espliego con orquídeas bordadas de color rosa. Llevaba varias vueltas de cuentas de vidrio azul, zarcillos dorados de filigrana y lazos rojos en las trenzas. En su mejilla izquierda se veía un lunar de belleza, y del hombro llevaba colgado un gastado morral de cuero.

–¿Quién es este ser tan resplandeciente en esta sombría casa?

–Me llamo Concepción –se presentó la niña sin esperar a que la madre Catalina hablara por ella.

Cuando levantó la vista, Juana advirtió que tenía un ojo de cada color, rasgo bastante común entre los castizos.

–Soy hija de María Clara Benavídez –prosiguió con un marcado ceceo criollo.

–¡Silencio! –espetó la madre Catalina–. Esto no es una pulquería, donde puedas parlotear cuando te venga en gana. Sor Juana hablaba conmigo, ¿acaso no te has dado cuenta? –La madre Catalina miraba a la niña con fijeza, pero ésta no se arredró–. ¡No me mires con esos ojos bizcos!

–No soy bizca, madre, es que tengo un ojo castaño como mi madre y el otro verde, como la madre de mi padre.

–¡Insolente! –gritó la madre Catalina, al tiempo que le propinaba un bofetón en la boca.

Juana hizo una mueca cuando el pesado anillo de oro que llevaba la madre superiora se estrelló contra el labio de la niña.

–¿Decíais algo de un regalo, madre? –se apresuró a intervenir.

–Bueno, ya veis de qué clase de regalo se trata. Es una mocosa ingrata e insolente, sor Juana, pero también es la hija bastarda de mi hijo y de esa castiza que regenta su pulquería. Por lo visto es hábil con la aguja y con la pluma, y mi hijo desea que permanezca aquí, bajo mi protección, hasta los veinticinco años. Podría haberla echado a patadas como si fuera una india cualquiera, pero como es hombre de buen corazón, incluso le ha asignado una dote y ha costeado su educación en el orfanato.

Juana sintió una opresión en el pecho, una oleada de dolor y reconocimiento, como si acabara de escuchar los pormenores de su propia infancia.

–¿Vivías interna en el orfanato? –inquirió.

–No, madre –repuso Concepción con otra reverencia–. Teníamos una vivienda encima de la pulquería. Mi madre y yo siempre hemos vivido allí. Ha obligado a don Federico a traerme aquí porque dice que no me quiere ver malcriada en la pulquería.

La madre Catalina puso los ojos en blanco y meneó la cabeza.

–No se pueden pedir peras al olmo –comentó a Juana–. En San Jerónimo no se habla de estas cosas –amonestó a la niña–. Recuerda que ésta es una casa sagrada.

–¿Queréis ver mi dechado, madre? –exclamó la niña.

Sin esperar respuesta, desanudó la bolsa que llevaba, sacó una pieza enrollada de hilo y se la alargó con ambas manos a Juana como si de una ofrenda se tratara.

Juana la desenrolló y la sostuvo en alto para verla a la luz de la tarde. En la primera fila se veía una progresión de rosas, desde un esbelto capullo bordado en rosa de Castilla hasta una flor completamente abierta de color rojo sangre. En la segunda fila se alineaban ocho tipos distintos de hojas en varios matices de verde. La tercera fila contenía las cabezas y los picos de diferentes pájaros, realizados con menos perfección que las rosas y las hojas, pero con notable destreza. Había una paloma azul grisáceo, un periquito verde, un gallo de cresta púrpura, un canario dorado y un cenzontle negro con una cuenta roja por ojo. En la última fila aparecían las letras del nombre de la niña trazadas en una caligrafía de hilo de seda, cada una de ellas concebida artísticamente y rematada con su correspondiente plumada.

—Es muy hermoso, Concepción —alabó Juana—. Eres toda una artesana.

—Gracias, madre —repuso la niña antes de volver a guardar el dechado en la bolsa.

—He creído que os podría resultar útil en vuestro trabajo —señaló la madre Catalina—. Con todas las comisiones que estáis recibiendo, a buen seguro os vendría bien una ayudante, ¿verdad? Me ha parecido que Concepción podría ser una buena secretaria o al menos una criada que os haga los recados en el cabildo.

—Dime, Concepción —dijo Juana, mirando a la niña a los ojos—, ¿trazaste las letras en tinta antes de bordarlas o las formaste con la aguja mientras bordabas?

—Usé la plantilla de la escuela —repuso Concepción— y luego bordé el interior de las letras.

—De modo que ésta no es tu caligrafía.

—Pero sí mis bordados, madre.

—Y en tu opinión, ¿qué lugar ocupa tu caligrafía en comparación con tus bordados?

La niña entornó los ojos mientras meditaba la respuesta.

—No practico la caligrafía tanto como el bordado, de modo que no creo que mi letra sea demasiado bonita.

—Buena respuesta, Concepción, sincera ante todo. A juzgar por lo que dices, preferirías bordar a escribir.

—Me gusta colorear con hilo, madre. En la pulquería no escribía mucho.

—Veamos... Debes de tener alrededor de diez años, ¿cierto? Habrás aprendido las letras, los números y tal vez también un poco de música.

—He aprendido todo lo necesario, madre, y cumplí doce años el día de la Inmaculada Concepción.

—Qué ironía, ¿no es parece, sor Juana? —terció la madre Catalina—. Me refiero a que la más mestiza de las mestizas, y bastarda para colmo, viera la luz en semejante festividad. Esta mocosa no tiene nada de inmaculada.

—Sí, es una ironía, madre —convino sor Juana antes de concentrarse de nuevo en Concepción, que se mordía el labio inferior para no contestar a la madre superiora—. Pero ¿sabes escribir? —insistió.

La chiquilla asintió al tiempo que miraba de soslayo a la madre Catalina.

«Le han enseñado a contener la lengua», se dijo Juana, fascinada ya por la estoica insolencia de la niña.

—Si cumples los requisitos necesarios para ser mi secretaria, Concepción, ocuparás casi todo el tiempo escribiendo y te quedarán muy pocos ratos para bordar.

—¿Vuestra secretaria? —repitió la niña, mirándola fijamente.

—¿Te parece bien?

—¿O prefieres servir licores a borrachos y libertinos? —se mofó la madre Catalina.

—¿Y cómo puedo cumplir los requisitos, madre?

—Creo que harás un dictado. Pero, madre, ¿qué me decís de las consideraciones logísticas? ¿Se alojará en mi celda o en la vuestra?

—En mi opinión sería más conveniente que se alojara en la vuestra, sor Juana. Todos sabemos que trabajáis hasta bien entrada la noche.

—Necesitará un camastro, por supuesto.

—Ésta no necesita camastro —replicó la madre Catalina—. Está acostumbrada a dormir sobre un petate como todos los de su casta.

—Siempre he dormido en la cama de mi madre —corrigió Concepción—, salvo cuando mi padre venía de visita. No creeréis que vuestro hijo se conforma con un petate como un indio cualquiera, ¿verdad, abuela?

La madre superiora tardó unos instantes en cerrar la boca y cuando se recobró volvió a abofetear a la niña, reventándole el labio ya amoratado. Concepción se cubrió la boca con la mano y pestañeó con fuerza para no derramar una sola lágrima.

—La insolencia de esta mocosa es apabullante, vergonzosa hasta lo indecible —se escandalizó—. Perdonadme por haceros perder el tiempo, sor Juana. Me complacería hacer este favor a mi hijo, pero nada podría obligarme a albergar a esta deslenguada diabólica entre nosotras. ¡Al diablo con sus habilidades! Hoy mismo se vuelve a la pocilga de la que procede.

Juana rozó el hombro de la madre Catalina para distraer su atención e impedir que volviese a golpear a la niña.

—Estoy segura de que su espíritu puede doblegarse a través de trabajo disciplinado. Dejadla en mis manos.

La niña clavó la mirada en los adoquines del sendero.

—¿Estáis segura, hermana? Ya habéis observado que carece de sentido de la propiedad y de respeto hacia sus mayores. Podría traeros muchos más problemas que beneficios.

—Es posible, madre, pero... estoy convencida de que no será así, ¿verdad, Concepción?

Sintió deseos de rodearle los hombros con el brazo, pero se limitó a alzarle la barbilla con la mano. Sus ojos eran diminutos lagos de líquido verde y castaño.

—Cooperarás y obedecerás, ¿no es así, Concepción?

Las lágrimas de la niña mojaban los dedos de Juana, quien retiró la mano del pequeño rostro y se quedó mirando las gotas adheridas a sus yemas. Concepción bajó de nuevo la mirada y se secó los ojos con ademán impaciente.

—¡Basta de lloriqueos hipócritas! —ordenó la madre Catalina—. Bien, hermana, como gustéis. Pero si os da aunque sea un solo problema, no os sintáis obligada a conservarla. La pondré a vaciar orinales y fregar suelos como corresponde a su posición.

—Lo tendré en cuenta, madre. Sin embargo, por ahora, ¿seríais tan amable de pedirle a sor Lucía (se lo pediría yo misma, pero aún no he tenido ocasión de acabar el rosario) que le encuentre un camastro? Si va a convertirse en mi secretaria, dispondrá de pocas horas para dormir, pero necesitará un colchón, almohada y ropa de cama para garantizar la calidad de reposo necesaria para una mente despejada. No quiero que duerma en el suelo. Mi celda ya está bastante atestada.

—¿Te das cuenta, doña Insolencia, de la clase de ama que te ha tocado en suerte?

—Gracias, madre —musitó Concepción, inclinándose ante Juana por tercera vez.

–¡Y basta ya de reverencias ridículas! No estás en la iglesia. Vámonos –instó al tiempo que le propinaba un empujón–. Ya hemos molestado bastante a sor Juana. También tendremos que procurarte ropa decente. No podemos permitir que te pasees como un pavo real entre palomas.

–Mi criada se llama Juanilla, Concepción. Cuando llegues a mi celda, dile que te coloque el camastro en la habitación de mis primas. Te veré después de nona.

–Oh, no, Juana, nada de eso –objetó la madre Catalina con sequedad–. Bastante hacéis con aceptar la presencia de esta advenediza. Pero que comparta habitación con vuestras primas, una vulgar poblana entre niñas de razón...

–A Antonia e Inés no les importará compartir su habitación, madre. De todos modos, casi nunca están en ella. Además, Inés nos dejará la próxima Pascua, y espero que Antonia la siga poco más tarde. Concepción podrá dormir en su cama cuando se marchen. Entretanto, bastará un camastro.

La madre Catalina exhaló un profundo suspiro y se encogió de hombros.

–Como vos digáis, sor Juana. A fin de cuentas, es vuestra celda. ¡Vamos, muchacha!

–Sí, abuela.

La madre Catalina se detuvo en seco.

–Aquí dentro –masculló entre dientes– no soy la madre de tu padre, sino la madre superiora, y te dirigirás a mí sólo si yo te hablo primero. ¿Entendido?

Juana oyó que la chiquilla murmuraba una respuesta, pero no distinguió sus palabras, pues con la mente puesta de nuevo en el poema, regresaba hacia la capilla de piedra, haciendo crujir las piedrecillas del sendero bajo sus pies. Las lágrimas de la niña sobre sus dedos manchados de tinta habían conjurado una imagen, y esa imagen trajo consigo el resto del poema:

> *Mueran contigo, Laura, pues moriste,*
> *los afectos que en vano te desean,*
> *los ojos a quien privas de que vean*
> *hermosa luz que a un tiempo concediste.*

154

*Muera mi lira infausta en que influiste*
*ecos, que lamentables te vocean,*
*y hasta estos rasgos mal formados sean*
*lágrimas negras de mi pluma triste.*
    *Muévase a compasión la misma muerte*
*que, precisa, no pudo perdonarte;*
*y lamente el amor su amarga suerte,*
*pues si antes, ambicioso de gozarte,*
*deseó tener ojos para verte,*
*ya le sirvieran sólo de llorarte.*

Sentía la garganta como si hubiera tragado cáscaras de huevo.

Las campanas que llamaban al servicio de media tarde la salvaron de otro ataque de neuralgia inducida por la pena, y comprendió que debería apresurarse para llegar a la iglesia antes de que la recién elegida y fanática jefa de las vigilantas, sor Melchora, cerrara con llave la puerta del antecoro para desalentar la impuntualidad. Salió a toda prisa del cementerio y se dirigió al atajo que serpenteaba por el huerto y conducía a la verja lateral del claustro. Las mandarinas aún pendían de las ramas, esferas anaranjadas que relucían como farolillos chinos, pero los melocotoneros, albaricoqueros y ciruelos habían entregado sus frutos a lo largo del verano. En el sendero sombreado por magnolios que conducía al templo de San Jerónimo, sor Melchora la esperaba con los brazos en jarras.

—Hay que ver, sor Juana —resopló mientras marcaba un nombre en su lista—. Después de seis años en el convento cabría esperar que os hubierais grabado en la memoria las horas santas.

La nona, el oficio que describía la presentación de Jesús en el Templo, era la única hora canónica que Juana se permitía disfrutar. Necesitaba ese espacio de música y solaz que precedía a la lluvia de tarde. Escribía sus mejores fragmentos cuando llovía, siempre y cuando no recibiera visitas en el locutorio. Sin embargo, no tenía muchas ahora que la marquesa se había ido. Incluso las visitas de fray Payo escaseaban desde que servía como virrey además de arzobispo. Sólo don Carlos continuaba acudiendo al convento una vez por semana.

Como el agua más dulce flotando en oleadas sobre un lecho de cuarzo, la voz de la nueva novicia, la hermana Felipa, penetró en la cabeza de Juana, arrastrando consigo los nudos de dolor que se habían acumulado en su nuca, en la base de la columna vertebral, en el pozo oscuro de su garganta donde yacía enterrado el nombre de la marquesa.

—Por las mañanas, cuando vuelve de misa, le gusta el chocolate muy caliente y espumoso —explicaba Juanilla cuando Juana cruzó el umbral de su celda—. Después de la siesta, si es que hace siesta, que no suele hacer, quiere un agua fresca de alguna clase. Si no hace la siesta...

Juana cerró la puerta con sigilo y aspiró el aroma de los platanitos fritos procedente de la cocina. Se preguntó con quién hablaría Juanilla; a buen seguro, no con Antonia e Inés, que aún estaban en clase y sólo pisaban la cocina para ir o volver de su habitación. Se desabrochó la correa de cuero mientras subía la escalera hacia sus aposentos.

—... yo hago los recados y cocino —continuó Juanilla—. Un leñador trae leña al convento cada mañana, pero hay que cortarla más para que quepa en la estufa y los braseros. Tienes que pedirle a Artemisa, la cocinera mayor del refectorio, que te preste el hacha. Yo me encargo de cocinar, ir al mercado, planchar, barrer y limpiar sus habitaciones. No le gusta que nadie más limpie sus habitaciones.

—¡Juanilla! —llamó Juana desde la puerta de su estudio—. ¡Tráeme un agua de tamarindo y deja de parlotear, que tengo mucho trabajo!

Acto seguido entró en la estancia envuelta en el familiar olor a tinta, sebo y encuadernaciones de cuero mientras se quitaba el largo rosario que llevaba sujeto al hombro. La alfombra turca que la madre Catalina le había regalado en su quinto aniversario como profesa pendía de las vigas para separar el dormitorio del estudio. Juana colgó el rosario y el cinturón de sus ganchos correspondientes en el ropero, se desprendió el escudillo del escapulario y se despojó del pesado velo, sintiéndose, como siempre, como una actriz despojándose del vestuario tras la representación. Vertió agua en la jofaina del aparador para refrescarse el rostro, se enjuagó la boca y se colocó el velo más corto y ligero sobre el griñón. Había empezado el recreo, por lo que le quedaban al menos tres horas para trabajar antes de vísperas. Pero primero debía leer las notas, un castigo del espíritu que ninguna relación guardaba con los insignificantes azotes que estaba obligada a darse cada noche antes de retirarse. Cogió la caja de escritura, sacó el llavín del bolsillo del hábito y llevó el estuche a su cama, consciente de que contenía el aliento. Entre las páginas laminadas del Libro de Horas con incrustaciones de perlas que la marquesa le había regalado cuando pronunció los votos permanentes se encontraban los tres sobres con sus correspondientes sellos oficiales. Juana leyó las misivas una vez más, muy despacio, intentando imaginar los dedos de la marquesa sosteniendo la pluma, su mano deslizándose sobre el pergamino. Sin embargo, no logró hacer acopio de valor suficiente para releer la nota en que el virrey le comunicaba la muerte de Laura.

—Aquí tenéis el agua de tamarindo, madre —avisó Juanilla desde el otro lado del tapiz turco.

Juana se enjugó las lágrimas con la manga ancha del hábito y le dio las gracias con el ceño fruncido a causa de la intromisión.

—Deja el vaso sobre mi mesa, ¿quieres? —ordenó al tiempo que doblaba la carta y la introducía de nuevo en el sobre—. Y abre los postigos. Ya sabes que me gusta contemplar la lluvia por la tarde.

Guardó las misivas y el libro de oraciones bajo la pila de hojas de diario que llenaba el estuche y devolvió éste al ropero.

—Esta tarde tomaréis platanitos fritos con el té, madre —anunció Juanilla en cuanto Juana salió del dormitorio—. ¿Los queréis con o sin nata?

Masajeándose las sienes, Juana se sentó en la silla tapizada de cuero rojo que la marquesa le había regalado y que utilizaba para el escritorio principal.

—¿Madre? ¿Queréis nata con los platanitos?

—Me da lo mismo, Juanilla. Tráeme lo que quieras y deja ya de parlotear. ¿Cuántas veces tengo que decirte que no hables tanto?

Juanilla frunció los labios.

–Enviaré a la muchacha nueva con la bandeja –masculló–. Siento haberos molestado.

–¿Desde cuándo tenemos una nueva muchacha?

–¿Acaso no lo sabéis? –replicó Juanilla al tiempo que abría los postigos–. La madre priora me ha traído una castiza para que me ocupe de ella.

Juana había olvidado por completo la conversación que había sostenido con la madre Catalina.

–¡Te refieres a Concepción! –exclamó mientras removía el agua de tamarindo con el dedo índice–. No es una criada, Juanilla –explicó en voz más baja–. Es la nieta de la madre Catalina.

–¿Esa poblana? –espetó Juanilla con los ojos entornados–. ¡Más bien parece la nieta de una cualquiera!

–Pues no es así. Tiene educación, a diferencia de ti, y será mi secretaria. Quiero que la llames por su nombre. ¿Acaso te gustaría que me refiriera a ti como «esa mulata»?

Juana echó la cabeza hacia atrás como un toro furioso.

–Todas las demás madres tienen dos o tres criadas. La madre superiora tiene una que lava, una que guisa, una que limpia y una que cuida a esa monja vieja que vive con ella. ¿Por qué tengo que ser yo vuestra única doncella?

–Esa monja vieja es sor Paula, así que un poco más de respeto. Me doy cuenta de que tienes demasiado trabajo, pero ya sabes que no soporto el bullicio. Apenas soporto a Antonia e Inés, y eso que son internas y casi nunca están aquí.

Juana respiró hondo para aliviar la tensión que de repente se había adueñado de su plexo solar.

–Es injusto, madre. ¡Mirad los callos que me han salido en las manos! ¡Mirad mi espalda! Me estoy volviendo jorobada con todo el trabajo que tengo. ¡Mi madre dijo que seríais buena conmigo, pero no es verdad!

Juanilla giró sobre sus talones y salió hecha una furia del estudio, secándose las lágrimas con ademanes rabiosos. Juana la siguió hasta la escalera.

–¿Ha hecho traer sor Lucía un camastro para Concepción?

Juanilla siguió bajando sin responder.

–Quiero que Concepción duerma en la habitación de Antonia

e Inés. Que te ayude a instalar el camastro allí. También quiero que le digas a qué hora nos levantamos, a qué hora comemos y cuándo rezamos. Explícale dónde está el retrete y no olvides poner otro cubierto para ella. ¡O la tratas de forma civilizada o te envío de vuelta a Panoayan!

Juana regresó a su estudio y cerró de un portazo. Sabía que era responsable de la insolencia de Juanilla, pero no podía tratarla como las otras hermanas trataban a sus esclavas. Era hija de Francisca y su amiga de la infancia, que se sentaba obediente mientras Juana, la niña Juana, como la llamaban, le enseñaba el abecedario.

—No querrás ser una imbécil toda tu vida, ¿verdad? —le había preguntado a menudo.

La chiquilla, que desconocía el significado de aquella palabra, sacudía la cabeza con vehemencia y más tarde le contaba a su madre que la niña Juana le enseñaba a no ser una imbécil. Pero Juanilla no tenía cabeza para las letras. Era el lenguaje de la cocina el que debía aprender, pues a diferencia de la niña Juana, su madre la atizaba si olvidaba moler el maíz, el chocolate o los pimientos que se secaban en ristras sobre los fogones. En aquel momento, Concepción llamó a la puerta.

—Juana me ha dicho que os traiga la bandeja, madre —dijo.

—Entra, entra, Concepción. ¿A qué esperas?

Concepción entró en la estancia sujetando con una mano la bandeja que llevaba sobre la cabeza. Ahora llevaba el triste uniforme verde de las criadas del convento.

—¿Dónde la pongo, madre?

—Aquí, sobre el escritorio —ordenó Juana, observando la gracia con que la muchacha manejaba la pesada bandeja—. Tienes mucha destreza, Concepción.

—¿Qué significa destreza, madre?

—Significa que pese al peso de la bandeja, la manejas con seguridad.

—Me enseñó mi madre. En la pulquería llevaba bandejas mucho más pesadas que ésta.

—¿Qué más te enseñó?

—Me enseñó a usar el machete para desembarazarme de los borrachos.

–Muy útil.

Juana dispuso unas rodajas de plátano sobre el platillo de la taza y las coronó con un poco de nata.

–Prueba esto. Juanilla es una gruñona, pero también la mejor cocinera de México.

Concepción cogió el plato y miró a su alrededor en busca de un lugar donde sentarse. Todas las sillas estaban atestadas de libros. Juana la observaba por el rabillo del ojo mientras se servía el té. Con el platillo en la mano, la niña se puso a examinar la biblioteca y las mesas dispares cubiertas de papeles y volúmenes abiertos. Por fin untó una rodaja de plátano en la nata, se la metió en la boca y se lamió los dedos.

–¿Son vuestros todos estos libros, madre?

–No todos. Algunas son prestados y otros aún no están terminados de pagar.

–¿Cuántos hay? ¿Cientos?

–Mil, puede que dos mil incluso.

–¿Y los habéis leído todos?

–Para eso están los libros, Concepción. ¿O acaso a ti no te gusta leer?

La niña se encogió de hombros, pero no se volvió: contemplaba fascinada las cimas nevadas de los volcanes, que sobresalían airosos de la niebla que cubría el horizonte sudoriental del valle.

–¿Qué ha sido de tus bonitas ropas? Llevas el uniforme de las criadas. Si superas la prueba de dictado, no tendrás que ser criada y podrás volver a llevar tu propia ropa. ¿Te gustaría?

–Creo que la madre superiora tenía intención de quemarla –replicó la muchacha, comiendo otra rodaja de plátano mientras se inclinaba sobre el tablero de ajedrez dispuesto sobre la mesilla junto a las ventanas–. Le daba miedo que hubiera traído piojos de la pulquería.

Juana meneó la cabeza.

–Pobre madre Catalina –suspiró–. Es tan ignorante... No hay nada peor en el mundo que la ignorancia, Concepción.

La niña se volvió hacia ella.

–Mi madre siempre dice que lo peor del mundo es la humillación.

Juana enarcó las cejas pero guardó para sí la respuesta. «Ése es uno de nuestros votos, pues obediencia no es más que un sinónimo de humillación.» Tomó un sorbo de té negro, disfrutando de la presencia de Concepción.

—¿Sabe leer tu madre?

La niña se había acuclillado ante la librería y ojeaba los títulos de los estantes inferiores. El plato de plátanos descansaba sobre uno de los libros.

—Por supuesto, madre. En cambio, se le dan mal los números. Por eso hizo que don Federico pagara mi educación, para que pudiera llevarle las cuentas.

Juana miró el reloj.

—Quita ese plato de ahí, Concepción. Espero que no hayas estropeado la cubierta.

—Lo siento, madre.

La niña limpió el libro con el dobladillo del delantal y llevó el plato a la bandeja. Había empezado a llover.

—En la pulquería tenemos un tablero de ajedrez; a los estudiantes les gusta jugar de vez en cuando. ¿Me enseñaréis a jugar, madre?

—Depende del resultado del dictado. ¿Estás lista para poner manos a la obra? El tiempo vuela —señaló, golpeando con el dedo el reloj de arena que había sobre la mesa.

Concepción se encogió de hombros y clavó la mirada en las baldosas del suelo.

—No se me da muy bien escribir, madre —farfulló—. Me gustan más los números.

—Ya veremos. Puede que acabes como ayudante de Juanilla en lugar de mía.

—No me importaría ayudar a Juanilla. Conozco bien las labores de la cocina.

—Bueno, primero comprobaremos si podemos aprovechar la educación que has recibido. Sería una lástima desperdiciarla.

Juana giró el reloj de arena, se levantó y despejó parte de una de las mesas. Tenía plumas y tinteros repartidos por toda la estancia para no verse obligada a interrumpir el hilo de sus razonamientos buscando algún útil. Acto seguido cogió una hoja de pergamino ya usada y la dejó sobre la mesa.

—Acerca el taburete, Concepción.

La niña obedeció y se golpeó contra la mesa al sentarse.

—Lo primero que debes recordar es que siempre utilizamos las dos caras del pergamino antes de tirarlo; es demasiado caro para sólo usar un lado. La pila central es la del pergamino de gran calidad. Sólo lo utilizamos para el ejemplar definitivo de documentos especiales. Para todos los demás textos (espero que me estés atendiendo, Concepción, porque no me gusta repetirme), para todos los demás documentos usamos el papel de la tercera pila. Los frascos de tinta están en el estante superior del escritorio. El afilador de plumas está ahí, en el portaplumas. Nunca lo utilizo para cortar las mechas de las lámparas porque las plumas quedarían grasientas y estropearían el pergamino. Juanilla se ocupa de las mechas. ¿Estás preparada? ¿Por qué no has cogido ya la pluma?

La niña sacó la pluma del esbelto portaplumas y la mojó en el tintero. Una gota de tinta manchó la parte superior del pergamino en cuanto acercó la mano.

—No frotes la mancha, quedará peor —espetó Juana, ya disgustada—. Tendrás que aprender a calcular la cantidad de tinta que usas. En fin, empecemos. Voy a dictarte un poema, Concepción. Escríbelo tal como te lo dicte, incluyendo la puntuación. «Mueran contigo», coma, «Laura», coma, «pues moriste», coma. —Dictaba despacio, enunciando cada palabra con gran claridad—. Siguiente verso, Concepción. «los afectos que en vano te desean», coma, siguiente verso, «los ojos a quien privas de que vean», coma, última línea de la estrofa, «hermosa luz que a un tiempo concediste», punto.

—¿Que un día qué, madre?

—Concediste, Concepción, «hermosa luz que a un tiempo concediste». Veamos.

Aunque no ilegible, la caligrafía era torpe y desigual en grado sumo.

*Mueran contigo, Lara, pués moriste,*
*los afectos qe en bano te desean,*
*los hojos a qien pribas que vean*
*hermosa luz qe a un tiempo concediste.*

162

—De las veintiséis palabras que te he dictado, has escrito mal ocho. ¿A qué porcentaje equivale eso, ya que se te dan tan bien los números?

—Más o menos un tercio, madre.

—Exactamente. El treinta por ciento de este documento está mal escrito, por no mencionar que he tardado diez minutos en dictarte una estrofa y que tu caligrafía es espantosa.

La niña bajó la cabeza.

—Ya os lo había dicho, madre.

Había dejado la pluma dentro del tintero, y Juana advirtió que el mango empezaba a empaparse en tinta. Juana se oprimió las sienes con los dedos y se conminó a ser paciente, a tomar en consideración la edad y procedencia de Concepción. No podía tratarla como trataba a sus alumnas... ¡Por supuesto! ¡Ya tenía la solución! Cogió la campanilla de su mesa y la agitó para llamar a Juanilla.

—No tengo tiempo para darte clases de caligrafía y ortografía, Concepción, pero puedo pedir a sor Beatriz que dé permiso a una de las novicias para que te enseñe. No tardaría más de un par de meses en pulir tu escritura. Saca la pluma del tintero, por favor.

—Sí, madre.

Juana volvió a agitar la campanilla.

—¿Dónde estará Juanilla? Tal vez tengas que hablar tú misma con sor Beatriz. Te vendrá bien explorar el resto del convento. Pregunta a cualquiera el camino al ala de las novicias. ¿Qué te ocurre?

La niña parecía al borde del llanto.

—Echo mucho de menos a mi madre —musitó con la barbilla temblorosa.

—Son cosas que suceden, Concepción. Todos llevamos algo que echamos de menos. Y ahora ve a buscar a sor Beatriz. Dile que venga a hablar conmigo. E intenta olvidar a tu madre por el momento. No sé qué ha dispuesto la madre Catalina, pero no creo que te permita visitarla con demasiada frecuencia.

—¿No podré visitarla? Pero ¿cómo voy a llevarle las cuentas?

—No lo sé, Concepción, tendrás que preguntárselo a la madre

Catalina, pero no lo hagas hoy si sabes lo que te conviene. Anda, ve. Pronto te encontrarás mejor. Vuelve después de vísperas.

Juana se sirvió más té y se acercó a la ventana para contemplar el Popocatéptl y el Iztaccíhuatl bajo la lluvia. De niña había considerado aquellos volcanes sus ángeles de la guarda, que velaban por la hacienda de su abuelo. Los días en que sus hermanas se negaban a llevarla con ellas a la escuela, sacaba a escondidas un libro de la biblioteca de su abuelo, se tumbaba en su hamaca predilecta y leía en voz alta a los volcanes, que siempre la escuchaban. Cuando se vio obligada a abandonar Panaoyan, los volcanes le recordaban a su abuelo, que yacía sepultado a su sombra en el cementerio. Ahora los volcanes sólo la hacían pensar en el camino a Vera Cruz, donde la marquesa había encontrado la muerte.

Juana se volvió hacia el altar que había erigido sobre una de las librerías.

—Concepción, antes de irte...

La chica se detuvo en el umbral.

—Sí, madre.

—Tengo una pieza de terciopelo y quiero que me la bordes para mi altar. Las novicias hacen un hilo de seda precioso. Por lo visto, tienes buena mano para las flores. ¿Crees que podrías bordarme unas calas?

—Hace caso omiso de nosotras, padre, y la madre superiora se muestra irremisiblemente indulgente con ella. Todas las demás hermanas están furiosas.

—¿Todas ellas, sor Melchora?

—Sí, todas las que confían en mí, padre. Se ha convertido en la ruina de nuestra existencia.

—También reporta grandes beneficios al convento, ¿no os parece? Fijaos en el patrocinio de que ha sido objeto vuestra orden desde su llegada gracias a Sus Excelencias.

—Sí, pero sus protectores ya partieron, padre, y no vemos motivo para que Juana conserve sus privilegios.

—¿Habéis hablado de este asunto con el arzobispo?

—Imposible, fray Payo la protege.

164

–Cierto. ¿Y pretendéis que me oponga al arzobispo?

–Sois su confesor, padre Núñez. ¿No podéis hacerle comprender que se está granjeando enemigas entre nosotras?

–Os creía por encima de semejantes pasiones, sor Melchora.

–Confieso que aún no he alcanzado la perfección, padre, que se me revuelve el estómago de furia cuando veo a la madre Catalina y la madre Paula viviendo hacinadas mientras Su Señoría habita la celda más espaciosa del convento.

–Fue prerrogativa de la madre Paula renunciar a su celda, hermana. Y tengo entendido que vos no vivís precisamente en un tugurio.

–Al menos yo no he desalojado a nadie, padre, y me hice merecedora de mi celda gracias a mi diligencia.

–No me interesan las cuestiones de alojamiento de San Jerónimo, hermana.

–¿Y qué me decís del diario que escribe? A buen seguro os interesará. No está trabajando en la historia de San Jerónimo ni en ninguna de las otras tareas que le encomienda el cabildo. Está escribiendo un diario. Sin duda eso sí merece vuestra reconvención, padre.

–¿Cómo estáis al corriente de lo que escribe, sor Melchora? ¿Os lo ha mostrado?

–Sus parientes, esas supuestas primas suyas, me han mostrado fragmentos de lo que escribe. Os aseguro, padre, que albergamos a un demonio en la Casa de San Jerónimo.

–¡Sor Melchora! No volveréis a pronunciar semejantes palabras. Como penitencia por vuestra lengua viperina, guardaréis silencio una semana entera.

–Pero, padre...

–A partir de ahora mismo.

El padre Núñez la oyó mascullar entre dientes cuando salió del confesionario al otro lado del muro. «Esa Juana... –pensó, meneando la cabeza–. Atrae enemigos como la miel a las moscas.» Cerró los ojos y esperó la llegada de la siguiente pecadora mientras se frotaba los nudillos para aliviar el dolor que los atenazaba. Empezando por la mano derecha y siguiendo por la izquierda, se masajeó cada uno de los nudosos huesos y en silencio dio gracias a

Dios por su dolencia, pues le impedía olvidar que Cristo había muerto por sus pecados.

Al otro lado de la rejilla, alguien carraspeó. El padre Núñez aguardó el preámbulo habitual.

—Padre Núñez —empezó una voz joven.

—Sí. ¿Habéis venido a confesaros?

—No exactamente, padre.

—Entonces, ¿qué queréis y quién sois?

—No soy una profesa, padre, sólo una alumna interna.

El sacerdote hizo rechinar los dientes.

—Es el padre Nazario quien habla con las internas, no yo. Ni siquiera deberíais estar aquí.

—Lo sé, padre, pero lo que he venido a deciros es del todo confidencial.

El sacerdote entornó los ojos en un intento de distinguir el rostro de quien hablaba a través de la celosía, pero su vista se nublaba a pasos agigantados, por lo que no vio nada.

—Proceded, pues, pero daos prisa. Otras esperan su turno.

—Se trata de sor Juana, padre.

El padre Núñez meneó la cabeza. Dos quejas sobre sor Juana en un solo día. A buen seguro, sor Melchora era la responsable.

—¿Qué sor Juana, de la Cruz o de San Antonio? Ambas son hijas mías en la religión.

—De la Cruz, padre.

—¿Y bien?

—No observa las normas de la sociedad, padre. Trata a sus esclavas y sirvientas como si fueran personas de alcurnia...

El sacerdote puso los ojos en blanco. Ya sabía quién era.

—... y escribe versos a un difunto, padre.

El sacerdote parpadeó con fuerza.

—¿Qué clase de versos?

—Versos de amor, padre.

—¿Los habéis leído?

—Con mis propios ojos, padre.

—¿A quién van dedicados? ¿A un hombre?

—No, padre, a una mujer... La marquesa de Mancera, si no me equivoco.

—La marquesa era como una madre para Juana. De hecho, sigue de luto.

—No creo que nadie dedique versos así a una madre, padre.

—Si escribe versos sobre la marquesa, se trata de poemas fúnebres, sin duda encargados por el virrey. Los poemas fúnebres son aduladores por naturaleza. No veo nada reprobable en las acciones de sor Juana ni me parece asunto mío cómo trata a sus esclavas y sirvientas. Y ahora, si me hacéis el favor de...

—¿Os gustaría escuchar uno, padre? Lo copié antes de que se lo remitiera al virrey.

El padre Núñez oyó el crujido de un pergamino. La joven era persistente. Lanzó un profundo suspiro.

—Está bien, proceded.

*De la beldad de Laura enamorados*
*los cielos, la robaron a su altura,*
*porque no era decente a su luz pura*
*ilustrar estos valles desdichados;*
*o porque los mortales, engañados*
*de su cuerpo en la hermosa arquitectura,*
*admirados de ver tanta hermosura*
*no se juzgasen bienaventurados.*
*Nació donde el oriente el rojo velo*
*corre al nacer el astro rubicundo,*
*y murió donde, con ardiente anhelo,*
*da sepulcro a su luz el mar profundo:*
*que fue preciso a su divino vuelo*
*que diese como sol la vuelta al mundo.*

«Dios misericordioso», pensó el padre Núñez, mientras se ruborizaba en la oscuridad.

—¿Lo habéis oído, padre?

—Por supuesto que sí. Es un poema fúnebre, ya os lo había dicho.

—Es posible, padre, pero no dedicado a una madre. ¿«De su cuerpo en la hermosa arquitectura»? ¿«Ardiente anhelo»?

—Ya, ya, no hace falta que lo repitáis.

Oyó de nuevo el crujir del pergamino.

—Dádmelo —ordenó—. Dobladlo y pasadlo por la rejilla.

La joven obedeció. El padre Núñez cogió el pergamino doblado y se lo guardó en la bolsa.

—¿Habéis terminado? —preguntó a la muchacha.

—Creía que debía informaros, padre.

—Habéis hecho lo correcto. Ahora marchaos, y que Dios os perdone.

—¿Que me perdone? ¿Por qué, padre?

—Por dar falso testimonio contra vuestra hermana. Fuera de mi vista; no quiero volver a veros jamás. Y decid a las que esperan que vengan la semana que viene. No estoy de humor para escuchar más confesiones.

El sacerdote permaneció sentado en el confesionario hasta que el corazón se le tranquilizó. No sabía qué hacer con Juana, cómo enderezar la extraña pasión que sentía por versos y dramas. Y de nada serviría mostrar aquel poema al arzobispo. Mientras la protegiera, el padre Núñez tenía las manos atadas. Salió de la iglesia por la puerta que daba a la calle sin quedarse al ágape que la madre superiora siempre le servía en el antecoro tras la confesión. No se sentía con ánimos de soportar las hipocresías azucaradas de un convento de monjas.

# 11

*5 de febrero de 1675*
*(festividad de santa Ágata)*

Me pregunto en qué empresa me habré embarcado. Concepción ha resultado ser una tarea más ardua de lo que imaginaba. Cierto es que no causa problemas y me es de gran utilidad cuando tengo recados para el cabildo o la librería. Ya ha alfabetizado y clasificado mi biblioteca, pero sigue puliendo su caligrafía con sor Felipa, de modo que aún no sirve como amanuense.

*19 de marzo de 1675*

Festividad de san José. Estábamos en misa cuando empezó el terremoto, el peor que hemos vivido en varios años. Las más exageradas de entre mis hermanas aseguran que la tierra tembló durante lo que se tarda en rezar tres Credos, pero en verdad no fue más que un instante, si bien la violencia del seísmo abrió de inmediato grietas en las paredes del coro y arrancó las manos de algunas estatuas. Las seguidoras de santa Rita y el Sagrado Corazón profirieron exclamaciones mientras veían las manos de yeso de sus santos estrellarse contra las losas. El padre Nazario ha decretado un día de ayuno y expiación, lo que significa pasar el resto de la jornada a pan y agua.

Por desgracia, no he desayunado antes de misa. Últimamente siempre estoy hambrienta; debe de ser por la tensión que se respira desde la llegada de Concepción. Inés no cesa de quejarse por el hecho de que ella y su hermana tengan que compartir alojamiento con mi criada. Incluso han escrito a su padre, como si don Diego pudiera imponerme su voluntad. Bastante hizo con desterrarme de Panoayan y obligarme a cuidar de sus dos mocosas malcriadas. Si tiene algo que objetar a mi actitud hacia Concepción, le sugeriré que saque a sus hijas de mi celda a la mayor brevedad posible. No me importa lo que piense mi madre. La última vez que me visitó sólo supo hablar de «Dieguito», que ya tiene veinte años y vive en Puebla. «Dieguito», que se aferraba a su pecho mientras mi querido tío Mata me «escoltaba» hasta la ciudad de México. «Dieguito», el único varón de entre los seis hijos de mi madre y, por tanto, su redención y única razón de ser. La boca me sabe a membrillo y no tengo más que agua tibia para librarme de ese gusto.

### 3 de abril

La hermana Felipa hace milagros con la educación de Concepción. No sólo la ayuda a perfeccionar su caligrafía y pule sus habilidades de lectura, sino que incluso le enseña latín. Ojalá hubiera tenido a la edad de Concepción un compañero aparte del tintero, un maestro y no sólo libros mudos. Qué generosa es la hermana Felipa al dedicar su tiempo a Concepción, aunque creo que su disposición oculta otros motivos. Sospecho que se siente muy sola. La pobre mujer lleva aquí más de un año y aún no ha trabado amistad alguna entre las novicias, ni se le ha permitido pronunciar los votos. El convento puede resultar un lugar tan cruel en ocasiones... He oído rumores de que sus facciones atezadas y la riqueza que puso en manos del convento son atribuibles a su ascendencia judía. Daniela, la contadora, me ha confiado que la dote de la hermana Felipa multiplicaba por doce los tres mil pesos de rigor. Dicen que estudió música en el convento de Regina Coeli cuando era niña, pero que la sacaron de allí a causa de una tragedia que sobrevino a su familia.

## 21 de abril

Primer aniversario de la muerte de la marquesa. No puedo creer que ya haya transcurrido un año entero, que el cuerpo de Laura se esté reduciendo a la osamenta en la tierra salada de Tepeaca. He terminado el tercer poema y lo he enviado al marqués. Creo que no se lo mostraré a don Carlos; no conviene que exteriorice tanto mis sentimientos, y en cualquier caso no soportaría ninguna crítica. Don Carlos no apreciaría mi referencia a Ptolomeo, némesis de Copérnico.

## 2 de agosto

Hace ya tres meses que no escribo. La composición del último poema fúnebre me sumió de nuevo en ese entumecimiento tenebroso en el que todo deja de interesarme y lo único que deseo es mirar por la ventana y recordar su rostro, los guiños que me dedicaba cuando ganábamos al dominó. La madre Catalina me permite sumirme en la desesperación, pero las demás hermanas, sobre todo Melchora, se quejan en el capítulo de los viernes de que no hago nada por el convento. No trabajo en la sala de costura, el huerto ni la cocina, según dice. Paso el día entero en mi celda, leyendo y escribiendo quién sabe qué, y aún no he entregado una versión definitiva de la historia de la Orden de San Jerónimo en Nueva España. Después de seis años, ¿no debería haber dado ya algo a cambio de los privilegios que se me han concedido?, pregunta.

## 17 de septiembre

La hermana Felipa dice que mis «primas» hablan de mí a mis espaldas. Ayer, alguien las oyó comentar en su aula mi procedencia ilegítima. En verdad consto inscrita como hija de la Iglesia, pues el honorable don Pedro de Asbaje, que robó a mi madre el corazón y la inocencia, incumplió su promesa y jamás regresó del otro lado del océano.

Pero ¿qué otra cosa se podía esperar de un jugador errante como don Pedro Manuel de Asbaje, que sólo se casó con mi madre, según afirmaba mi tía María, para saldar la deuda de mi abuelo? Por lo visto, la única vez que mi abuelo perdió una partida de ajedrez jugaba contra don Pedro, años antes de que Josefa, María y yo naciéramos. El destino de nuestra familia, sellado por una partida de ajedrez.

En cuanto vaya un poco más adelantada con sus estudios, enseñaré a Concepción a jugar al ajedrez. A Andrea no se le da demasiado bien, y Mariana y Beatriz no quieren más que cotillear sobre las novicias recién llegadas durante las partidas. La madre Catalina lo tilda de «juego de caballeros» y nunca se ha molestado en aprenderlo. Así pues, me veo obligada a jugar contra el fantasma de mi abuelo si quiero enfrentarme a un contrincante digno. Recuerdo que cada tarde acudían caballeros de las haciendas vecinas para jugar una partida con él, y yo me sentaba en un taburete junto a sus rodillas, absorta en la estrategia de los jinetes saltadores y las todopoderosas reinas, que se podían desplazar en la dirección que más les placiera. Hoy es el día de santa Hildegarda de Bingen, una de mis santas rebeldes predilectas.

## 12 de noviembre

Hoy cumplo veintisiete años. Han venido a visitarme mi madre, Josefa y la hija mayor de María, a quien cría Josefa. Más tarde se han unido a la celebración fray Payo y don Carlos. Fray Payo me ha traído un kilo de ese espeso café turco que me ayuda a mantenerme despierta hasta bien entrada la noche. Don Carlos me ha regalado su viejo anteojo, pues según afirma, quiere enseñarme matemáticas astronómicas.

Mi madre y mi hermana han meneado la cabeza al ver los obsequios.

«No me extraña que sea tan feliz aquí –ha comentado mi madre–. Todos la miman.»

La madre Catalina nos ha permitido sentarnos en la misma sala, sin reja que se interpusiera entre nosotros, Juanilla ha preparado un delicioso flan para acompañar el chocolate caliente y Concepción, a instancias mías, nos ha leído unos versos de la *Eneida*. Mi mejor regalo ha llegado al anunciar mi madre que el hijo de un amigo de don Diego, que está a punto de licenciarse en la universidad, ha pedido la mano de Inés. Contraerán matrimonio en cuanto finalice sus estudios. He recobrado la fe en los milagros de san Judas.

Al llamar las campanas a vísperas, mi madre, Josefa y fray Payo me han abrazado por turnos. ¡Qué extraño resulta sentir los brazos de un hombre alrededor de mi cuerpo! Estaba tan tensa que me dolía la columna vertebral y me he ruborizado hasta la raíz de los cabellos. Josefa me ha estrechado contra sí con tal fuerza que me he visto obligada a apartarla. La última persona que me abrazó así fue la marquesa. Gracias a Dios, don Carlos se ha limitado a estrecharme la mano. Belilla ha insistido en que camináramos cogidas de la mano hasta la verja, y he advertido los celos de Concepción. Sólo se llevan dos años, pero Concepción parece una persona mayor, mientras que Belilla exuda una inocencia que me recuerda a mí misma antes de abandonar Panoayan.

Momentos antes de irse, Belilla me ha besado en la mejilla y me ha susurrado al oído: «Quiero ser igual que tú, tía». Qué niña tan extraña. No sabe lo que dice.


*Navidad*

Me quedé dormida durante la Misa del Gallo. Por fortuna estaba demasiado oscuro para que Agustina o las gemelas, María y Marcela de San Onofre (todas ellas sicofantes de Melchora) repararan en ello; Andrea, que se sentaba junto a mí, es demasiado prudente para dar parte de semejante infracción. Era medianoche, y la fatiga se había apoderado de mí como la araña de una mosca. Llevaba tres semanas preparando a las internas para la parodia que representan en Nochebuena ante sus familiares y otros invitados del convento, tres semanas supervisando ensayos durante el recreo, remendando vestuario con Lucía, discutiendo con Daniela por el coste de las velas para iluminar el escenario, escuchando el parloteo incesante de las niñas.

Durante la representación recordé una y otra vez que, sólo dos años antes, la marquesa se había sentado entre los invitados, ataviada con un vestido color espliego de mangas de terciopelo negro acuchilladas de hombro a codo y una mantilla de encaje negro colocada sobre el rubísimo cabello. Recordé el aroma a amapola de su perfume, la frescura de alabastro de sus manos, los océanos de sus ojos. Huelga decir que no logré concentrarme en la función; me la pasé intentando contener el llanto. Rogué a la madre Catalina que me excusara de la cena común que tendría lugar en el refectorio, fui a mi celda e intenté leer, pero no pude: la melancolía se adueñó de mí. Por supuesto, no podía esperar que me eximieran de la Misa del Gallo, pero durante la homilía, la oscuridad, el cansancio, la melancolía, la fragancia de la cera y el incienso, y la monotonía de la voz del padre Nazario me acunaron hasta dormirme.

Cuando desperté, todo el coro y la iglesia entera se habían puesto en pie para cantar el Padrenuestro, y una de las mellizas estaba junto a mí, mirándome fijamente con esos ojos incoloros tan inquietantes y anotando mi nombre en su cuadernillo de vigilanta. Espero la visita de Melchora en cualquier momento y estoy convencida de que no se limitará a regañarme o agregar otra falta a mi expediente. La madre Catalina hace caso omiso de ella, pero sé cuán despiadada puede llegar a ser la lengua de Melchora.

*20 de febrero de 1676*
*(festividad de san Sebastián)*

Sólo han transcurrido dos meses del nuevo año y ya estoy harta de las intrigas, tan harta que ni siquiera quiero plasmarlas aquí, pues sería un desperdicio de tinta y pergamino. Baste con decir que corren más rumores y cábalas sobre mí que flechas tiene clavadas en su carne san Sebastián. El padre Núñez ha venido a confesarme hoy. Le he hablado de mis sentimientos hacia mis hermanastras y del enojo que siento hacia mi madre por imponerme su cuidado (por lo visto, siempre delega en otros la responsabilidad de cuidar de sus hijos). Le he revelado también que la muchacha a la que preparo para ser mi secretaria duerme en mis aposentos, si bien le he asegurado que un grueso tapiz turco separa mi dormitorio del estudio, donde duerme Concepción desde que las muchachas la desterraran de su habitación. El padre Núñez me ha preguntado si aún lloro a la marquesa, a lo que he respondido que pensé en ella por Nochebuena, aunque sin la pena de antaño. No le he hablado de los tres poemas fúnebres que Concepción entregó en secreto a los correos del palacio. Como penitencia por dormirme durante la Misa del Gallo (Melchora me delató, por descontado), quiere que me flagele cada noche durante una semana. Sabe cuánto detesto el látigo, sobre todo su chasquido. ¿Cómo evitaré que Concepción lo oiga? Cuán ridícula puede llegar a ser esta vida.

*Miércoles de Ceniza*

¿Por qué permito que me sucedan estas cosas? Sólo quería conocer los progresos de Concepción en el aprendizaje del latín. Aún confunde las declinaciones, y quería averiguar si la hermana Felipa tal vez estaba cometiendo algún error fundamental en su método docente. Así pues, bajé al salón durante la clase y fingí inspeccionar el trabajo de Juanilla en la cocina, aunque en realidad escuchaba la lección que se desarrollaba en la mesa del comedor. En ocasiones me volvía para ver qué hacía Concepción, si prestaba atención a Felipa o, por el contrario, miraba las musarañas, como solía hacer, y una de esas veces observé la familiaridad con que Felipa rodeaba con el brazo los hombros de Concepción en un gesto de elogio o aliento.

Intenté disuadirme a mí misma de acercarme a la mesa, sabedora de que interferiría en la clase, pero al cabo de un instante no pude resistir la tentación de situarme a su espalda, y por supuesto, mi proximidad las distrajo a ambas. Felipa retiró el brazo, y Concepción alzaba la mirada hacia mí una y otra vez como si esperara algún comentario.

—No me hagas caso. Presta atención a tu trabajo —le ordené.

Felipa esbozó una sonrisa nerviosa.

—Concepción va muy bien, ¿verdad, Concepción? La gramática aún le cuesta, pero tiene un oído excelente para el dictado, y mirad... —Felipa sostuvo en alto con ambas manos una lista de palabras, una prueba de caligrafía—. Su caligrafía es bastante refinada, y sólo ha cometido tres errores de ortografía.

De pie detrás de su silla, observé que la tez olivácea de Felipa parecía aún más oscura contra el color crema del pergamino. Reparé en los pulidos óvalos rosados de sus uñas, los dedos largos y curvados, el pronunciado serpenteo de sus pulgares, los nudillos bien definidos y los afilados huesos de las muñecas, salpicadas de vello oscuro. Imaginé en uno de esos dedos el anillo de granate que don Fabio me había regalado tanto tiempo atrás, la piedra grande y cortada en facetas, el engaste de oro reflejado en la piel morena, y entonces vi que las cenizas de su frente, que todas habíamos recibido en la misa matutina, habían quedado atrapadas en la arruga entre sus cejas, y sin poder contenerme, le limpié el entrecejo con las yemas de los dedos. Sentí una contracción entre los muslos. No sé qué sintió ella, pero ahora temo haber quedado demasiado expuesta.

—Magnífico —farfullé, recobrando la compostura.

—Estamos progresando —insistió Felipa.

—Pero no en gramática.

—No, pero sin duda podréis enseñarle gramática sobre la marcha.

—¿Acaso os rendís, hermana? —le pregunté.

Puesto que yo estaba de pie y ella sentada, Felipa no tenía más remedio que alzar la mirada hacia mí.

—No mientras me necesitéis, sor Juana.

Algo en su tono me hizo desviar la vista.

—Tu caligrafía casi alcanza el nivel de tus bordados —elogié a Concepción.

—Gracias, madre.

—Me complace veros satisfecha, sor Juana —murmuró Felipa.

Experimenté otra contracción al pensar en lo que de verdad me satisfaría.

—¿Por qué no os quedáis a cenar con nosotras? Sé que a Concepción le gustaría, y creo que el estofado de Juanilla será delicioso esta noche. Ha encontrado unos chorizos exquisitos en el mercado.

—Oh, sí, quedaos, por favor —exclamó Concepción, asiendo a Felipa del brazo.

—No creo que sor Beatriz me dé permiso —replicó Felipa con cierta rigidez.

—Por supuesto —me apresuré a corroborar, avergonzada por la ridícula invitación—. Había olvidado que aún no habéis pronunciado los votos permanentes. Bien, os ruego me disculpéis; debo volver a mis libros.

Tenéis unas manos muy elegantes, quise añadir, pero Concepción escuchaba la conversación y Juanilla estaba en la cocina. Y ahora, aquí sentada, escribiendo esta confesión, me avergüenza decir que tengo la sensación de haber intimado con Felipa por el simple hecho de haber rozado su piel, admirado sus manos, llegado a oler el almidón de su velo. Que Dios y la marquesa me perdonen por esta debilidad.

—A decir verdad, Antonio, no entiendo cuál es el problema. Juana es una mujer única; no podéis esperar que se comporte como una oveja más del rebaño.

—Sé muy bien que es única, fray Payo, pero las demás monjas la detestan y no comprendo por qué Vuestra Ilustrísima sigue concediéndole los privilegios de una mujer no consagrada a Cristo. No cesan de acudir a mí para quejarse...

—Bah —resopló fray Payo, agitando la mano—. Esas mujeres son una jauría de perras envidiosas. Si fueran tan religiosas como dicen, deberían flagelarse en lugar de quejarse.

—Es por esos versos tan apasionados que compone, Ilustrísima. Sus hermanas los copian y los entregan a sus enemigos.

—Esas muchachas deberían marcharse de inmediato. ¿Sabe Juana que la están traicionando?

—No tardarán en abandonar el convento, Ilustrísima. Tengo entendido que una de ellas va a casarse, la más peligrosa de ambas.

—¿Se lo habéis comunicado a Juana?

—Me ha parecido mejor callar, Vuestra Ilustrísima. Sin lugar a dudas armaría un escándalo.

—En tal caso, ¿qué sugerís, Antonio? ¿Cómo calmar a las perras?

—Encomendad alguna tarea a Juana, Vuestra Ilustrísima, dadle un encargo del cabildo eclesiástico, un trabajo religioso que aleje su mente de la poesía.

—Eso resolverá uno de los problemas, pero me inquietan las serpientes acechantes. Debéis aplastarlas, Antonio. Quiero que se marchen.

—Escribiré a su madre personalmente, Ilustrísima, y le pediré que se las lleve.

—De ningún modo. Averiguad quién es el futuro esposo de la peligrosa y ordenadle que proceda. Lo que necesita esa chiquilla es mano firme.

—Lo mismo pienso con frecuencia de nuestra Juana, Ilustrísima. Me preguntó si debería haberla desposado con un hombre en lugar de con Cristo. Creo que necesita una supervisión más directa.

—No seáis simplón, Antonio. Sabéis perfectamente que Juana no es de las que se casan; está por encima de las leyes que los hombres crearon para las mujeres. Me atrevería a decir que es la nueva Catalina de Erauso.

El padre Núñez quedó paralizado al oír el nombre de la infame monja vasca que había escapado del convento y engañado al mundo disfrazada de militar. La monja alférez, la llamaban.

*25 de marzo*

Como si fuera en honor de la festividad de la Anunciación de María, he recibido del cabildo eclesiástico el encargo de preparar los villancicos para el día de la Asunción y el de la Inmaculada Concepción, que este año se cantarán en la catedral. Fray Payo ha convencido al cabildo de que merezco cuando menos una modesta remuneración por las molestias, y han accedido a ofrecerme ciento treinta pesos por ambas piezas. La verdad es que necesito el dinero, pues hace ya tiempo que debería haber saldado la cuenta del librero.

*30 de marzo*

Acabo de recibir carta de mi madre, en la que me anuncia que ella y Dieguito vendrán a la ciudad de México el domingo de Palma para llevarse con ellos a las dos muchachas. El futuro esposo de Inés desea casarse en verano, de modo que Inés debe volver a casa para disponer el ajuar. Por supuesto, Antonia debe seguir a su hermana a todas partes, por lo que ambas habrán desaparecido de mi vida al término de la cuaresma. Según escribe mi madre, Dieguito arde en deseos de volver a ver a su célebre hermana. Qué pesadez. Sin embargo, debo estar agradecida, pues mis hermanastras se marchan. Llevo cuatro años esperando este momento. Pondré una vela a san Judas para mostrarle mi agradecimiento por haberme concedido tan arduo favor.

*Domingo de Ramos*

Antonia e Inés me esperan en el salón. Nuestra madre ha llegado por fin. Llevan paseando de un lado a otro como osos enjaulados desde la hora del almuerzo. Oigo el susurro de sus enaguas, el taconeo impaciente de sus zapatos sobre las baldosas. Juanilla y Concepción han recibido instrucciones de llevar sus baúles a la portería. Si bien no veo el momento de que se marchen, me complace hacerlas esperar. Les he dicho que no estaría bien visto que entraran antes que yo en el refectorio.

*Más tarde*

Al fin se han marchado, y me siento extrañamente vacía. Siempre me siento vacía después de una visita de mi madre. Dieguito mide más de dos metros y, a decir verdad, ofrece un aspecto imponente con su elegante atavío. Es un joven cándido de ojos amables y cierta gracia delicada a pesar de su estatura. Al llegar me ha abrazado como si me conociera de toda la vida, me ha llamado Juanita, ha narrado anécdotas divertidas de la vida en la milicia y ha dado cuenta de todo el plato de pastelillos que Juanilla había preparado para la ocasión. Los acompañaban Josefa e Isabelilla. Pobre Josefa, aparenta más edad que nuestra madre. El año pasado sufrió dos abortos, pero aunque ya tiene cuatro hijos, su marido quiere que produzca más. Según dice, Belilla le es de gran ayuda, pero le preocupa que la muchacha haya expresado el deseo de profesar en San Jerónimo cuando sea mayor. Belilla ha permanecido sentada junto a mí durante toda la visita, jugueteando con las cuentas del rosario que llevo prendido en el hábito, siguiendo la imagen del escudillo con los dedos y preguntándome si la cabeza me escocía bajo el velo.

En cuanto se han marchado he ido a las dependencias de la priora para rogar a la madre Catalina que no me envíe más internas de momento, pues invaden mi espacio y surten un efecto pernicioso sobre mi estado de ánimo, pero la priora estaba contrariada y malhumorada por algún asunto relacionado con Melchora y Rafaela, de modo que no he osado alargar mi visita.

—Sería prudente que Felipa no acudiera con tanta asiduidad a vuestra celda hasta que el asunto quede zanjado, Juana —me advirtió cuando me iba.

No sabía a qué se refería, pero es cierto que Felipa se ha mostrado inusualmente taciturna en los últimos tiempos. En fin, no tengo tiempo para pensar en ello; debo concentrarme en el tocotín que estoy escribiendo en náhuatl (con ayuda de don Carlos, por supuesto) para contrarrestar la sección latina del primer nocturno del villancico. Qué difícil es el náhuatl. Don Carlos afirma que le recuerdo a doña Marina, a quien los indios llamaban Malintzin en tiempos de la conquista y que hablaba dos lenguas nativas además del castellano.

—Era esclava y diplomática a la vez, Juana, como vos.

En ocasiones me conoce demasiado bien.


*Viernes Santo*

No puedo trabajar. He pasado el día entero cantando en el coro o caminando en círculos por el claustro, repitiendo los Misterios

Dolorosos hasta que se me ha resecado la garganta. La anciana sor Paula y las más devotas de entre las hermanas se flagelaban mientras andaban en círculos. Otras caminaban de rodillas. Andrea, por su parte, llevaba el crucifijo negro de la sala capitular, que no pesa tanto como el de bronce que hay en el coro, pero lo suficiente para arquearle la espalda. Tales son las promesas que Andrea hace al Corazón de Jesús. Qué espectáculo para alguien como Concepción, todas nosotras dando vueltas y vueltas a la galería, enfundadas en nuestros hábitos manchados de sangre mientras el mundo exterior prepara los disfraces de brillante colorido y las alegres carrozas para la mascarada del domingo.

*22 de abril*

Ayer se cumplió el segundo aniversario de la muerte de la marquesa.

A causa del escándalo de la hermana Felipa, no he prestado demasiada atención al calendario. Os ruego me perdonéis por mi negligencia, señora. La madre Catalina nos ha tenido tres días enteros buscando a la hermana Felipa. Corre el rumor de que ha huido del convento. Nadie la encuentra. Beatriz dice que todas sus cosas han desaparecido. Sor Clara, la hermana portera, jura y perjura por el prepucio de Cristo que Felipa no abandonó el convento por la verja. Incluso los alguaciles que patrullan las calles de noche han sido interrogados, pero sin éxito. Cabe la posibilidad, sugiere la madre Catalina, de que Felipa los sobornara para obtener su silencio. Melchora y Agustina están decepcionadas, pues ardían en deseos de hacer trizas la reputación de la joven en la próxima asamblea. Afirman haber recabado cierta información que corrobora todas sus sospechas.

—Pero ¿por qué iba a dejarnos? No tiene familia ni lugar alguno adonde ir.

—Porque es judaizante, madre, y sabía que le pisábamos los talones.

—A buen seguro, por ese motivo se marchó de Regina Coeli.

—No tenemos pruebas de ello, sor Melchora.

–¿Por qué querría nadie condenar a la caja de resonancia del Espíritu Santo? Cuando ella cantaba, yo oía los filamentos del aliento de Nuestro Señor entretejidos en la fibra de éxtasis que acariciaba mi alma.

–Con vuestro permiso, sor Paula, la única cosa más blasfema que permitir que una judía cante alabanzas a Dios es defecar sobre la Eucaristía.

–¡Sor Agustina! Os limpiaréis la lengua con un cepillo de fregar.

–Como dice el refrán, madre, no hay mal que por bien no venga. Tal vez albergáramos entre nosotras a una infiel, pero al menos su dote permanece.

¡He aquí las voces de mis buenas hermanas!

Supongo que Concepción no recibirá más clases especiales. Ay de mí, heredaré su precario latín, pero por otro lado ahora tendrá mucho más tiempo para copiar los versos que he compuesto para la Asunción.


*29 de abril de 1676, d.C.*

Apreciada madre Catalina:

Os escribo una carta sellada con la esperanza de que mi sello disuada a ciertas personas de la Casa de San Jerónimo de interceptarla. La situación de la hermana Felipa me inquieta, como bien sabéis. La encontraron la semana pasada escondida en uno de los taquescuales del mercado, hambrienta y aterrada como un gato salvaje, y el Tribunal ha tomado cartas en el asunto. Poco me sorprendería que la desgraciada novicia fuese arrastrada hasta la Alameda para protagonizar un auto de fe. Sabéis cuánto gusta el Tribunal de dar ejemplo. Cierto es que si resultara ser una conversa, el Tribunal tendría que mostrarse más indulgente. Pero si se demuestra la acusación de Melchora y se declara que su familia es judaizante practicante, me temo que poco podré hacer por ella. En el mejor de los casos le harán pruebas de limpieza de sangre, lo que resultaría fatal en su estado.

La documentación que avala a la joven es impresionante, pero también contamos con pruebas irrefutables de que la familia de Felipa se dedicaba al préstamo de dinero. Algunos criados de la familia atestiguan que cada viernes, al ponerse el sol, celebraban rituales a la luz de las velas en un trastero de la casa. Cuentan que, durante tales ceremonias, el abuelo leía fragmentos de la Santa Biblia, y la familia alternaba entre estentóreas plegarias a la Santísima Trinidad y oraciones murmuradas en una lengua que nadie comprendía. Obra en nuestro poder la Biblia de la familia y de su estado se desprende que la última parte, el Nuevo Testamento, jamás fue abierta; sólo el Antiguo Testamento parece haber sido leído e incluso estudiado. Se ven numerosos pasajes subrayados, y la palabra «Adunai» aparece con frecuencia al margen del texto. Una persona bien nacida asegura que, cada Pentecostés, la familia servía hierbas biliosas y un pan chato horneado sin levadura que la familia llamaba «pan de ácimo». Por fortuna, el abad de San Francisco ha escrito una carta muy elogiosa sobre la hermana Felipa. En realidad, fue él quien sugirió que ingresara en las jerónimas tras la tragedia y la alentó a alegar que toda su familia había muerto a consecuencia de una epidemia, cuando en realidad su padre y sus hermanos fueron ejecutados en su propio olivar después de que les marcaran a fuego un símbolo hebreo en la frente. La madre se quitó la vida poco después. Pobre mujer. La carta del abad y vuestra elocuente petición constituyen nuestros dos argumentos más persuasivos. Veremos qué decide el Tribunal cuando se reúna la semana próxima. Entre tanto, se despide de vos vuestro amigo y admirador,

Fray Payo Enríquez de Ribera,
arzobispo y virrey de México


*1 de junio*

Acabo de regresar del capítulo del viernes y estoy tan trastornada por la nueva que apenas logro trazar estas palabras. La madre Catalina nos ha comunicado que Felipa ha sido hallada muerta esta misma mañana en la mazmorra del Tribunal, con una costra blanca sobre la lengua y el rostro cubierto de heces humanas. Los demás prisioneros afirman que había estado lamiendo el suelo de la celda como penitencia. Las demás hermanas han votado no hacer duelo alguno, pues con toda probabilidad era judaizante. Qué crueldad y qué maldad anidan en este sitio.

*16 de junio*

Aún me embarga la melancolía causada por la tragedia de Felipa. Ahora lamento no haberle prestado más atención. Concepción pasó una semana en casa de su madre, y temí que no regresara. Es la única que garantiza mi cordura. Es extraño haber llegado a depender tanto de su compañía. Tal vez porque creció en aquella taberna y aprendió a lidiar sin temor con los hombres, y borrachos por añadidura, se comporta con una madurez impropia de su edad.

*8 de agosto*

Por fin he terminado los villancicos, sólo una semana antes de la festividad de la Asunción, y Concepción los ha llevado al cabildo. Apenas queda tiempo para imprimir los versos, pero al menos ha quedado restablecida la fe que fray Payo había depositado en mí. Según me dijo, le preocupaba la posibilidad de que defraudara al cabildo eclesiástico.

*25 de agosto*

Me atormenta la visión de mí misma en un lugar remoto, rodeada en el interior por todos los libros que he deseado a lo largo de mi vida y en el exterior por una espesa niebla. El mejor lugar del mundo sería un castillo en un confín lejano y desconocido, a solas con mis estudios y mi escritura. Pero, por el contrario, estoy encerrada en este convento, atrapada en todas las telarañas políticas tejidas por mis buenas hermanas, en disputas mezquinas en las que me veo obligada a mediar para no perder el respaldo de la madre Catalina, cada vez más enojada por el hecho de que todo, literalmente todo se interpone entre mi trabajo y yo.

## 5 de septiembre

Se avecinan las elecciones y Andrea me ha propuesto como contadora. He declinado el ofrecimiento. No tengo el tiempo, el deseo, la inclinación ni, sobre todo, la propensión a los ardides necesarios para formar parte del órgano de gobierno del convento. Los comicios no se celebrarán hasta octubre, pero las campañas, las visitas, los ofrecimientos de buen samaritano y el interés repentino por la salud de las demás ya han dado comienzo. Como si no sufriera ya suficientes interrupciones.

## 30 de septiembre

Día de san Jerónimo. El convento está inundado de velas y música. A veces olvido dónde estoy.

## 12 de octubre

Estamos perdidas. Melchora ha vencido a la madre Catalina por ocho votos. Andrea es la única elegida de nuestro bando, y sólo para llevar las cuentas. Supongo que eso es mejor que dejar las cuestiones de dineros en manos del bando de Melchora. Sabe Dios en qué apuros económicos nos sumirían con su falsa piedad. Si mi vida fuera un puesto al que pudiera renunciar, empezaría a buscar otro de inmediato.

## 14 de octubre

Las ceremonias han tocado a su fin, la nueva administración ha tomado posesión, y su primera decisión se dirige contra mí. La madre Melchora ha decretado que se suspendan sin demora todos mis privilegios de escritura, «por el bien de mi alma». Rafaela y las mellizas vinieron a mi celda para confiscar todos los útiles de escritura, no sólo las plumas, sino también los tinteros, los secantes y todo el papel que acababa de pagar. Ni siquiera se me permitirá escribir cartas. Gracias a Dios que tuve la previsión de instalar el compartimento secreto de mi mesa, ya que de lo contrario se habrían llevado también la Caja de Pandora. La madre Catalina me insta a contárselo todo a fray Payo.

—Debéis reforzar vuestras alianzas, Juana. Los chacales no tardarán en clavaros los dientes en la yugular. Debéis mostraros igual de implacable, querida, pero con guante blanco.

—Me temo que carezco de vuestro talento para la sutileza —repliqué.

—Mientras el arzobispo os proteja, Juana, la sutileza no os hará ninguna falta.

Por primera vez en los dos años transcurridos desde que me la entregara, la madre Catalina se interesó por Concepción.

—¿Cómo os va con esa castiza, Juana? Tengo entendido que es bastante inteligente.

—De tal palo tal astilla, madre —repuse.

—Sois el epítome de la sutileza, Juana —rió la madre Catalina—. Venid, acompañadme hasta mi celda.


*17 de octubre de 1676*

Apreciado fray Payo:

Con profundo pesar debo comunicaros la imposibilidad de terminar los villancicos que el cabildo me encargó en marzo para la festividad de la Inmaculada Concepción. Ello se debe al deseo expreso de nuestra nueva priora, la madre Melchora de Jesús, bajo cuya supervisión redacto esta misiva y que ha decretado, por el bien de mi alma, que renuncie a todas las actividades que guarden relación con el uso de la pluma. Puesto que he jurado obediencia, me resultará imposible llevar a buen puerto esta comisión. Os adjunto la primera serie terminada de villancicos, así como el borrador de la segunda y tercera series, que, ay de mí, no pude completar antes de las recientes elecciones. Confío en que logréis encontrar a alguien que pueda acabar el trabajo. Ruego transmitáis mi pesar al cabildo eclesiástico. Queda a vuestro servicio,

Sor Juana Inés de la Cruz,
monja de San Jerónimo

*21 de octubre de 1676*

Apreciada madre Melchora:

El rotundo éxito de los villancicos en honor de la Asunción preparados por sor Juana Inés de la Cruz ha impulsado al cabildo a expresar su más profunda gratitud tanto a sor Juana, con los honorarios correspondientes, como a vuestra humilde orden, con la escritura de estas tierras de cultivo situadas en Chalco y que una antecesora vuestra ya solicitó años atrás. El cabildo ansía recibir los villancicos en honor de la Inmaculada Concepción y me ha autorizado a contratar los incomparables servicios de sor Juana con vistas a las siguientes festividades del próximo año: san Pedro Nolasco, 31 de enero, san Pedro Apóstol, 29 de junio, y Navidad.

Asimismo, el cabildo desea encomendar a sor Juana la preparación de los villancicos para las festividades de la Asunción y la Inmaculada Concepción de los dos próximos años. Recibirá unos honorarios anuales de trescientos sesenta pesos, en plazos de treinta pesos mensuales, por el tiempo que estas comisiones le roben de sus demás obligaciones conventuales. Un escribiente de palacio entregará esta carta para presenciar la firma de la escritura que transfiere a vuestra orden la propiedad de la finca de Chalco.

Humildemente a vuestro servicio,

Fray Payo Enríquez de Ribera,
arzobispo y virrey de México

*23 de noviembre de 1676*

Ilustrísima:

Mi más sincero agradecimiento por poner en manos de la Casa de San Jerónimo el control de la pequeña explotación de Chalco. Sin embargo, puesto que no hemos encontrado a nadie que se ocupe de ella en nuestro nombre, la hemos vendido y destinaremos los beneficios a la adquisición de una arboleda adyacente al convento, que nuestros propios aparceros podrán trabajar.

Sin embargo, me dirijo a vos por otro motivo. Vuestra protegida, sor Juana Inés de la Cruz, cuyos privilegios de escritura, como bien sabéis, quedaron restablecidos de inmediato a instancias de Vuestra Ilustrísima, está demostrando ser una pecadora incorregible. En el transcurso de nuestra última sesión capitular, me llamó tonta a la cara. Las hermanas de San Jerónimo me han pedido que os escriba e implore vuestra intervención. Por lo visto, sois el único superior al que se dignará mostrar respeto, pues ni a su padre confesor escucha. Esperamos la justicia de Vuestra Ilustrísima. Humildemente a vuestro servicio,

Madre Melchora de Jesús,
priora de San Jerónimo

*27 de noviembre de 1676*

Madre Melchora:

Os felicito por el sabio uso que habéis hecho de la venta de las tierras y espero con impaciencia, al igual que el cabildo y, de hecho, la circunscripción entera de la Catedral Metropolitana, los villancicos de sor Juana para la festividad de la Inmaculada Concepción.

En cuanto a vuestra queja acerca de sor Juana, que os llamara tonta, pues bien: demostrad lo contrario y se os hará justicia.

Sinceramente,

Fray Payo de Ribera,
arzobispo y virrey de México

# 12

—Tráeme el piloncillo, Juanilla.

—No se puede freír un huevo en piloncillo, madre.

—¿Por qué no?

—No funciona.

—¿Sabes lo que sucede cuando cascas un huevo en piloncillo caliente, Juanilla?

—¿Cómo voy a saberlo? —masculló la criada, encogiendo los hombros.

—Pues eso es precisamente lo que yo quiero averiguar, así que tráeme el piloncillo.

Juanilla retiró la sartén de piloncillo derretido del brasero y lo llevó al fogón, atestado ya de bandejas, cuencos y cazuelas.

—Apártate, Juanilla, puede que estalle.

Juana lanzó una risita ahogada al recordar otro huevo que había salpicado grasa por toda la cocina después de que agregara agua a la sartén caliente.

Juana cascó el huevo y vertió el contenido en la pesada dulzura del jarabe, preparada para retroceder de un salto al primer indicio de combustión. El huevo se separó, la yema se hundió hasta el fondo de la sartén en un halo viscoso y la clara se convirtió en filigranas de encaje grisáceo.

—Ven a mirar, Juanilla, no hay peligro.

Juanilla paseó una mirada desesperada por la cocina. Era día de laboratorio, y Juana le había ordenado traer otra docena de huevos del gallinero de la cocina principal para sus experimentos. La semana anterior, Juana había visto a unas niñas que jugaban con peonzas en el patio y las había invitado a su celda para que siguieran haciéndolas girar mientras ella estudiaba el movimiento y la gravedad del juguete. De repente se le ocurrió la mejor forma de trazar el movimiento y mandó a Juanilla espolvorear todo el suelo de la cocina con harina. Cuando las niñas hicieron girar las peonzas en la harina, Juana observó que a mayor rapidez, más pequeña era la espiral que describían en el polvo blanco, y cuando la velocidad de las peonzas disminuía, las espirales se alargaban hasta formar una elipse. Imaginó que de esta misma forma girarían los planetas alrededor del Sol.

—¿Qué ves?

—Un buen huevo desperdiciado —replicó Juanilla— y el último resto de piloncillo echado a perder.

—¿Y qué esperabas? Estamos estudiando el universo. La ciencia es cara, Juanilla.

—¿Hemos terminado, madre?

—De momento sí.

Juana se limpió las manos con el delantal que Juanilla le había prestado y se dirigió a la mesa del comedor para reanudar sus apuntes. A cada paso, las suelas de los zapatos se le pegaban al suelo.

—¿Os apetece agua de piña hoy, madre? He comprado piñas frescas en el mercado.

—Limpia todo esto, ¿quieres? El suelo está muy pegajoso.

Juanilla le llevó la jarra de cristal azul y un vaso a juego.

—Sabes que no puedo levantar la jarra, Juanilla. No le conviene a mi espalda.

Lumbago, había diagnosticado la hermana enfermera, por pasarse el día sentada. «Os sentaría bien trabajar en el campo de vez en cuando, Juana», había aconsejado la monja.

Como si tuviera tiempo que perder en la recolección de frutas y flores para el convento.

Juanilla le sirvió un vaso de refresco de piña y perejil.

—Gracias, Juanilla, está delicioso —aseguró Juana tras un largo trago—. Los experimentos dan sed.

–Deberíais intentar hacer la limpieza después de uno de vuestros experimentos, madre –refunfuñó Juanilla.

–Y tú deberías intentar recordar tus modales. Ahora déjame sola para que pueda concentrarme.

Juana volvió la página y cogió la pluma. Por la ventana del salón que daba al patio se filtraban los gritos agudos de unas niñas, pero intentó hacer caso omiso de ellos.

La naturaleza de la yema en nada se asemeja a la de la clara. La yema batida produce crema, la clara montada, merengue, pero juntas no producen ninguna de las dos cosas, si bien la tortilla confeccionada con ambas posee el color dorado y la sustancia espesa de la crema, al tiempo que la textura esponjosa del merengue. Por tanto, concluyo que la cocina es un laboratorio científico y me atrevo a afirmar que Aristóteles habría obtenido grandes beneficios de haber aprendido a guisar.

Fuera continuaban los chillidos de las niñas. Juana se levantó de la silla y se acercó a la ventana mientras se masajeaba la parte inferior de la espalda hasta el coxis. Varios grupos de internas se congregaban en torno a la fuente, dando saltitos de emoción.

–¿Qué ocurre ahí fuera? ¿Por qué no están en la escuela esas niñas? ¡Son más ruidosas que los canarios de sor Clara!

–Es la hora del almuerzo, madre –explicó Juanilla, fregando una sartén quemada con un cepillo de púas.

–¡Hacen demasiado ruido! Aquí hay personas intentando trabajar. Sal y averigua el motivo de tanto alboroto. Y diles que se callen; no puedo concentrarme en las cuentas con semejante algarabía.

Juanilla se secó las manos con el delantal y salió parsimoniosamente de la celda. Mascullaba algo entre dientes, pero Juana no estaba de humor para descubrir de qué se trataba esta vez. Sospechaba que guardaba relación con la nueva regla que había impuesto en su entorno doméstico, según la cual Concepción debía acompañar a Juanilla al mercado. Dos de las sirvientas del refectorio le habían revelado que Juanilla había iniciado un romance con un aprendiz de herrero zambaigo, y a Juana le convenía sofocar dicha relación antes de que el asunto se saliera de madre. No podía permitirse tener una criada enferma de amor haciendo recados por la ciudad o suspirando distraída en la celda.

—Ahí está sor Rafaela, madre —exclamó Juanilla desde el rellano de la galería—. Creo que viene hacia aquí y no parece muy contenta.

«Oh, no —gimió Juana para sus adentros—, ya empezamos otra vez. Con toda probabilidad, Melchora la envía para comprobar si sigo postrada.» Juana dejó el vaso sobre la alacena de la cocina, se quitó el delantal y escondió el cuaderno bajo una pila de libros que se acumulaba sobre el sofá. Acto seguido se dirigió despacio a la puerta para recibir a la vicaria. «Debes ser diplomática, Juana», se recordó antes de abrir.

—Buenas tardes, sor Rafaela. Entrad. ¿Os apetece un poco de agua de piña?

Rafaela sacudió la cabeza con firmeza.

—La madre superiora me ha pedido que os entregue esta carta —anunció al tiempo que sacaba un rollo con el sello quebrado de la ancha manga de su hábito—. Es del cabildo. Fray Payo ha convencido al cabildo para que os encargue a vos el proyecto del arco triunfal de la catedral para la entrada del nuevo virrey —los labios de Rafaela se fruncieron como un orejón—. Dice la madre superiora que, de no ser fray Payo el arzobispo, habría declinado en vuestro nombre, pues sabe cuán atrasada vais con las cuentas y cuán frágil se ha tornado vuestra salud últimamente.

Juana leyó la carta.

—¿Para noviembre? —exclamó—. Pero si ya estamos en san Juan. No puedo proyectar algo de esta magnitud en menos de cinco meses.

—¿Debo decir a la madre superiora que os negáis?

—No puedo rechazar una comisión del cabildo, Rafaela. Sería insultante tanto para fray Payo como para el nuevo virrey.

—Ah, no conviene insultar al nuevo virrrey —convino Rafaela con malicia—. ¿Quién iba a protegeros entonces?

Juana miró a la vicaria con expresión serena, pero el estómago se le encogió de furia.

—Os agradezco mucho que me hayáis traído la carta, sor Rafaela

–dijo–. Haré que Concepción entregue mi respuesta directamente a fray Payo.

–La madre superiora espera que invirtáis los doscientos pesos ofrecidos como remuneración del arco en el convento.

–Invertiré el dinero en lo que considere más conveniente, pero transmitid a la madre superiora mi agradecimiento por su consejo. ¿Deseáis algo más?

–También me ha ordenado preguntaros por el estado de las cuentas. La madre superiora espera que el entusiasmo del nuevo proyecto no os impulse a descuidarlas de nuevo.

–Transmitid a la madre Melchora mi gratitud por su interés, hermana, y decidle que las cuentas están al día, que puede revisarlas cuando guste.

–Experimentará un gran alivio al oír eso –aseguró Rafaela.

«Y yo experimentaré un gran alivio cuando te pierda de vista», se dijo Juana, si bien inclinó la cabeza como una buena monja mientras miraba la puerta con fijeza.

–¡Sois tan puntual en vuestras tareas mundanas, sor Juana...! Ojalá pudierais aplicar la misma formalidad a vuestras labores conventuales.

Juana guardó silencio. Jamás les daría la satisfacción de reaccionar a sus pullas. La vicaria abandonó la celda y Juana cerró suavemente tras ella. Por devotas que aparentaran ser, sus hermanas poseían un ramalazo de envidia que ni siquiera el flagelo semanal lograba disipar. ¿Qué podía hacer ella si la Iglesia le encargaba proyectos? ¿Qué podía hacer si los nobles, los dignatarios y sus damas acudían a visitarla al locutorio? Disfrutaban de la conversación inteligente y de su sentido del humor. Los deleitaba con su música, sus versos y sus juegos. Sus dulces, afirmaban, eran los más deliciosos del mundo conventual. A cambio de su hospitalidad, le llevaban libros, pinturas, instrumentos tanto musicales como científicos, recuerdos de otras tierras y otras muestras de gratitud y admiración. Juana no pedía ninguna de esas cosas ni podía rechazarlas.

–¡Concepción! –llamó–. Tenemos una nueva comisión. Debemos poner manos a la obra.

Sin embargo, Concepción no respondió, y al cabo de un instante comprendió que estaba sola en la celda. Juanilla y Concepción habían salido a hacer recados, aunque no recordaba haber encomendado ninguna tarea a su ayudante, y nadie reclamaba su atención. Qué lujo, pensó. Sabía que no duraría, pero de momento tenía un nuevo proyecto entre manos, el silencio de una celda vacía y sus libros y papeles esperándola en la planta superior.

Se guardó la carta en la manga y regresó a la cocina. Ya había almorzado, pero los experimentos en el fogón y la emoción del nuevo encargo le habían abierto de nuevo el apetito. Cogió una torta tibia del montón que había junto al fogón, lo cubrió de huevo revuelto y rodajas de aguacate que habían sobrado del almuerzo y comió de pie. Suponía que era un pecado malgastar tantos huevos cuando había tantos niños pidiendo limosna por las calles.

Releyó la carta mientras subía la escalera hacia su estudio, intentando no pensar en el dolor que le atenazaba la parte inferior de la espalda. Los masajes de Gabriela habían mitigado el agarrotamiento y eliminado gran parte de las molestias, pero seguía sufriendo un dolor sordo en el coxis que no mejoraba ni con los ungüentos más creativos de Gabriela.

¿Qué significaba proyectar un arco triunfal para la entrada solemne del virrey en sus nuevos dominios? ¿Qué imágenes debía mostrar el arco? ¿Qué ruegos serían necesarios? Las respuestas a esas preguntas se le escapaban de momento, pero sí sabía que debería trabajar como poseída por las nueve musas si quería terminar el trabajo a tiempo. Aun con ayuda de Concepción se vería confinada en su mesa durante cinco meses. Tendría que hacer algo respecto al lumbago, contratar a una sobadora profesional para que le hiciera masajes en la espalda o encomendarle la tarea a Concepción, cuyas manos eran más fuertes que las de Gabriela.

Por lo menos, a Melchora no le quedaría otro remedio que levantarle el castigo, pensó satisfecha. La madre superiora la había encontrado acurrucada en su silla, incapaz de mover más que el brazo y las cuerdas vocales, pues había pasado la noche entera frente a su mesa, cuadrando los libros mayores y leyendo *Antígona* para mantenerse despierta. Como sanción por no haber asistido a misa y al primer oficio, Melchora le había vuelto a retirar los privilegios de escritura.

Mediados de verano era una de las épocas más atareadas en el convento de San Jerónimo. Sus campos suministraban flores a muchas de las iglesias de la ciudad, así como al palacio y a las parroquias de barrios más alejados. Por si fuera poco, cada día llegaban pedidos de las famosas mantillas jerónimas, a veces de lugares tan lejanos como Perú. Para su disgusto, Juana había sido elegida tesorera en los últimos comicios porque Andrea presentó su candidatura. Cómo detestaba la tarea mensual de cuadrar crédito y débito, un trabajo que siempre tenía tentaciones de demorar. La única ventaja residía en que, como administradora, podía dar sólo una clase en lugar de tres, lo que le permitía sacar algún tiempo para su propio trabajo. Sin embargo, nunca tenía suficiente, ya que también debía asistir a reuniones con el resto de las administradoras y soportar durante su transcurso las conversaciones más vacuas. En la siguiente elección propondría a Andrea como vicaria o incluso madre priora. Que supiera lo que significaba lidiar con personas aburridas como Melchora o de talante justiciero como Rafaela. Tal vez entonces comprendiera por qué Juana siempre estaba de mal humor.

—¿Dónde se habrá metido Concepción? —masculló entre dientes mientras se paseaba delante de la librería.

Había asistido a la entrada del marqués de Mancera en 1664 (se santiguó en memoria de la marquesa) y sabía que un arco triunfal debía ser más que el umbral simbólico del dominio. Debía rendir tributo, cierto, pero también exhortar al nuevo gobernante a mejorar la ciudad en algún aspecto concreto. No recordaba el aspecto del arco triunfal colocado en la catedral en honor del marqués y la marquesa, ni tampoco el arco de la ciudad. Sólo recordaba que había sido una estructura muy ornamentada con distintos paneles y columnas. Fray Payo le escribió para comunicarle que don Carlos había sido elegido para proyectar el arco de la ciudad, y Juana sabía que su amigo escogería un concepto innovador para su diseño. También ella debería hallar una buena alegoría para el texto y los bocetos del arco de la catedral, algo que se pudiera plasmar de forma impresionante tanto en imágenes como en prosa, lo bastante intrincado para competir con el arco de don Carlos y lo bastante majestuoso para rendir homenaje a don Tomás Antonio de la Cerda, marqués de la Laguna y conde de Paredes. Dejó la carta del arzobispo sobre una pila de libros abiertos y se dirigió a la sección de mitología de su biblioteca.

Los nombres Laguna y Paredes le dieron una idea, pues evocaban imágenes de agua y murallas. ¿No era Neptuno el dios responsable de las indestructibles murallas de Troya? Fray Payo sugería que Juana buscara la forma de imbricar en la tela del arco la petición que la Iglesia dirigía al nuevo virrey para que terminara de drenar la ciudad, reparara calles y puentes y acabara la cúpula de la Catedral Metropolitana, solicitudes apropiadas del cabildo al virrey entrante de Nueva España. Por fortuna, la sección de mitología se encontraba a la altura de la cintura, por lo que no se vio obligada a agacharse para sacar los libros que necesitaba. Homero, Ovidio, Virgilio, Apuleyo, Horacio y Herodoto.

—Con vuestro permiso, madre.

La voz de Juanilla sobresaltó a Juana de tal forma que dio un respingo y de inmediato sintió una punzada de dolor en la columna.

—¡Por el amor de Dios, Juanilla! ¿Cuántas veces tengo que repetirte que no me molestes mientras trabajo?

Juanilla mantuvo la mirada clavada en el suelo a cuadros blancos y negros.

—Lo sé, madre, pero me habíais ordenado que averiguara por qué gritaban las niñas.

—Ah, sí, las niñas, lo había olvidado. ¿Y bien? ¿De qué se trata? Estoy muy ocupada.

—Van a traer a una prisionera al convento, madre.

—¿Una prisionera? ¿Qué clase de prisionera?

—Dicen que es la hija del cimarrón al que ahorcaron en la Plaza Mayor ayer, Timón de Antillas. Dicen que ella era su espía y que estaba haciendo señales a los esclavos de San Francisco. Timón de Antillas pretendía incendiar el monasterio en cuanto los esclavos hubieran escapado.

—No sabía que ayer hubo un ajusticiamiento en la plaza, Juanilla. ¿Por qué no me lo dijiste? Habría enviado a Concepción a verlo.

—Concepción estuvo allí, y yo también. Me parece que estaba la ciudad entera. Las campanas sonaron durante horas.

—No recuerdo haber oído más campanas que las de las oraciones.

—Nunca oís nada cuando trabajáis, madre —replicó Juanilla.

—Es extraño que Concepción no me dijera nada —comentó Juana—. ¿Quién le dio permiso para ir? No puede hacer lo que le plazca.

—Fuimos al mercado, madre. Ayer queríais quesadillas de flor de calabacín, ¿no lo recordáis?

—¿Concepción tuvo que acompañarte a comprar flor de calabacín?

—Dijisteis que tenía que acompañarme a todas partes.

—No hacen falta dos personas para comprar flor de calabacín, por el amor de Dios. Debería haber ido sola.

—No sabe distinguir entre una flor de calabacín y una seta. Además, madre, no puedo cargarlo todo sola.

—¿Qué tiene eso que ver con los gritos de las niñas, Juanilla?

—Gritaban como gatas en celo porque creían que los soldados entrarían en el convento, madre.

—Entiendo. Muy descriptivo, Juanilla. Imagino que Concepción es una de las gatas. No es de extrañar que haya desaparecido. Hazla venir, por favor. Tenemos mucho trabajo con esta nueva comisión.

—Oh, no, madre, no está perdiendo el tiempo. Ha ido a coger mangos para vuestra ensalada.

Juana dejó la pluma y miró a Juanilla con los ojos entornados.

—¿Cómo dices?

Juanilla jugueteaba con los cordones del delantal.

—Como la madre Melchora dice que no necesitaréis a Concepción durante un tiempo, pensé que podía echarme una mano. Ya sabéis cuánto trabajo tengo.

Juana meneó la cabeza.

—¿Por qué haces esto, Juanilla? ¿Por qué insistes en inmiscuirte en el horario de Concepción? Te he dicho mil veces que Concepción no está a tu disposición. Entre el trabajo en los campos, en la sala de costura y en mi estudio, no tiene tiempo para ir a buscar fruta para ti, fregar platos ni ninguna otra tarea que te corresponde a ti. No creas que no sé que la obligas a ir al pozo dos veces al día y a lavar la ropa menstrual. ¿Acaso te burlas de mí, Juanilla?

—Pero la madre Melchora dice...

—Eso fue antes de que el arzobispo me encomendara este trabajo. Sólo tengo cinco meses para acabar una comisión que en circunstancias normales debería llevar un año y medio. ¡Y ahora ve a buscar a Concepción!

—No sé qué tiene de especial esa muchacha. No es más que una castiza.

—Me ha llevado seis meses formar a esa castiza y no permitiré que la conviertas en una criadilla de trascocina. Y ahora basta. Haz lo que te mando. Y por cierto, no quiero ensalada de frutas. Tráeme más agua de piña y súbenos la comida en una bandeja. Durante el resto del año, Concepción y yo no tendremos tiempo para comer abajo. Tendrás que comer sola. Y no prepares nada con queso. Ya sabes que no como queso cuando tengo un trabajo importante entre manos.

Juanilla salió del estudio con aire ofendido. Juana respiró hondo para disipar la inquietud que le atenazaba el plexo solar y volvió a sumergirse en la lectura de las conspiraciones divinas de la guerra de Troya. A punto estaba de terminar la historia cuando oyó a Concepción subir la escalera de dos en dos, como era su costumbre.

—¡Idiota! —vociferó Juanilla desde la cocina—. ¡Te dije que trajeras mangos, no melocotones!

Juanilla había vuelto a desobedecerla, pues no había ido en busca de Concepción, tal como le había ordenado.

—¡Es una princesa, madre! —exclamó Concepción al irrumpir en el estudio—. ¡Y la han encerrado en el cobertizo de las herramientas!

—¿De qué hablas, muchacha, y dónde has estado?

A Concepción se le daba bien fingir que Juana no estaba enojada con ella ni molesta por sus ausencias.

—La hija del cimarrón, madre. Su padre era el rey de los esclavos refugiados de San Lorenzo de los Negros...

Juana aún se sorprendía al constatar el cambio que se había operado en Concepción, que ya era una joven de diecisiete años. Su cuerpo se había tornado estilizado y grácil como el de una bailarina, de cintura estrecha y caderas de mujer. Su nariz se curvaba en un arco casi inmoral, sus ojos eran alargados y felinos, y sus labios, tan carnosos que en ocasiones incomodaban y distraían a Juana. De no ser por sus iris de dos colores, habría sido una gran belleza.

—¿No os parece un nombre precioso? Aléndula. Suena como una canción, ¿verdad?

—¿Por qué la han traído aquí, Concepción? ¿Por qué no la han ajusticiado a ella también? La Audiencia no suele mostrarse tan benévola ni misericordiosa con los cimarrones.

—Dicen que san Jerónimo intercedió por ella, madre. Cuando la Audiencia le preguntó qué hacía la banda de Timón de Antillas en la ciudad, respondió que habían venido a liberar a su tío, que es esclavo en el monasterio de San Francisco, pero por alguna razón, su tía y ella se separaron, y ella se vio atrapada en la procesión de san Juan, y cuando preguntó el camino a San Francisco, alguien le indicó cómo venir a San Jerónimo. Al entrar, lo único que vio fue la imagen del santo arrancando una espina de la garra del león. En un principio creyó estar en San Francisco, pues le habían dicho que san Francisco siempre estaba rodeado de animales, de modo que entró y se ocultó en un confesionario a la espera de que apareciera su padre, pero se durmió y soñó que el anciano de la imagen le arrancaba un clavo de la mano. Puesto que san Jerónimo es el patrón de los huérfanos, creyeron que había tenido una visión o que el santo intercedía por ella, así que la Audiencia la sentenció a cadena perpetua en la Casa de San Jerónimo.

—Se han equivocado de san Jerónimo —señaló Juana—. El de los leones es el patrón de nuestra casa. El otro, el patrón de los huérfanos, es el san Jerónimo italiano, un santo menor.

—Me ha dicho que...

—¿Te ha dicho? ¿Acaso ya has trabado amistad con ella?

—Es que oí a alguien llorar en el cobertizo de las herramientas cuando volvía del huerto, y la encontré allí dentro, encadenada. Me ha contado lo que sucedió, madre. No es cierto que pretendieran incendiar San Francisco, robar el oro de la iglesia e iniciar una gran insurrección. Sólo querían liberar a su tío de la esclavitud, eso es lo que hacen los cimarrones, me ha dicho. Pero se encontraron atrapados en la calzada antes de llegar a la ciudad, sólo que Aléndula ya estaba aquí, porque la habían enviado antes con su tía. ¡Madre, fue horrible verlos ajusticiados y descuartizados en la plaza! ¡Los perros se comieron sus entrañas!

Juana recordaba la última ejecución que había presenciado desde el balcón de palacio, los vítores de la muchedumbre cuando las trampillas se abrían bajo los pies de los ladrones, la gente tirando por turnos de las cadenas de las que pendían los cadáveres mientras los buitres sobrevolaban la Plaza Mayor en círculos.

—¿Crees que el alma escapa del cuerpo junto con los vapores y humores, Concepción? —inquirió de repente, sobresaltando a la muchacha con su pregunta—. ¿O, por el contrario, el alma existe en el corazón, como creen los egipcios, y por tanto permanece atrapada en el cuerpo hasta que éste se descompone?

Era la misma pregunta que había formulado a la marquesa aquella tarde lejana, y la marquesa había replicado que Juana debía de tener hielo en las venas para poder hacer una observación tan científica acerca de un cadáver.

—No lo sé. Qué idea tan espeluznante, madre —exclamó Concepción al tiempo que se apartaba de ella—. Aléndula dice que su padre se llevó consigo su corazón, y que por eso ahora ya no tiene corazón. Dice que habría preferido morir ajusticiada junto a él. Dice que una cimarrona debe vivir libre o morir.

Juana alzó ambas manos.

—¡Basta, Concepción! Ya hemos perdido bastante tiempo. Ahora quiero que respires profundamente y conviertas toda tu exuberancia en concentración.

—¡Pero, madre! —gritó la joven con los ojos inundados de lágrimas—. Es una princesa y ahora la han hecho prisionera y la tienen encerrada en el cobertizo de las herramientas. ¿Acaso no os parece injusto, madre?

—Sea cual sea su destino, nada tiene que ver contigo, Concepción. Sé que todo es muy emocionante e injusto, y comprendo que te tiente la idea de participar en el jaleo, pero tenemos mucho que hacer entre ahora y noviembre, y no puedes deambular por ahí sin permiso como has estado haciendo. Y ni se te ocurra siquiera que tendrás tiempo para visitar a la hija del cimarrón. Es una presa, de modo que déjala en paz.

–Pero madre, deberíais ver lo que le han hecho. La tienen encerrada con los tobillos y las muñecas encadenadas. Dicen que tendrá que trabajar en los campos con las cadenas puestas. ¡Es tan cruel!

–Por supuesto, Concepción, pero así es la vida para casi todos. Limítate a recordar que tú tienes tu trabajo y ella el suyo, y durante los próximos cinco meses necesitaré toda tu concentración. Y ahora acércate y masajéame la espalda. No puedo seguir sentada.

–¿Qué me decís de las oraciones? Es casi la hora de tercia, ¿lo habíais olvidado?

–Estoy exenta por el médico, ¿no lo recuerdas? Y además, el arzobispo me ha encargado un proyecto.

–¿Y el castigo, madre?

–¿Qué castigo?

Concepción la siguió hasta el otro lado del tapiz turco, donde se encontraba el dormitorio de Juana. Con ayuda de la muchacha se arrodilló junto a la cama, se soltó el rosario y el velo, y muy despacio se tumbó sobre las baldosas frescas del suelo. Con mano experta, Concepción procedió a masajearle los nudos de tensión de la espalda. A fin de contener una exclamación por el placer que le proporcionaba el firme tacto de la joven, Juana pensó en el proyecto que la esperaba.

«Neptuno alegórico –pensó–. Así titularé el arco. *Neptuno alegórico, océano de colores, simulacro político.*» En ese instante fugaz en el que siempre concebía sus mejores obras de principio a fin, visualizó los paneles y las columnas del arco con sus intrincados laberintos de argumentos y poemas, todo ello iluminado con imágenes procedentes de la mitología griega y egipcia.

–Quiero que copies los pasajes que he subrayado en los libros que hay sobre mi mesa –indicó antes de sumirse en una suerte de sopor lúcido.

Pensó en la nueva virreina y el modo de incorporar sus apellidos al texto.

La excelentísima señora doña María Luisa Manrique de Lara y Gonzaga. María, por supuesto. Mar, océano, esposa del dios del mar.

Soñó que estaba con ella junto al mar. Arena refulgente como el oro en el agua prístina... Pero en el sueño iban desnudas, y la marquesa la llevaba de la mano, como Isis guiando a Nefertiti, hacia una cueva revestida de bambú que se abría a lo lejos. Sin embargo, cuando se volvió para mirarla, descubrió que no era la marquesa, sino una mujer de ojos oscuros, que relucían intensos en un rostro de alabastro enmarcado por una melena de cabello negro sujeta con peinetas de nácar, y labios que se antojaban rodajas de sandía roja y húmeda.

# 13

La despertó un recado de la hermana portera. Tenía una visita, le anunció Concepción, inclinada sobre ella. Don Carlos la aguardaba en el locutorio. Concepción la ayudó a levantarse con cierta dificultad, sustituyó el velo corto por el largo, le prendió el escudillo al escapulario y le llevó un paño húmedo para que se lavara el rostro. La espalda le dolía sobremanera, pero guardó silencio. No había ningún refrigerio preparado para su inesperado visitante, de modo que ordenó a Juanilla que le llevara un vaso de agua de piña y un plato de la ternera que había guisado para el almuerzo.

Se dirigió cuan deprisa pudo hacia el locutorio, tan ansiosa por ver a su amigo que olvidó hacer la reverencia de rigor ante el crucifijo del claustro. Por un instante se preguntó si alguna de las vigilantas la acecharía desde una puerta o detrás de un árbol para anotar cada una de sus acciones, pero la hora de la siesta aún no había tocado a su fin y el patio estaba desierto, a excepción de los gatos que tomaban el sol tumbados sobre las losas.

—¿Vos aquí un miércoles, amigo mío? —exclamó al entrar en su lado del locutorio.

—¡Juana! —saludó don Carlos con una inclinación—. Siempre es un placer veros.

Se sentaron y guardaron silencio un momento. Juana no imaginaba cuál podía ser el motivo de su visita y esperó a que iniciara la conversación. Don Carlos ofrecía un aspecto demacrado, como siempre, si bien en sus ojos brillaba un destello malicioso.

—Es magnífico que nos hayan asignado el mismo proyecto, ¿no os parece? —comentó por fin don Carlos.

—El cabildo municipal y el cabildo eclesiástico son dos organismos distintos, amigo mío —señaló Juana.

—Lo sé, pero al menos trabajaremos en la misma clase de proyecto.

—Y habéis venido para alardear de vuestros progresos, ¿verdad?

Don Carlos frunció los labios y se volvió hacia el cuenco de ciruelas colocado sobre la mesita junto a su silla.

—A decir verdad, ni siquiera he empezado. El término «triunfal» me crea dificultades —admitió antes de elegir una ciruela y frotarla levemente contra la pechera de su sotana—. ¿Cómo lo interpretáis vos, Juana?

—Aún no he reflexionado sobre ello. A fin de cuentas, no es más que un símbolo.

—¡Precisamente por eso! Un símbolo de conquistas romanas, batallas cruentas, la muerte brutal de miles de personas. ¿No se os antoja una alusión inapropiada para Nueva España, que fue conquistada más por la religión que por el derramamiento de sangre?

—Según Díaz del Castillo, que enumera las incontables muertes acaecidas durante la conquista, es posible que la religión salvara almas, pero no vidas, don Carlos.

Su amigo dio cuenta de la ciruela en dos bocados y se limpió las comisuras de los labios con la manga.

—Esos arcos triunfales no representan más que la conquista, cuando, en mi opinión, deberían simbolizar una entrada más humilde en una civilización que, sin lugar a dudas, rivalizaba con Roma.

—Me temo que no logro seguir vuestro razonamiento, amigo mío. Percibo una contradicción.

—La ceremonia de entrada del virrey representa la cordial bienvenida que América dispensa a su nuevo gobernante, ¿no es así? Pero pese a ello, desde 1586 empleamos un símbolo de conquista para significar dicha bienvenida, cuando en realidad aceptamos a nuestro virrey con humildad y resignación. Y escuchad —sacó un

204

cuaderno de su bolsa–. He investigado los títulos de algunos arcos pasados. Astro Mitológico Político, erigido en honor del conde de Alba de Aliste en 1650, Marte Católico, el arco de la catedral, y Ulises Verdadero, el arco de la ciudad, para dar la bienvenida al duque de Alburquerque en 1653. Y Elogio panegírico y dibujo del ínclito Eneas para nuestro querido marqués de Mancera en 1664. Todos ellos se inspiran en la mitología griega.

–Es el enfoque tradicional, don Carlos. Yo voy a basarme en la historia griega de la guerra de Troya y la intervención de Neptuno para el proyecto de mi arco, para así exhortar al nuevo virrey a reparar los daños que las inundaciones han ocasionado en la ciudad.

–¿Por qué no exhortarlo a ser un príncipe ejemplar? Creo que tal será mi concepto. En lugar de inspirarme en historias fabulosas del Viejo Mundo, quiero recordar a nuestro nuevo gobernante la realidad de la historia, el imperio mexicano que existía antes de que los europeos pisaran este valle. Quiero evocar los nombres de Chimalpopoca, Huitzilipochtli, Cuauhtémoc, y con ellos crear un conjunto de virtudes para el nuevo gobernante de nuestro Nuevo Mundo.

–¿Un arco triunfal a la inversa, tal vez?

–¡Vos lo habéis dicho, hermana! Que la mitología de México conquiste a la europea. Que el príncipe sepa que pisa la sombra de la Serpiente Emplumada.

Sacó una hoja de pergamino de su bolsa y se la entregó entre los barrotes.

–He pensado que os gustaría tener una copia del escudo de armas del conde.

Juana cogió el pergamino.

–Siempre tan generoso, amigo mío. Gracias.

–¿Qué os parece mi idea?

–Original, don Carlos, y sin duda poseéis los conocimientos de historia mexicana necesarios para plasmarla con sutileza. Sin embargo, dada mi posición, yo no me apartaré del camino trillado.

–¿Ni siquiera un ápice? No es propio de vos, hermana. ¿Ni siquiera una mínima subversión de la forma?

–Bien, sí, hay un pequeño detalle que...

–¿De qué se trata? –quiso saber don Carlos con una sonrisa.

–¿Recordáis el enfrentamiento entre Poseidón y Atenea? –empezó ella.

–Oh, no, un acertijo –la atajó don Carlos antes de cerrar los ojos y tamborilear con los dedos sobre el brazo de la silla–. ¿No rivalizaban por el derecho de proteger Atenas?

–Muy bien.

En aquel momento entró Juanilla con el refrigerio. Don Carlos se colocó la bandeja sobre las rodillas y empezó a comer con las manos, tomando bocados de ternera hervida seguidos de rodajas de aguacate y cebolleta.

–A la vista del nombre de la ciudad, sabemos quién venció –comentó con la boca llena.

–Pero veamos cómo –puntualizó Juana–. De acuerdo con una versión de la historia, el rey de Ática, que hará las veces de árbitro en la disputa, los convoca y les pide que indiquen qué don concederían a la ciudad. Ni corto ni perezoso, Poseidón clava el tridente en la tierra, y de ella surge un fiero corcel envuelto en agua marina. Por su parte, Atenea recoge de la tierra una ramita que se convierte en un olivo, regalo que al rey de Ática le parece más adecuado que el caballo, razón por la cual la diosa sale vencedora.

Don Carlos se pasaba el agua de piña de un lado a otro de la boca. Juana casi esperaba verlo hacer gárgaras con ella.

–¿No inundó Neptuno la ciudad tras la disputa, Juana? ¿No es el equivalente pagano de nuestro diluvio universal?

–No hace falta incluir ese detalle. ¿Cuántas personas conocen el mito? De hecho, podría revisarlo un poco y decir que Neptuno, en un alarde de razón suprema, cedió magnánimamente sus derechos a la diosa reconociendo que un olivo pacífico y munificente sería un presente más apropiado para la humanidad que un caballo desobediente y belicoso.

Don Carlos lanzó una risita ahogada.

–Lo que queréis decir, Juana, es que Nueva España debería ser gobernada por la lechuza en lugar del tridente.

–A decir verdad, existe otra versión del mito, según la cual todas las mujeres votaron por Atenea y todos los hombres, por Poseidón, y puesto que había más mujeres que hombres, salió elegida la diosa. La consiguiente venganza de Poseidón no se ciñó a inundar la ciudad, sino que también eliminó el voto de la mujer, motivo por el cual... –alzó los brazos con burlona resignación– nos encontramos en esta situación.

–Sois malvada, Juana –exclamó don Carlos con una franca carcajada.

–Y que lo digáis, amigo mío. Pero el detalle al que me refería –prosiguió– es que si bien Neptuno aportó el caballo, fue Atenea quien inventó la brida que lo domó. Por lo visto, la sobrina siempre superaba a tío Neptuno.

Don Carlos lloraba ya de risa.

–Y vos me habéis superado a mí una vez más, Juana. A buen seguro insertaréis esa idea con tal sutileza en el texto que nadie reparará en vuestra subversión.

–Espero que estéis en lo cierto, amigo mío. No me gustaría que el virrey creyese que le sugiero llevar brida.

Ambos se echaron a reír de nuevo, pero el regocijo de Juana quedaba mitigado por el hecho de que la llegada del nuevo virrey significaba la pérdida de un buen amigo. Fray Payo regresaba a España para recluirse en un monasterio. Según le había confiado durante su última visita, estaba cansado de la vida pública, de la política, y ardía en deseos de volver a su tierra para dedicarse a rezar y cultivar aceitunas.

–Ni tampoco quiero ofender a fray Payo. Es el último proyecto que realizaré para él.

–Se ha mostrado muy caritativo con vos, ¿verdad, Juana?

–No habría sobrevivido a la política conventual sin su ayuda.

–Creo que tenéis razón –corroboró don Carlos antes de comer otra ciruela–. Y también os ha ayudado a seguir a flote... económicamente. Quiero decir que... ha cuidado de vos.

–Me he ganado cada peso con el sudor de mi frente, don Carlos.

–Por supuesto, por supuesto. Os ruego me perdonéis, Juana. Sólo es envidia porque el arzobispo nunca se ha mostrado caritativo conmigo ni me ha dado comisiones que me ayudaran a cuidar mejor de mis hermanos. Incluso este proyecto del arco procede del corregidor, no del cabildo.

–Pero fray Payo os nombró cosmógrafo real –señaló Juana–.

Eso debería engrosar vuestros ingresos; a fin de cuentas, es un cargo vitalicio.

Quería cambiar de tema. Hablar de dinero con don Carlos siempre la irritaba, pues sabía bien con qué frecuencia estaba a punto de pedirle algo prestado.

—¿Se sabe algo acerca del sucesor de fray Payo? —inquirió para distraer a su amigo del asunto.

Don Carlos se hurgó entre los dientes con la uña del pulgar.

—Por derecho de veteranía, el cargo debería caer en manos del obispo de Puebla, don Manuel Fernández de Santa Cruz. Eso sería bueno para Nueva España, porque el obispo es moderado como fray Payo, pero más joven y de salud mucho más robusta.

—Pero hemos oído que vendrá un dominico un año después de la llegada del nuevo virrey, un canónigo de Santiago de Compostela. ¿Es posible que los jesuitas estén perdiendo el favor de Madrid?

—Espero que no, Juana. ¿Sabéis lo que significaría tener a un dominico en el arzobispado? Nos veríamos obligados a sacrificar nuestros logros intelectuales en aras del fervor espiritual, sin lugar a dudas. Por no mencionar lo que significaría para vos, amiga mía. Los dominicos son célebres por su misoginia.

La visita se vio interrumpida por la llamada a nona, y Juana sabía que no podía faltar a otro oficio, sobre todo tras recibir a un visitante en el locutorio. Se dirigió al coro de pésimo humor, sin molestarse siquiera en devolver los saludos de las novicias que la precedían. Estaba profundamente preocupada por la sucesión de fray Payo. Fuera quien fuese el elegido por la Corona, Juana sabía que jamás volvería a contar con un patrocinio como el suyo. En su calidad de arzobispo y virrey poseía una autoridad que nadie podía desafiar y, como su protegida, la autoridad de Juana en el convento había superado la de sor Melchora en los últimos cuatro años. Ahora que fray Payo regresaba a su tierra natal, Juana necesitaría desesperadamente otro adalid, y el único capaz de igualar, aunque fuera de forma remota, la influencia de fray Payo sería el nuevo virrey. Por lo tanto, el arco triunfal debía cumplir una misión aún más importante que la habitual.

Pasaron las festividades de santo Tomás y Santiago, y puesto que había solicitado a fray Payo permiso para no asistir a ninguna celebración que le robara tiempo del proyecto, Juana permaneció en su celda, buscando cada vez más pasajes para que Concepción los copiara y realizando dibujos tridimensionales sobre enormes hojas de papel que don Lázaro, el librero, añadía a su ya exorbitante deuda.

A finales de julio eligió las escenas mitológicas que quería sobre los ocho paneles de la estructura. La imagen central, sobre el título, mostraría a Neptuno y su esposa, Anfitrite, montados en una concha marina tirada por dos feroces caballos en un mar turbulento. Eso significaría la travesía de los virreyes por el salvaje Atlántico. A la derecha de dicha imagen se vería una ciudad semicubierta de agua para hacer referencia al problema de las inundaciones en México y, sobre ella, a Neptuno montado en el carro de Juno tirado por leones, hundiendo su tridente en las aguas para alejarlas de la orilla. A la izquierda estaría la isla griega de Delos, con grabados de ciudades exóticas, árboles frondosos y acantilados laberínticos que simbolizarían las civilizaciones ancestrales y la belleza salvaje de México, descubierto por obra del tridente de Neptuno, que dobleó los mares para franquear el paso. Los paneles situados debajo del segundo y el tercero, respectivamente, mostrarían una escena de la guerra de Troya, con Neptuno encabezando a los vencedores, y al otro lado una escena en el palacio de Neptuno, con centauros rindiéndole homenaje, ancianos maestros de la ciencia y metáforas relativas a los conquistadores españoles. El panel colocado sobre la ciudad inundada describiría a Neptuno en el momento de colocar la constelación del Delfín, símbolo del juicio prudente, en el firmamento. Frente a él, sobre el lienzo de la isla griega, se vería la escena de Neptuno y Atenea, en la que el corcel del dios vuelve a sumergirse en el mar a la sombra del gran olivo de la diosa. Y en el octavo lienzo, sobre el primero, una reproducción en miniatura de la Catedral Metropolitana, con su cúpula inacabada y Neptuno de pie sobre la muralla troyana, rodeado de instrumentos arquitectónicos.

Satisfecha de sus alegorías, Juana pasó una semana entera copiando cada escena en hojas limpias y anotando meticulosamente al margen qué colores debían emplearse para cada figura y sección. Al término de aquella semana ordenó a Concepción llevar los bocetos a fray Payo para que los arquitectos y artistas pudieran proceder a construir y pintar la estructura. Por su parte, ella se zambulló en la redacción del texto.

Por la fiesta de la Asunción ya había completado el esqueleto de la alegoría. Lo había redactado en un estilo apto para el cabildo, sabedora de que las interpretaciones de los distintos lienzos que se declamarían al pie del arco tendrían que ser menos exaltadas y más descriptivas en aras de las masas que asistirían a la ceremonia. Pero puesto que quería imprimir su marca personal a la obra, también tenía intención de componer una dedicatoria especial para el virrey y la virreina, un texto en el que traduciría todos los argumentos y exégesis anteriores en una explicación poética del arco. Emplearía el resto de agosto y todo el mes de septiembre en explicar las premisas de cada imagen, y compondría el poema en octubre, tras lo cual la obra entera debería entregarse al impresor.

Dos días antes de la festividad de san Jerónimo, a finales de septiembre, la hermana portera le anunció que tía María se encontraba en el locutorio y solicitaba una audiencia urgente con su sobrina. Juana no veía a su tía desde que regresara a Nepantla y le sorprendió saber que había vuelto a la ciudad. Dejó a Concepción ocupada con la copia de un montón de páginas y se dirigió presurosa al locutorio tras pedir a Juanilla que preparara chocolate caliente y se lo llevara en cuanto estuviera listo.

Al ver a su tía tuvo que contener una exclamación. Ofrecía un aspecto demacrado, como hambriento, y estaba sentada en el borde de la silla, aún ataviada con sus ropas de viuda, tosiendo con suavidad en un pañuelo.

—¡Tía! Por el amor de Dios, ¿qué os sucede?

—Juanita...

Su tía se levantó para asirle la mano a través de la reja e intentó sonreír. Juana advirtió que las arrugas de su rostro parecían laceraciones en la piel reseca y que los ojos le brillaban como si pugnara por reprimir el llanto.

—No tenéis buen aspecto, tía.

—Estoy enferma, querida. Un extraño mal que ataca el estómago. Los médicos dicen que no hay esperanza.

—¿Cuánto tiempo lleváis enferma? ¿Qué médicos?

—Debería haber venido a verte antes de estar tan mal, pero albergaba la esperanza de mejorar. No quería que me vieras en este estado.

—Pero tía, la última vez que os vi parecíais del todo saludable y estabais tan contenta de volver a Nepantla...

—Y lo estaba, Juanita, lo estaba. A veces me sentía sola allí, pues todos mis hijos viven aquí, en la ciudad, pero veía a tu madre con mayor frecuencia, y también a la familia de Antonia y de Diego. Están todos muy bien. Tu madre no ha cambiado, siempre en busca de nuevos negocios. Ahora planta café, ¿sabes?

—Sentaos, tía, os lo ruego.

No quería soltar las manos de su tía, pero el dolor en el coxis volvía a atenazarla después de todas las horas que había pasado sentada frente a su mesa en los últimos tres meses, y necesitaba caminar. Su tía volvió a sentarse, y Juana hizo sonar la campanilla para que una de las criadas avisara a Juanilla de que ya podía llevarles el chocolate caliente.

—No te molestes, Juanita. No puedo comer ni beber nada. Los médicos me han prescrito una dieta muy estricta, y sólo puedo tomar una infusión de hierbas que me han recetado. Todo lo demás lo vomito. Sólo he venido porque quería verte una vez más antes de que me resulte imposible desplazarme. Me ha traído tu primo Nico, pero le he pedido que se marche y vuelva a buscarme más tarde. Quería estar contigo a solas.

—¡Oh, tía, no puedo creerlo! Y no puedo creer que mi madre no me contara en las últimas cartas que estabais enferma.

—Tu madre no sabe nada, querida. Abandoné Nepantla el mes pasado, en cuanto empezó la... —otro acceso de tos— la secreción. Sabía que debía regresar aquí, estar junto a mi familia antes de...

En aquel momento llamaron a la puerta, y Juanilla entró con una bandeja de chocolate caliente y pan con rodajas de huevo duro.

—Qué aspecto tan delicioso —suspiró tía María—. A veces me apetece tanto un huevito...

—Llévatelo, Juanilla —ordenó Juana—. No vamos a tomar nada.

Juanilla masculló algo ininteligible y salió de la estancia dando un portazo.

—Es huraña como Francisca —observó tía María—, sólo que Francisca se ha puesto muy gruesa y tiene el cabello completamente gris. Pero tu madre sigue siendo un ama severa.

—Parecéis tan resignada a vuestra suerte, tía... ¿Cómo podéis renunciar a toda esperanza? ¿Cómo sabéis que el médico está en lo cierto? Algunos de esos supuestos galenos carecen de formación.

—Juana, te aseguro que Nico y Gloria no han perdido la esperanza y han hecho que me examinen todos los médicos de la ciudad. Todos convienen en el diagnóstico. Por lo visto, tengo una excrecencia en el estómago, y no hay nada que hacer.

—¿No podrían extirpárosla, tía? En el Hospital del Amor de Dios hay muy buenos cirujanos.

—Barberos con pretensiones, eso es lo que son. Me parece que no, Juanita. Además, todos los médicos están convencidos de que moriría en plena operación. ¿Quién puede sobrevivir a que le abran la panza?

Juana sintió que las lágrimas le resbalaban por las mejillas y se las enjugó con la punta de la manga.

—No llores, Juanita querida. No he venido para trastornarte. Sólo quería decirte que siempre me has dado grandes alegrías; aun cuando más temía por ti, en mi fuero interno me enorgullecía de tu fuerza de voluntad y tu inteligencia.

Juana volvió a enjugarse los ojos.

—También quería pedirte perdón, si no es demasiado tarde.

—¿Por qué, tía? ¿Por acogerme en vuestro hogar? ¿Por haber sido una madre para mí?

—Por no haberte hablado nunca... —se interrumpió, miró por encima del hombro y siguió hablando en voz más baja—. Por no haberte hablado nunca de la debilidad que sentía tu tío por las jovencitas, por no haberte preguntado nunca si alguna vez hizo algo... en fin, algo... inapropiado.

El estómago de Juana se contrajo por la angustia, y no podía mirar a su tía a los ojos.

—Por lo general se limitaba a las criadas, pero como siempre le tuviste tanto miedo y además nunca querías quedarte a solas con él... ¿Alguna vez se comportó de forma... ofensiva contigo, Juanita? Nunca olvidaré el extraño comentario que la marquesa hizo en tu velorio con la mirada clavada en tu tío. ¿Le dijiste algo que no pudieras contarme a mí?

Juana escudriñó el rostro demacrado de su tía, las sombras violáceas bajo sus ojos, la vergüenza que se reflejaba en sus pupilas, y supo que de nada serviría confesar la verdad ahora, pues sólo añadiría otra cruz que su tía debería cargar en su lecho de muerte.

—Por supuesto que no, tía —aseguró en un murmullo, aunque las palabras le sabían a polvo—. No habéis hecho nada por lo que deba perdonaros.

Fuera empezó a caer la lluvia de la tarde. Juana oía el retumbar de los truenos en el horizonte. Su tía entornó los ojos, y Juana comprendió que intentaba averiguar si su respuesta era veraz.

—¿Sabes qué cualidad tuya he admirado siempre, aún más que tu inteligencia, Juanita?

—Callad, tía, os lo ruego. No quiero hablar de mí.

—Tu compasión —prosiguió la tía María, imperturbable—. La has heredado de tu abuela.

—Tal vez la aprendí de vos, tía, como a vuestro cuidado aprendí lo que era una verdadera madre. Siempre os estaré agradecida.

Su tía se puso en pie.

—Nico llegará en cualquier momento —anunció—. Quiero besarte y abrazarte por última vez. ¿Podrían abrir la reja?

Juana agitó la campanilla y pidió a sor Clara que abriera la cerradura.

—Pero hermana —exclamó la portera—, ya conocéis las reglas. Sólo damas del más alto rango. Necesitamos la autorización de la madre superiora.

—Abrid la puerta, sor Clara. ¿Acaso no veis que mi tía está enferma? Ha venido a despedirse de mí. ¿Haréis oídos sordos al deseo de una mujer moribunda y os llevaréis ese peso a la tumba, hermana?

—¡Dios misericordioso! Espero que no sea nada contagioso —dijo sor Clara, persignándose tres veces en la frente, el rostro y el pecho mientras con la otra mano buscaba la llave correspondiente–. ¡Aquí está! Os ruego me perdonéis, señora –se disculpó con una torpe reverencia–. No sabía que os estabais muriendo.

La hermana portera abrió la reja, se inclinó una vez más y salió presurosa al patio bañado por la lluvia.

La representación de la hermana portera hizo reír a la tía María, pero casi de inmediato sufrió otro acceso de tos, y la tos generó una espuma oscura que la mujer se apresuró a recoger en el pañuelo antes de guardárselo en el bolsillo.

–Perdona, Juanita –jadeó.

Juana sintió una punzada de dolor en el pecho. Alargó los brazos hacia su tía, y permanecieron abrazadas hasta la llegada de Nico, Juana sollozando contra la piel cálida del cuello de su tía mientras recordaba las primeras noches pasadas en la ciudad de México, cuando lo único que alcanzaba a hacer era llorar por su madre y tía María la estrechaba entre sus brazos y le cantaba la balada de la india que lloraba por haber perdido a sus hijos a manos de los conquistadores. Mucho más tarde, cuando ya había dejado de añorar a su madre, Juana seguía a su tía por toda la casa y pasaba horas en la cocina con ella, inventando recetas para la gran variedad de verduras que crecían en el huerto.

Durante la semana que siguió a la visita de su tía, Juana fue incapaz de trabajar, leer ni pensar en otra cosa que no fuera el estoicismo de su tía y la perspectiva de perder a otro ser querido. En sus sueños, su tía tenía el rostro de la marquesa, y la marquesa adelgazaba, encogía y se convertía en su tía. En uno de ellos, ambas estaban sentadas en su estudio, observándola mientras trabajaba. En aquella ocasión, Concepción acudió a despertarla, y Juana comprendió que se había quedado dormida mientras escribía.

–Hoy he visto al impresor en el mercado –dijo Concepción–. Quiere saber cuándo le llevaremos el texto del arco. Me ha dicho que os diga que la viuda de Calderón ya ha empezado a imprimir el arco de don Carlos y no quiere que el nuestro se retrase.

A Juana le faltaban cuatro lienzos y no podía perder más tiempo sumida en la melancolía.

Cuando Concepción entregó al impresor el texto completo del arco, Juana se permitió volver a pensar en su tía, y de noche el corazón se le henchía de culpa al recordar la aspereza con que la había tratado, al rememorar que cuanto más leía y aprendía, más arrogante se tornaba y tachaba a su tía de simple y débil. Siempre había rechazado desdeñosa sus intentos de hacerla feliz. Ni siquiera el estudiante al que contrató para enseñarle latín había resultado ser lo que esperaba, pues Juana insistía en que al joven le interesaba más el decoro que las declinaciones, por lo que consiguió que prescindieran de él al cabo de sólo veinte lecciones. En realidad, el estudiante había pretendido enseñarle algo que Juana ya había aprendido de su tío.

—Nos habéis hecho esperar, Juana —la regañó el arzobispo en cuanto entró en el locutorio,

Estaba sin resuello después de cruzar corriendo el huerto y el claustro, pues después de nona se había retirado a la capilla del cementerio para rezar por tía María y allí se había quedado dormida.

—Os ruego me perdonéis, Ilustrísima —se disculpó al tiempo que comprobaba que ya les habían servido una merienda consistente en buñuelos y sirope.

—Permitid que os presente al artista al que se ha encomendado pintar los lienzos de vuestro *Neptuno alegórico*.

Junto a fray Payo, con los brazos extendidos sobre el respaldo del banco como si se hallara en el parque en lugar del locutorio de un convento, se sentaba un hombre vestido de riguroso negro, con capa negra e incluso un lazo negro anudado al cabello rubio. Tenía los ojos azul celeste y parecía alemán u holandés salvo por el detalle de que llevaba el cabello trenzado a la usanza india y un aro de oro en cada oreja.

—Pese a su inclinación por esta estética... bucanera —comentó fray Payo con una ceja enarcada—, es un buen artista. Sor Juana, permitid que os presente a don Jorge de Alba, pariente lejano del duque.

—Encantada —repuso Juana al tiempo que alargaba la mano por entre los barrotes de la reja.

—Es un honor para mí conoceros, sor Juana —aseguró el hombre con un acento pronunciado mientras le estrechaba la mano con ademán indiferente—. Espero poder hacer justicia a vuestro intrincado arco.

—Lo llaman «El Tapado» —informó el arzobispo.

—¿Y por qué os llaman así, señor de Alba? ¿Acaso vivís oculto?

El arzobispo lanzó una risita.

—Por supuesto, sor Juana. Como todo artista que se precie, tengo muchos rostros, y cada uno de ellos cubre a los demás de esta guisa...

Levantó la capucha negra de su capa y la dejó caer sobre su rostro, cubriéndolo todo salvo la boca.

—¿Lo veis? Siempre queda una parte expuesta. Vuestro velo funciona del mismo modo, ¿no es cierto?

Juana sólo veía el destello blanco de sus dientes y sintió un extraño escalofrío. Con una carcajada, el artista echó la cabeza hacia atrás, y la capucha volvió a caer sobre sus hombros. Sus ojos relucían como aguamarinas.

—Es un ser raro, de eso no cabe duda —señaló fray Payo con otra risita—, pero pinta mejor que ese artista currutaco de la corte al que el corregidor ha elegido para pintar el arco de la ciudad.

—Sois demasiado amable, Ilustrísima —exclamó don Jorge—. Ese artista currutaco de la corte es un maestro célebre en Madrid. Su obra es magnífica, pero ay de mí... —dobló la muñeca con exageración y siguió hablando con un acento aún más denso—, es un currutaco, y a Su Ilustrísima le disgusta lo currutaco, por lo tanto le disgusta la obra del artista en cuestión —apoyó la muñeca sobre la rodilla y miró a Juana—. No obstante, es cierto que dibujo mejor que el maestro. El dibujo es una habilidad plebeya en comparación con la pintura. Juzgad vos misma, sor Juana.

Don Jorge sacó un rollo de páginas arrugadas de una gran bolsa negra que yacía en el suelo junto a él y se lo pasó a través de la reja. El papel olía a pintura y tabaco dulce.

Juana desenrolló las páginas y examinó el trabajo.

—Puesto que no estaréis presente, Juana —terció fray Payo—, quería que vierais el aspecto que tendrá el día de la ceremonia triunfal en honor del vigesimooctavo virrey de Nueva España, así que pedí a don Jorge que dibujara el recorrido entero de la llegada del virrey, desde la plaza de Santo Domingo, donde se instalará el arco de la ciudad, hasta la Plaza Mayor y la catedral.

El artista había plasmado hasta el último detalle, incluso los sombreros con plumas y las sombrillas enjoyadas de los caballeros y las damas congregados en las plazas. Guirnaldas rojas y amarillas adornaban los balcones de palacio, y grandes arcos de rosas encarnadas y girasoles dorados decoraban la arcada. En el centro de la plaza de Santo Domingo, frente al portal festoneado de flores de la Inquisición, el artista había dibujado el arco que don Carlos había proyectado por encargo del cabildo en forma de pirámide tridimensional, de cuya puerta turquesa sobresalía una enorme llave de la ciudad.

—Entonces, ¿el arco de la ciudad está terminado? —inquirió Juana.

—Qué forma tan extraña para un arco triunfal, ¿no os parece, Juana? —comentó fray Payo.

—Ya conocéis a don Carlos, Ilustrísima. Le gusta ser diferente.

—Cierto es que lo conozco. Y también sé algo de nuestro nuevo virrey. Me atrevo a decir que no le complacerá el diseño de don Carlos.

—Estoy segura de que don Carlos no tiene intención de ofender, Ilustrísima.

—Si no me equivoco, insinúa que la Corona sigue el ejemplo de los emperadores paganos que antaño gobernaban esta tierra. Podéis estar segura, hermana, de que el conde de Paredes no es obtuso ni incompetente. A fin de cuentas, es hermano del duque de Medinaceli. Al menos vuestro arco hace honor a la bienvenida que el cabildo eclesiástico desea dispensarle.

Ante la puerta este de la catedral, empequeñeciendo el portal de la gran iglesia, don Jorge había dibujado una estructura monumental con un gran umbral abovedado en el centro, flanqueado por otros dos más bajos, también abovedados, y dividido por cuatro pilares romanos. Sobre dichos arcos, repartidos en tres hileras, se veían los ocho lienzos que Juana había proyectado. Una vista lateral de la estructura mostraba una profundidad de al menos tres cuerpos.

—¿Tendrá esa profundidad, Ilustrísima? —quiso saber—. Más que un arco parece una calle que el virrey deberá cruzar para llegar a la catedral.

Fray Payo extendió los brazos cuanto pudo.

—Somos el cabildo de la Catedral Metropolitana de Nueva España, Juana. Representamos el Reino de Dios en el Nuevo Mundo. Por supuesto que tendrá esa profundidad.

—¿Puedo pediros permiso para encender mi pipa, hermana? —solicitó don Jorge mientras rebuscaba en sus bolsillos.

—Estáis en vuestra casa, señor —repuso ella—, poneos cómodo. Y por favor, fray Payo, tomad otro buñuelo.

Juana estudió las pinturas en miniatura de los ocho lienzos. Guardaban poca relación con sus bocetos, pero transmitían a la perfección el simbolismo que ella había pretendido conferirles.

—Me he tomado la libertad de pintar los segundos esbozos tal como aparecerán en el arco —explicó don Jorge—. Si son de vuestro agrado, por supuesto. Espero que no consideréis mi estilo incompatible con el vuestro, sor Juana.

El Tapado había plasmado las imágenes en distintos matices de verde y azul, puntuados en algunos sitios con oro y otros metales. La concha de nácar que montaban Neptuno y Anfítrite en el lienzo central destacaba de los frescos que la rodeaban como un bajorrelieve. En el lienzo de la derecha, las casas de la ciudad inundada estaban pintadas de rojo almagre para emular el tezontle, la piedra volcánica que predominaba en la traza. Los leones alados que tiraban del carro de Neptuno sobre la ciudad eran de bronce y oro. En el lienzo que mostraba a Neptuno rodeado de centauros, El Tapado había pintado una alfombra escarlata bajo el trono dorado del dios, y la mitad humana de los centauros portaba armadura plateada, yelmo y lanza.

—Es magnífico, señor —alabó Juana cuando por fin alzó la mirada—. Habéis captado a la perfección mis intenciones, sobre todo en este lienzo, donde pretendía entrelazar la mitología griega con la historia imperial de la Corona española.

—Me he limitado a seguir vuestras instrucciones, hermana —repuso el artista, sonriendo como un colegial.

—Así pues, ¿estáis complacida, Juana? —quiso saber el arzobispo.

—Más que complacida, Ilustrísima —puntualizó ella, inclinando la cabeza—. Agradecida por la confianza que depositáis en mis facultades.

—Nadie en Nueva España puede compararse con vos, Juana. Es una verdadera lástima que nacierais mujer. Con vuestro intelecto podríais haber llegado a ser algo, Juana.

El rostro de Juana se contrajo como si el arzobispo la hubiera abofeteado. Tragó saliva antes de hablar. Su amigo había pronunciado aquellas palabras como cumplido, pero sólo había logrado hacerle sentir la vergüenza que su sexo denotaba para él.

–Intento no obsesionarme con la voluntad de Dios –musitó.

Don Jorge la miraba con la más bondadosa de las expresiones.

–Sí, es evidente que los caminos del Señor son inescrutables. Si fuerais un hombre, a buen seguro me habría visto obligado a cederos mi cargo.

–Lo dudo, Ilustrísima.

–O podría haber sido otra papisa Juana, Ilustrísima –intervino don Jorge–, ataviada con las ropas del más elevado patriarca. O bien otra monja alférez que robara los corazones de todas las doncellas.

Juana no daba crédito a sus oídos. ¿Por qué mencionaba el pintor el notorio caso de la monja alférez?

–¡Mirad lo que habéis hecho! –le regañó fray Payo–. Vuestra libertina lengua ha ofendido a mi amiga. Es monja, pero también una dama. Disculpaos al instante.

El artista se puso en pie de un salto y se inclinó tan profundamente que el mentón le rozó las rodillas y la capa revoloteó a su alrededor como un par de alas negras.

–No pretendía ofenderos, señora.

–No me habéis ofendido, señor.

–Bien, se hace tarde –anunció fray Payo, frotándose las manos–. Ha llegado el momento de despedirnos, don Jorge. Ahora que sor Juana ha dado su aprobación, vuestros hombres pueden poner manos a la obra mañana mismo.

Juana devolvió los dibujos al artista.

–Gracias por comprenderme –dijo.

Don Jorge le estrechó la mano como haría un amigo.

–Fuerza –le deseó con una sonrisa antes de añadir en un murmullo–: Creo que en otra vida habríais sido almirante, no alférez.


Dos semanas antes de la entrada triunfal del virrey, el 15 de noviembre, en la hora oscura que precede el alba, el aullido salvaje de los perros despertó al convento entero. Juana llevaba toda la noche observando el firmamento por el anteojo y supo de inmediato que la extraña luminiscencia suspendida sobre el valle, con su cola iridiscente que se extendía hasta los volcanes, era un cometa, lo cual no era motivo de superstición. No obstante, Melchora ordenó que todo el mundo saliera al patio, y todas las monjas, beatas, criadas e incluso alumnas internas tuvieron que arrodillarse sobre las losas y rezar por la salvación.

–Es un fenómeno natural, madre –intentó explicar Juana a la priora, pero Melchora estaba demasiada aterrada para atender a razones.

–¡Arrodillaos, hermana! –ordenó–. Sea cual fuere el significado de este misterio, rezaremos por la liberación y el perdón. Dirigid el rosario, sor Juana. Puesto que es viernes, rezaremos los Misterios Dolorosos, y en español, por favor, para que todas puedan seguiros.

–No he traído el rosario, madre –replicó Juana, humillada por la ignorancia de Melchora.

–Hermana, sin duda sabéis rezar el rosario sin ayuda de las cuentas –señaló la madre superiora, por lo que Juana no tuvo más remedio que hincarse de hinojos y rezar.

Oraron hasta la salida del sol, momento en que las muchachas recibieron permiso para volver a acostarse, mientras Juana y sus hermanas se dirigían cansadas al coro para asistir al primer oficio. Aquel mismo día supo que tía María había muerto por la noche. Envió a Concepción a la catedral para pagar una misa especial en memoria de su tía y guardó silencio durante una semana.

El día de la entrada triunfal del virrey, todas las campanas de la ciudad tocaron desde el alba hasta el atardecer. Todas las criadas y estudiantes que habían solicitado permiso salieron para asistir al espectáculo. Juana nombró a Concepción cronista del acontecimiento. Su misión consistiría en grabar en la memoria cada detalle y regresar al término de la ceremonia para informar a Juana. Por su parte, Juana y las demás hermanas se agolparon en las azoteas de sus celdas, al igual que las monjas de todos los conventos de la ciudad, y desde allí oyeron con claridad la corneta que anunciaba la llegada del nuevo gobernante.

En el horizonte, como una luna traslúcida a la luz del día, el cometa coronaba los volcanes. Las monjas cuchicheaban entre sí que el cometa era un mal augurio para el mandato del virrey, pero Juana, por supuesto, sabía que no era cierto. Había dibujado el cometa desde la ventana de su estudio y comprobado que si conectaba el palacio con el convento, y el convento con el punto del horizonte del que había surgido el cometa, el resultado era un triángulo isósceles sobre el valle de Anáhuac. Si daba crédito a las señales, interpretaría la figura como un presagio de buenas relaciones con palacio.

*2 de diciembre de 1680*

Suenan los toques de retiro, pero esta noche no lograré conciliar el sueño a causa del clamor de mi corazón desbocado. Debería haber sabido que el cometa significaba algo, que auguraba algo; en el momento en que supe de la muerte de tía María, debería haberlo comprendido, pero mi ser racional no atendía a interpretaciones sobrenaturales. ¿Por qué no acepto de una vez por todas que existen las señales metafísicas? ¿Por qué no reconozco que su existencia no siempre da cuenta de una mente supersticiosa? Incluso don Carlos convendría en ello. No así yo, la ilustrada Juana Inés de la Cruz. Dios mío, ¿qué debo hacer? Sé lo que significa la turbulencia incesante de mi pecho, el hormigueo de mi vientre...

Tiene aspecto de reina. El locutorio entero se iluminó con su presencia. Junto a ella, el virrey parecía un paje. Tal vez se deba a que ella le sobrepasa en estatura, o a que él no llevaba peluca sobre la melena crespa de cabello castaño, sólo un sombrero de ala ancha con una única pluma de quetzal. De hecho, los únicos rasgos distintivos de su rango eran el anillo de virrey y el inmenso medallón que lucía sobre el pecho.

—Señora —me dijo, atreviéndose a tomar mi mano a través de la reja y a besarla en presencia de toda la congregación—. Vuestra reputación os precede. Nuestro amigo, el marqués de Mancera, me habló de vos en términos muy elogiosos, y tras haber visto el producto de vuestro intelecto plasmado en la impresionante estructura que proyectasteis con motivo de mi llegada, no puedo sino opinar que el marqués fue demasiado comedido en sus alabanzas.

Me halagaban sus atenciones, pero lo que yo ansiaba granjearme eran las simpatías de su dama. Lucía un vestido de brocado blanco festoneado de cadenas doradas, los tirabuzones oscuros cubiertos por una mantilla de filigrana dorada y una vuelta de rubíes en el cuello. Alrededor de la muñeca llevaba un rosario de perlas negras, mientras que de la otra pendía un abanico de marfil. Sus ojos, de color cuarzo ahumado, eran como imanes para los míos. Incluso la madre Catalina reparó en ello.

—Por lo visto, habéis caído en gracia a la nueva virreina, Juana —observó cuando regresábamos del locutorio—. Sin lugar a dudas, los años que pasasteis en palacio os enseñaron a comportaros con propiedad en presencia de la alta nobleza.

—También el virrey parecía impresionado, ¿no os parece, madre? —terció Andrea—. ¡Os besaba la mano una y otra vez, Juana!

«Ay, si hubiera podido besar la de ella», pensé, sintiendo un súbito calor bajo el griñón y el velo. Llevaré un cilicio y me flagelaré como penitencia por tan perniciosas inclinaciones. Ojalá arda en el infierno por la deslealtad de que hago objeto a la marquesa. Y para empeorar las cosas, estoy de luto por tía María. No tengo perdón de Dios.

# LA REINA DE ÓNICE

## 1681–1688

# 14

*31 de enero de 1681*

Queridísima marquesa:

Una vez más dirijo la pluma a los cielos, donde moráis, y os hago llegar mis pensamientos, si bien en esta ocasión, os pido perdón, no clamo de desespero. Como sabéis, en el convento no celebramos los aniversarios, pero una no olvida los años que pasan, sobre todo cuando un cometa ardiente cae de la Vía Láctea sólo tres días después de su trigesimosegundo aniversario. Pese a que desdeñé la fanática interpretación que Melchora hizo de esa luz celestial tan hermosa e inquietante, una vocecilla interior me susurró que el cometa presagiaba otro cambio en mi vida. Y así fue.

Durante todos los meses que Concepción y yo trabajamos como esclavas en el arco triunfal, intenté convencerme una y otra vez de que los sentimientos que albergaba en mi pecho no eran sino consecuencia de la fatiga, que la emoción que florecía en mi vientre era sólo una reacción natural ante la perspectiva de terminar un proyecto tan largo e intrincado.

Pero cuando vi el cometa, tres días después de mi cumpleaños y dos semanas antes de la ceremonia triunfal en honor de los virreyes, supe de algún modo que el fenómeno anunciaba una nueva relación con palacio. Y también supe que de nuevo la tentación se abría paso hacia mi vida. Como la esfera deslumbrante que esparció su fulgor sobrenatural sobre el valle de Anáhuac durante quince noches, el orbe y la cola brillantes de la tentación se amortiguan al despuntar el alba y florecen al caer la noche, sobre todo en las horas que median entre completas y maitines.

He rezado, señora. He velado en la capilla. Me he flagelado como nunca, apenas consciente de la mordedura del cuero, indiferente a la sangre que me empapaba la túnica. Desde el día de la Inmaculada Concepción hasta la Epifanía, seguí el ejemplo del Bautista y llevé un cilicio. Pero todo ha sido en vano. La luz ardiente del cometa permanece. La verdad es una vez más una alquimia de contradicciones. Vos conocéis la verdad, señora, mi primer amor, y sabéis también cuánto tiempo os he llorado. Durante los siete años transcurridos desde vuestra muerte, cuántas veces me he acercado a la ventana para contemplar los volcanes. Me he visto a mí misma como el Popocatéptl, humeante, silenciosa, cubierta de hielo y nieve, hablando con vos, Iztaccíhuatl, la Dama Durmiente, en ese lenguaje de humo oscuro.

Cuando recibí la carta de vuestro esposo en la que me explicaba las circunstancias de vuestra repentina muerte, el extraño mal que os consumió con tanta celeridad, como si vuestro corazón hubiera dejado de latir, agobiado por la tristeza de abandonar una tierra que habíais llegado a amar tanto, me sentí responsable de vuestra muerte, señora, de un modo terrible, soberbio, pues creí que el corazón se os había roto por dejarme. Y juré que siempre os amaría; en mi duelo os desposé, Laura. Tal ha sido el voto por el que se ha regido mi vida durante estos últimos siete años, no el voto de obediencia, pobreza, reclusión ni, por descontado, castidad. Disculpad mi atrevimiento, pero cuando una envejece, siente menos vergüenza al hablar de la pasión de su cuerpo.

Pero incluso este único voto he quebrantado. Debo confesar, señora, que una nueva soberana reina en mi corazón. Nunca la amaré como os amé a vos, pero vos nunca volveréis a estar junto a mí. Nunca volveré a aspirar vuestra fragancia, nunca volveré a oír vuestra voz, nunca volveremos a sentarnos juntas en el claroscuro de nuestro amor silencioso.

Laura, yo no pretendía volver a enamorarme, os ruego que me creáis. A despecho de la pesada cruz que me ha tocado acarrear durante el duelo, me resignaba a cargarla durante el resto de mis días, y sigue simbolizada en el crucifijo de plata que pende del rosario prendido en mi hombro. Pero mi corazón ha vuelto a iluminarse tras unos siete años de tinieblas, si bien no es más que el brillo de un cometa que no puede rivalizar con los rayos de Helios, que antaño lo bañaban.

Es de sangre noble, una condesa, nuestra virreina, y tiene un año menos que yo. Se llama María Luisa de Manrique y Gonzaga, condesa de Paredes, la condesa para mí, como vos fuisteis y siempre seréis la marquesa en mi mente. Aunque ella y su esposo ya realizaron su visita oficial a nuestra comunidad, tras la cual se quedaron a cenar en el refectorio, un ágape suntuoso de frutas del país, quesos y vino que trajeron como obsequio para el convento, la condesa ha venido a visitarme sola, sin su habitual séquito de damas de compañía, algunos sábados por la tarde.

Compartimos la pasión por la poesía y la filosofía, así como, me atrevo a decir, la soledad y la necesidad de amistad con un ser compatible. Tal como ella misma afirma, sus damas de compañía son como una bandada de aves elegantes sin conversación alguna. No me llama sor Juana cuando estamos a solas, sino Juana o amiga. No la ruboriza abrazar a una monja y se burla de mí por mi rigidez. Posee un apetito aún más voraz que Concepción; por su forma de comer sé que es una mujer apasionada (¡y colérica!), una mujer que no teme coger lo que quiere. Qué estupidez sentir celos de un plato de dátiles, anhelar la suerte de una naranja, de ser pelada por esos dedos pálidos y fuertes.

En apenas ocho semanas hemos llegado a conocernos muy bien. En ocasiones temo que me lea el pensamiento, como hace a veces Concepción, y me aturdo y enmudezco, cual una doncella enamorada cualquiera, ante la posibilidad de que adivine mis verdaderos sentimientos. Pero si los ha adivinado, no le repugnan, pues sigue visitándome y trayéndome regalos. ¡Cómo se deleita en mis postres! A cambio de mis recetas de huevos reales y postre de nuez, la semana pasada me trajo un pequeño anteojo destinado a observar no las estrellas, sino los fragmentos más diminutos de materia terrenal. Recibe el nombre de microscopio. ¡Qué magnífico instrumento para engrosar mi colección! También me ha regalado un arpa, una pluma de plata con secante a juego, un tintero doble para dos colores de tinta, una edición iluminada de *Don Quijote* y, el más reciente, una caja de caoba llena de cartas de la fortuna que había comprado a unos gitanos antes de zarpar de España. Por supuesto, no pude aceptarlas. ¿Cómo habría explicado su presencia al padre Núñez?

Como observaréis, es una mujer intrépida, e imagino que ése es el rasgo que más me atrae de ella. Siempre desdeña los chismes del convento con un golpe de su abanico persa.

«La priora sabe que al convento le conviene mantener buenas relaciones con palacio –me dijo el sábado pasado–, y si os elijo a vos como representante del convento, si decido honrar al convento a través de vos, vos no sois responsable de mis actos. Que hablen hasta que les salgan escamas en la lengua, Juana. De momento, cortadme otro pedazo de pastel de nuez y hablemos de vuestras ideas para esa valiente y maravillosa sátira filosófica que componéis. *Hombres necios que acusáis a la mujer sin razón, sin ver que sois la ocasión de lo mismo que culpáis.* Os lo ruego, Juana, sé que no la habéis terminado, pero volved a recitar para mí los primeros versos.

*»Hombres necios que acusáis*
*a la mujer sin razón,*
*sin ver que sois la ocasión*
*de lo mismo que culpáis:*
*si con ansia sin igual*
*solicitáis su desdén,*
*¿por qué queréis que obren bien*
*si las incitáis al mal?*

»Muy cierto, Juana, muy cierto. Nos crean a su propia imagen y semejanza, pero al tiempo quieren que nos parezcamos a la Virgen María.»

Ojalá poseyera el coraje de la condesa. Pero ella no se ve obligada a vivir en esta casa de intrigas y habladurías. No tiene que despertar cada mañana preguntándose qué nuevas restricciones habrá urdido la superiora durante la noche, qué nuevos castigos le impondrá el confesor por mantener vivo su intelecto. No tiene una priora que censure sus pensamientos, ni una vicaria, ni un trío de vigilantas anotando cada una de sus acciones.

Pero si yo admiro su coraje, la condesa admira lo que denomina mi inspiración, la décima musa, según me ha bautizado, y de todas las reacciones posibles sólo puedo ruborizarme, yo que me ruborizo aún menos de lo que me arrepiento de mis pecados. Gracias a la admiración que la condesa profesa a mi trabajo, me he tornado más valiente, no sólo en mis escritos, sino también en los sentimientos que albergo hacia mí misma. Ya no temo la naturaleza de mi amor, Laura, este amor puro y desinteresado que antaño tachaba de inmundo. Lo comparo con ese amor extraño y ensangrentado que las más santas de entre mis hermanas conventuales profesan a Cristo, con el amor hipócrita que mancilla las lenguas de mis hermanas y sé que mi amor no es inmundo en absoluto, sino una bendición en este antro de falsedad y fanatismo. El padre Núñez lo consideraría mucho más que inmundo, peor que cualquier pecado mortal, pero es hombre y como tal no conoce más que las leyes de los hombres. Si comprende el amor, sólo comprende el amor de un hombre, si bien se ha encomendado a los hombres dictar la clase de amor que las mujeres deben sentir.

Recuerdo lo que me dijisteis la tarde que regresé del convento de las carmelitas, tras sólo tres meses de austero noviciado. Yo no era más que la hija pródiga disfrazada de saco de huesos, convencida de que no me acogeríais a vuestro lado, sabedora de que conocíais mis inclinaciones.

–El amor nunca es pecado, Juana Inés –dijisteis–. El amor es nuestra alma, y al igual que la Palabra, carece de género.

Por eso ahora, a la edad de treinta y dos años, estoy resuelta a expresar el amor que siento por María Luisa. Escribiré cuantos versos me plazcan, haré cuantos regalos desee, transmitiré cuantas señales quiera dentro de los límites que me impone el hábito. Y lo haré con tal maestría que ni siquiera cuando yazca bajo tierra, con mis borrones como único legado, sabrá nadie qué musa guió mi mano. Nadie más que vos, Laura.

He pedido a Concepción que me traiga el brasero del baño. Ahora mismo lo está cebando y me mira de soslayo, preguntándose por qué quiero quemar lo que he escrito. Frunce el ceño cuando le explico que os escribo a vos, que os hablo como el Popocatépetl habla con el Iztaccíhuatl, en el lenguaje del humo, pero no discute mis palabras. Sabe demasiado de mi corazón para discutir.

Recibid el humo oscuro de mi amor, Laura, y recordad que vuestro espíritu duerme junto a mí.

Con mi más profunda devoción,
Juana Inés

## 5 de febrero

Anoche, en el baño, caí en la cuenta de que es la primera vez en un mes que estoy en calma. ¿Será la calma que precede a la tormenta o la paz que acompaña el conocimiento de que nuestra amistad es tan profunda y significativa para ella como para mí? Creo haber hallado mi otra mitad. La Mujer de Aristófanes no podía estar más completa que yo cuando nos sentamos juntas en el locutorio. Aun con la reja interpuesta entre nosotras, nos une algo más hondo que la carne y el hueso. En muchos sentidos es opuesta a mí, pero imagino que este equilibrio de contrarios tiene sentido en el mismo árbol. ¿Es éste el secreto del árbol de la sabiduría, por el que Eva sacrificó la perfección? ¿La sabiduría que Adán jamás podría haberle proporcionado?

*9 de febrero*

Hoy la condesa y el virrey han venido a visitarme. Al principio me sentía incómoda en presencia de él, pues me había acostumbrado a gozar de la compañía de la condesa a solas y a no apartar la mirada de ella hasta su partida. Pero la semana próxima el virrey emprende viaje al norte, a la provincia de Nuevo México, donde los indios prosiguen con su revuelta contra las misiones.

—¿Sabéis, sor Juana, que mis cortesanos vieron el cometa en el Camino Real? —comentó el virrey, intentando a todas luces hallar un tema de conversación que nos incluyera a todos.

—¿Tan lejos, Excelencia?

—Dicen que incluso se vio en Sevilla —señaló la condesa—. Nuestro amigo jesuita, el padre Eusebio Kino, está escribiendo un tratado sobre el tema que rebate las teorías de don Carlos.

—¿A qué os referís, condesa? Don Carlos se limita a explicar el origen de los cometas para que dejen de aterrar a las personas de alcurnia como vos, señora.

—El origen de los cometas es el mismísimo Diablo, Juana —afirmó la condesa.

—Incluso los griegos comprendían el poder maligno de los cometas —agregó el virrey—. ¿O acaso compartís las opiniones de Sigüenza, sor Juana?

—Don Carlos expone que los cometas son fenómenos naturales, no sobrenaturales —repuse—, que no son portentos, sino señales de la existencia de Dios.

Era reacia a decir más, pues percibía que se trataba de un tema delicado para la condesa.

—Estamos al corriente de sus afirmaciones. ¿Cuál es vuestra opinión, Juana? —inquirió, mirándome con ojos entornados.

—Me inclino por la teoría científica... —empecé a decir, pero la condesa se apresuró a interrumpirme.

—La ciencia es obra del Diablo, Juana. Sin duda lo sabéis.

No pude contener una mueca al oír sus palabras. No sabía que fuera supersticiosa. Sin duda ella sabía que el Diablo sólo existe en la mente de los sacerdotes.

—¿A qué científicos os referís, sor Juana? —terció el virrey—. No será a ese estúpido colega de don Carlos, que sostiene que los cometas son bolas de gases de cuerpos muertos en la tierra, ¿verdad?

—Tanto Descartes como Copérnico tenían teorías relativas al movimiento de la materia en el vacío que podrían aplicarse a los cometas, Excelencia. Descartes argüía que en la Vía Láctea existían vórtices capaces de generar un calor intenso, y que los cometas podían ser grandes chispas que surcaban el cielo. Copérnico, por su parte, creía en cuerpos celestes que viajan de forma constante en línea recta desde más allá de las estrellas.

—Si Dios es autor de semejante portento, Juana —replicó la condesa—, ¿por qué los científicos pierden el tiempo en buscar su origen en fuentes no divinas?

—Tal es la misión de los científicos... —intentó explicar el virrey.

Pero la condesa no le permitió terminar la frase, sino que se levantó y anunció que no tenía intención de permitir que ese criollo de Sigüenza la contradijera.

Me dolió ese comentario, pues también yo soy criolla, y ella lo sabe.

—Dudo de que pretendiera contradeciros, señora —señalé—. A fin de cuentas, os dedicó su manifiesto.

—¡No hay mejor forma de burlarse de mí!

—Don Carlos es el cosmógrafo mayor del reino, María Luisa. Tiene derecho a albergar ideas propias aunque contradigan el dogma imperante.

—Menudo alarde de lealtad —espetó la condesa con el rostro enrojecido por el enojo—. Las dos personas a las que más quiero se alían con ese mastuerzo de inclinaciones paganas, Sigüenza, y permiten que nos dicte cómo reaccionar a ese presagio impío. ¡Me voy! ¡Si quieres quedarte para hablar de mí a mis espaldas, adelante, Tomás!

El virrey me miró con las cejas enarcadas, pero yo no pude más que encogerme de hombros, estupefacta. Me tomó la mano para besármela, y le deseé un viaje sin contratiempos. Su mano era cálida. De regreso a mi celda sólo pude pensar en aquella mano tocando a la condesa, disipando en el carruaje su furia con caricias. Concepción se disponía a llevarnos el refrigerio. Tenía previsto servir té chino acompañado de las deliciosas pastas de Juanilla, rellenas de carne, aceitunas y pasas. Ahora me veré obligada a enviar algunas a la madre Catalina e interrumpir mi trabajo para redactar una disculpa, si bien no sé qué he hecho para merecer semejante arrebato. ¡No esperará que comparta su crédula interpretación del cometa!


*19 de marzo*

Transcurrida media Cuaresma, sigo sin tener noticias de la condesa. Ahora sé que es rencorosa además de supersticiosa. ¿Puede ser que tenga celos de don Carlos o cuando menos del hecho de que comparto sus opiniones y no las de ella? Querría saber si ha leído ya el nuevo manifiesto de don Carlos. En él denuncia los sofismas de la astrología y de quienes se basan en ella para explicar la esencia del cometa. Don Carlos espera con impaciencia la llegada del padre Kino, pues espera hallar una mente de miras más amplias y profundidad de discernimiento astronómico en su compañero jesuita. No cree que hayan encomendado al padre Kino la tarea de rebatir sus teorías.

—Los científicos no se rebaten unos a otros con supersticiones —me dijo.

Ya veremos. He mandado a Concepción a entregar otro poema a la condesa, en el que fingía que la acababa de ver, que acababa de ver el efecto de los celos en su rostro, y en el que recurría a la retórica de sus lágrimas para implorar su perdón.

*Esta tarde, mi bien, cuando te hablaba,*
*como en tu rostro y tus acciones vía*
*que con palabras no te persuadía,*
*que el corazón me vieses deseaba;*
*        y Amor, que mis intentos ayudaba,*
*venció lo que imposible parecía:*
*pues entre el llanto, que el dolor vertía,*
*el corazón deshecho destilaba.*
*        Baste ya de rigores, mi bien, baste;*
*no te atormenten más celos tiranos*
*ni el vil recelo tu quietud contraste*
*        con sombras necias, con indicios vanos,*
*pues ya en líquido humor viste y tocaste*
*mi corazón deshecho entre tus manos.*

*Domingo de Pascua*

Esta mañana, después de misa, ha llegado un presente de palacio, una caja de pavos que glugluteaban asustados. Había uno para cada monja, además de faisanes para las novicias. El regalo ha causado un gran revuelo, pues hace meses que no disfrutamos del lujo de comer pavo. El que llevaba mi nombre iba acompañado de una nota que por un instante me hizo pensar que ella me equiparaba con un pavo. La nota rezaba así: «Si los humores del corazón deben ser destilados a fin de persuadir, entonces también las lágrimas, al igual que el corazón, deben sacrificarse para apaciguar a nuestros tiranos interiores». Imagino que con ello quiere decir que me perdona. Juanilla está preparando el pavo en esa salsa de chocolate especiado que Francisca confeccionaba en Panoayan. El aroma me hace la boca agua.

He dado permiso a Concepción para que ayude a Juanilla en la cocina. Cada vez que visita a su amiga presa en el cobertizo de las herramientas, regresa de malas pulgas y pasa el resto del día huraña. No tolero sus arranques mientras trabajo. Por otro lado, le gusta la tediosa tarea de moler sobre el metate, la labor culinaria que a mí más me molesta. Juanilla la ha tenido toda la tarde moliendo cacahuetes, semillas de sésamo tostadas, chiles y chocolate agridulce hasta obtener una masa polvorienta. Ahora está sentada frente a mí ante el escritorio, y huelo las especias aún adheridas a sus manos. ¡No puedo concentrarme!

## Pentecostés

Ayer vino el padre Núñez para hacerme examen de conciencia. Dice que le inquieta mi amistad con la condesa. Tiene constancia de sus regalos y de los versos que le escribo en señal de gratitud, y como penitencia quiere que guarde silencio durante un mes para meditar sobre mis pecados. Me advierte que si persisto en mi «rebeldía», se verá obligado a contemplar la posibilidad de exponer mi caso a sus superiores.

Anoche, como consecuencia de la visita del padre Núñez, volví a tener el sueño del obispo en la orilla del río. En el sueño distingo con toda claridad el rostro del obispo, quien lleva los mismos anteojos redondos que el padre Núñez, pero luce una perilla blanca, lo que me permite saber que el obispo no es el padre Núñez, aunque tal vez comparta su opinión. El hombre entona el Padrenuestro. En una mano sostiene un incensario humeante, en la otra un frasco de agua azul, y me veo postrada ante él, el hábito subido hasta la cintura, la espalda cruzada por las marcas de su flagelo. Mi cabello, mucho más largo en el sueño, forma una alfombrilla para sus pies. Me está purificando.

## 14 de julio

Esta tarde, la condesa y yo hablamos sobre la naturaleza humana, pero lo que dio comienzo como un debate desembocó en una disputa. ¡Cuánto detesta que la contradigan! Afirma que la naturaleza humana es esencialmente buena, que el pecado original no es más que una invención de los sacerdotes (si los espías de la Inquisición la oyen decir eso, se pudrirá en una mazmorra); yo replico que el pecado original es el egoísmo, que la naturaleza humana es esencialmente egoísta, un defecto que jamás lograremos eliminar, sólo controlar.

—No sabía que erais tan pesimista, Juana —comentó.

—Al contrario, señora, mi visión de la naturaleza humana es una de las pocas opiniones optimistas que albergo —puntualicé—, pues no se basa en el autoengaño.

—¿Insinuáis que me engaño a mí misma, Juana?

—Señora, no os lanzo un ataque personal, y no deberíais poneros a la defensiva. Sólo discrepamos acerca del percado original. A buen seguro, nuestra amistad es lo bastante amplia para dejar lugar a algunos desacuerdos.

—¿Acaso no sois vos egoísta, Juana, al esperar que niegue mis principios y convenga con vos en que los desacuerdos deberían permitirse en la amistad?

—Veo que hemos cambiado de tema, señora, pero sí, soy egoísta, expreso mi naturaleza humana y espero que convengáis conmigo, al igual que vos esperáis que me muestre de acuerdo con vuestras opiniones.

—Siempre tergiversáis mis palabras en vuestro beneficio, Juana.

—Ahora sois vos quien me ataca, condesa.

—Creer que somos egoístas por naturaleza no se me antoja una opinión optimista. Os contradecís, hermana.

—Sí es optimista, condesa, pues me permite contener hasta cierto punto mi codicia, estar siempre ojo avizor a la sombra de la codicia en mi vida. No siempre lo consigo, pero cuando menos soy consciente de todas mis carencias y, por lo tanto, no me echo a la espalda la cruz de la culpa cuando mi naturaleza humana me vence.

—No me convencéis, hermana.

—Ya me lo figuraba, señora.


*26 de septiembre*

De nuevo una disputa con la condesa. Sigo en desacuerdo con su interpretación del cometa, y me ha implicado en un estúpido escándalo con don Carlos y el padre Kino. Me trajo un ejemplar del absurdo tratado que el padre Kino ha escrito sobre el cometa, *Exposición astronómica del cometa, que el año 1680, por los meses de noviembre y diciembre, y este año de 1681, por los meses de enero y febrero, se ha visto en todo el mundo y lo he observado en la ciudad de Cádiz.* Es una refutación del manifiesto de don Carlos, y debo componer un soneto en favor de las ideas del padre Kino si deseo conservar mi amistad con la condesa. Es demasiado orgullosa para exigirme lealtad en voz alta, pero creo que la está poniendo a prueba y sé, aunque en realidad convengo con don Carlos en que los cometas no son augurios de catástrofes, como sugiere el docto jesuita, sino fenómenos naturales de origen celeste, que acabaré sometida a la voluntad de María Luisa, aun a costa de mi amistad con don Carlos. Es una prueba injusta, y ella lo sabe. ¡Qué decisiones tan duras nos impulsan a tomar nuestros tiránicos corazones! Es veinte veces más obstinada que la marquesa, y yo estoy veinte veces más desesperada por su amor.

### 3 de octubre

He enviado a la condesa un regalo de aniversario por mediación de Concepción, un diminuto retablo de la Natividad labrado en marfil que Concepción encontró en uno de los tenderetes delante de la catedral. Le había ordenado buscar en todas las platerías y mercerías alguna escena de la Natividad, y ésta, tan pequeña y hermosamente labrada que sólo puede proceder de África, es perfecta. Además, Concepción regatea con tal maestría que pagó la mitad de su valor. Para acompañar el presente compuse un poema en el que comparo el nacimiento de la condesa con la Natividad (otro de mis glifos sacrílegos). Espero que mi obsequio sea el que más le complazca pese a ser el más modesto.

Don Carlos no se ha pronunciado sobre mi loa al padre Kino. Sin lugar a dudas sabe que la compuse bajo coacción, que jamás adolecería de irracionalidad ni ridiculez. Y ahora debo volver a mi loa en honor del rey Carlos. Ya he compuesto dos a instancias de fray Payo, pero el virrey me encomendó una tercera a su regreso del norte. Por lo visto, todos los nuevos virreyes deben rendir homenaje a su rey con una de mis loas. Debe despacharse en el siguiente correo para que llegue a Vera Cruz antes de que la flota zarpe rumbo a Cádiz.

*16 de octubre*

Hoy he discutido con Concepción a su regreso del mercado. Llevaba lazos anudados al cabello alborotado, y se advertían los vestigios de un lunar que se había pintado junto a la boca. Juanilla dice que ha estado aceptando las galanterías de un malabarista que se ha instalado en la Plaza Mayor, y que él también parece muy interesado en la muchacha. Lo que me faltaba, que mi ayudante tontee con jóvenes en lugar de hacer los recados que le mando. Asegura que ha entregado los poemas que envío a don Carlos para que los presente al premio de poesía, pero hablaba distraída. Le he preguntado por qué ofrecía un aspecto tan sospechoso, pero me ha contradicho mientras sus fosas nasales se le dilataban como siempre sucede cuando finge inocencia.

—Más te vale que no descubra que te estás poniendo en evidencia ahí fuera.

—¡Por supuesto que no, madre!

—¿Qué le ha pasado a tu huipil? ¡El encaje está hecho trizas!

—He tropezado con unos higos chumbos en el mercado, madre. No ha sido culpa mía.

—¿Que no ha sido culpa tuya? Sabes que no debes llevar esa blusa a menos que tengamos invitados. Quítatela y lávala de inmediato.

Más tarde, Juanilla me ha contado que, en efecto, la muchacha tropezó, en eso no mentía, pero sí omitió el detalle de que el malabarista apareció de repente, haciendo saltos mortales como un acróbata, para ayudarla a incorporarse y desaparecer con ella entre la muchedumbre del baratillo antes de que Juanilla pudiera impedirlo. Supongo que Concepción ya tiene edad para hacer lo que le plazca con su cuerpo, pero la idea de que se ensucie con un hombre, y en el Parián, ni más ni menos, me trastorna sobremanera.

## 25 de octubre

He ofendido a la condesa con mi lengua sarcástica y ahora prometo guardar silencio. Me preguntaba mi amiga si alguna vez había sentido el impulso de tener hijos, y le he contestado que tengo hijos, muchos hijos, pues cada uno de mis escritos es producto de mi necesidad de crear, que es lo que significa engendrar hijos. Mi respuesta la horrorizó hasta tal extremo que me tachó de narcisista. Nada más lejos, repliqué, pues Narciso gozaba contemplando su reflejo en el agua, que es precisamente lo que las madres y los padres hacen al escudriñar los rostros vacuos de su progenie. Cuando contemplo mis creaciones, no me veo reflejada en una imagen infantil, sino que veo una mente que aspira a superarse. Cada línea que escribo, le aseguré, es un travesaño en la escalera de la sabiduría que construyo y asciendo desde que era niña. Por tanto, ruego a Vuestra Excelencia me disculpe por discrepar, espeté, pero el único narcisista que conozco es el que no busca más allá de su reproducción. Mi disertación la dejó atónita, por expresarlo con delicadeza, y aun más cuando di por finalizada la visita, demasiado temblorosa para continuar.

## 12 de noviembre

De nuevo mi aniversario. A la edad de treinta y tres años, Jesucristo fue crucificado, y también yo me siento como clavada a una cruz. Tres semanas han transcurrido desde mi última disputa con la condesa, y aún no he hablado con ella. El orgullo y la obstinación me han crucificado.

## Más tarde

Apenas puedo escribir, tal es el temblor de mis manos. Hierven en mi pecho emociones que debo obligarme a ocultar. He recibido noticia de la condesa. Me insta a romper el silencio, a explicar la razón por la que me he atrincherado en mi espantoso orgullo. Esa mujer sería capaz de doblegar la voluntad del padre Núñez a pesar de su contundente misoginia. Debo terminar el esbozo del poema de disculpa y rezar para que me visite hoy.

> *Mas ya tu precepto grave*
> *rompe mi silencio mudo;*
> *que él solamente ser pudo*
> *de mi respeto la llave.*
>  *Y aunque el amar tu belleza*
> *es delito sin disculpa,*
> *castígueseme la culpa*
> *primero que la tibieza.*
>  *No quieras, pues rigurosa,*
> *que, estando ya declarada,*
> *sea de veras desdichada*
> *quien fue de burlas dichosa.*
>  *Si culpas mi desacato,*
> *culpa también tu licencia;*
> *que si mala es mi obediencia,*
> *no fue justo tu mandato.*
>  *Y si es culpable mi intento,*
> *será mi afecto precito,*
> *porque es amarte un delito*
> *de que nunca me arrepiento.*
>  *Esto en mis afectos hallo,*
> *y más, que explicar no sé;*
> *mas tú, de lo que callé,*
> *inferirás lo que callo.*

Se advierten entre líneas vestigios de mi orgullo herido, pero que la condesa perciba su olor amargo. ¿Por qué ocultar la amargura que me causa traicionar a mi amigo don Carlos, motivo verdadero de mi mal humor? Pero la he añorado muchísimo y le agradezco que haya venido a bajarme de la cruz. Ahora debo ordenar a Juanilla que caliente agua para mi baño. Concepción copiará el poema en su elegante caligrafía sobre papel ribeteado de oro. Si las musas no me engañan, esta noche, después de vísperas, recibiré una visita que me resucitará de entre los muertos.

# 15

Juana espolvoreó arena sobre la copia que Concepción acababa de terminar y, una vez seca la tinta, enrolló el pergamino y lo sujetó con un lazo de seda. Era una loa en honor del aniversario de la reina; la condesa se la había encargado varios meses atrás, antes de su discusión más reciente acerca de las verdaderas intenciones de la Celestina. En opinión de Juana, el personaje de Salazar* era una alcahueta que ofrecía los sentimientos de su protegida al mayor postor. A los ojos de la condesa, la Celestina era una seductora e instructora en las artes del amor. Juana había hecho una mueca al escuchar aquella interpretación, lo cual enfureció a la condesa hasta el punto de que abandonó el locutorio sin dar a Juana ocasión de explicar su reacción. Sus discusiones se tornaban cada vez más superficiales y fastidiosas, y Juana había llegado a la conclusión de que a la condesa le gustaba más que ninguna otra cosa el ciclo de disputa y reconciliación. «Y a mí me gusta más que ninguna otra cosa mi propio círculo vicioso –se recordó Juana–. Primero me ofende su cólera y a renglón seguido me preocupa que no quiera volver a verme jamás.»

Al salir de la celda, Juana ordenó a Juanilla que batiera bien el chocolate y recordó a Concepción que debía llevar la bandeja en

---

* La autora se refiere a la obra *La segunda Celestina*, de Agustín Salazar y Torres (1642-1675), que residió algún tiempo en México. (*N. del E.*)

cuanto oyera la campanilla. El corazón le latía con violencia mientras atravesaba el patio, pero al llegar a la puerta del locutorio había recobrado la serenidad obligándose a respirar hondo y caminar despacio.

Al entrar vio que la reja estaba abierta y, en lugar de esperar en su parte, la condesa contemplaba el cuadro de la Virgen que ornaba la zona de las monjas. Por lo general era Juana quien pasaba al lado de los invitados los días privilegiados en que le permitían prescindir de la reja. Hoy no era un día especial, pero ahí estaba María Luisa, junto a la silla que Juana solía ocupar durante sus visitas. No le sorprendía en absoluto que la condesa quisiera sentarse en su silla.

Juana decidió seguirle la corriente, pero a su manera. Pasó al lado de los invitados, cerró la reja y ocupó la silla de la condesa. Durante el cambio de lugar no se dirigieron una sola mirada, sino que procedieron de forma automática, conocedora cada una de ellas de su papel.

—Buenas tardes, sor Juana... —saludó la condesa, creyendo que le correspondía empezar.

Juana alzó la mano.

—Os pido disculpas, señora, pero para proceder correctamente, debemos respetar las reglas. En esta situación, las reglas dictan que la persona sentada en el lado de los invitados es quien inicia la conversación. Recordad que las monjas no hablamos sin que antes se dirijan a nosotras.

La condesa asintió con un ademán exageradamente lento. Sabía que Juana estaba en lo cierto.

—Tengo los versos que solicitasteis —anunció Juana, omitiendo las formalidades usuales.

—Yo también tengo algo para vos —la interrumpió la condesa con una sonrisa mientras miraba de soslayo la mesilla situada junto a Juana.

Juana cogió el estuche de terciopelo y reparó en que, en aquel lado de la estancia, se encontraba a una altura algo superior que su invitada. La condesa la instó a abrir el regalo. Juana examinó el estuche durante unos instantes. Demasiado rectangular para ser un brazalete, demasiado estrecho y pequeño para ser un peine.

Sentía sobre sí la mirada de la condesa, pero se obligó a mantener la cabeza gacha y levantó la tapa del estuche. Era una cigarrera con calado de plata y oro, y una lágrima de ópalo por cierre. Contenía una docena de cigarros marrón claro, muy delgados y hechos a la perfección.

–Es tabaco muy fuerte –explicó la condesa–. Procede de las existencias de mi esposo.

–¿Qué es esto? –inquirió Juana al mismo tiempo que levantaba el ópalo.

–Mantiene el cigarro en su lugar mientras se fuma –explicó la condesa–. Me pareció muy ingenioso que el cierre hiciera también las veces de pinza.

–Muy ingenioso, en efecto –corroboró Juana, encantada con el presente.

Sin embargo, al levantar la vista, comprobó que la condesa se enjugaba un ojo con un pañuelo de encaje.

–¿Os ocurre algo, señora?

–Nada, nada, Juana. ¿Tomaremos un refrigerio? Ardo en deseos de volver a saborear uno de vuestros dulces.

Por primera vez se miraron a los ojos. Juana sostuvo la mirada, y la condesa esgrimió la sonrisa coqueta y endiablada a la que siempre recurría tras una discusión. Por regla general, Juana se resistía a devolvérsela, pero esta vez no supo contenerse.

–Me alegro mucho de veros –dijo.

–¿No vais a fumar uno? –propuso la condesa.

–No creo que se nos permita fumar en el locutorio, señora. La hermana portera me denunciaría a la vicaria, sin lugar a dudas.

–¿Desde cuándo os preocupa que os denuncien? Nunca os ha costado hacer lo que no debéis hacer, Juana.

–¿Es una indirecta, condesa?

–En absoluto, y sabéis muy bien a qué me refiero. Si seguís por ese camino, os aseguro que me iré para no volver jamás, Juana.

Juana le alargó un rollo por entre los barrotes.

–Pero ahora estáis en el otro lado y no podéis ir a ninguna parte, condesa –se mofó con una sonrisa.

–Muy gracioso.

–Reflexionad sobre ello –insistió Juana–. ¿En qué sentido os cambiaría saber que no podéis salir de un lugar, ni siquiera cruzar el umbral ni, por supuesto, ir a ninguna parte?

—¿En qué sentido me cambiaría a mí o cambiaría mi vida?

—Ambas cosas, claro está, pero me refiero en concreto a vos, la persona que sois en vuestro interior. ¿Cómo afectaría dicha situación a la persona que sois y cómo la cambiaría?

—No sé adónde queréis llegar, Juana. ¿Acaso insinuáis que debo cambiar?

—Condesa, siempre convertís mis planteamientos hipotéticos en ataques personales. ¿No podemos por una vez dejar de hablar de vos y comentar un asunto en términos más abstractos?

—Si son términos abstractos lo que necesitáis, Juana, tal vez os convendría aguardar la visita de don Carlos. Yo no he venido para hablar de abstracciones.

—¿Y de qué habéis venido a hablar, señora?

—Esta conversación empieza a aburrirme. ¿Vamos a merendar o no? Habría tomado algo en palacio de saber que no ibais a servir merienda.

—Tenéis la campanilla junto a vos, condesa. Hacedla sonar, y una criada avisará a Concepción para que nos traiga la merienda.

La condesa hizo sonar la campanilla en el instante en que la madre superiora entraba en el locutorio. Sobresaltada al ver a la virreina sentada en la silla de la monja, Melchora olvidó inclinarse ante ella y buscó la mirada de Juana a través de la reja. Juana se escondió la cigarrera en la manga.

—Sor Juana, ¿qué hacéis ahí? ¿Por qué ocupáis la silla de la condesa?

—No, no, madre —terció la condesa—. Soy yo la que ha osado cruzar la frontera. Os ruego me disculpéis, madre. Mi esposo dice que a veces soy incorregible. Pero es que siempre he deseado saber qué se siente al vivir recluida en un convento, tan alejada del mundo. De hecho, de eso hablábamos cuando habéis entrado.

—Comprendo... Bien —balbució Melchora—, no interrumpiré vuestro...

—Juego —terminó la condesa por ella—. El intercambio de lugares es uno de los galanteos de palacio.

—Sí, sí, lo recuerdo... Disculpadme, por favor —farfulló la madre superiora, volviéndose hacia la puerta en el momento en que Concepción llegaba con la bandeja.

—Aquí tenéis el chocolate, madre —anunció la joven, que captó de inmediato la extraña disposición y obró en consecuencia sin vacilar.

—El huipil que lleváis es exquisito, Concepción —observó la virreina—. ¿Qué muestra el estampado? ¿Pájaros?

—Colibríes, señora —puntualizó Concepción al dejar la bandeja sobre el aparador—. Lo he bordado yo misma. Si queréis, puedo bordar uno para vos.

—¡No seas estúpida, niña! Las damas españolas no llevan huipil —espetó Melchora con el ceño fruncido.

—Pero parece tan cómodo, madre... ¿No estáis de acuerdo, Juana? Sin presión alguna sobre el talle ni los senos.

Al decir aquello se oprimió los suaves montículos de carne que sobresalían del escote de su vestido.

Juana lanzó una tosecilla. Melchora bajó la cabeza y desvió la mirada. La condesa se echó a reír.

—¡Vamos, señoras! Todas somos mujeres, ¿no es así? —Se volvió de nuevo hacia Concepción—. Me gustaría que me bordaras uno exactamente igual.

—Lo haré encantada, señora —aseguró Concepción—. Si traéis una blusa, os bordaré el dibujo. El mejor puesto de huipiles del mercado es el que está junto a la velería...

—Creo que encargaré uno de Tehuantepec, de seda china negra —atajó la condesa—. Sabes bordar sobre seda, ¿verdad?

—Sobre seda con hilo de seda, señora —repuso Concepción al tiempo que servía el chocolate.

Juana advirtió que estaba poco espumoso. O bien Juanilla no lo había batido como le había ordenado, o bien se había enfriado durante aquella insípida conversación sobre huipiles.

Concepción alargó una taza a la condesa y dejó el turrón de almendra y piñón sobre la mesa, junto a la campanilla.

—¡Turrón de almendra! —exclamó la condesa—. Hacía mucho tiempo que no me deleitabais con él, Juana. ¿Os unís a nosotras, madre?

Melchora le rogó que la disculpara, pues tenía asuntos que co-

244

mentar con la hermana cillerera. Alguien se estaba apropiando de más huevos de los que le correspondían, explicó con una mirada de soslayo a Juana. Cuando la madre superiora salía del locutorio, la condesa se protegió el rostro con el abanico y dirigió una mueca a Juana, quien se mordió la cara interior de las mejillas para no estallar en carcajadas. Mientras Concepción cortaba generosas raciones de turrón y las disponía con cuidado en los platos azules y amarillos de Talavera que Juanilla sólo sacaba para las visitas importantes, Juana examinó una vez más la cigarrera, el ingenioso mecanismo del cierre y los números diminutos del sello estampado en el dorso.

–Habéis sido muy amable al traerme este obsequio –agradeció a la condesa, que masticaba un bocado de turrón.

–Habéis dicho que queréis probar –le recordó, cubriéndose la boca con una mano.

–¿Cómo explicaré su presencia a Melchora?

–Todas las mujeres de bien fuman hoy en día.

–No creo que las monjas se incluyan en esa taxonomía.

–Por supuesto que sí. ¿Acaso no habéis reparado en la diferencia existente entre San Jerónimo y San Juan?

–Nunca he estado en San Juan.

–Ninguna criolla que se precie ha estado jamás en San Juan.

–Entonces, ¿fumamos juntas?

–Adelante, Juana; yo prefiero disfrutar de vuestro turrón y veros fumar.

–¿Puedo retirarme, madre? –pidió Concepción–. Tengo mucho que hacer en el huerto.

–No –denegó Juana–. Espera en el vestíbulo y asegúrate de que no entra nadie.

Juana esperó hasta que la muchacha cerró la puerta tras de sí.

–¿Cómo se hace? –preguntó a la condesa.

–Coged la pinza y sujetadla a un extremo del cigarro... Eso es. Ahora encendedlo. Ya está. Inhalad muy poco y no respiréis hondo, por el amor de Dios.

Juana dio una chupada y sufrió un tremendo acceso de tos. La garganta le ardía como una hoguera.

–Habéis inhalado demasiado. Os dije que no lo hicierais. Tomad un sorbito, no un trago.

—Quema —se quejó Juana.

—Porque no estáis acostumbrada. Os advertí que era tabaco fuerte. Volved a intentarlo.

Juana aspiró de nuevo y sucumbió a otro ataque de tos.

—Tomad —logró farfullar—. No quiero más.

Intentó devolver la pinza a la condesa.

—No habéis fumado nada, Juana. No me exasperéis; volved a intentarlo. Quiero que aprendáis a fumar. Debéis estar a la moda. Que viváis recluida aquí no significa que no debáis saber lo que ocurre en el mundo. Incluso la reina María Luisa fuma, según dicen.

«Y yo tengo que dañarme las cuerdas vocales porque vos sois increíblemente obstinada», replicó Juana para sus adentros, pero aceptó el desafío y dio una tercera chupada al cigarro. Aspiró el humo con suma lentitud, dejando que le goteara por la garganta y le llenara los pulmones.

—Ya basta, Juana, ya basta. Habéis vuelto a aspirar demasiado. Acabaréis enfermando.

Juana exhaló, y una columna de humo gris azulado brotó de su boca rematada por una tosecilla. Sentía sobre la lengua un matiz de alcanfor. Sorbió un poco de chocolate y se enjugó la boca con el líquido caliente y dulce. Experimentó el efecto casi de inmediato, un entumecimiento del paladar que se extendió hacia los labios y por todo el rostro, para confluir en el centro neurálgico de su cuero cabelludo. Bebió más chocolate, y la sensación desapareció.

—¿Juana?

—Perdonadme, condesa, estaba concentrada en el efecto del tabaco. Por un instante sentí la cabeza muy liviana y clara a un tiempo.

—Sé a qué os referís. El tabaco puede convertirse en un vicio. Algunas mujeres se pasan el día entero fumando, desde misa hasta vísperas. Pero fumar demasiado puede llegar a pudrir los dientes.

Juana oyó la campanilla en el patio de la portería e intuyó que su visita estaba a punto de quedar interrumpida. Intentó fumar de nuevo, pero el cigarro se había extinguido.

—No duran mucho —constató.

—Mirad, Juana, ahí vienen don Carlos y el padre Núñez.

Juana se levantó como impulsada por un resorte y se acomodó en el taburete junto a la condesa tras esconder la cigarrera y el cigarro a medio fumar entre los pliegues de su manga. La condesa se limitó a pestañear.

–Señora –saludó don Carlos al tiempo que se inclinaba ante la virreina–, regresábamos de la reunión de la hermandad y hemos visto vuestro carruaje fuera. ¿A quién puede visitar Su Excelencia si no a mi querida amiga y némesis astronómica?, me he preguntado.

Era la primera vez que don Carlos y la virreina se encontraban en la misma estancia desde el escándalo del cometa el año anterior. Juana se encogió ante la indirecta de su amigo. Mientras, el padre Núñez estudiaba la disposición de los asientos con evidente disgusto. Reparó en la taza de chocolate, el plato de turrón y el estuche de terciopelo vacío sobre la mesilla.

–¿Ocupa alguien esta silla? –inquirió.

–Es la mía, padre Núñez –repuso la condesa–. Os ruego toméis asiento en ella. Quería experimentar la sensación de sentarme al otro lado de la reja.

–Permitid que os ofrezca un poco de turrón de almendra, padre –dijo Juana–. ¿Don Carlos?

–No, gracias, es mi día de ayuno –declinó el sacerdote.

–Una rodaja fina para mí, hermana –aceptó don Carlos–. Nunca he podido resistirme a vuestras delicias culinarias.

Juana se dirigió al aparador, guardó la colilla del cigarro en el estuche y escondió éste detrás del florero antes de servir una porción de turrón a su amigo.

–¿Cómo estáis, padre Núñez? Tengo entendido que os falla la vista –se interesó la condesa.

–¿Os importaría regresar a vuestro lugar, señora? –pidió el padre Núñez–. Vuestra presencia al otro lado de la reja me desconcierta.

–No faltaba más, padre. Era sólo un experimento.

Se levantó de la silla de Juana y regresó a la suya.

–Es como uno de esos festivales franceses en que los pobres fingen ser aristócratas –comentó don Carlos.

Juana le alargó el plato y la taza por entre los barrotes. La condesa se llevó a los labios la taza que había utilizado Juana y bebió un largo trago sin apartar la mirada de su amiga. Don Carlos hincó el diente al dulce.

—No considero a Juana ninguna de esas dos cosas, aunque me complacería verla convertida en lo primero —espetó el padre Núñez, a todas luces disgustado por la autocomplacencia de los invitados.

—¿Y por qué va a ser pobre cuando la Madre Iglesia es tan rica? —quiso saber la condesa.

—¡Señora! Puede que vuestro rango sea más elevado que el mío, pero os ruego que contengáis la lengua. Soy calificador de la Inquisición y no permito que las observaciones blasfemas queden impunes.

La condesa lanzó una mirada exasperada a don Carlos.

El padre Núñez se volvió hacia Juana.

—La madre Melchora me informa de que habéis recibido otra comisión, Juana. Espero que se trate de un villancico.

—No, padre. El tesorero, don Fernando Deza, me ha pedido que prepare un festejo en honor de palacio que desea presentar en su casa.

El tintineo de los tenedores contra la porcelana puntuó el silencio del sacerdote.

—Os gusta rendir pleitesía a palacio, ¿verdad, Juana? —señaló por fin.

—Es un encargo, padre.

—Por el que a buen seguro recibiréis sustanciosos honorarios.

Juana hizo caso omiso de su comentario. La condesa miró al padre Núñez con los ojos entornados.

—Esta torta está más que deliciosa —exclamó don Carlos en un intento de dar un nuevo giro a la conversación.

—Transmitiré vuestro cumplido a Juanilla —dijo Juana.

—¿Y cuál es el argumento del homenaje, si me permitís preguntarlo? —insistió el padre Núñez, implacable.

—Los homenajes carecen de argumento, padre —repuso Juana, procurando que su voz no trasluciera la tensión que sentía—. Rinde tributo, como desea don Fernando, al tercer aniversario del virrey y la virreina en México. No es más que una comedia de equívocos, nada filosófico.

–Comprendo. ¿Y cómo se titula?

–La he titulado *Los empeños de una casa* –contestó Juana– y trata de una serie de identidades confundidas que convergen en una casa noble.

–¿Y el protagonista?

–Doña Leonor, ¿no es cierto? –terció don Carlos mientras se limpiaba los labios con la manga de la sotana.

Juana miró de soslayo a la condesa y percibió al instante su disgusto. ¿Por qué no podía callar don Carlos? El hecho de haber revisado su guión no le daba derecho a hablar de su trabajo por los codos.

–Doña Leonor –repitió el padre Núñez–. Qué singular utilizar el nombre de la anterior virreina para rendir tributo a la actual.

La condesa sacó un abanico del ridículo y lo abrió sin molestarse en disimular su enfado.

–Vaya, padre Núñez, ¿a qué debemos vuestro repentino interés por la literatura? –espetó.

–Corregidme si me equivoco, Juana –musitó el sacerdote, clavándole su mirada de negrísimos ojos–. ¿No hemos hablado ya de vuestra inclinación por los escritos profanos, y no me prometisteis reprimir la tentación y dedicaros a leer las Escrituras?

–Cierto es, padre, que hablamos de hacer el mejor uso posible de mi inclinación, y como sabéis, compuse aquellos tres villancicos que me encomendó el obispo de Puebla. Asimismo, he compuesto los villancicos para la Inmaculada Concepción y la Asunción durante los últimos seis años, por no mencionar los de los dos santos Pedros –le recordó al tiempo que señalaba el rollo que la condesa sujetaba en la mano–. Y ahora, como podéis comprobar, acabo de terminar una loa a la reina que me encargó la señora condesa, y estoy a punto de empezar otra, también encargada por Su Excelencia, para celebrar el aniversario del rey en noviembre. Sin embargo, no recuerdo haberos prometido abjurar de mis otros escritos, señor.

–Padre Núñez –se inmiscuyó don Carlos, a todas luces contrariado por el cariz que había adquirido la charla–. Esto es una visita de cortesía, y no considero necesario reprender a sor Juana en presencia de la virreina.

–Viniendo de un hombre con un historial religioso tan manchado, vuestro comentario se me antoja del todo inapropiado, señor –espetó el padre Núñez al tiempo que se levantaba–. Pero en fin, sé que para los presentes soy como una mosca en la leche, de modo que os dejo para que os abandonéis a vuestros desenfrenos. Tengo asuntos que tratar con la madre priora.

–Más bien como una cagarruta en la leche –se mofó la condesa en cuanto el sacerdote salió.

Don Carlos estalló en carcajadas.

–Juana, habéis provocado mis celos. No sabía que usaríais el nombre de la anterior virreina en mi obra –añadió la condesa.

Frunció los labios, y Juana cerró los ojos para no concentrarse en su carnosa textura teñida de rojo.

–No es vuestra obra, condesa –puntualizó con los ojos aún cerrados–. Y doña Leonor me representa a mí, no a la marquesa.

–¿Por qué no le habéis dado otro nombre entonces?

–Si me permitís un inciso literario… –terció don Carlos, dejando su plato vacío sobre la mesa.

–Os lo ruego, amigo mío –concedió Juana antes de que la condesa pudiera interponer objeción alguna.

–Lo que oigo en ese nombre que representará a nuestra Juana no es sólo Leonor, sino el término francés *l'honneur*, es decir, el honor. Por tanto, me parece el nombre más apropiado para un personaje tan honorable atrapado en el entuerto de tan intrincados empeños.

La condesa le lanzó una mirada, abrió el abanico y se abanicó con ademanes rápidos.

–No iréis a contarme el desenlace –exclamó–. Detesto a los críticos –añadió, dirigiéndose a Juana–. Creen que lo saben todo.

–Sólo pretendía efectuar un humilde análisis –señaló don Carlos con la mano sobre el pecho.

–Dejad que os muestre el obsequio que me ha traído la condesa, don Carlos –propuso Juana, consciente de la necesidad de cambiar de tema–. Mirad –dijo tras sacar la cigarrera y alargársela.

Don Carlos sacó un cigarro y encendió tanto el suyo como el de Juana con una ramita encendida del brasero.

–Qué delgado –señaló–. Es como fumar aire.

—Están hechos para damas —le recordó la condesa sin dejar de abanicarse.

—Muy ligero —observó antes de dar otra chupada.

Juana advirtió que aspiraba el humo profundamente y lo soltaba por la nariz de forma constante. A todas luces tenía experiencia.

—¿Qué os trae por aquí hoy, don Carlos? —inquirió la condesa—. No es vuestro día habitual de visita.

—No, suelo venir los jueves —convino don Carlos—. Esto no pretendía ser una visita, sino más bien una advertencia, pero el padre Núñez me ha visto y ha decidido acompañarme, de modo que os ruego me perdonéis, Juana, por traerlos a él y su mal humor a vuestra presencia.

—No tenéis por qué disculparos, amigo mío —aseguró Juana, ahogando otro acceso de tos—. Conozco bien a mi padre confesor.

Don Carlos se volvió hacia la condesa.

—¿Qué sabéis de nuestro nuevo arzobispo, señora? He oído cosas inquietantes sobre él.

—No lo hemos visto desde su llegada, salvo en misa, por supuesto —repuso la virreina, alargando el plato a Juana para que le sirviera otro pedazo de turrón—. No ha aceptado ninguna de las invitaciones que se le han cursado en palacio. Mi esposo está convencido de que nos rehúye.

—Eso mismo he oído yo. ¿Y sabéis por qué? No vais a creerlo, sor Juana. No quiere estar en vuestra compañía, señora, ni en la de ninguna otra dama.

Juana cortó un trozo de turrón para la condesa y luego le devolvió el plato.

—Vino al convento y sin duda se reunió con Melchora —explicó—. En la sesión capitular nos dijo textualmente que Francisco de Aguiar y Seijas es lo mejor que le ha sucedido a Nueva España desde la conquista.

—¡Qué estúpida! —se indignó don Carlos.

—Tal ha sido la opinión que siempre me ha merecido —convino Juana.

—Pero ¿por qué le repugnan tanto las damas? —quiso saber la condesa—. Nació de una..., ¿o es posible que se crea inmaculadamente concebido en el muslo de su padre?

–Una analogía dionisíaca, señora –observó don Carlos, extinguiendo la colilla del cigarro en su plato vacío–. Engendrado por un dios y una mujer mortal, e incubado en el muslo del dios al morir fulminada la mujer por el fulgor del dios. Muy apropiado.

–No os mostréis condescendiente con la condesa, amigo mío. Lee con la misma voracidad que nosotros.

–Perdonadme. No sabía que la virreina compartía nuestro amor por la literatura, además de la pasión por la astronomía.

–Además de otras materias –puntualizó la condesa con una breve mirada a Juana, que se ruborizó hasta la raíz de los cabellos.

–Bien, pues me temo que aquí termina la analogía. Lo único que deleita al arzobispo más que su misoginia es repartir limosna entre los pobres y cerrar corrales de comedias. Por lo visto, detesta toda clase de espectáculo público, pero sobre todo obras teatrales y corridas de toros. Asimismo denosta toda comodidad y va por el mundo ataviado con una sotana desgarrada y calzado con zapatos andrajosos.

–Dios bendito –exclamó la condesa–. ¿De dónde sacará Su Majestad semejantes especímenes?

–A decir verdad, en Compostela gozaba de un gran respeto. Es un devoto de Santiago, que desprecia a las mujeres con la misma fruición con que el santo perseguía moros.

–El padre Núñez debe de adorar el suelo que pisa –comentó Juana con la garganta oprimida por el temor–. Si odia a las mujeres y odia las obras teatrales, imaginad lo que le pensará de una dramaturga.

–Por esa razón he venido a advertiros, Juana. ¿Existe algún modo de aplazar la comisión de don Fernando?

–¿Cómo voy a aplazarla, amigo mío? Ya me ha pagado la mitad de los honorarios, y el dinero... –Juana se interrumpió, presa de un repentino sentimiento de vergüenza–. Me he visto obligada a prestarle el dinero a mi hermana Josefa.

Aplastó la colilla del cigarro sobre su plato sucio.

–Bien, entonces deberemos rogar al padre Núñez que interceda por vos –sugirió don Carlos.

–¿Y qué somos mi esposo y yo, si me permitís preguntarlo? –terció la condesa con voz mucho más aguda de lo habitual–.

¿Acaso no somos más que sombras pintadas en la pared? ¿Carecemos de toda influencia? ¿O acaso debo recordaros, señor, que Juana cuenta con la protección de palacio? No tiene nada que temer, os lo aseguro.

–Cierto, señora, pero el virreinato de vuestro esposo no es eterno, mientras que el arzobispo puede permanecer aquí el resto de sus días. Juana precisa protección canónica además de la vuestra.

–Entonces haré que mi esposo hable con el padre Núñez, así como con el obispo de Puebla. A fin de cuentas, es él quien debería ocupar el arzobispado, no ese fanático de Compostela.

–Lo sé, señora. Don Manuel lo lamenta con amargura, pero tened en cuenta que se encuentra en Puebla, no aquí, entre nosotros. Como dice el refrán, condesa, amor de lejos es amor de conejos.

–Yo conozco una versión algo distinta –replicó la condesa–. Amor de lejos es amor de pendejos. No hace falta que cuidéis vuestro lenguaje en mi presencia; Juana nunca lo hace.

Juana percibió que volvía a ruborizarse. Entre el rubor y el temor que se había adueñado de ella, presentía que se avecinaba una de sus jaquecas. Se oprimió las sienes con los dedos y cerró los ojos.

–Mirad lo que habéis hecho. ¿Os parece bonito? La habéis alterado –regañó la condesa a don Carlos.

Juana abrió los ojos y vio que la condesa se había levantado para acercarse a la reja.

–No son buenas noticias –reconoció don Carlos–, pero no sería un verdadero amigo si no hubiera venido a avisaros.

–Os lo agradezco, don Carlos, de verdad. Sabéis que detesto las sorpresas –musitó Juana, deslizando el cuerpo hasta el borde de la silla–. Y ahora deberéis disculparme, pero debo dar por terminada la visita y pedir a la hermana enfermera que me prepare una infusión antes de que empiece a ver manchas.

–¿Creéis que es por culpa de los cigarros, Juana? –inquirió la condesa, alargando un brazo entre los barrotes.

Juana intentó resistir la tentación, pero casi sin darse cuenta asió la mano de la condesa y entrelazó los dedos con los de ella, su palma sudorosa contra la palma fresca de su amiga. Don Carlos permaneció sentado y rígido como una estatua.

—No, no —logró articular Juana—, es que la cabeza me da vueltas por el exceso de emociones.

Por un brevísimo instante contempló la posibilidad de llevarse la mano de la condesa a los labios y besarla.

—¿Os pertenece esto, hermana? —preguntó entonces don Carlos, que sostenía en la mano el estuche de terciopelo en que la condesa le había llevado el regalo.

—Sí, gracias.

Juana soltó la mano de la condesa, guardó la cigarrera en el estuche y salió del locutorio sin añadir nada más. Aún quedaba tiempo antes del siguiente oficio, y necesitaba sentir el azote del flagelo en su espalda para mitigar el deseo repentino de alargar los brazos y hundir las manos en la sedosidad lechosa de aquellos pechos. Qué no habría dado por conocer íntimamente un corsé, vivir en las sombras cálidas de unas enaguas... «Por Dios —pensó torturada—, no debo volver a verla hasta que esto pase.» Tanta charla sobre huipiles y senos, la presión firme de sus dedos, aquellos ojos brillantes perforando su escudillo, el escapulario y el hábito hasta alojarse en su corazón palpitante. Era más de lo que Juana podía soportar, más de lo que el flagelo podía aliviar.

*12 de noviembre de 1682*

Acabo de recibir una misiva de la condesa. No puede acudir para celebrar mi aniversario, pues los médicos le han prescrito alejarse de la ciudad a causa de su estado. ¡Está encinta, Dios bendito! Dice que deben trasladarse a la residencia de Chapultepec y no regresar a la ciudad hasta que cesen las lluvias, pues las lluvias traen consigo enfermedad y un miasma que emponzoña las calles y enrarecen el aire a la vida que lleva en su seno. ¡La vida que lleva en su seno! Eso significa que no la veré durante seis semanas. ¿Por qué debo ser castigada? Su ausencia es la penitencia más dura que cabe imaginar. «He sufrido tantos abortos, Juana, que los médicos temen que el aire que respiro envenene a mi hijo.» Jamás me había pasado por la cabeza que la condesa sintiera deseos de dar vida, de llevar un hijo en su vientre. ¿Por qué nunca hemos hablado de ello? ¿Por qué di por sentado que quería eludir esa experiencia, como yo? Y ahora su salud corre peligro. Santa Madre de Dios, no permitáis que le suceda nada. Debo poner velas en el altar de Nuestra Señora del Monte Carmelo. Velad por ella, Señora. No podría seguir viviendo si también la perdiera a ella.

*17 de noviembre de 1682*

Queridísima condesa:

Llevo cinco días con el vientre oprimido por la pena. Saber de vuestro estado y que transcurrirán tantas semanas sin veros ha sido la peor noticia. Me repito que debo dejar de pensar sandeces. Ambas tenemos un destino que cumplir y ambas sabemos que las decisiones que tomamos en el pasado nos han conducido hasta este instante de conjunción y desunión.

Cuando Concepción regrese del mercado, la enviaré a palacio con esta carta. Sé que partís hoy mismo. El convento está repleto de espías, sólo superadas en número por los espías que acechan en palacio. Pero aun así prescindo de toda precaución. Muero por veros, sentarme junto a vos, veros comer vuestros pastelillos predilectos y escuchar vuestra voz. Sabéis que no puedo escribiros sin someter las misivas al escrutinio de sor Rafaela, y si bien las cartas selladas que me enviáis no son abiertas, tengo orden de mostrárselas a la madre superiora en sus dependencias después de leerlas. El silencio y la espera me ahogan. ¿Cómo será cuando vuestro estado empeore y no podáis visitarme, cuando estéis postrada en el lecho, aguardando la llegada del hijo que lleváis en vuestro seno y que ocupará todo vuestro tiempo? ¿Por qué presupongo que daréis a luz a un varón? Tal vez porque cuando nazca os eximirá de vuestra carga e incrementará la mía, o quizá nos salve a ambas de los complicados entresijos de nuestra amistad. Os envío este retrato en miniatura para recordaros que permanezco muda, sorda y ciega como esta imagen hasta que volvamos a vernos.

Siempre vuestra,
Juana

Querida Juana:

Hoy, después de pasar dos semanas sin veros, me embarga la pesadumbre. Cae una lluvia fría que empapa las losas de granito de la terraza. Chapultepec es un lugar desolador entre la niebla. Por la ventana miro hacia el sur, en dirección al convento, y ruego que no me reprochéis esta distancia, pues por orden de los médicos aquí me encuentro. Por fortuna, me aseguran que podré regresar a palacio para la Epifanía. Tomás me oye sorber por la nariz y pregunta si estoy resfriada. ¿Qué le respondo? El resfriado que padezco no tiene nombre, no es más que el abatimiento de echaros de menos, el deseo de sentarme con vos en el locutorio, escuchar vuestra voz, conocer vuestros pensamientos. Como veis, me he acostumbrado a vuestras rarezas y nuestras conversaciones.

Me imagino llegando al convento empapada por la lluvia, y vos insistiendo en que debo cambiarme de ropa en vuestros aposentos. Veo a vuestra criada, la inteligente que todo lo lee, trayéndome una toalla y ropas vuestras, y juro por la Virgen que os veo observándome mientras me desnudo. No sabéis que las últimas noches he recibido vuestra visita. Sé que es vuestra imagen, una aparición que llega y desaparece con sigilo. Oigo vuestra respiración regular, huelo la fragancia del incienso que quemáis mientras escribís. En mis sueños, vuestras palabras fluyen por mi cuerpo, y siento la presión de vuestra pluma sobre mi piel. En otros sueños os veo tocar las cuentas del rosario. Soy muda como las nubes, y mi único mensaje para vos, las únicas palabras que puedo dirigiros son como estas gotas de lluvia, disipadas poco a poco por dioses y hombres. Tal vez sea mi estado el que genera esta melancolía en mi pecho, pero de pronto se me antoja de capital importancia revelaros mis sentimientos por si algo sucede. Tiemblo ante la posibilidad de que no sepáis cuán recíproca es esta necesidad de estar con vos. Anoche, mientras escuchábamos al poeta de la corte recitar sus tristes versos en el gran salón, el azul, se me ocurrió que vos y yo somos como esa imagen que el poeta intentaba imbricar desesperado en el tejido tristemente pedante de su composición. Yo soy el mar y vos la tierra, y estamos unidas y desunidas, como vos dijisteis, por nuestras elecciones distintas. El mar baña la orilla en sus humores líquidos y salinos; la tierra encierra los secretos que las olas han arrastrado desde el fondo del mar.

Debo irme. Tomás ha mandado preparar un ponche para mi resfriado. ¿Cómo le digo que vos sois el ingrediente ausente del vino? He seguido vuestro ejemplo y mandado pintar un retrato mío en miniatura. Lo recibiréis cuando esté listo. Mandaré a un paje a la ciudad para que os entregue esta carta en mano. Confío en que lleve reales suficientes para sobornar a vuestra portera.

Os ruego destruyáis esta misiva, y recordad que soy, ahora como siempre, vuestra melancólica

María Luisa

*5 de diciembre de 1682*

*8 de diciembre de 1682*

Condesa:

> *El paje os dirá, discreto,*
> *cómo, luego que leí,*
> *vuestro secreto rompí*
> *por no romper el secreto.*
> *Y aun hice más, os prometo:*
> *los fragmentos, sin desdén,*
> *del papel, tragué también;*
> *que secretos que venero,*
> *aun en pedazos no quiero*
> *que fuera del pecho estén.*

Aguardo la Epifanía como quien aguarda a la Reina de los Reyes Magos.

Jidl†

# 16

–Pero ¿quién se ha creído que es? –exclamó Juana con voz que resonó estentórea en el priorato.

–No debéis levantar la voz a la madre superiora, Juana –amonestó Rafaela mientras tomaba apuntes con su raída pluma de pavo.

–¿Por qué no viene el padre Núñez en persona para comunicarme sus quejas, madre? ¿Por qué revela sus opiniones a todo el mundo salvo a la persona interesada?

–Todos sabemos cuán obstinada podéis llegar a ser, Juana –repuso Melchora–. Su Reverencia consideró más conveniente acudir a mí y solicitar mi ayuda para salvaros. A todas luces, la madre Catalina y fray Payo eran demasiado indulgentes con vos.

–¿Salvarme de qué, madre? ¿De la ignorancia?

–No os hagáis la inocente –terció Rafaela–. Sabéis muy bien lo que quiere el padre Núñez.

–Que abandonéis vuestros libros profanos –explicó Melchora–, y también vuestros versos escandalosos. Dejad a un lado esos encargos seculares, esas obras y comedias que os llevan por el camino de la perdición. Consagraos al bienestar del convento, Juana, y a la salvación de vuestra alma. Parecéis olvidar que renunciasteis al mundo hace muchos años.

–¿Acaso debo rechazar la comisión de don Fernando? ¿Desobedecer los deseos de uno de nuestros más generosos patrocinadores? ¿O quizá debería mentirle y decirle que no puedo terminar la obra? ¿Desea el padre Núñez que insulte al virrey y a la virreina, además de a don Fernando?

—Su Reverencia está fuera de sí, Juana —aseguró Melchora—. Se culpa por su imprudencia. Dice que debería haber imaginado que seríais tan insolente en el convento como lo fuisteis en palacio.

—Y también dice, Juana —agregó Rafaela—, que debería haberos desposado con un hombre y no con Jesucristo. A todas luces necesitáis una mano más firme, dice, una intervención y una guía más directa, pues sois incapaz o no estáis dispuesta a contener vuestra obstinada perseverancia.

—¿Desposarme con un hombre? —gritó Juana, sintiendo que las venas del cuello le palpitaban—. ¿Desde cuándo tiene el padre Núñez autoridad para decidir qué es de mi vida? Fui yo quien eligió profesar. Fui yo quien lo eligió a él como confesor, al igual que puedo escoger a otro a quien no repugnen mis actos ni escandalice mi decisión de no dejarme someter. Lleva catorce años quejándose de mis escritos, mis estudios, mis invitados, incluso de mi caligrafía.

—Vuestra caligrafía es masculina, hermana —señaló Rafaela—. Es del todo impropio para una monja escribir con una caligrafía tan ininteligible. No sé cómo esa secretaria que tenéis entiende algo.

—¡Esto es indignante! —vociferó Juana—. Caligrafía masculina, estudios masculinos, conversaciones masculinas, versos masculinos. ¿Por qué todo lo que edifica la mente se adscribe a la virilidad? ¿Acaso los hombres son los únicos capaces de escribir, estudiar y hablar? ¿O se hace eco el padre Núñez de la opinión del arzobispo, según la cual las mujeres carecen de mente y alma, y por tanto no requieren alimento espiritual ni intelectual?

—No creo que estéis en posición de contradecir a nuestros santos padres, Juana —la reprendió Rafaela.

—¿Insinuáis acaso, Juana, que las Sagradas Escrituras no os proporcionan alimento espiritual suficiente? —intervino la madre superiora.

—Tal vez aún no lo hayáis descubierto, hermanas —dijo Juana en voz más baja—, pero sin una mente bien desarrollada, el alma queda empobrecida y susceptible a toda suerte de enfermedades espirituales, entre ellas la codicia y la malicia. Buena parte de las Sagradas Escrituras no se pueden comprender sin conocer las ciencias, a menos que uno quiera limitarse a repetir una y otra vez los mismos salmos y parábolas, para luego afirmar que ha estudiado las Sagradas Escrituras y, por tanto, ha enriquecido su espíritu.

—No hemos venido a enzarzarnos en un debate con vos, Juana, sino a transmitiros la preocupación del padre Núñez por vuestra salvación. Teme por vos; el arzobispo está muy disgustado.

—Pues el disgusto no parece impedirle pedirme dinero prestado —indicó Juana—. La semana pasada me pidió otros cincuenta pesos...

—Os lo dije, madre —atajó Rafaela—. Cree que le está prestando dinero al arzobispo.

—Por supuesto que se lo presto y espero que me lo devuelva, hermana. Tengo mis propias expensas y no he podido hacer frente a ellas porque el arzobispo se ha apropiado de todos mis fondos. No he podido cuadrar mis cuentas porque el arzobispo usa mi dinero para reparar las ventanas del palacio arzobispal.

Melchora miró el reloj de arena que había sobre su mesa.

—Es casi hora de completas —observó—. Repasad vuestras notas y decidme si hemos tocado todos los puntos importantes de la conferencia del padre Núñez, hermana vicaria.

—Los regalos, madre —le recordó Rafaela.

—Por supuesto, los regalos.

—Ese absurdo tocado indio —espetó Rafaela, consultando sus notas—, esa diadema pagana, ¡esa cigarrera! —cerró el cuadeno de golpe—. ¿No tenéis vergüenza, Juana?

—El padre Núñez me ha autorizado a poner fin a ese inacabable intercambio de obsequios entre vos y la virreina —anunció Melchora—. Confío en que este extremo no requiera discusión alguna, Juana.

—Por supuesto que requiere discusión, madre —objetó Juana—. ¿Tiene Su Reverencia también autoridad para dictar a la virreina qué puede y qué no puede hacer? Es su voluntad hacerme regalos, y yo no estoy en posición de rechazarlos, al igual que no puedo aceptarlos sin corresponder a ellos de forma apropiada. Si deseáis poner fin a este intercambio, madre, sugiero que vos o Su

Reverencia pidan a la virreina que contenga su generosidad. Yo no puedo comprometer mis virtudes.

Las otras dos monjas la miraron como si no comprendieran lo que había dicho.

—La gratitud es todavía una de nuestras virtudes, ¿no es así? —preguntó con voz mesurada, aunque ardía en deseos de gritar a aquellos rostros bovinos.

—Hay que ser una maestra de la retórica para hablar con vos, Juana —sentenció Melchora antes de apartar la silla y levantarse—. Tenéis la enloquecedora costumbre de dar sentido a lo que carece de él. No puedo seguir escuchándoos.

—El padre Núñez tiene razón. Sois una mula vestida de monja —espetó Rafaela.

De nada servía ya fingir cortesía. Juana se volvió para marcharse.

—Esta noche rezaré por vos, Juana.

Juana volvió la cabeza para mirarla.

—Y yo por vos, madre. Y también rezaré para que la próxima vez que mi padre confesor tenga algo que decir de mí, tenga la caridad de decírmelo a la cara.

Juana salió del priorato, tentada de dar un portazo. ¿Por qué no la dejaban en paz? ¿Por qué insistían en atormentarla una y otra vez con aquellos estúpidos interrogatorios sobre su alma? Sabían que tenía mucho trabajo. Esa misma noche debía acabar el acto primero de *Los empeños de una casa* para que Concepción pudiera empezar a copiar la versión definitiva. Y cuando Concepción terminara el acto primero, todas las escenas del acto segundo debían estar listas. Pero era imposible; con tantas interrupciones no cesaba de perder el hilo de la trama y de las subtramas. Los personajes se superponían, confusos, y el cómico empezaba a hacer sombra a la cómica. Juana presentía que el público se perdería entre tanto enredo. Y ahora esto. Esto, ni más ni menos. El padre Núñez se dedicaba a hablar de ella a sus espaldas, y a personas del calibre de Melchora y Rafaela, por si fuera poco. Dios bendito, cómo echaba de menos a fray Payo.

Cuando pasaba ante la sala capitular, las campanas llamaron a completas. Sabía que de nada serviría volver a la celda hasta después del último oficio. Había perdido otra hora. Se encaminó de nuevo hacia la iglesia y llegó al coro inferior antes que ninguna otra monja. Por primera vez desde que hiciera los votos, llegaba temprano a un oficio. Se arrodilló ante la imagen de la Guadalupana y le suplicó paciencia. Cuando las demás entraron en el coro, Juana ya se había instalado en su banco. Andrea se acomodó junto a ella y se santiguó sobre rostro y pecho.

–¿Cómo ha ido? –susurró mientras Melchora entonaba la antífona inicial.

–Me están agotando con sus sandeces –repuso Juana.

–En el refectorio se rumorea que has vuelto a golpear a Juanilla.

–Eso no es asunto de nadie más que mío. Juanilla es mi esclava, Andrea.

–Al igual que tú eres esclava de Dios, Juana, pero aun así no consideras justo que la madre superiora te castigue.

–¿*Et tu*, Andrea?

–Te estás volviendo como ellas, Juana.

–¡Chist! –siseó alguien a su espalda.

Juana intentó concentrarse en el salmo, pero Andrea tenía razón. Había tratado a Juanilla con el mismo menosprecio que Melchora y Rafaela (y ahora incluso su padre confesor) empleaban con ella, pero justificaba sus actos alegando que Juanilla era posesión suya. ¿Cuándo había empezado a pensar de ese modo? La aterraba la idea de que, pese a su inteligencia y todos los estudios que había realizado, pudiera estar convirtiéndose en una de sus hermanas, adoptando sus opiniones ignorantes y comportamientos crueles, absorbiendo el vinagre que les agriaba el hígado. Debía hacer a un lado la furia y recobrar la cordura, analizar la situación con sangre fría.

Llevaba meses furiosa con Juanilla, desde que le revelara que estaba encinta y tenía intención de dar a luz. La idea de Juanilla fornicando con hombres cuando iba al mercado para luego regresar al convento, a los aposentos de Juana, apestando a cuerpos mugrientos y sudor, preparando su comida, tocando la carne, la fruta y el pan que servía a Juana, le producía verdaderas náuseas.

Una noche, poseída por la rabia y el asco, Juana bajó al dormitorio de Juanilla y la sacó de la cama a golpes. Le golpeó el cuerpo y la abofeteó varias veces en el rostro con todas sus fuerzas. La rabia se había adueñado de ella con más fuerza que cualquier otra emoción en toda su vida, apuñalándola como un cuchillo frío, y lo único que quería era seguir golpeando y propinando puntapiés, zarandeando ese cuerpo mancillado hasta purificarlo, pero alguien la detuvo.

Era Concepción, que se había acercado a ella con un paño húmedo en la mano. La joven empezó a mojarle el rostro y soplar sobre su piel ardiente.

–Basta, madre –murmuró–. Ya basta. Ha aprendido la lección. Subid, subid a vuestro dormitorio. Seguidme.

La muchacha había creído que Juana pegaba a Juanilla en sueños. Fue lo único que le permitió mirar a Juanilla a la cara, una farsa que representaba sin intención consciente. Pobre Juanilla, qué injusticia. Y esa noche volvió a hacerlo, no con la misma rabia ni aquel deseo de castigar, pero sí con la sempiterna frustración de no contar nunca con la cooperación que precisaba.

Estaba paseándose por el salón, buscando una fórmula cómica para explicar la razón por la que los alguaciles habían depositado a doña Leonor en casa de doña Ana mientras perseguían al asesino del primo de doña Leonor, don Diego. Éste había sido asesinado por el amante de doña Leonor, don Carlos, tras descubrirlos en un intento de fuga. Doña Ana estaba secretamente enamorada de don Carlos, si bien era don Juan quien la cortejaba, mientras don Pedro, hermano de doña Ana, cortejaba a doña Leonor. Estaba a punto de resolver el acertijo en que había convertido la trama cuando Juanilla la interrumpió.

–Concepción dice que estáis nerviosa, madre. Puedo prepararos té, si queréis. La tila calma los nervios.

Juana oyó la aguda voz de Juanilla flotando escalera arriba, vulgar como la de una pescadera cualquiera, y sintió que la sangre le subía a la cabeza. De repente estaba en el salón, increpándola con furia.

–¡Cómo te atreves a armar semejante escándalo cuando sabes que estoy trabajando! –espetó mientras el corazón le golpeaba los oídos.

Juanilla entornó los ojos.

–Sólo os estaba ofreciendo un té –dijo.

–Estoy harta de tus gritos –la regañó Juana.

—Y yo estoy harta de vos —replicó Juanilla—. Sólo intentaba ser amable.

Dio la espalda a Juana y se dirigió hacia la cocina con paso inseguro, sosteniéndose el enorme vientre con ambas manos.

—¡No te vayas cuando te estoy hablando! —chilló Juana, pisándole los talones.

Concepción bajó la escalera para averiguar qué sucedía. Juanilla se volvió con los brazos en jarras. Había engordado tanto que su rostro y sus senos parecían inflados por un fuelle.

—Debería haber envenenado vuestra comida hace mucho tiempo —siseó.

—No quiero tu comida, sino que limpies. Aquí huele a comida pasada.

—Ya os dije que no puedo levantar peso ni agacharme.

—¡Todas las embarazadas sois unas inútiles! La condesa no puede venir a visitarme porque lleva la criatura baja, y tú nos tienes viviendo en una pocilga porque no puedes agacharte. ¡Friega los platos de inmediato!

—No puedo fregarlos sin agua. Si obligarais a esa castiza a ganarse el sustento, podría ayudarme, pero no, es demasiado especial... Supongo que es la niña de vuestros ojos.

De repente, Juana extendió el brazo y abofeteó a Juanilla en ambas mejillas con tal fuerza que la mano empezó a escocerle y oyó un crujido en la boca de la esclava.

La muchacha meneó la cabeza y echó a andar de nuevo, sujetándose ahora la mandíbula. Juana advirtió la humillación en su rostro, el dolor grabado en su rictus, pero era demasiado tarde para detenerse. La asió por el cabello.

—Recoge tus cosas —masculló con los dientes apretados—. ¡Quiero que desaparezcas de mi vista!

Juanilla se zafó de la mano de Juana y se encerró con llave en la habitación que compartía con Concepción.

—Sé que aquella noche me pegasteis adrede —gritó desde el interior del dormitorio—. No sois mejor que los hombres, pero al menos ellos me dan lo que me gusta.

—Iré a buscar agua, madre —se ofreció Concepción, que estaba detrás de Juana.

–¡No! –prohibió Juana antes de llamar a la puerta del cuarto con los nudillos–. ¿Me has oído? Recoge tus cosas; te irás mañana por la mañana. ¡Estoy hastiada de ti! No toleraré a una ramera por criada ni a un crío llorón en mi celda. Y si no me obedeces, cambiaré de idea y te enviaré a un obraje. ¡Te aseguro que necesito el dinero!

Dicho aquello se volvió hacia Concepción.

–¡Y tú, metiche! –vociferó–. ¿Has terminado tu trabajo?

–N... no –tartamudeó la joven con los ojos abiertos como platos–. Pero casi...

–¡Casi! –espetó Juana al tiempo que pasaba junto a ella como una exhalación para subir al estudio–. Veamos qué has hecho.

Se acercó a la mesa de Concepción. El pergamino en el que debía copiar el acto primero estaba en blanco salvo por ocho versos del soliloquio inicial de doña Leonor:

> *Inclinéme a los estudios*
> *desde mis primeros años*
> *con tan ardientes desvelos,*
> *con tan ansiosos cuidados,*
> *que reduje a tiempo breve*
> *fatigas de mucho espacio.*
> *Conmuté el tiempo, industriosa,*
> *a lo intenso del trabajo,*

–¿Nada más? –reprendió Juana entre dientes–. Te dije que don Fernando vendrá a buscar el acto primero mañana por la mañana.

–Me dijisteis que hoy trabajaríamos hasta bien entrada la noche. Sabéis que terminaré antes del alba. No tengo sueño, madre, no os inquietéis. Os prometo que lo acabaré. Y también puedo ir a buscar agua para fregar los platos, si queréis. No tardaré mucho.

–Sólo buscas excusas para ir a ver a esa prisionera. ¿Crees que no sé que te escabulles de noche para visitarla? ¿No te parece que ya eres demasiado mayor para jugar al escondite?

Concepción bajó la cabeza, y una oleada de ternura embargó a Juana. Su furia siempre se disipaba en presencia de la joven.

–¿Dónde está la loa inicial? –preguntó en tono más sereno–. Confío en que la hayas terminado.

Concepción señaló unas páginas apiladas en el rincón de la mesa. Juana las cogió y las llevó a su escritorio para corregirlas mientras la cólera a la que había dado rienda suelta aún le martilleaba en las sienes. Justo entonces Melchora mandó buscarla.

«¡Maldita sea esta vida y sus constantes interrupciones!», pensó enojada mientras sus hermanas cantaban la antífona final del oficio vespertino.

—No sé qué decirte, Juana —dijo Andrea cuando salían de la iglesia.

—Pero eres la archivera y oyes cosas, Andrea. ¿Qué dicen de mí?

—Es el arzobispo, que no cesa de meter cizaña.

—¿Qué he hecho para granjearme semejante antipatía? Le doy cuanto quiere.

—Lo que quiere es obediencia y ha convencido a Melchora de que atraerás la desgracia a esta casa si no te enmiendas.

—¡Demonio de dos caras!

—¡Juana! Estás maldiciendo a Su Ilustrísima.

—Quiere despojarme de mis ahorros y entretanto se dedica a emponzoñar mi relación con el padre Núñez y convierte a Melchora en mi archienemiga. ¿Por qué me hacen esto, Andrea? ¿Por qué me odian tanto?

—Es por tu influencia, ¿no lo comprendes? Saben que no les temes porque cuentas con la protección de palacio. Eres más célebre en Nueva España que el arzobispo, y ningún prelado puede tolerar tal notoriedad, sobre todo en la persona de una monja, Juana. Has sido impúdica, y consideran que alardeas de tu poder.

—Buenas noches, hermanas —las saludó sor Agustina a su espalda—. Tened cuidado dónde pisáis, porque hay una rata suelta y los gatos están frenéticos.

La hermana las rebasó con la vara de vigilanta colgada del cinturón. A la luz de los candelabros de pared, su figura proyectaba una enorme sombra sobre las losas.

—¿Crees que nos ha oído? —preguntó Juana.

—A Agustina se le da especialmente bien escuchar conversaciones ajenas. Desde el priorato es capaz de oír lo que las criadas dicen en la lavandería. Incluso oye cuando alguien llama a la puerta principal.

Juana meneó la cabeza. De repente se apoderó de ella la fatiga, y declinó la invitación a cenar de Andrea.

—Pero tenemos que repasar las cuentas, Juana.

—Te enviaré a Concepción con los libros —prometió Juana—. Tengo que trabajar en el festejo.

—¿Aceptarías un consejo, Juana?

—Tus consejos son los únicos que valoro —repuso Juana.

—Una demostración de penitencia, una vigilia, quizá, podría resultar útil. El padre Núñez lo sabría, y también el arzobispo. Ganarías un poco de tiempo. Medita, Juana. Ten visión de futuro; te están poniendo trampas, créeme.

Juana asintió; Andrea estaba en lo cierto, necesitaba tiempo para pensar. Y tanto Juanilla como Concepción se beneficiarían de algunas horas más de soledad.

—Perdona, Andrea —se disculpó en voz lo bastante alta para que la oyeran—, pero esta noche me será imposible cenar contigo. Voy a guardar vigilia por la Virgen.

—La semana que viene, entonces —repuso Andrea en voz igual de audible—. Ruega por nosotras, Juana.

—Prometí a la madre Catalina que esta noche le leería —prosiguió Juana en tono más bajo.

—Yo me ocuparé de ello, Juana. De todos modos, me conviene pasar más tiempo con ella.

Juana oprimió el brazo de su amiga y echó a andar hacia el coro. A punto estuvo de postrarse incluso ante el altar de la Virgen, pero decidió no hacerlo para evitar un ataque de lumbago. No hacía vigilias desde su época de noviciado, cuando ella y Andrea competían por ver cuál de las dos podía permanecer postrada durante más tiempo, concurso que Andrea siempre ganaba, por supuesto, porque Juana, adquirido ya el hábito de estudiar hasta altas horas de la madrugada, se dormía con la mejilla apoyada en el suelo de mármol.

Su lámpara de aceite confería cierto fulgor al coro iluminado por las velas. Las estatuas parecían respirar, y sus inescrutables ojos de cristal la seguían mientras deambulaba entre los distintos altares a ambos lados de los bancos de respaldo alto, donde se congregaban siete veces al día. San Jerónimo ocupaba el lugar de honor, y sus devotas (algunos afirmaban que eran sus amantes, madre e hija) santa Paula y santa Eustoquio flanqueaban la reja cerrada que separaba el coro del resto de la iglesia y así mantenía a las monjas encerradas por siempre en el convento. Aquella noche, Juana se identificaba con san Sebastián, con el cuerpo perforado por flechas oscuras mientras permanecía atado al poste. Se soltó el rosario del hombro y se arrodilló a los pies del santo, pero no rezó. Mientras contemplaba las heridas que mancillaban el cuello de Sebastián, empezó a componer una carta que dirigiría al padre Núñez, y en aquel instante supo que prescindiría de él como padre confesor.

Las dos manecillas del reloj se encontraban en el III cuando Juana regresó a su celda. Las arenas movedizas de la fatiga llevaban horas tirando de sus párpados, y esperaba que Juanilla hubiera tenido la previsión de preparar una jarra de chocolate mezclado con café. Era lo único que le impedía dormirse cuando trabajaba de noche.

En el salón hacía más frío de lo habitual. Juanilla debía de haber olvidado cerrar las contraventanas o bien las había dejado abiertas adrede para ahuyentar de la celda el olor a comida frita. Arriba encontró a Concepción deslizando la pluma con diligencia sobre la página, con un plato y una taza vacíos junto a ella. La oscura bebida de Juana aparecía cubierta de una piel de leche, y sus quesadillas estaban bañadas en grasa. Su estómago emitió un gruñido a la vista de la comida.

—Habéis tardado mucho, madre —dijo Concepción mientras sumergía la pluma en el tintero.

Juana se sentó a su mesa y comió un bocado de quesadilla de flor de calabacín, su favorita. La pobre Juanilla intentaba congraciarse con ella cuando en realidad debería ser a la inversa.

—¿Has avanzado mucho, Concepción? Me sorprende que sigas despierta.

—Casi he terminado esta sección, madre. ¿Está lista la última escena?

Juana acabó la quesadilla y se limpió los labios con la servilleta colocada bajo el plato. La vigilia la había fatigado, pero al menos ahora sabía con exactitud qué le diría al padre Núñez. Asimismo, sabía que tendría que escribir a don Fernando y suplicar que la perdonara por el retraso en la entrega del acto primero del festejo. Sin embargo, el asunto del padre Núñez tenía prioridad. Apenas tenía energía suficiente para hablar.

–¿Os duele la espalda, madre? ¿Queréis que os dé un masaje?

Juana lanzó un profundo suspiro.

–No, tenemos mucho trabajo. Deja lo que estás haciendo; voy a dictarte una carta.

–¿Ahora? Pero si me dijisteis que debíamos terminar esta misma noche.

–Don Fernando tendrá que esperar.

Concepción ordenó las páginas que había escrito y las apiló con pulcritud en una esquina de su mesa antes de sacar otro pergamino de la caja y sumergir otra pluma de ganso en el tintero.

–*Pax Xpti* –empezó Juana mientras se desprendía el escudillo del escapulario–. *Aunque ha muchos tiempos que varias personas me han informado de que soy la única reprensible en las conversaciones de V. R. fiscalizando mis acciones con tan agria ponderación como llevarlas a...* –subraya las dos palabras siguientes, por favor–, *escándalo público y otros epítetos no menos horrorosos.*

–¿Otros qué, madre? –interrumpió Concepción, pestañeando con fuerza.

Juana repitió la última parte de la frase. Ya se había quitado el velo, que dejó caer al suelo antes de proceder a desatar el griñón.

–*... y aunque pudiera la propia conciencia moverme a la defensa...* ¡Concepción! No te estarás durmiendo, ¿verdad?

Concepción levantó la cabeza con ademán brusco.

–No, madre, sólo intento no perder el hilo.

Se pellizcó las mejillas y siguió escribiendo mientras mascullaba en voz baja las palabras que Juana le dictaba.

–*... y que os oyen como a un oráculo divino y aprecian vuestras palabras como dictadas por el Espíritu Santo, y que cuanto mayor es vuestra autoridad, tanto más queda perjudicado mi crédito...*

Un enorme bostezo impidió a Concepción continuar el dictado.

–¡Levántate ahora mismo y abre las contraventanas, Concepción! Necesitas aire fresco.

La muchacha obedeció.

—Es que llevo aquí sentada desde que os fuisteis a completas, madre —se justificó.

Dicho aquello se sujetó la cintura y giró la espalda en ambas direcciones. Sus movimientos recordaban a Juana las danzas del vientre que había presenciado en el palacio del virrey. Concepción siguió moviendo los hombros en dirección opuesta a las caderas.

—¿Por qué haces eso, Concepción?

—¿A qué os referís, madre?

—¿Por qué me distraes? Si necesitas hacer ejercicio, ¿por qué no corres escalera arriba y abajo durante cinco minutos?

—Es que estoy muy cansada, madre. No pretendía molestaros.

«Vuelves a las andadas —se dijo Juana—. Te estás impacientando otra vez.»

—Entiendo que estés cansada. Las dos estamos cansadas.

El aire de la madrugada le bañaba el rostro y el cuello como un agua oscura. Juana sentía deseos de desnudarse y sumergirse en su frescor, pero se limitó a quitarse el escapulario y dejarlo caer sobre el rosario y la correa, que yacían sobre el bulto de ropa blanca y negra a sus pies.

—Ayúdame a desanudarme las cintas de las mangas.

Concepción se las desanudó, y las mangas cayeron al suelo. Los delgados brazos de Juana eran casi tan blancos como su túnica. El vello oscuro de sus axilas despedía un olor penetrante. Necesitaba un baño.

—¿Queréis que os traiga alguna bebida fresca, madre?

—Me tomaré este chocolate —repuso Juana mientras se mesaba el cabello corto con ambas manos—. El azúcar me sentará bien.

Apuró el contenido de la taza a grandes tragos.

—Mira, Concepción —dijo, señalando la blusa de la joven—. Tienes una mancha de tinta en el huipil.

—Lo sé, madre. Hace un rato me ha resbalado la pluma... Supongo que me estaba durmiendo.

—Las dos necesitamos refrescarnos —sentenció Juana al tiempo que se levantaba—. Sígueme. Y trae todo esto, ¿quieres?

Concepción recogió el velo, el escapulario y las mangas del

hábito de Juana, se enrolló el rosario alrededor de la muñeca y la siguió hasta el otro lado del tapiz turco, donde Juana tenía instalado su dormitorio. Mientras Concepción colgaba las prendas en el ropero, alisaba las arrugas de la tela y guardaba el rosario en su estuche, Juana vertió agua fresca en la jofaina. Del cajón superior de la cómoda sacó dos paños, sumergió uno en el agua, lo escurrió y ordenó a Concepción que se acercara. Reparó en que le sacaba una cabeza entera a la muchacha, aunque Concepción tenía un porte que la hacía parecer más alta. ¿Cómo era que no lo había advertido antes?

Juana le limpió el rostro con el paño húmedo mientras con la otra mano le sostenía la nuca. Primero le lavó la frente, luego los pómulos, las mejillas y la barbilla antes de descender hacia el cuello y regresar a las sienes, los párpados y las orejas. La piel de Concepción poseía una cualidad seductora, como de ante suavísimo por el desgaste. Juana sintió que los pezones se le endurecían bajo el hilo del hábito, como si la brisa nocturna que entraba en la habitación fuera fría, aunque el rostro le ardía y percibía las axilas húmedas.

Mojó una vez más el paño y lavó los antebrazos de Concepción, demorándose un instante en las muñecas y la cara interior de los codos para refrescar las venas, según dijo, aunque sus propias venas empezaban a palpitar por el contacto con la piel de la joven.

«¡Basta, Juana! Te estás adentrando en aguas peligrosas.»

Pero la actitud de Concepción delataba cierta aquiescencia. Permitía que Juana la lavara y contenía el aliento cada vez que la tocaba.

«Imaginaciones tuyas, Juana. Está cansada, nada más.»

Respiró hondo y sintió que los votos se precipitaban como piedras a su estómago.

—Ahora te toca a ti, Concepción —musitó.

Concepción abrió los ojos y vio que Juana le alargaba el otro paño.

Las manos de la joven temblaban mientras escurría el paño. Repitió lo que Juana le había hecho a ella, sosteniéndole también la nuca mientras le lavaba rostro, cuello, muñecas y antebrazos.

—¿Por qué tiemblas? —inquirió Juana—. ¿Tienes frío?

Concepción tragó saliva.

—Creía que teníamos prisa, madre.

—Quítate la blusa. La pondremos en remojo para intentar limpiar la mancha.

—Oh, no, madre, no importa.

—Ya sabes que no me gusta que se estropeen las prendas hermosas, Concepción. Además, no tienes mucha ropa buena. Vamos, quítatela.

La joven levantó los brazos con gesto obediente, y Juana le quitó la blusa por encima de la cabeza. No llevaba camisola debajo y quedó ante ella con los brazos alzados, los pequeños pechos desnudos, las venas del cuello palpitantes. Juana no dio crédito cuando las yemas de sus dedos rozaron los pezones oscuros de Concepción.

—Tienes la piel preciosa, Concepción —murmuró, bajándole los brazos—, y casi nada de vello. Debe de ser por la sangre india.

Deslizó los dedos por los hombros de la joven, sus clavículas, el valle de sus pechos y por fin de nuevo los pezones. Concepción se estremeció.

—Tienes frío —dijo Juana.

Intentó mirarla a los ojos, pero Concepción había bajado la cabeza.

Juana sabía que debía detenerse, pero no podía apartar la mano de aquellos pechos firmes y al tiempo suaves como higos maduros.

—Mírame, Concepción.

La muchacha alzó la cabeza.

—¿Cuántos años tienes?

—Diecinueve, madre.

Juana le llevaba exactamente quince años, los mismos que la marquesa a ella. Tenía más o menos la edad de Concepción cuando reveló a la señora la verdad acerca de sus sentimientos y dio al traste con la amistad.

—¿Has dejado que alguien te toque? ¿Algún hombre?

Concepción tragó saliva, pero no respondió.

—¿Quién, Concepción?

—Nadie, madre, sólo un malabarista al que conocí en la plaza.

Juana sintió una punzada de celos.

—¿Permitiste que ese joven te tocara?

—Juanilla me dijo que debía hacerlo si quería saber de hombres. Me dijo que vos jamás me enseñaríais nada y que acabaría disfrutando.

Juana se inclinó y besó a la muchacha en la boca. Sus labios sabían dulces, como el chocolate, y olía a algalia.

—¿Te ha gustado esto?

Concepción parpadeó inquieta, pero no apartó la mirada.

—No lo sé, madre.

Juana volvió a besarla, separándole esta vez los labios con la lengua y mordiendo levemente la suave carne. Concepción echó la cabeza hacia atrás y se pasó la lengua por el labio mordido.

—¿Y esto?

—Me ha dolido, madre.

—¿Y el muchacho no te hizo daño? —preguntó Juana, deseosa de pellizcar los pezones de la joven.

—Sólo la primera vez.

Juana percibió que el vientre le temblaba por algo parecido a la furia, pero que le provocó cierta humedad entre las piernas.

—Fuera de mi vista —masculló entre dientes—. Me pones enferma.

La chica volvió a tragar saliva, y Juana se quedó mirando el movimiento de su cuello.

—Pero ¿por qué, madre? Ya tengo edad.

Juana sintió deseos de abofetearla y besarla al mismo tiempo. Se apartó de ella y sumergió las manos en la jofaina de agua fría.

—Ese comportamiento me parece más propio de Juanilla que de ti, Concepción. Después de todo lo que te he enseñado...

—Pero madre...

—¡Fuera!

—¿Y la carta que queríais dictarme?

La carta al padre Núñez. La había olvidado por completo. Juana sintió que la sangre le afluía al rostro en un torrente ardiente.

—¡Fuera! —chilló—. ¿O acaso tengo que azotarte para que lo entiendas?

Las lágrimas afloraron a los ojos de Concepción.

—Nunca me habíais levantado la voz —gimió.

El corazón de Juana latía desbocado. Se inclinó hacia delante y hundió el rostro entero en el agua, notando que buena parte de ella se derramaba sobre sus zapatos. Cuando por fin alzó la mirada, la muchacha había desaparecido.

# 17

*20 de diciembre de 1682*

¿Qué he hecho, Dios mío? ¿Cómo he podido caer en semejante debilidad? Me abruma mi capacidad de complicarme tanto la existencia. No ceso de decirme que no ocurrió en realidad, que no besé a Concepción, pero recuerdo al dedillo su olor, la textura de su piel, la fragancia de la algalia y algo dulce, como chocolate, y su piel... Que Dios y la condesa me perdonen. ¡Cuánto deseaba deslizar las manos por el suave ante de su cuerpo, acariciar con la boca los pequeños higos de sus pechos! Aún ahora se me hace la boca agua al pensar en ello. Si no me hubiera enojado con ella, habría hecho realidad mis irracionales fantasías.

No quiero que esto signifique nada. Aún no. Nunca. Sólo deseo experimentar el sabor, el olor en mis dedos, y nada más. ¿Es eso posible? Concepción nunca se lo contaría a nadie, ¿verdad? Tampoco esperará que le dé una explicación, me disculpe o vuelva a mencionar el asunto, ¿verdad? A todas luces, no puede continuar a mi servicio. Sé que este episodio me atormentará durante mucho tiempo. Santa Madre de Dios, ¿por qué me habéis permitido sucumbir a la tentación?

Debo dejar de pensar en ello y concentrarme de nuevo en la carta al padre Núñez. No puedo seguir depositando mi confianza en él como confesor. Ya no soporto que siempre busque defectos en mí; resulta una prueba demasiado dura. ¿Por qué motivo mi salvación, si es que de eso se trata, debe estar a merced del padre Núñez? ¿No puede reemplazarlo otro? ¿Acaso la misericordia de Dios se limita a un solo hombre? Creo que le formularé estas preguntas en la misiva.

Oh, Dios mío, te ruego apartes de mis manos el recuerdo de su piel para que pueda concentrarme.

*28 de diciembre*

Me ha llevado toda la Navidad, pero por fin he terminado la carta. He expuesto al padre Núñez con toda claridad que si no puede considerarme con la caridad, discreción y bondad propias de un padre confesor, no es necesario que siga ocupándose de mí ni que prosiga con nuestra relación. La carta está llena de preguntas retóricas sobre el derecho de las mujeres a estudiar y escribir, y contiene asimismo numerosas recriminaciones a la indiscreción del padre Núñez. He aquí mis pasajes predilectos:

> ¿Las letras estorban, o más bien ayudan a la salvación? ¿No se salvó san Agustín, san Ambrosio y todos los demás Santos Doctores? Y V. R., cargado de tantas letras, ¿no pensáis salvaros?

> ¿En qué se funda pues este enojo? ¿En qué este desacreditarme? ¿En qué este ponerme en concepto de escandalosa con todos? ¿Canso yo a V. R. con algo? ¿Os he pedido alguna cosa para el socorro de mis necesidades? ¿U os he molestado con otra espiritual ni temporal? ¿Toca a V. R. mi corrección por alguna razón de obligación, de parentesco, crianza, prelacía, o tal qué cosa? Si es mera caridad, parezca mera caridad, y proceda como tal, suavemente, que el exasperarme no es buen modo de reducirme, ni yo tengo tan servil naturaleza que haga por amenazas lo que no me persuade la razón, ni por respetos humanos lo que no haga por Dios, que el privarme yo de todo aquello que me puede dar gusto, aunque sea muy lícito, es bueno que yo lo haga por mortificarme, cuando yo quiera hacer penitencia; pero no para que V. R. lo queráis conseguir a fuerza de reprensiones, y éstas no a mí en secreto como ordena la paternal correc-

ción, sino públicamente con todos, donde cada uno siente como entiende y habla como siente.

Sé que se enfurecerá cuando lea la carta, pero me alegraré de librarme de él, su malhumor y el perpetuo rencor que en él inspiran las inclinaciones que Dios me ha dado. Debo mandar a Concepción que la copie mientras rezo; no puedo permanecer en la misma habitación que ella sin que me silben los oídos. A buen seguro se debe al sentimiento de culpabilidad por haber sido desleal a la condesa.


*7 de enero de 1683*

Juanilla me ha dicho que Concepción aún duerme, que no ha podido despertarla en todo el día, por mucho estruendo que armara en la cocina. Entre las criadas circula el rumor de que la vieron llegar por el jardín al alba tras una cita nocturna.

—Han echado a los malabaristas de la ciudad, madre, pero puede que su pretendiente haya vuelto. Se pavonea como una...

—Basta, Juanilla, no quiero oír los detalles escabrosos —la interrumpí antes de que pudiera ahondar en la descripción del asunto—. Déjala dormir. Creo que la he hecho trabajar demasiado.

—Es una lástima que no mostréis la misma consideración hacia mí, madre.

Juanilla está en lo cierto, pero ¿cómo puedo decírselo? Además, ella sola es culpable de haber quedado embarazada y cansarse tanto últimamente. Ruego a la Virgen que Concepción no acabe como ella. Sé que no debo ser tan rígida con Concepción. A fin de cuentas, es una mujer, y su cuerpo experimenta deseos que deben ser satisfechos de un modo u otro. Pero no es necesario que se mancille con hombres para ello. Yo lo sé muy bien.


*1 de febrero*

He recibido del cabildo eclesiástico el encargo de componer unos villancicos en honor a san Pedro apóstol. Los honorarios ascienden a cien pesos, si bien el arzobispo ya ha exigido la mitad para llevar a cabo reparaciones en el orfanato, según dicen, confiando en que mi naturaleza generosa ansía ayudar a los necesitados.

Aún no he enviado la carta al padre Núñez. Algo me dice que lo más prudente es esperar hasta estar convencida de que es el camino correcto. Debo tomar en consideración las consecuencias de mis actos.


*25 de febrero*

Sor Clara, las internas y los hijos de las criadas están revolucionados. Melchora acaba de recibir un decreto del arzobispo en el que prohíbe tener perros en el convento y ordena a las criadas echar a todos a la calle. ¡Menudo espectáculo en el patio! Niños de todos los colores y edades se aferran al cuello de los perros, profiriendo alaridos como si les arrebataran a sus madres, mientras las novicias los persiguen, algunas blandiendo escobas, otras entrechocando tapas de cacerola. Al menos el barullo ha arrancado a Concepción de la melancolía que lleva arrastrando dos meses. Está fuera con sor Clara, intentando defender a las pobres bestias.

¿Qué mosca le ha picado a ese hombre? ¿Qué daño pueden hacer los perros a él o a nosotras? ¿En qué sentido ponen en peligro nuestra santidad o representan una tentación para nuestra supuesta austeridad? Al menos los gatos se consideran necesarios para la higiene del convento, pero los perros no tienen otra función que la de hacer compañía y profesar devoción a quienes los quieren y alimentan. Supongo que, en opinión de Aguiar y Seijas, cualquier apego corpóreo es pecaminoso. Pobre sor Clara. Al menos cuatro de los perros eran sus seres predilectos, escoltas de cuatro patas que la seguían a todas partes, inclusive a misa. En fin, volvamos al interrumpido sainete entre el acto primero y el acto segundo.


*Más tarde*

Concepción ha vuelto y la oigo contar a Juanilla el asunto de los perros. Por lo visto, el arzobispo está furioso porque los perros comen mejor que los mendigos de las calles. A partir de ahora debemos recoger todos los restos de nuestras mesas y dárselos a nuestras criadas para que los repartan entre los mendigos que acuden a la puerta del convento. Se sospecha que los perros serán convertidos en carne para los pobres. Los alaridos de los niños suben de tono. Concepción me ha contado que sor Clara parece trastornada y se ha ofrecido a hacerle compañía durante unos días. ¿Por qué tengo la sensación de que la muchacha me está poniendo a prueba?

*3 de marzo*

Esta tarde le he mostrado la carta a don Carlos. No quería que Concepción la llevara al padre Núñez antes de que tuviéramos ocasión de comentarla, aunque sabía que mi amigo, de acuerdo con su prudente carácter, me desaconsejaría enviarla. Me ha pedido que sopese a conciencia las consecuencias, sobre todo ahora que Aguiar y Seijas ha emprendido su cruzada.

—No es momento adecuado para perder amigos, Juana —me advirtió.

—Pero ha demostrado ser más enemigo que amigo —protesté.

—Tal vez así es como lo han pintado sor Melchora y sus cómplices. ¿Os habéis detenido pensar alguna vez, Juana, que quizá deseen que deis este paso precisamente para dejaros desprotegida? El padre Núñez no tiene pelos en la lengua; siempre dice lo que piensa a la cara del aludido. ¿Por qué creer a estos arcángeles de la intriga cuando lo acusan de indiscreto?

—No creo sino lo que siento, amigo mío —repuse—. Y llevo años sintiendo una creciente antipatía por su parte, su furia por mi negativa de someterme a su voluntad. No sólo es que mis buenas hermanas inventen mentiras. Por ello, al tiempo que le señalo que tengo libertad para escoger a mi padre confesor, también le digo que él puede elegir continuar o interrumpir nuestra relación. Puede elegir mostrarse caritativo y contrito por encontrarme defectos en lugar de defenderme, como es su deber, o elegir olvidarme y concentrar su celo en una persona más servil y que cree menos problemas a su espíritu.

—Veo que ya estáis convencida, Juana. Nada de lo que diga refutará vuestros argumentos.

—¿Qué haríais vos en mi lugar, don Carlos?

—Con toda probabilidad, mantener la boca cerrada, Juana, si bien mi sexo me otorga un privilegio que vos no podéis permitiros. Por tanto, no se trata de una comparación justa. Nunca llegaré a saber qué significa estar en vuestro lugar.

Más que cualquier otra palabra, fue ese último argumento el que me convenció de seguir adelante y enviar la carta al padre Núñez.


## 11 de marzo

Un nuevo decreto del arzobispo. Prosigue con su cruzada para librar todos los conventos de Nueva España de cualquier relación particular, según dice, y empezará por San Jerónimo. Todas las criadas que lleven más de una década al servicio de sus señoras pasarán al servicio de otra monja. Legalmente, no pueden cambiar a Juanilla de lugar porque me pertenece, pero sería difícil ganar esa disputa ante el arzobispo, pues el tribunal tenderá a dar la razón a su prelado. He decidido que la única solución pasa por enviarla de regreso a Panoayan. Es mi forma de compensarla por todas las peleas que hemos tenido. Tendré que enviarla primero con Josefa para que la lleve a casa. En cualquier caso, no puede marcharse hasta después del parto.

Concepción me preocupa. Hoy he recibido una críptica nota de su madre. Por lo visto va a casarse con el padre de Concepción y se marchará de la ciudad de México para instalarse en el norte, en Zacatecas, donde su esposo y el hermano de éste poseen una mina. Sería la forma idónea de librarse de ella, pero está ligada al convento, no a mí, y no puedo prescindir de sus servicios como de los de Juanilla. ¿Por qué las madres abandonan a sus hijas por los hombres con quienes se casan? Si le muestro la carta, a buen seguro seguirá a su madre, y sabe Dios qué vida la espera en el norte. No quiero perder a Concepción, pero ¿cómo va a quedarse después de lo que hemos hecho?

Tal vez logre convencerla de que vaya a Panoayan con Juanilla. Podría aplicar lo que le he enseñado en la amiga* de Amecameca, y sin duda podría ayudar a mi madre a dirigir la hacienda. Entre la artritis y ese extraño problema respiratorio, mi madre no se encuentra bien, y mis hermanas menores, mis queridas Antonia e Inés, se lavan las manos ahora que tienen sus propias familias. Sólo mi hermana mayor, María, le resulta útil, pero nunca se le han dado bien los números y la pluma. Concepción sería un regalo del cielo para ambas. Pero tendrá que marcharse en secreto; nadie debe implicarme en su partida. Lo dispondré todo para que esté en el mercado el día que Josefa venga a buscar a Juanilla y así podrán recogerla al salir de la ciudad. Será muy sencillo. Concepción no puede seguir aquí, sobre todo si pretenden transferirla al servicio de otra monja. Quién sabe las historias que podría contar.

No debo permitirme pensar en la soledad que me espera a su marcha. Tras el desliz, dejarla marchar es la única solución razonable. Se sienta a su mesa y finge que nada ha cambiado, pero en ocasiones la sorprendo mirándome mientras trabajamos o comemos, y juro que veo lágrimas en sus ojos. Quizá sólo se deba a que el humo de la lámpara le hace llorar los ojos. Espero que no lea en mi mirada más que el rechazo a hablar de lo ocurrido.

Debo escribir a Josefa los planes que tengo para Juanilla y a mi madre para preguntarle si le interesa conservar a Concepción. Sospecho que soy el blanco principal del plan maestro del arzobispo y que pretende debilitarme arrebatándome a mis criadas.

Acaba de asaltarme un pensamiento. ¿Qué haré aquí sola, sin criada que me atienda, sin secretaria que me asista en mi trabajo? ¿O acaso decidirá Melchora llenar mi celda de internas y así impedir que me concentre en mis estudios? Tal vez debería pensar en cambiar de celda; ésta no tiene espacio suficiente para todos mis libros, aunque podría convertir la habitación que ahora ocupan Juanilla y Concepción en una ampliación de mi biblioteca. Y a decir verdad la idea de la soledad absoluta no me repugna. Podría ser el paraíso de un erudito, soledad y habitación tras habitación atestada de libros. Si no tuviera que habérmelas con mis hermanas y el ar-

* Escuela de niñas. (N. del E.)

zobispo, me sentiría como si hubiera sobrevivido al purgatorio de mi existencia cotidiana. Pero no debo estar sola ni dar a Melchora motivo para utilizar mi celda como extensión del dormitorio de las internas. Creo que preguntaré a Josefa si Belilla sigue interesada en hacerse monja. Ya tiene catorce años, si no me equivoco; es, por tanto, lo bastante mayor para empezar el noviciado.

*13 de marzo*

Sigo sin tener noticias del padre Núñez acerca de mi carta, pero he advertido, aunque tal vez no sea más que fruto de mi imaginación, que Melchora y Rafaela exhiben sonrisitas de triunfo. De repente parecen muy satisfechas de sí mismas cuando hablan conmigo. Sospecho que saben algo que yo desconozco.

—¡Qué obscenidad! —exclamó el arzobispo mientras miraba el pergamino como si estuviera poseído por el mismísimo diablo.

—Ahora comprendéis por qué ha prescindido de mí, Vuestra Ilustrísima —señaló el padre Núñez antes de echar la cabeza hacia atrás para aclararse los ojos con la solución que la criada de Juana le había llevado por orden de sor Gabriela.

—¿Y Payo nunca hizo nada al respecto? ¿Le permitía que siguiese componiendo esos versos repulsivos?

—Fray Payo sentía cierta debilidad por ella, Vuestra Ilustrísima. Hice cuanto pude para disuadirla de sus propósitos y conseguir que respetara sus votos, pero ya veis que he fracasado y ahora prescinde de mí como si no fuera más que un criado.

La sal del remedio le escocía los ojos como ácido, y el padre Núñez daba gracias a Dios por ello, esperando que aquella sensación devolviera cierta claridad a su visión.

—Padre Núñez, no creo que alcancéis a comprender la gravedad de estas palabras. ¿Acaso no habéis leído la carta? Es el pasto ideal para la Inquisición.

El padre Núñez volvió a tomar asiento frente al arzobispo mientras la solución le goteaba por el rostro.

—Como podéis comprobar, Ilustrísima, mis ojos no están para grandes lecturas últimamente, pero conozco bien la bazofia impía que brota de su pluma. Imagino que la práctica no ha hecho más que empeorarla.

—No podéis imaginar semejante blasfemia. Ningún cristiano verdadero podría. Escuchad.

El padre Núñez quiso protestar, pero no había forma de detener a Francisco de Aguiar y Seijas.

> *Detente, sombra de mi bien esquivo,*
> *imagen del hechizo que más quiero,*
> *bella ilusión por quien alegre muero,*
> *dulce ficción por quien penosa vivo.*
>
> *Si al imán de tus gracias, atractivo,*
> *sirve mi pecho de obediente acero,*
> *¿para qué me enamoras lisonjero*
> *si has de burlarme luego festivo?*
>
> *Mas blasonar no puedes, satisfecho,*
> *de que triunfa de mí tu tiranía:*
> *que aunque dejas burlado el lazo estrecho*
> *que tu forma fantástica ceñía,*
> *poco importa burlar brazos y pecho*
> *si te labra prisión mi fantasía.*

El padre Núñez sacudió la cabeza. Había perdido a la oveja negra de su rebaño, y ahora ella carecía de padre confesor y de fray Payo que la protegiera. Incluso su criada la había traicionado al llevarle las pruebas que Melchora seguía acumulando contra ella. Alguien debía enderezar a Juana, y si no él o su superiora, entonces sería la Inquisición.


*17 de marzo*

¡A punto ha estado de volver a suceder! Gracias a Dios, mis manos fueron castas y mi resolución, a excepción del breve roce de los labios, inquebrantable como un cinturón de castidad. Estaba acostada intentando leer, pero divagaba sin poder evitarlo, de modo que apagué la lámpara y decidí dormir. Sin embargo, no lograba conciliar el sueño y me agitaba inquieta en el lecho. Mucho después de que las campanas anunciaran la queda empecé a adormilarme, pero de repente percibí que Concepción se deslizaba entre las sábanas junto a mí. En un principio creí que me hallaba suspendida en aquel estado entre el sueño y la vigilia, pero ni su desnudez ni la fragancia embriagadora de su piel tenían nada de fantasmal. Sentía el calor de su cuerpo a través del algodón de la camisa.

—Levántate, Concepción —le susurré—. No deberías estar aquí. Te va a oír Juanilla.

—¿Por qué no me dirigís la palabra, madre? —me preguntó en voz igual de baja.

La sensación de su aliento en mi rostro me hizo estremecer.

—No tenemos nada de que hablar, Concepción. Debemos olvidar lo sucedido.

—No puedo olvidarlo; sólo pienso en eso.

Su mano se deslizó por mi cadera con infinito tiento.

—Basta, Concepción. No está bien y además es peligroso. Juanilla podría oírnos.

—Besadme, madre. Besadme una vez más, por favor.

Sus labios casi rozaban los míos, e intenté resistirme al imán que me inducía a besarla. Pero por fin me abandoné a la dulzura de aquella boca cálida, tan húmeda y llena de deseo. Apenas podía contener el impulso de deslizar mis manos por todo su cuerpo pegado al mío con tal intimidad que notaba el cosquilleo de su vello púbico contra la rodilla. Oh, Tántalo, qué dolor el del anhelo no correspondido cuando la fruta pende al alcance de la mano.

De repente, la muchacha apoyó la cabeza en la curva de mi cuello y rompió a llorar. Recordé que era una criatura presa de la nostalgia. Quería acariciarle el cabello, mitigar su dolor, pero sabía que si empezaba a tocar aquella piel dócil estaría perdida. La dejé llorar, y cuando se serenó le pedí que regresara a su cama.

—Lo siento, madre —musitó—. Estoy tan avergonzada...

—Debes olvidar este asunto —le aconsejé, sabedora de que yo jamás lo lograría—. Es imposible.

—Pero os quiero tanto, madre... No sabía cuánto hasta la otra noche.

La cabeza comenzaba a palpitarme.

—No digas eso.

—Pero es cierto.

—Cuando se es joven, es posible experimentar sentimientos muy intensos durante cinco minutos, Concepción.

Y acto seguido me encontré repitiendo las palabras que la marquesa había empleado conmigo.

—Una mujer puede amar a otra entre cuyos brazos siente la calidez del amor materno. Es a tu madre a quien añoras, ¿no lo entiendes?

Concepción lanzó un suspiro, y advertí que su aliento temblaba como si estuviera a punto de llorar de nuevo. Le di la espalda y recé para que se marchara pronto, pero permaneció sentada en el borde del lecho, acariciándome la espalda. Pensar en la gran cantidad de veces que me ha acariciado la espalda para aflojar la tensión de la columna y el lumbago que me aflige el coxis... Ahora veo que siempre ha existido intimidad física en nuestra relación. Es de todo punto esencial que se vaya a Panoayan. Debo contarle lo de su madre mañana mismo.


*19 de marzo*

Hace dos días que no veo a Concepción. Cuando le dije que su madre se había trasladado al norte y que me parecía buena idea que ella fuera a Panoayan, no me creyó, ni siquiera después de que le mostrara la nota que su madre me había pedido mantener en secreto. Me llamó mentirosa y gritó que sólo pretendía deshacerme de ella por lo que habíamos hecho. Lo único que se me ocurrió para acallar sus chillidos fue abrazarla y cubrirle la boca con la mano. En aquel instante oí los pesados pasos de Juanilla en la escalera. Sin lugar a dudas me vio abrazando a Concepción, y se comporta de un modo tan extraño conmigo desde hace un tiempo que casi temo confiar en ella. No me cabe duda de que ambas deben marcharse. Qué tontería hice con la muchacha. A buen seguro, el asunto me atormentará durante años. Hoy es san José. Sólo me quedan tres meses para terminar los villancicos dedicados a san Pedro. Este ingrato asunto con Concepción y la carta que envié al padre Núñez me han impedido concentrarme en mis encargos.

Concepción no regresó hasta la Anunciación, a finales de aquel mes. Juana casi esperaba que volviera embarazada. Parecía cansada y taciturna, y su tez había adquirido un tinte grisáceo que quedaba acentuado por las profundas ojeras. Juana no la reprendió; de hecho, no le dirigió la palabra siquiera. Cuando la joven se sentó a la mesa y le pidió que le encomendara una tarea, Juana hizo caso omiso de ella. Por el rabillo del ojo observaba a Concepción mientras ésta ordenaba los libros, organizaba los cuadernos en el baúl y retiraba el sebo que se había acumulado sobre las mesas.

—Siento haberme marchado, madre. Necesitaba asegurarme... Es cierto que se ha marchado.

Juana sacó el libro mayor del cajón superior de su escritorio.

—No puedo creer que me haya abandonado sin más.

Juana fingió sumar una columna del libro, pero en realidad la estaba escuchando.

—Su nota dice que enviará a alguien a buscarme una vez finalizado mi vínculo con el convento, pero sé que no es cierto.

—Quiero que te pongas a copiar el primer nocturno de los villancicos —ordenó Juana.

La muchacha se arrojó a sus pies.

—¿Me perdonáis, madre?

Juana sintió deseos de apartarle el cabello de la frente con una caricia.

—No —espetó—. A trabajar.

Concepción fue a sentarse a la mesa, pero a todas luces no podía concentrarse, pues no cesaba de arrugar pergaminos cada vez que cometía un error.

—Estás malgastando papel, Concepción. Ya sabes que no puedo permitirme ese lujo.

—Madre, ¿recordáis que una vez me dijisteis que yo tenía más libertad que vos, que como castiza podía ir adonde se me antojara al acabar mi aprendizaje? También dijisteis que podía labrarme mi propio destino.

–No, no lo recuerdo. ¿Adónde quieres llegar?

–Aléndula dice que existe una diferencia entre la libertad y el destino.

–¿Es eso en lo que estás pensando? No es de extrañar que no puedas concentrarte.

–Es importante, madre. Decidme, ¿hay alguna diferencia?

–Mírame, Concepción, y mira a tu alrededor. ¿Qué ves?

La muchacha recorrió con la mirada las estanterías de libros y las atestadas mesas del estudio.

–Nada distinto –repuso por fin con un encogimiento de hombros–. Sólo vuestra celda.

–Es una jaula, ¿acaso no lo ves? Esta celda es la jaula de mi destino. Como criolla me encontré ante dos jaulas para escoger, ésta y la que eligen casi todas las criollas, es decir, el matrimonio y los hijos, que iba contra mi naturaleza, pues no me habría permitido escribir ni estudiar. Así pues, elegí este hábito, esta vida como destino. El destino es la jaula en la que nace toda mujer, y no podemos salir de ella. En ese sentido, creo que la libertad es lo contrario del destino.

–¿Soy yo libre, madre? No soy una esclava como Juanilla o Aléndula, y tampoco soy monja como vos.

–¿Qué ves cuando te miras al espejo, Concepción?

La muchacha frunció el ceño.

–No lo sé. Mi cara, supongo.

–La cara de una mujer, Concepción. Eres una mujer dotada de educación y una mente despierta, pero por muy inteligente que seas y mucho que aprendas, nadie te considerará jamás un ser humano completo, y nunca se te permitirá ser libre.

–¿Porque soy castiza?

–Porque eres mujer. Tal es la jaula en la que ambas nacimos, Concepción. No importa si eres castiza, criolla, criada o monja. Si eres mujer, careces de libertad; sólo tienes el destino de tu cuerpo, y todas somos esclavas de ese destino.

Concepción reanudó el trabajo y consiguió copiar una página entera sin cometer un solo error. Juana la observaba por el rabillo del ojo. Se avecinaban más preguntas, de eso estaba segura.

—¿Os he enojado, madre?

—Ellos me enojan. Tal como expresa mi *Sátira filosófica*, esos hombres testarudos y obstinados que no permiten a las mujeres vivir según su verdadera naturaleza si ésta difiere de lo que quieren que seamos.

—Creía que el destino lo dictaba Dios, madre.

—Dios creó al hombre a su imagen y semejanza. ¿No es eso lo que nos enseñan, Concepción?

—De modo que afirmáis que, aunque deje el convento, jamás seré libre.

—No hablo de libertad física, Concepción. Puedes abandonar el convento, pero no escapar de tu destino. Lo único que puedes hacer es cambiarlo con tus decisiones.

—Como vos al tomar el hábito.

—Exactamente. Y tú también podrías cambiar el tuyo. Cuando Juanilla se marche...

—¿Realmente prescindiréis de Juanilla?

—Volverá a Panoayan con mi hermana Josefa una vez finalice su confinamiento.

—¿Lo sabe ya?

—Por supuesto. Y quiero que las acompañes, Concepción.

—Pero ¿por qué, madre? ¿Qué he hecho? ¿Es por...?

Juana alzó la mano a modo de advertencia.

—Nada tiene que ver con ello. El arzobispo no me es propicio. Detesta a las mujeres, sobre todo a las mujeres cultas, y yo lo ofendo más que ninguna a causa de la influencia que ejerzo en palacio. Él y Melchora harían cuanto estuviera en su mano para amargarme la existencia. Quieren asignar a Juanilla a otra monja porque lleva catorce años a mi servicio, y sin duda se te llevarán a ti también. ¿No crees que te conviene más ir a Panoayan?

—Aunque así fuera, sigo vinculada al convento.

—Encontraré el modo. Si es necesario, pagaré por tus seis años de estancia aquí.

—¿A cuánto ascendería eso, madre? ¿Cuánto valgo?

—Para mí posees un valor incalculable, lo cual para ellos no vales ni el aire que respiras. Pero si ofrezco comprar tu tiempo con el dinero que obtenga por Juanilla, Melchora no podrá oponerse.

—Entonces, ¿por qué enviarme lejos si tanto valgo para vos?

—Porque estás vinculada al convento, no a mí, lo que significa que Melchora puede hacer contigo lo que le venga en gana. Puede convertirte en criada de refectorio o venderte a un obraje si le place, y nada podría hacer yo al respecto según el nuevo decreto del arzobispo. Por eso prefiero que vayas a Panoayan. Sé que allí serías feliz y podrías aplicar mis enseñanzas. Podrías llevar las cuentas de mi madre, redactar sus cartas... De ese modo, tu educación no se desperdiciaría.

Hasta ese instante no había reparado en que la joven lloraba.

—Concepción, debes comprender que...

—No quiero ir a Panoayan y convertirme en criada de otra persona, madre.

—Todas debemos servir a alguien, Concepción, eso es lo que intento hacerte entender. Es el destino de este cuerpo con el que nacimos. ¿Acaso quieres casarte para servir a un esposo y sus hijos? ¿Lo preferirías?

—Aléndula dice que cerca de Vera Cruz hay un lugar llamado San Lorenzo de los Negros, un pueblo de esclavos refugiados como su padre, donde todos son libres, madre, incluso las mujeres.

—¿Aléndula es tu amiga la prisionera?

La muchacha asintió al tiempo que se secaba el rostro con las manos.

—Siempre habla de libertad, de que quiere morir porque la hija de un cimarrón debe vivir libre o morir. Dice que si la libero podría convertirme en una cimarrona y vivir con ella en su pueblo de cimarrones.

—Ya veo. Así que quieres dejar de lado tu aprendizaje y convertirte en una cimarrona. ¿Cómo pretendéis tú y una presa de la Audiencia fugada salir de la ciudad sin que os cojan?

—Ya estaremos lejos cuando descubran que se ha fugado, madre, y Aléndula conoce el modo de atravesar las montañas. Hizo ese mismo recorrido con su padre.

—¿Has localizado San Lorenzo en el atlas? ¿Tienes idea de dónde se encuentra?

—No figura en el atlas. Aléndula dice que es una aldea muy pequeña en las colinas, a unas cinco leguas al sur de Vera Cruz. Allí sólo viven indios y cimarrones.

–¿Sabes qué clase de vida te espera en una aldea de indios y esclavos refugiados? Al menos en Panoayan hay escuelas, civilización, y allí podrás hacer buen uso de tus conocimientos de caligrafía. ¿Pretendes hacerme creer que prefieres una vida de ignorancia y suciedad a una de aprendizaje y compatibilidad con mentes afines a la tuya? ¿Te parece que es un resumen exacto de tu deducción, Concepción?

–Mi deducción, madre, es que si ya no me queréis junto a vos, ni siquiera en el convento, entonces debo ser capaz de decidir adónde quiero ir. Aléndula dice que cada decisión ofrece cuatro opciones: la prudente, la sabia, la necia y la que elige otra persona por ti.

¿Qué edad tendría esa Aléndula?, se preguntó Juana. Parecía tan sensata...

–Vos queréis que me decante por la cuarta –prosiguió Concepción–, mientras que yo me inclino por la sabia. Aléndula dice que para vos no soy más que un par de manos y que, pese a no ser una esclava, vivo esclavizada, como ella. ¿Por qué no convertirme en una cimarrona? –Rompió a llorar de nuevo–. Era feliz aquí con vos. No quiero ir a ninguna parte, pero si tengo que irme, prefiero que sea a un lugar donde pueda ser libre.

–¿Estás convencida, entonces?

Juana se dirigió a la mesa de ajedrez, situada junto a la ventana, abrió el cajón y sacó las piezas.

–Apostaré mi convicción contra la tuya –anunció mientras las disponía sobre el tablero–. Si ganas tú, irás a San Lorenzo de los Negros, siempre y cuando consigas liberar a tu amiga de sus cadenas. Si gano yo, irás a Panoayan. ¿Te parece justo?

–Pero si siempre pierdo, madre –protestó Concepción–. Me parece una contienda injusta.

–En ese caso, te daré ventaja –concedió Juana, dando la vuelta al tablero para que las piezas de ónice quedaran ante ella–. Esta noche jugaré con las negras para que puedas tomar la iniciativa.

Concepción desplazó el peón dos casillas, y Juana abrió con el caballo de la reina. Durante un rato jugaron en silencio. El ejército negro de Juana causaba estragos en las filas blancas, pero de repente se le ocurrió que enviar a Concepción a Panoayan mantendría vivo el peligro, pues siempre cabía la posibilidad de que hablara con alguien y el asunto llegara de algún modo a oídos de Melchora o el arzobispo. Era una estupidez conservar a la muchacha. Más valía dejarla hacer su voluntad y no volver a verla jamás. Juana empezó a cometer errores deliberados en el juego, perdiendo caballos, alfiles y una de las torres hasta que por fin la reina de ónice fue capturada y Concepción le hizo jaque mate en tres movimientos.

La joven la miró con los ojos entornados.

—Me habéis dejado ganar, ¿verdad?

—Son tus argumentos los que han vencido, Concepción. La partida me ha dado tiempo para comprender que tu postura es razonable. No debes tomar la decisión que te imponga otra persona. Si deseas ser cimarrona estás en tu derecho, y no puedo impedírtelo.

—Pero ¿y si temo marcharme, madre? ¿Y si nos perdemos o nos ataca algún animal salvaje?

—Si confías en Aléndula, si es sensata y confías en que te haya dicho la verdad acerca de su capacidad de atravesar las montañas, entonces me atrevo a decir que estarás más segura allí que en el convento. Aquí hay más bestias de las que imaginas, Concepción. Y al menos podrás decir que has tomado la decisión que deseabas; es lo más parecido a ser dueña de tu propia vida.

—Aléndula dice que llevo tanto tiempo siendo un títere que ya no sé escuchar mi corazón.

—Hace quince años, Concepción, cuando intentaba decidir si podía o no hacerme monja, renunciar al mundo y no volver a salir del convento, compuse un soneto. Escúchalo, pues puede que te ayude a tomar una decisión:

> *Si los riesgos del mar considerara,*
> *ninguno se embarcara; si antes viera*
> *bien su peligro, nadie se atrevería*
> *ni el bravo toro osado provocara.*
>
> *Si del fogoso bruto ponderara*
> *la furia desbocada en la carrera*
> *el jinete prudente, nunca hubiera*
> *quien con discreta mano lo enfrenara.*

*Pero si hubiera alguno tan osado*
*que, no obstante el peligro, al mismo Apolo*
*quisiese gobernar con atrevida*
*mano el rápido carro en luz bañado,*
*todo lo hiciera, y no tomara sólo*
*estado que ha de ser toda la vida.*

−No comprendo qué relación guarda este poema conmigo, madre −dijo la muchacha.

−Significa que sucumbí a mis temores, Concepción, que elegí la clausura en lugar de descubrir lo que el mundo podía ofrecerme. Todo es posible si no tienes miedo de lo que puedas perder. Toda pérdida proporciona fuerza y valor. No seas sumisa ni te conformes con el camino seguro, como hice yo.

Juana se levantó y rodeó la mesa de ajedrez. Concepción hizo lo propio, y quedaron frente a frente como reinas del mismo ejército. De pronto se abrazaron, los cuerpos tan próximos que Juana percibía el latido del corazón de Concepción y olía el jabón castellano con que se lavaba el cabello. Juana la miró con franqueza, y durante un breve instante sintió un temblor de deseo en el vientre, como si algo se abriera y cerrara en su interior. Al cabo de un momento meneó la cabeza y se apartó.

−¿Estás segura de que puedes liberar a tu amiga?

−Puedo conseguir las llaves del cobertizo de sor Clara, madre. Sólo que...

−¿Qué? ¿Necesitas dinero?

−Sí, y algo más. Sor Clara tiene que sobornar a sor Agustina. Ella tiene las llaves de las cadenas de Aléndula.

−¿Qué puede ser mejor soborno que el dinero?

−Algo vuestro, madre. Una carta de la condesa.

Juana sintió que se le aceleraba el pulso.

−¿Me has traicionado, Concepción?

La muchacha se miró las manos.

−¿Me has traicionado?

−Conservé una de sus cartas por si acaso.

−¿Por si tenías que traicionarme?

−Por si no quedaba otro remedio, madre.

—¿Es la carta que nunca llegué a recibir?

Concepción asintió.

—¿Dónde está?

—Se la di a Aléndula para que la guardara hasta que tomara una decisión.

—¿Estás segura de que no se la entregaste a sor Clara?

La muchacha alzó la mirada.

—Lo juro por mi madre...

—En ese caso, debes destruirla, ¿me has entendido? Ni siquiera quiero leerla. Limítate a destruirla.

—Pero entonces, ¿qué le daré a sor Clara? No me dará las llaves.

Juana paseó la mirada a su alrededor, deteniéndose en las dos mesas y los papeles arrugados que Concepción había arrojado al suelo.

—¿Crees que puedes engañar a sor Clara?

—Sor Clara no sabe leer, madre.

—Pues copia *Sátira filosófica* en un pergamino, pero estructúrala como una carta, con encabezamiento y firma, y no olvides poner la fecha. La condesa siempre data las cartas después de firmarlas. Podrás imitar su firma, ¿verdad?

La muchacha asintió y sacó *Sátira filosófica* del baúl donde Juana guardaba sus escritos. Entretanto, Juana escribió una carta de presentación para Concepción y selló el sobre. Aún cabía la posibilidad de que la muchacha se quedara en Panoayan. Cogió algunas monedas de la caja cerrada con llave que estaba en su ropero y las guardó en una bolsita.

—Con un peso puedes comprar mucha comida y mucho pulque —señaló Juana al tiempo que alargaba a Concepción la carta y la bolsa—, así que no dejes que nadie sepa que llevas dinero. Utiliza los reales para el alojamiento, si puedes, o para sobornos, y reserva los pesos para emergencias.

—¿Qué hay en el sobre, madre?

—Evitad las calzadas. Salid de la ciudad en canoa. Podéis ir en ella hasta Chalco y desde allí dirigiros a las colinas. Os buscarán por los caminos. Panoayan se encuentra sólo a un día de viaje de Chalco, dos si vais a pie, supongo, pero podéis deteneros en casa de mi madre para que uno de sus mozos os acompañe hasta Vera

Cruz. He escrito esta carta para que se la entregues. Cuando lleguéis a Amecameca, preguntad cómo llegar a la finca de Isabel Ramírez, en Panoayan. Todo el mundo la conoce.

Concepción la miraba sin expresión alguna.

—¿Me estás prestando atención?

—Es que todo está sucediendo muy deprisa, madre.

—Debéis partir mañana por la mañana, a ser posible, al alba, antes de prima. No conviene correr el riesgo de que os sorprendan los guardias nocturnos. Por la mañana podréis mezclaros entre el gentío del mercado.

En aquel momento, Concepción se arrojó a los brazos de Juana y rompió a llorar. Juana la abrazó con fuerza y la besó levemente en los labios, tentada por un instante de saborear aquella boca tan dulce. La muchacha se aferró a ella, pero Juana acabó por apartarla de sí.

—Basta, Concepción, estás perdiendo un tiempo precioso. Vete y hazte cimarrona. Cuando estés a salvo escríbeme, pero firma las cartas con el nombre de Jerónima; de ese modo, Melchora no sabrá quién eres y no podrá culparme de tu desaparición ni de la fuga de la prisionera.

—¿Cómo puedo agradeceros todo lo que me habéis enseñado?

Juana meneó la cabeza, incapaz de hablar a causa del nudo que se le había formado en la garganta. Alargó la mano, cogió la reina de ónice del tablero de ajedrez y se la dio a Concepción.

—No olvides que tienes una educación —logró articular antes de girar sobre sus talones y dirigirse a completas.

Cuando regresó, la celda estaba a oscuras y aparecía desolada. Se detuvo en el umbral de la habitación de Juanilla y Concepción, y se sintió reconfortada al oír el sonido de una respiración, aunque sólo veía un cuerpo en la cama. Sin lugar a dudas, Concepción había salido para planear la fuga con la cimarrona. Subió al estudio antes de que la melancolía echara raíces en su corazón y sobre la almohada encontró el viejo bordado de Concepción, los pájaros y las flores aún brillantes sobre el hilo ya gastado. Las lágrimas afloraron a sus ojos al recordar el orgullo de Concepción cuando le mostró por primera vez su trabajo.

«Madre de Dios, vela por ellas», rogó en silencio.

# 18

Había oído algo. El chirrido de la puerta principal. El crujido de un tablón del suelo. ¿Se habría dormido Concepción? O tal vez no era más que Juanilla abajo, en la cocina. Se levantó y se vistió para prima, sabedora de que el día sería interesante si Concepción y su amiga habían conseguido salir del convento. En la cocina halló a Juanilla que, aún adormilada y moviéndose con torpeza bajo la pesada bata, hervía leche para preparar el chocolate matutino.

—Concepción no ha dormido aquí, madre —anunció mientras vertía un puñado de cacao recién molido en la leche humeante—. Apuesto algo a que está con ese malabarista.

Juana cortó un pedazo de pan de la hogaza que había en la cesta y esperó a que Juanilla le llenara la taza. No quería hablar de Concepción.

—Date prisa, ¿quieres? —instó, agitando la taza en dirección a la esclava.

—¿No lo queréis espumoso, madre?

Las campanas empezaron a repicar.

—Sírvemelo así. ¿No ves que volveré a llegar tarde?

Juanilla llenó la taza con el chocolate claro, y Juana mojó en él el pan. No se les permitía comer nada antes de la misa matutina, pero necesitaba algo para combatir la bilis, ya que de lo contrario corría el peligro de vomitar en el coro. Se limpió los labios con el dorso de la mano y se dirigió a la iglesia a toda prisa, rezando por que Concepción se hubiera marchado y no volviera a verla jamás.

–El astro de la luz se ha elevado –entonó el himno matutino en latín–. Roguemos a Dios, implorémosle que libre nuestros actos de pecado durante este día.

Había dicho aquella oración cada mañana durante catorce años, y cada día había cometido pecados, pecados veniales, mortales, de la carne, de palabra, de mente, de mirada, de corazón... Y ahora incluso había instigado la fuga de una prisionera. Su transgresión no tardaría en descubrirse.

–Escucha, Juana –le susurró Andrea al oído cuando bajaban del coro superior–. Quiero nominarte para el cargo de priora. Las propuestas deben presentarse esta semana.

–Has perdido el juicio, amiga mía –replicó Juana sin molestarse en bajar la voz y apretando el paso bajo los magnolios.

–Alguien tiene que arrebatarle el puesto a Melchora –insistió Andrea al alcanzarla.

–¿Y qué me dices de ti, Andrea? A fin de cuentas, ya eres la archivera.

–Y tú llevas los libros, un cargo más importante que el mío –replicó Andrea.

–No puedo, Andrea. Propón que siga llevando los libros; es lo único que puedo hacer.

–Pero Juana, las santas te quieren a ti.

–¿A mí o a la influencia que ejerzo en palacio? –Meneó la cabeza y escondió los brazos bajo el escapulario–. Lo siento, Andrea, pero no puedo. Tengo que acabar el festejo, y ya sabes el tiempo que me llevará, ahora que...

Se contuvo justo a tiempo. Andrea era su amiga, pero no podría guardar el secreto de Concepción.

–Ahora que me han encargado otro villancico para junio.

Dejó a su amiga junto a la fuente y subió las numerosas escaleras que conducían a su celda. Las santas, como las había apodado Rafaela, eran las monjas devotas que habían seguido el ejemplo de sor Paula e intentaban sin éxito devolver al convento cierta santidad. No eran carmelitas en el sentido estricto de la palabra, sino que compartían las inclinaciones ascéticas de las hijas de santa Teresa. Se interesaban más por la pureza espiritual que por el poder político, actitud del todo opuesta a la facción de Melchora, a cuyas integrantes el grupo de Andrea llamaba «las interesadas» y que seguían los pasos de la ya fallecida y políticamente interesada sor Clotilde.

Dos criadas del refectorio llevaban agua y leña a la celda de Juana. En un principio creyó que Juanilla estaba de parto, pero la muchacha estaba preparando el desayuno, consistente en rodajas de papaya y tortilla de espinacas. El olor a harina de maíz caliente llenaba el salón. Aquel era el desayuno predilecto de Concepción, y Juana sintió otra punzada de dolor por la ausencia de la joven.

—Necesitaba agua y leña, madre. Quién sabe dónde está esa...

—Está bien, Juanilla —la atajó Juana—. Gracias por vuestra ayuda, muchachas.

Dio un par de reales a cada una de ellas y cerró con llave cuando se fueron.

—Esa perezosa de Concepción debería haber traído agua y leña anoche, madre.

—Estaba ocupada. Anda, Juanilla, tráeme azúcar y lima para la papaya.

A media comida, las campanas de alarma repicaron estruendosas, y todas salieron de sus celdas a las galerías y el patio.

—¡La prisionera ha escapado!

—¡Alguien ha liberado a la prisionera!

—¡Encontradla!

—¡Avisad a la Audiencia!

Sor Agustina había congregado a todas las criadas en el patio para interrogarlas. Otras dos vigilantas, las mellizas albinas María y Marcela, ya interrogaban a internas y novicias.

—Entremos, Juanilla. Este tumulto es insoportable.

Juanilla la siguió al interior de la celda.

—No creeréis que Concepción está implicada en esto, ¿verdad, madre?

—¿Cómo va a estar implicada? —replicó Juana al tiempo que volvía a sentarse para continuar desayunando.

—Ya sabéis que siempre andaba hablando con la prisionera —señaló Juanilla antes de ir tambaleándose hacia la habitación que compartía con Concepción.

Juana contuvo el aliento y apiló un poco de tortilla de espinacas sobre una cuña de torta humeante.

—¡Madre! —gritó Juanilla—. ¡Se ha ido, madre!

Juana la oyó volver jadeante al salón.

—¡Se ha ido, madre! ¡Ha desaparecido toda su ropa y sus cosas! ¡Su baúl está vacío!

Juana dejó la comida sobre el plato y se masajeó la frente. Sólo era media mañana, pero ya sentía una terrible jaqueca detrás de los ojos.

—¿Qué vamos a hacer, madre? Debe de haber sido ella.

—¿No decías que estaba con ese malabarista?

—Supongo, madre, pero ¿quién sabe? Esa Concepción estaba muy unida a la prisionera; siempre me decía que le gustaría poder salvarla.

—Dios mío —murmuró Juana.

¿Habría contado Concepción sus planes a Juanilla?

En aquel momento llamaron a la puerta. Juanilla estuvo a punto de tropezar con el brasero en sus prisas por abrir.

—No digas nada, Juanilla —advirtió Juana.

Eran Agustina, Melchora y Rafaela, las Tres Gracias, como Juana las llamaba.

—¡Apártate! —espetó Agustina, empujándola a un lado.

Juana no se levantó.

—¿Y bien? ¿Dónde está? —quiso saber Melchora.

—¿A quién buscáis, madre?

—Esa otra criada vuestra, ¿quién si no? —intervino Agustina—. He ordenado que todas las criadas salieran al patio.

A su espalda, Juanilla se miraba las uñas con gran nerviosismo.

—No lo sé —repuso Juana—. Juanilla acababa de descubrir que no ha pasado la noche aquí.

Agustina se volvió hacia Juanilla, que dejó caer los brazos y permaneció inmóvil, con los ojos abiertos de par en par a causa del temor bajo el chal verde.

—¿Y tú? ¿Por qué no estás abajo?

—No seáis ridícula, Agustina —terció Juana—. ¡Miradla! Si ni si-

298

quiera puede subir la escalera hasta mi estudio, y mucho menos bajar al patio.

—Sabes algo, ¿verdad? —persistió Agustina.

Juanilla empezó a menear la cabeza, pero Juana le hizo una seña para que hablara.

—S-sí, madre. Quiero decir que... bueno, lo único que sé es que... sus cosas no están.

Agustina se volvió hacia Juana con expresión enfurecida.

—Por favor, levantaos, hermana —pidió Melchora.

Juana decidió obedecer.

—No os conviene ocultar nada, sor Juana —le advirtió Rafaela.

—No sé nada del asunto —aseguró Juana—. La muchacha estaba trabajando aquí anoche cuando me fui a completas. No estaba en mi estudio cuando regresé, de modo que creí que se había acostado. No la he visto desde entonces, pero eso no es inusual.

—¡Tú, panzona! —gritó Agustina a Juanilla—. Ven aquí, ¡y que Dios te ayude si no nos cuentas la verdad!

Juanilla hizo lo que le decían, entrelazando las manos a la espalda; Juana advirtió que las rodillas de la pobre mujer temblaban.

—¿Te dijo algo esa castiza?

Juanilla meneó la cabeza con vehemencia. Agustina le lanzó una mirada suspicaz.

—¿Dónde duerme?

—Conmigo —indicó Juanilla, señalando la habitación situada al fondo de la cocina.

—¿Cuándo la viste por última vez? —inquirió Rafaela.

—No lo sé. Yo... yo...

—¿Tú qué? —gritó Agustina.

Juanilla tragó saliva.

—Tomé una infusión para dormir —explicó, tocándose el vientre hinchado—. Tenía... tenía dolores, madre.

Agustina la golpeó con el pequeño azote que siempre llevaba consigo.

—¡Imbécil!

Juanilla se cubrió el rostro con las manos y empezó a llorar.

—¿Cómo os atrevéis a irrumpir en mi celda y golpear a mi

criada? –masculló Juana entre dientes–. Vuelve al trabajo, Juanilla –musitó.

Juanilla corrió a la cocina.

–¡Con vuestro permiso, madre! –llamó desde la puerta Marcela, que llegaba acompañada de sor Clara.

–Entrad, hermana. ¿Qué habéis averiguado? –preguntó Melchora.

–¡Hablad! –instó Marcela a Clara, propinándole un codazo.

Sor Clara no miraba a Juana, y ésta reparó en que en la mano llevaba un rollo arrugado. Reconoció el pergamino al instante.

–Es culpa mía –musitó sor Clara con la mirada clavada en el suelo–. Yo di a la castiza las llaves del cobertizo.

–¿Qué? –rugió Agustina.

–A cambio me entregó esta carta.

Sor Clara alargó el pergamino a Melchora y empezó a golpearse en el pecho mientras entonaba un frenético *mea culpa*.

–«Querida Juana: Espero que esta carta os encuentre ya curada. Deberíais cuidar más vuestra salud –leyó Melchora en voz alta–. Hombres necios que acusáis a la mujer sin razón, sin ver que sois la ocasión de lo mismo que culpáis.» ¿Qué clase de carta es ésta, Juana?

Juana abrió los ojos y se quedó mirando a Melchora con fijeza. Todas ellas estaban conchabadas, incluida la hermana portera.

–No tengo ni idea, madre.

–«¿O cuál es más de culpar, aunque cualquiera mal haga: la que peca por la paga o el que paga por pecar?» –siguió leyendo Melchora, sin escucharla.

–Disculpad, madre –intentó interrumpir la lectura Juana, pero la madre superiora alzó la mano y prosiguió.

Agustina, Rafaela y Marcela constituían un público fascinado, y las tres exhibían expresiones escandalizadas. Juana clavó la mirada en sor Clara, pero la portera seguía golpeándose el pecho y no levantaba la cabeza.

–«Bien con muchas armas fundo que lidia vuestra arrogancia, pues en promesa e instancia juntáis diablo, carne y mundo. Siempre vuestra. La condesa» –leyó con especial énfasis Melchora.

Juana se mordió la cara interior de las mejillas para contener la sonrisa y decidió seguirles la corriente. En su necedad le habían proporcionado la mejor arma para su defensa.

—Parece que vuestra secretaria se ha vuelto contra vos, Juana —se mofó Agustina.

—Voy a presentar estas vergonzantes pruebas al arzobispo, Juana —anunció Melchora—. Que él decida el castigo que merecéis por la relación que sostenéis con «vuestra» condesa, por no mencionar vuestra implicación en el incidente.

—¿Y por qué se me va a castigar, madre? ¿Porque mi secretaria ha copiado una carta privada y la ha utilizado para sobornar a nuestra hermana portera? —replicó Juana—. El mero hecho de su traición me absuelve, ¿no os parece?

Rafaela y Agustina cambiaron una mirada.

—Estamos hablando de una criada propiedad del convento, Juana —le recordó Melchora—. Urdierais vos o no el plan de fuga, erais su ama.

—¿Nos convierte eso en guardianas de nuestras criadas, madre? ¿Sabéis acaso vos lo que vuestras criadas están haciendo en este preciso instante?

—Por ley somos responsables de las acciones de nuestras castas —intervino Rafaela—, lo cual os hace responsable de la fuga.

—Es un razonamiento absurdo —objetó Juana.

—Me importan muy poco vuestros razonamientos —exclamó Agustina—. Habéis permitido la fuga de una prisionera de la Audiencia y nos habéis hecho perder a una criada que estaba vinculada legalmente al convento por otros seis años. Ningún razonamiento os eximirá de las consecuencias, sor Juana —añadió Rafaela.

—Rafaela tiene razón —convino Melchora—. Pero no esperaré hasta que la Audiencia decida ocuparse del caso. Estoy segura de que el arzobispo estará de acuerdo en que vuestro castigo debe comenzar de inmediato. —Se volvió hacia su ayudante—. Sor Rafaela, que las beatas suban tablones para sellar la biblioteca de sor Juana...

—¡No podéis hacer eso! ¡Los libros son de mi propiedad!

—Vuestra propiedad es propiedad común, sor Juana —señaló Melchora—, y si quiero sellar esa biblioteca, así será. Sor Marcela, subid al estudio y recoged todos los tinteros y plumas de sor Juana. Registrad también todos los cajones. No deberá quedar un solo utensilio de escritura en esta celda.

A Juana la cabeza le palpitaba de furia, y el frugal desayuno le revolvía el estómago.

—¿Qué hay del encargo del cabildo? El arzobispo ya ha gastado la mitad de mis honorarios. No puedo defraudar al cabildo eclesiástico.

—Compondréis vuestros villancicos en el priorato, bajo la supervisión de la vicaria —sentenció Melchora.

—Es indignante —masculló Juana, aunque en realidad no le sorprendía el castigo.

Melchora agitó el pergamino ante su rostro.

—No, hermana, lo indignante es este documento, y vuestra falta de modestia y respeto. El hecho de que no mostréis contrición alguna, ni siquiera sorpresa, ante la fuga de la prisionera demuestra que sois cómplice de ella. Y ahora escuchad con atención el castigo que os impongo por la insubordinación de vuestra criadita. No escribiréis si no es bajo la supervisión de sor Rafaela, no leeréis ni recibiréis visitas hasta que la Audiencia haya establecido la sanción que deberéis pagar por estas transgresiones.

—Eso podría llevar años —protestó Juana.

—Con eso cuento —replicó Melchora—. Asimismo, os alimentaréis sólo con arroz y frijoles durante un mes.

—Me obligáis a hacer voto de silencio como protesta contra vuestro proceder —advirtió Juana.

—Haced los votos que deseéis —se desentendió Melchora—. De todos modos, nunca se os ha dado bien respetarlos. —Se volvió hacia la jefa de las vigilantas—. Agustina, id a la cocina y llevaos toda la comida de sor Juana a excepción del arroz y los frijoles. Repartidlo todo entre los mendigos de la entrada.

Al oír la palabra entrada, sor Clara cayó de rodillas y masculló algo acerca de la locura de san Pedro y el perdón de Jesucristo.

—Dadme las llaves, hermana —ordenó Melchora, alargando la mano—. El mejor castigo para vos es quitaros vuestro cargo. Veo que os habéis tornado demasiado descuidada para asumir la responsabilidad de las llaves.

Sin rechistar, sor Clara se quitó el llavero del cinturón y se lo entregó a Melchora antes de proseguir con los *mea culpa*. Era sin lugar a dudas una función teatral, y la hermana portera representaba el papel de la conspiradora penitente. Juana oía a Marcela revolver torpemente sus pertenencias en el estudio y dijo una silenciosa oración de gratitud por no haber sacado su estuche de escritura del compartimento secreto la noche anterior.

En cuanto Melchora y sus secuaces se marcharon, Marcela con las plumas y los tinteros envueltos en el grasiento delantal, Juana subió al estudio para evaluar los daños. Las manos empezaron a temblarle de rabia cuando vio las consecuencias de la invasión. Los libros habían sido sacados de los estantes con gran descuido y desparramados por el suelo con las páginas dobladas y los lomos resquebrajados. El contenido de todos los cajones aparecía amontonado sobre las mesas, que asimismo estaban manchadas de tinta, al igual que el asiento de cuero de la butaca de la marquesa. Había esperado un castigo por la fuga de Concepción, pero nunca habría imaginado que Melchora llegara al extremo de destrozar su celda. Durante el resto del día no habló con nadie, resuelta a permanecer en silencio hasta que Melchora le devolviera los instrumentos de escritura.

En el recreo, mientras Agustina y sus ayudantes albinas clavaban los tablones para bloquear las librerías, Juana huyó a la capilla de las beatas en el cementerio y descubrió algunas tablas sueltas en el suelo bajo el altar de piedra. Aquella misma noche, después de completas, ordenó a Juanilla cebar el brasero del baño y quemó todas las cartas de la condesa, contemplando el humo que salía por la ventana enrejada. Al acabar, colocó una ratonera en el compartimento secreto de su escritorio, oculta bajo un pergamino para sorprender a cualquier posible intruso. Justo antes del toque de queda, escondió la Caja de Pandora bajo el escapulario y la llevó a la capilla de las beatas. Era la única que iba allí, pues a sus hermanas las aterraba acercarse a las tumbas. No podría escribir todos los días, pero al menos el diario estaría a buen recaudo bajo el altar, y en ocasiones seguro que tendría oportunidad de garabatear algunas líneas.

Tres días más tarde colgaron en el portal del convento un tablón en el que se anunciaba la fuga de la hija de Timón de Antillas de la Casa de San Jerónimo. Se ofrecía una recompensa por información sobre el paradero de la bellaca. Durante varios días, la portería se llenó de informadores, todos ellos llegados para dar cuenta de una fuga que no habían presenciado. Rafaela anotó los relatos y los leyó durante el capítulo del viernes. Sólo uno de ellos parecía lógico a los ojos de Juana, el de un barquero que recorría con regularidad los canales entre Ciudad de México y Chalco. Según afirmaba, había visto a una muchacha, acompañada de un indio amulatado y algo afeminado, caminando por la orilla del canal de Jamaica. El día de autos, su esposa, una pañera del Parián, vendió un poncho, unos calzones y dos sombreros a una poblana que pagó con un peso entero y se marchó sin esperar el cambio. Juana no pudo contener una sonrisa. «Sin lugar a dudas, Concepción ha sacado la idea de disfrazar a su amiga de hombre de mi *Los empeños de una casa*», pensó.


Un mes después de la fuga de Concepción, Juanilla trajo al mundo un varón enfermizo. Juana estaba sentada en la celda de la madre Catalina, leyéndole en voz alta el segundo volumen de *Don Quijote*, saboreando cada palabra, la sensación del libro en sus manos y el aroma de la encuadernación de cuero, tan absorta en el acto prohibido de la lectura que apenas oyó las campanas del toque de queda. Debía regresar a su celda.

—Tenéis carta —susurró la madre Catalina cuando Juana se inclinó para besar a la anciana en la frente—. De algún modo, la condesa siempre está al corriente de vuestros castigos —añadió con ojos relucientes.

—Pero ¿cómo habéis conseguido burlar a la portera? —se maravilló Juana.

—¿No te lo había contado? La condesa me envía hierbas preparadas en la botica de palacio. Es tan amable... Una hermosa criada me las trae, y hoy ha traído también esta carta. La tengo escondida bajo la almohada.

Juana levantó la esquina de la almohada de encaje, y el corazón le dio un vuelco al ver la caligrafía de la condesa. Cogió la misiva y besó de nuevo a la madre Catalina.

—Os agradezco vuestra discreción, madre —dijo al tiempo que ocultaba la carta entre las páginas del *Quijote*.

—Cuídate, Juana —aconsejó la madre Catalina—. No debes bajar la guardia. No te enfrentas a mujeres, sino a brujas.

—Descansad, madre, no os inquietéis por nada. Sé cuánta maldad encierran sus corazones.

—Debéis ayudar a Andrea —insistió la madre Catalina—. Prometedme que ayudarás a las santas, Juana.

Juana comprendió que acababa de ser sobornada. Pese a su avanzada edad y su salud precaria, la madre Catalina aún recurría a la política conventual.

—Sí, madre, os lo prometo. Ahora cerrad los ojos y descansad.

Cubrió los brazos de la madre Catalina con las mantas, apagó la vela del buró y se llevó el farolillo y el libro. ¿Quién iba a descubrir a esas horas que llevaba un libro escondido bajo el escapulario?

No contaba con encontrar el salón de su celda atestado de criadas, un lago de velas y cuerpos en plena oración, una mezcolanza de olores y cánticos procedentes de la habitación de Juanilla.

—Juanilla de San José está de parto, madre —explicó una muchacha arrodillada junto a la puerta.

—¿Ha venido sor Gabriela? ¿Ha avisado alguien a la enfermera?

—Es demasiado pronto —objetó la muchacha antes de volver a bajar la cabeza para continuar rezando.

—¿Demasiado pronto para qué? —inquirió Juana, pero la muchacha no volvió a mirarla.

Juana consiguió abrirse camino entre las velas sin prender fuego al hábito y por fin logró entrar en la habitación de Juanilla. El olor del alcanfor que hervía en la cocina estuvo a punto de asfixiarla.

Desnuda, Juanilla se retorcía en el borde de la cama mientras varias criadas le sujetaban brazos y piernas. Su vientre hinchado sobresalía como una berenjena gigantesca.

—¡Juanilla! —gritó Juana al verla—. ¡Debemos llevarte a la enfermería! ¡No puedes dar a luz aquí!

La mujer arrodillada entre las piernas de Juanilla era Artemisa, la cocinera en jefe, pero estaba casi irreconocible con su tocado de conchas de cauri y los brazos y el rostro negros pintados de amarillo.

—¡Silencio! —siseó la mujer—. ¿Acaso queréis invocar al *abikú*?

A la mención de aquel nombre, Juanilla profirió un grito ensordecedor y a punto estuvo de hacer caer sobre ella a las mujeres que la sujetaban. Artemisa murmuraba palabras ininteligibles a Juanilla mientras otra mujer, por lo visto una de las criadas de Agustina, cubierta con un velo de abalorios azules, la refrescaba con una toalla húmeda.

—El niño se ha adelantado, madre —musitó una criada que estaba de pie junto a ella—. A *abikú* le gustan los prematuros.

—¿Qué es *abikú*? —quiso saber Juana.

—El espíritu maligno, madre. Mata a los bebés. Rezamos a Oshún para que lo proteja.

En aquel instante, Juana comprendió que había entrado en un mundo que poca relación guardaba con el suyo y al que no pertenecía, pese a que se hallaba en su propia celda y Juanilla era su criada. También las demás eran criadas del convento con las que las monjas compartían alojamiento y comida, pero se habían convertido en unas desconocidas. Lo único que podía hacer Juana era observar. Advirtió que el humo que llenaba la estancia se debía al azúcar quemado con ajo, y vio un brasero en cada rincón donde la mezcla ardía en incensarios de arcilla. El altar de Juanilla estaba iluminado con velas y cubierto de ofrendas de calabaza y coco. Sobre él había estatuillas de Nuestra Señora de la Merced, Nuestra Señora del Monte Carmelo y Nuestra Señora de la Caridad junto a la Guadalupana, además de unas ramitas atadas en forma de escoba.

Otra mujer, tocada con un velo de abalorios blancos, se aproximó a la cama con un cuenco blanco y roció el vientre de Juanilla con una sustancia blanca que parecía cáscara de huevo en polvo.

—¡Ya viene! —exclamó de repente Artemisa.

Las mujeres que sostenían los brazos de Juanilla la incorporaron hasta que sus nalgas quedaron suspendidas en el aire. Le separaron las piernas y le apoyaron los pies en el suelo. Juana observó que el vientre de Juanilla se distendía de un modo extraño, y casi alcanzaba a sentir el desgarro de sus carnes. Juanilla gritaba, y las mujeres proseguían con sus cánticos sobrecogedores. Juana no reparó en que se había cubierto la boca con la mano, como si quisiera ahogar las náuseas que se apoderaron de ella. Se sentía débil y mareada.

En aquel instante llamaron a la puerta y a las contraventanas de la cocina; fue a ver quién era, pues necesitaba alejarse del horripilante espectáculo.

—¿Sor Juana Inés? —llamó una voz desde el exterior—. ¿Qué sucede?

—¿Quién grita? —preguntó otra voz.

—¡Abrid la puerta, Juana!

Con las piernas rígidas por la impresión, Juana caminó hasta la puerta y descorrió el cerrojo. Las sombras de las criadas oscilaban como espectros en las paredes del salón.

—Ave María, llena eres de gracia —rezaban—, santificado sea tu nombre y el nombre de Guadalupe, Yemayá y Oshún.

—¿Qué clase de ritual pagano es éste? —espetó Melchora.

—Juanilla está de parto, madre.

—¡Virgen Purísima! —masculló Gabriela al tiempo que se subía las mangas y las sujetaba bajo el velo.

—Bendita tú eres entre todas las mujeres y bendito es el fruto de Olorún. Santa María, hija de Obatalá, ruega por tus hijos, ahora y en la hora de su nacimiento, Ashé.

Juana detuvo a la enfermera.

—Lo tienen todo bajo control, hermana. Saben muy bien lo que se hacen.

—¡Tonterías! —replicó Gabriela, zafándose de su mano—. Van a asfixiar al pequeño. Mirad todo este humo. ¡Todo el mundo fuera!

La letanía de las criadas subió de volumen. Gabriela intentó entrar en el cuarto donde Juanilla estaba dando a luz, pero una barrera de cuerpos le impidió pasar de la cocina.

—¡Esto es una locura! —gritó Gabriela—. ¡Apartaos de mi camino!

La mujer de los abalorios azules sumergió una calabaza en el agua con alcanfor que hervía sobre el hogar y la colocó junto a Artemisa.

—¡Basta! —elevó la voz Melchora por encima del estruendo—. ¡Volved todas al trabajo ahora mismo!

307

Nadie le hizo caso. Melchora alzó las manos y salió de la celda seguida de sus paniaguadas. Sólo Gabriela se quedó, intentando aún abrirse paso entre los cuerpos. De pronto oyeron un último chillido ensordecedor seguido del llanto de un recién nacido. Todo había terminado. Las criadas del salón iniciaron otra plegaria, esta vez en una lengua totalmente distinta.

Juana se unió a Gabriela y juntas consiguieron entrar en la habitación de Juanilla a tiempo de ver cómo Artemisa cortaba el oscuro intestino que sobresalía del vientre del bebé. Era un varón de brazos y piernas enclenques, y genitales azules e hinchados. Las ayudantes de Artemisa, tocadas con sus velos de abalorios, sostuvieron al niño sobre el calderón humeante mientras la partera le cepillaba el cuerpo con la escoba de ramitas que Juana había visto sobre el altar.

—¿Qué es esto, en el nombre de Dios? —jadeó Gabriela.

—Escoba amargosa, hermana —repuso Artemisa—, para ahuyentar al *abikú*.

—No vayáis a quemarlo vivo —advirtió Gabriela con expresión asqueada antes de abandonar la estancia.

Juanilla había perdido el conocimiento por el esfuerzo del parto y no pudo contribuir a la expulsión de la placenta, que Artemisa tuvo que sacarle con masajes en el vientre. Juana casi vomitó al ver la bolsa de sangre y membranas. Pensar que la condesa pasaría por lo mismo al cabo de poco... Se estremeció y cerró los ojos antes de subir con dificultad a su dormitorio. La oscuridad silenciosa y fría de la habitación contrastaba en extremo con el calor iluminado y abigarrado de la planta inferior, y sintió que retornaba a su propio mundo. De pronto se dio cuenta de que aún sostenía el *Quijote* contra sus costillas y recordó que había recibido una carta gracias a la madre Catalina. Advirtió al cogerla que el sello estaba roto.

Queridísima Juana:

Hace semanas que no escribís, y ahora conozco la razón. No sé si recibisteis mi última carta, la que vuestra criada debía colocar bajo vuestra almohada para sorprenderos. La madre Catalina me ha hablado del castigo que os han impuesto. ¿Cuándo terminará esto, Juana? ¿Cuándo cesarán de atormentarnos de este modo? ¿Qué será de una amistad como la nuestra si entre nosotras sólo media el silencio? El niño continúa creciendo en mi interior, y lo más extraño es que ya no soporto que Tomás me toque, aunque sólo sea para acariciarme el vientre. Lo he desterrado de mis aposentos, pues me resulta imposible dormir si él yace junto a mí. He decidido que los hombres, al igual que Dios, son invención de mujeres como yo; sin saber qué hacer con ellos cuando dejan de resultar interesantes, los guardamos como los muebles que llenan el palacio o las obras de arte en la catedral. Pobre Tomás; es un buen hombre y tan fiel a este niño como yo, pero no puedo evitar sentir repulsión, al igual que no puedo evitar el extraño antojo de cenizas. Mi doncella recoge cenizas de los braseros, las mezcla con zumo de lima, y yo me tomo el brebaje como si fuera el más delicioso de los elixires. No creáis que he perdido el juicio, Juana. Tal vez se deba al hecho de no veros con regularidad o al temor perpetuo de perder otro hijo. Sólo quedan tres meses. Sé que rezáis por mí. Y ahora me despido. Cada noche leo vuestros poemas en voz alta y sé que el niño escucha la fuerza de vuestro amor. Siempre vuestra, y no muy lejos,

María Luisa
*27 de abril de 1683*

## 19

—El virrey quiere que todos los hombres sanos se alisten en la milicia —explicó don Carlos—. Teme que Vera Cruz ya haya corrido la peor suerte.

Juana se quedó mirando el anuncio que su amigo le había llevado a escondidas.

Lorencillo ha atacado Vera Cruz ante las mismísimas narices de la flota. La ciudad está asediada. Los piratas exigen un rescate de ciento cincuenta mil pesos por la liberación del gobernador.

Cuando los pregoneros recorrieron Ciudad de México con las primeras noticias del asedio, Juana preguntó a todas las criadas del convento si sabían dónde se encontraba San Lorenzo de los Negros, pero nadie había oído hablar de ese lugar. ¿No había dicho Concepción que era una pequeña aldea cercana a Vera Cruz? No había vuelto a saber de la joven ni recibido noticia de su madre de que Concepción hubiese llegado a Panoayan. Ahora temía que la muchacha hubiera sucumbido a manos de aquellos piratas, aunque en realidad ni siquiera sabía si las dos amigas habían llegado a su destino. Tal vez habían muerto durante el viaje.

—Estoy inquieta por mi secretaria —murmuró—. Se dirigía hacia allí, hacia una aldea de esclavos refugiados en las inmediaciones de Vera Cruz.

—Así pues, fue ella quien liberó a la prisionera —exclamó don Carlos.

—Y aún estoy pagando por ello con este absurdo castigo que me ha impuesto Melchora —espetó Juana—. ¿Creéis que existe alguna posibilidad de que esté a salvo?

—No lo sé, Juana. Lorencillo no se ha limitado a Vera Cruz; sus piratas están saqueando toda la costa. Amenazan con quemar todos los asentamientos y matar a todos sus habitantes si no obtienen su rescate. Todos los negros y mulatos han sido tomados como esclavos, y las mujeres son violadas en las iglesias, donde las tienen cautivas.

—Pero no han atacado sólo para conseguir esclavos, ¿verdad?

—La esclavitud es un negocio muy lucrativo, Juana, sobre todo en los dominios septentrionales de la Corona inglesa, donde hay muy pocos siervos. Pero, por supuesto, los piratas son piratas y se apropian de cuanto pueden. Tengo entendido que encontraron todos los lingotes de oro y plata que debía transportar la flota en las mazmorras de la catedral y se los llevaron. Es el peor ataque que Nueva España ha sufrido en varias décadas. Os aseguro que será una mancha en el historial del virrey, Juana.

—¿Creéis que el rey lo culpará a él?

—Entre esto y las insurrecciones indias de Santa Fe, ¿qué otra cosa va a hacer, Juana? Los piratas y las insurrecciones hacen mella en la Corona.


El virrey y su milicia temporal emprendieron viaje a Vera Cruz, dejando atrás una guarnición para proteger la ciudad y centinelas apostados a lo largo de todas las calzadas. Envió en barcaza un cofre de oro por la cantidad que exigían los piratas, que un correo de palacio recibiría en Puebla y transportaría hasta la costa. En todas las iglesias se celebraron misas especiales para rogar por la seguridad y la victoria de las tropas del virrey. Juana y sus hermanas subieron a las azoteas de sus celdas, desde donde podían presenciar los acontecimientos. Las mujeres y los niños siguieron con sus actividades, pero aparte de los soldados, que patrullaban la ciudad a todas horas, las calles se tornaron sobrecogedoramente silenciosas.

La milicia regresó a finales de mayo. Aún no habían llegado a Tlaxcala cuando recibieron la noticia de que los piratas habían obtenido el rescate y huido del puerto. La flota, que aguardaba frente a la costa la batalla contra los bucaneros, ni siquiera se enteró de la huida. El virrey envió a la milicia y la infantería de regreso a la ciudad de México, mientras él y un destacamento de refuerzo se dirigían a Vera Cruz para evaluar los daños.

Al regreso del virrey, la viuda de Calderón imprimió sus observaciones acerca de la destrucción causada por Lorencillo y sus corsarios ingleses y franceses. Describió las iglesias saqueadas, las casas quemadas, los cadáveres amontonados en la plaza mayor... Durante varias noches seguidas, Juana soñó que el cadáver de Concepción había sido encontrado en una de aquellas pilas, su cuerpo violado, azotado y mutilado según las costumbres de los piratas.

Una vez iniciada etapa de elecciones, Juana ya no tuvo tiempo para pensar en Concepción. Tal como había prometido a la madre Catalina, ayudó a las santas a emprender una cruzada infatigable contra Melchora. Propusieron a la de más edad, Brígida de San Ildefonso, para el cargo de priora, a María Bernardina para el puesto de vicaria, a Andrea como jefa de vigilancia, Ana de Jesús y María Manuela como subvigilantas, Beatriz como maestra de novicias, Lucía como hermana portera y Juana como archivera y contadora. Organizaban visitas diarias a las monjas más ancianas y exponían a las más jóvenes las ventajas que reportaría una administración más santa y dedicada a su evolución espiritual en la misma medida que al éxito sucesivo de los negocios del convento.

En el priorato, mientras fingía trabajar en sus villancicos, Juana esbozaba boletines en los que exhortaba a las hermanas de San Jerónimo a seguir los ilustrados pasos de su santo patrón y votar por las candidatas de las santas. Cada día, después del desayuno, clavaban los boletines a los troncos de los árboles del patio, y después de la misa de mediodía, las interesadas los retiraban para sustituirlos por otros en los que acusaban a sus adversarias de soberbia y engaño, que a su vez las santas volvían a retirar antes de la cena.

Durante aquel período de escasos estímulos intelectuales Juana regaló a sus alumnas con lecciones relativas al mundo natural, llevándolas a los jardines y huertos para que tomaran nota de los matices musicales del canto de las aves y los datos biológicos que encerraban bulbos y semillas. Enseñaba física con ayuda de las poleas del pozo y construía modelos geométricos para explicar por qué las vigas del techo podían parecer colocadas en ángulo y no en paralelo desde cierta distancia. No soportaba permanecer en su celda y mirar su biblioteca sellada, los chapuceros clavos que astillaban la buena madera de nogal. Los baúles de cuero que contenían todas las copias de sus escritos estaban cerrados con cadenas y candados. Las mesas estaban desnudas a excepción de las manchas de tinta ya indelebles en la madera. Los únicos libros que le habían permitido conservar eran el devocionario y la vieja *Guía para una vida espiritual*, del padre Núñez. Incluso se habían llevado su amado Libro de Horas, que la marquesa le regalara tantos años antes. En cambio, le habían dejado todos los instrumentos, el astrolabio, el anteojo, el microscopio, el arpa, el farolillo mágico, el caleidoscopio, la brújula... Sin embargo, no podía utilizar ninguno de ellos sin alargar instintivamente la mano hacia la pluma para garabatear sus observaciones, y no había ninguna pluma salvo las que había guardado en la caja bajo el altar de la capilla y las que usaba en el priorato bajo supervisión de Rafaela. Ahora que Concepción ya no estaba y el bebé recién nacido de Juanilla berreaba a todas horas, sin acceso a sus libros y escritos, y con los instrumentos convertidos en meros elementos decorativos, Juana hallaba insoportable su celda. Canalizaba la energía de sus frustraciones en los villancicos dedicados a san Pedro. *Padre, si la pena os oprime el corazón, que vuestro lamento lacere tierra, mar, aire y cielo.*

Seis días después de que los villancicos al apóstol se cantaran en la Catedral Metropolitana, el Ángelus sonó en todos los campanarios de la ciudad para anunciar un nacimiento en palacio. Las cornetas proclamaban la buena nueva en cada esquina. Los pregoneros recorrían las calles exclamando el nombre de don José María de la Cerda, el primer hijo criollo de la Casa de Medinaceli.

Queridísima Juana:

Han transcurrido tres días desde el nacimiento de mi hijo, y aún no he tenido noticias vuestras. Vuestra madre superiora ha enviado un inmenso ramo de girasoles en nombre del convento, pero no he recibido obsequio personal ni misiva alguna de la persona a quien más añoro. ¿Estáis enferma, Juana, o aún enojada porque he permanecido tanto tiempo ausente de vuestra vida? ¿O acaso aún no ha tocado a su fin vuestro castigo?

Hace un día caluroso y triste, y estoy cansada de guardar cama. Mi hijo no es hermoso, pero la partera dice que todos los recién nacidos ofrecen este aspecto hinchado, manchado y espantosamente frágil. La nodriza no ha conseguido amamantarlo, de modo que tengo que acercarlo a mi propio pecho, y el tirón de sus fuertes encías en mis pezones doloridos me repele, pues imagino a un hombrecillo muy viejo y desdentado que intentara succionarme la vida. Permitid que os explique el hecho del alumbramiento. Es un acontecimiento espeluznante, empeorado aún más por la impotencia de su víctima y quienes la rodean. Sé que se espera de nosotras, las madres, que guardemos el secreto para siempre y finjamos que el nacimiento de un hijo es una ocasión gozosa. En honor de la verdad, tengo los senos tan doloridos y el vientre tan distendido, por no mencionar otras partes de mi cuerpo que ya no se me antojan mías, que me cuesta comprender cómo ha podido sobrevivir este secreto el paso del tiempo, transmitiéndose de madre a hija, de vieja a joven, por los siglos de los siglos.

Tal vez tengáis razón al decir que los niños carecen de magia. Cierto es que aprendemos de ellos, y que nos vemos reflejados en ellos, pero encuentro en ellos pocos elementos para recomendar traerlos al mundo. He cumplido mi obligación para con mi esposo y mi estirpe, de ello estoy convencida, pese a lo mucho que pueda disgustaros tal declaración. Pero parir no guarda ninguna relación con el valor ni la cobardía. He llegado a la conclusión de que se trata de bendecir a los hombres, perdonarlos, hacerles un lugar en la historia. Me atrevo a afirmar que jamás volveré a soportar los dolores y rigores del embarazo. Si el país de las amazonas existe, como creíamos antaño los españoles, a buen seguro sus habitantes han hallado un remedio para la obsesión de la mujer por soportar dolores en beneficio del hombre.

Echo de menos vuestros dulces, vuestras aguas de fruta y sobre todo nuestras conversaciones. Sólo en vuestro locutorio me siento como un ser humano inteligente y no como una vaca de pesadas ubres como ahora. La última vez que os vi había en vuestros ojos y en vuestro espíritu algo que no me gustó y no sabría definir. Creo que era cierta inquietud y una paciencia que os envuelve como un fino sudario. Sé que durante nueve meses habéis estado contraria-da conmigo, y si os sirve de consuelo, sabed que por fin comprendo-do vuestro argumento acerca del narcisismo que entraña traer hijos al mundo. Puedo decir por experiencia que no hay nada peor que los dolores del parto. Los médicos consideran que debo permanecer un mes más en cama, pero en cuanto recobre las fuerzas, en cuanto hayan desaparecido los dolores y cicatrizado las heridas, saldré a la ciudad y os visitaré. En ocasiones me corroen los celos al imaginar que en tiempos vivíais aquí, bajo este mismo techo, a disposición de otra virreina. ¿Cómo se atrevía a conoceros, a teneros como doncella personal, mientras que yo ni siquiera puedo comunicarme con vos más que a través de estas malditas marcas sobre páginas mudas?

Siempre vuestra única patrona,

M. L.
*8 de julio de 1683*

A través de la criada que llevaba las hierbas a la madre Catalina, Juana envió un mensaje a palacio para informar a Sus Excelencias de que aún no podía comunicarse con el mundo exterior. La criada fue enviada de vuelta al convento en compañía de un corneta y un mensaje de la virreina que debía leerse en voz alta en el claustro central de San Jerónimo para que llegara a oídos de toda la comunidad. La corneta atrajo a todas al patio.

—O la reverenda madre devuelve a sor Juana Inés de la Cruz sus utensilios de escritura, libros y privilegios de visita —recitó la criada con voz estridente—, así como cualquier otro derecho que le hubiese sido ilegítimamente arrebatado, o Su Excelencia el marqués de la Laguna y virrey de México interrumpirá su patrocinio de la Casa de San Jerónimo. Asimismo, la virreina ruega a sor Juana que componga una loa especial con ocasión del bautizo de su hijo, que se celebrará en la Catedral Metropolitana el día de la Asunción.

Los emisarios debían permanecer en el claustro hasta que la propia sor Juana les asegurara que las órdenes del virrey se habían cumplido. Era viernes, y las monjas se habían congregado para el capítulo cuando oyeron el toque de corneta y el ultimátum. Las monjas votaron el levantamiento del castigo de Melchora y el sometimiento a la voluntad del virrey. Sentada en la mesa de la junta al lado de Andrea, Juana garabateó una nota a don Tomás para agradecerle su intercesión, equivalente, según escribió, a salvarla de ser enterrada viva, y asegurarle que sería un honor para ella componer la loa para el bautizo de su hijo.

Las santas aplaudieron con entusiasmo. Andrea afirmó que la victoria de Juana auguraba el éxito de su campaña santa.

*11 de agosto de 1683*

Apreciada reverenda madre Juana Inés:

Espero que gocéis de excelente salud y que Dios vuelva a sonreír a vuestra pluma y os conceda el don de Su inspiración suprema. Conocedor de vuestras múltiples ocupaciones y de que acabáis de salir de un período de silencio impuesto por vuestra superiora, comprendo que hayáis progresado poco en la composición de *Los empeños de una casa*. Sin embargo, querría saber si os sería posible completar la obra para el aniversario de la virreina en octubre, pues sería para mí un gran honor presentar este festejo en mi casa en tal fecha. Ya he contratado a los actores que solicitasteis, y todos ensayan con diligencia el acto primero y esperan impacientes el acto segundo. Anoche incluso echaron a suertes los papeles del prólogo y los entreactos. ¿Os resultaría posible hacerme llegar el resto de la obra a finales de mes? Eso daría a los actores dos meses enteros para ensayar los distintos actos y sainetes. Y si no es demasiada osadía, ¿podría pediros una pequeña modificación en la trama, que más que un cambio es un añadido, pues vuestra obra es perfecta en sí misma? ¿Podríais agregar algunas líneas para conmemorar la toma de posesión de Aguiar y Seijas como nuestro arzobispo? Por fin ha decidido consolidar su residencia en Nueva España, y a todos nos incumbe hacernos eco de su presencia como nuestro guía espiritual y el del virrey. Por supuesto, recibiréis vuestros honorarios cuando se represente la obra. Os doy las gracias por comprender el honor que representa poder rendir homenaje a nuestros soberanos con vuestro incomparable trabajo.

Siempre vuestro más ferviente admirador,

Don Fernando Deza

Sor Juana:

Gracias por vuestro poema para el bautizo. Como todo cuando escribís, es hermoso y poético a un tiempo. A mi esposo no le ha gustado que llaméis al niño «mexicano», pero ¿qué otra cosa podría ser cuando, tal como sugerís, ha nacido sobre las ruinas del palacio de Moctezuma? Vuestra habilidad para entretejer las mitologías de Europa y América nunca deja de maravillarme. Lo comparáis a Alejandro, Eneas y Julio César, y sin embargo, sigue siendo mexicano. ¿Lo convierte eso en descendiente de Serpiente Emplumada, o es tan sólo un hijo de españoles en el Nuevo Mundo? Es curioso que jamás hayamos hablado de esto, Juana, pero ¿vos os consideráis mexicana o criolla?

No hay aún esperanza de que me liberen de mi cautiverio. Cada vez comprendo más la significación del estado que habéis elegido, el cual, a diferencia del mío, es permanente. ¿Por qué no habéis escrito? Deseo tanto saber lo que pensáis...

Siempre
Vuestra Condesa


*15 de agosto de 1683*

Querida señora:

Cuánto me gustaría poder abandonar el convento hoy para asistir al bautizo de vuestro hijo en la catedral. Imagino la belleza de la ceremonia, y el reflejo del pequeño príncipe en vuestros ojos. Por desgracia, pasaremos casi todo el día rezando, y es costumbre que nos abstengamos de comer carne en deferencia a la ascensión corpórea de la madre de Dios al cielo. A decir verdad, no me importuna tener un día de descanso, pues la tarea de terminar vuestro festejo a tiempo me ha dejado exhausta. Qué poco imaginaba lo difícil que resultaría trabajar sin la ayuda de mi secretaria, quien, por si no lo sabíais, huyó del convento hace ya varios meses. No sabía hasta qué punto dependía de Concepción hasta las últimas dos semanas, pues me he visto obligada a copiar varias veces cada página. Debo poner más cuidado en mis primeras versiones; no puedo permitirme el lujo de contratar a un amanuense en estos momentos.

La vida parece haber dado un extraño giro en mi celda. Juanilla, mi esclava, dio a luz un varón que nació enfermizo y hace poco fue enterrado fuera de los muros del convento. El arzobispo me dio permiso para venderla a mi hermana Josefa, de modo que estoy sola hasta que mi sobrina Isabel venga a vivir conmigo, lo que sucederá en cuantos podamos pagar su dote. Sabe Dios que necesito ayuda en mi trabajo, además de compañía. Debo dejaros para ir a rezar.

Que Dios vele por vos,

Jidl†

Juana:

En vuestra última carta parecéis muy apagada. A todas luces estáis cansada, o tal vez la distancia entre nosotras os torna hosca. Asimismo detecto cierta melancolía por la pérdida de vuestra secretaria. Si lo deseáis, puedo enviaros a una de mis doncellas. Tengo dos que saben leer y escribir, aunque, con toda probabilidad, ninguna de ellas estaría a la altura de esa castiza a la que instruisteis tan bien. José ha engordado y está muy sonrosado; los médicos me dicen que ya está preparado para aventurarse a salir conmigo de palacio. Después de tantos meses de confinamiento, primero por mi cuerpo y luego por las necesidades de este niño, nada me complacería más que pasar un día entero visitando a amigos y de compras. Después de visitaros enviaré a la niñera de vuelta a palacio con el pequeño y pasaré el resto de la tarde paseando por todas las tiendas de la plaza. Tomás cree que he perdido el juicio, pero le respondo que si él hubiera llevado al niño en su seno durante nueve meses para después parirlo por el lugar más delicado de su cuerpo, también él querría regalarse con cosas nuevas. Os veré el sábado, Juana. ¿Creéis que sería posible que os sentarais en mi lado del locutorio para poder sostener a José en brazos? Ardo en deseos de veros con un bebé en brazos y aún más de saborear un trozo de vuestra incomparable torta de cielo.

Impaciente por visitaros se despide

vuestra M. L.
*11 de septiembre de 1683*

*19 de septiembre de 1683*

Querida condesa:

De nuevo me dispongo a disculparme por esta estúpida lengua mía que la larga relación con mis buenas hermanas ha cultivado y emponzoñado. Tras no veros durante tantos meses, me he convertido en una compañía irritable y desagradable, pero eso no es excusa para la grosería. Ahora debo aclarar mis palabras y temo que dicha aclaración genere aún más desdén. Pese a ello, debo intentarlo.

Al decir que el nacimiento de los varones es la mejor prueba que Dios nos da de la inminencia del Apocalipsis, no pretendía afirmar nada concreto acerca del pequeño José. Antes bien me refería a que la reproducción del género masculino, *sui generis*, con su tendencia hacia la guerra y la destrucción, garantiza que la revelación de los profetas se hará realidad. A mis ojos, el mundo se halla en manos de un batallón cada vez más nutrido de hombres, criados generación tras generación para creer en su omnipotencia universal, al igual que en una carta vos dijisteis que las mujeres son criadas en la creencia de que el parto es un acontecimiento gozoso. Cuantos más hombres haya en el mundo, y cuanto más crean en su supremacía sobre todas las criaturas de Dios, más probable se me antoja la perdición de la raza humana. Me pregunto qué será de Dios si las criaturas educadas para creer en Su existencia dejan de existir. Quienes poseemos cuerpos físicos sabemos que existimos (aunque algunos de nosotros hemos muerto para el mundo), pero el Ser Supremo sólo existe a través de nuestra mente y la fe que cultivamos con nuestros cuerpos. Así las cosas, he aquí mi pregunta: si los hombres nos conducen hacia el fin catastrófico augurado en el Libro del Apocalipsis, y si el fin del mundo conlleva el fin de la existencia humana, ¿no significa ello también el fin de Dios?

Imagino que os habré ofendido aún más al intentar explicar el significado de mi absurda afirmación. Debería tener sensatez suficiente para no enzarzarme en disquisiciones filosóficas acerca de nuestra progenie con una madre reciente. Ruego perdonéis mi impropiedad. Sabéis que me cortaría la lengua antes de ofenderos en modo alguno. Aceptad este ejemplar de *Sátira filosófica* como señal de mi más sentida disculpa. Es lo último que Concepción copió para mí antes de marcharse, y creo que convendréis conmigo en que se superó a sí misma en cuanto a la caligrafía.

Siempre vuestra,

Juana

P.D.: Don Fernando me dice que los ensayos de *Los empeños de una casa* van viento en popa, si bien existe cierta rivalidad entre la actriz que representa el papel de doña Leonor, protagonista de la obra, y la que encarna a doña Ana, quien insiste que su personaje reviste mayor importancia. Se me ha ocurrido que, cuando se represente la obra, llevará gestándose tres meses más que José en vuestro seno. Debo reconocer que, de ser una mujer de mundo y prolífica de cuerpo además de mente, tendría a estas alturas una prole numerosísima. Pero todos mis vástagos nacen muertos.


Querida Juana:

Vuestra última carta me ha sobrecogido en extremo. Vuestras palabras rayan la herejía, Juana. Debéis dejar de expresaros en tales términos, ya que de lo contrario temo que debáis arrostrar terribles consecuencias. Prometedme, os lo ruego por el alma de mi hijo, que en lo sucesivo seréis más cautelosa en cuanto a vuestras creencias. Os envío estas hojas de pergamino perfumado (si las sostenéis a la luz, veréis diminutas flores traslúcidas estampadas en el papel) con la esperanza de que os inspiren a componer otro poema, exento, espero, de connotaciones políticas y observaciones irreverentes. Os hago llegar la carta y el pergamino directamente. Sé que consideráis que la nueva hermana portera no es una enemiga, pero de todos modos no confío en que nadie guarde el secreto de las confidencias que compartimos. Por tanto, he seguido vuestro ejemplo y empezado a quemar vuestras cartas, al igual que vos deberíais quemar ésta y todas mis misivas. ¿Me atreveré a visitaros de nuevo y correr el riesgo de soportar otra disertación bíblica?

Vuestra,

M. L.
*22 de septiembre de 1683*

P.D.: Os perdono tan sólo por la brillantez de vuestra *Sátira*.

P.P.D.: Olvidaba deciros que el arzobispo se ha convertido en el hazmerreír de toda Nueva España. Deambula por todas partes con su desaliñada sotana y sus zapatos gastados como si esperara que el mismísimo Espíritu Santo descendiera para canonizarlo. Cuando oigo que lo llaman «el prelado de la mano de oro», recuerdo que es vuestro dinero, así como el de todos los demás a quienes logra engatusar, el que distribuye con tanta generosidad. No le deis más, Juana. Incluso los boticarios se están arruinando por regalar remedios a los pobres para cumplir los deseos de nuestro divino arzobispo. Ahora le ha dado por quemar libros. Ha llegado a un acuerdo absurdo con los libreros. A cambio de ejemplares de una especie de guía religiosa necia que ha escrito, se lleva buenas novelas, romances, poesía y obras de teatro, y lo quema todo ante el palacio episcopal. ¿Os lo imagináis? Calderón, Góngora, Lope, Cervantes, Garcilaso, Quevedo... Todos devorados por las llamas por culpa de un prelado presuntuoso y fanático. Lo considero un hombre peligroso. Por su parte, Tomás cree que no es más que un desgraciado arisco y crédulo.

Pero ya conocéis los refranes, Juana. Más sabe el loco en su casa que el sabio en la ajena. Y más sabe el diablo por viejo que por diablo. Ese Aguiar y Seijas no es un loco. Si los hombres son la suma de la carne, el mundo y el diablo, como afirmáis en vuestra redondilla, entonces Aguiar y Seijas es el epítome de los hombres.

Casi olvidaba que mi esposo y yo hemos pasado la mañana hablando de la confirmación de José. Hemos decidido que queremos que vos seáis su madrina y don Fernando Deza, su padrino. Debería ser confirmado en la catedral, como corresponde a su calidad de hijo del virrey, pero me repugna la idea de que Aguiar y Seijas oficie la ceremonia. Despedía tal hedor durante el bautizo que temo contagie a mi hijo alguna enfermedad de esos hospitales que ahora atiende. Por tanto, hemos decidido pedir al obispo de Puebla que haga los honores en el coro inferior de San Jerónimo para que podáis estar junto a él como su madrina. Os ruego aceptéis, Juana. Deseamos que sea confirmado el 12 de diciembre, festividad de la Virgen de Guadalupe, a quien ya venero con auténtica pasión nativa.

¡Oh, Juana, no soporto la idea de no veros el día de mi aniversario! ¿No podríais enviarme un mensaje oculto en la obra, un mensaje que sólo yo sea capaz de interpretar?

Por cierto, soñé que os elegían priora de vuestro convento. Qué pesadilla para una mujer de temperamento de escorpión como vos.


*3 de octubre de 1683*

Filis de mi alma:

En primer lugar dejad que os desee el más feliz de los aniversarios y tantos más como días hay en el año.

Cómo desearía poder sentarme esta noche en el patio de la casa de don Fernando y ver *Los empeños de una casa* junto a vos... A primera vista no es más que una comedia ligera, pero estoy convencida de que descubriréis ciertas similitudes entre las vicisitudes que soporto en esta casa y las de la protagonista. Estáis en lo cierto, jamás aceptaría ser superiora de ésta ni de ninguna otra casa atestada de mujeres ignorantes. Por fortuna para nosotras, parece que nuestra facción logrará derrocar a Melchora y Rafaela en las próximas elecciones, y por fin podremos arrebatar el control del convento a esas serpientes hipócritas. No veo el momento de reanudar la vida normal. Sé que os debo varias composiciones y empezaré por este romance, un minúsculo esbozo de mi adoración.

Sabéis que os venero como a una diosa, que idolatro incluso vuestro desdén, vuestra severidad, que, si fuera polilla, me golpearía las alas contra la lámpara para alcanzar la luz que irradiáis, que pondría la mano en el fuego por vos, que me cortaría el dedo con el filo del cuchillo por vos. Ni el hecho de que seáis mujer y estéis ausente obstaculiza mi amor por vos, pues el alma hace caso omiso de género y distancias. Para mí sois los espacios cóncavos del aire, el fin de todas las intenciones. ¿Cómo voy a dejar de amaros si soy feliz prisionera de vuestra sobrecogedora belleza, si pagaría con mi vida (a menos que me fiarais) por estar siempre con vos? En verdad, obráis milagros o hechizos, pues trocáis el dolor en gozo, el tormento en gloria.

Gozad de las vicisitudes de mi corazón secreto y prestad especial atención al modo en que los personajes cambian de vestuario al cambiar de sexo. Ocultar a un hombre bajo ropas de mujer es como ocultarme a mí misma bajo el hábito de monja.

Vuestra, como siempre,

Juana

—La madre Brígida de San Ildefonso ha ganado las elecciones a priora por un margen de treinta votos —anunció el padre Nazario desde el otro lado de la reja con su voz de barítono que resonaba en toda la iglesia—. María Bernardina sustituirá a Rafaela de Jesús en el cargo de vicaria. Andrea de la Encarnación será la nueva jefa de vigilancia. Sor Juana Inés de la Cruz seguirá siendo la tesorera, además de asumir el cargo de archivera. Sor Beatriz de San Esteban se convierte en maestra de novicias. El resto de los cargos continúan invariables. Hermanas, los votos han quedado registrados en el Libro de Profesiones y el registro del arzobispo. Que Dios os conceda la gracia para desempeñar vuestros cargos con humildad y amor.

Los aplausos resonaron en el coro inferior. Las santas habían vencido.

# 20

En el sueño caía, y la caída fue lo que la despertó. Estaba sin resuello, como si hubiera corrido en sueños, y también sedienta. Cogió el vaso de agua, pero estaba vacío. Oía a Juanilla en la cocina, avivando el fuego con el fuelle, pero entonces recordó que Juanilla ya no estaba. Sin embargo, abajo había alguien. Se levantó de un salto y bajó la escalera descalza y de puntillas.

—Buenos días, tía —la saludó Belilla mientras corría a besar a Juana en la mejilla con el fuelle aún en la mano.

—Dios mío —suspiró Juana—. Había olvidado que estabas aquí.

—Tía, el fuelle no funciona. No consigo avivar el fuego.

Era la primera mañana de la muchacha en la celda de Juana, y la primera vez que ésta experimentaba la sensación de despertar y encontrarse con su exuberante sobrina. «Si supieras cuánto me molesta tu buen humor», pensó, pero contuvo la lengua y examinó el fuelle.

—No sé cómo funciona —dijo—. ¿Por qué me lo preguntas a mí? Pregunta a una de las criadas. ¿Hay agua?

—Sí, tía, ya he sacado dos cubos. Haré la colada mientras rezáis.

—¿Me sirves un vaso, por favor? Me duele la cabeza. Llevo noches teniendo un sueño muy extraño.

Belilla corrió a la cocina y llenó un vaso con agua de uno de los cubos que había colocado sobre el fogón.

—No está hervida —advirtió—. Espero que no os siente mal, tía.

—Sobreviviré —replicó Juana mientras se preguntaba si lograría sobrevivir a la presencia de Belilla por las mañanas.

—¿Queréis que limpie la celda después de hacer la colada, tía? ¿O preferís que me presente en la enfermería?

—Por favor, querida, no me atormentes con estas preguntas. Soy incapaz de responder a ninguna pregunta por las mañanas. ¿Qué hora es...? Todavía no han sonado las campanas de prima, ¿verdad?

—No he oído ninguna campana, tía, pero afuera aún es de noche.

—¿Hay un poco de pan? Tengo que comer un poco de pan, de lo contrario me mareo en misa, pero no debes decírselo a nadie, Belilla.

—No diré nada —prometió Belilla cuando regresaba de la cocina con un panecillo duro sobre un plato—. Yo también me mareo a veces, sobre todo con el incienso.

Sin chocolate para mojarlo, el pan estaba demasiado duro.

—Tendremos que hablar de tus obligaciones —suspiró Juana—. No has venido sólo para cuidar de tu tía, lo cual me complacería sobremanera. Durante los próximos dos años serás una beata. Tus principales obligaciones serán para con el convento, no conmigo. Sólo deberás prepararme chocolate para antes de prima, un pedazo de pan comestible y un buen desayuno después de misa. Es lo único que tendrás que hacer para mí por las mañanas.

—Creía que sería novicia, tía, eso es lo que me dijo la tía Josefa.

—Ingresarás en el noviciado después de servir durante dos años como beata. Creímos que sería lo mejor. Sabíamos que estabas ansiosa por venir a San Jerónimo.

—Estaba ansiosa por hacerme novicia, tía.

A Juana empezaba a dolerle de nuevo la cabeza. No podía sostener una conversación de semejante calibre sin haber tomado el chocolate que le despertaba los sentidos.

—Por el momento serás beata, lo que significa que deberás comportarte como una novicia y trabajar como una criada. Es el acuerdo al que hemos llegado mientras reunimos el dinero suficiente para tu dote, pues tu padre se encuentra en paradero desconocido. Entre lo que pueda enviar tu madre y lo que podamos aportar tu tía Josefa y yo, tardaremos dos años en reunir los tres mil pesos necesarios. ¿Alguna objeción?

La muchacha se sonrojó hasta la raíz de los cabellos.

—No, tía, es que no sabía que tendría que esperar.

—Descubrirás, querida, que la vida en el convento requiere paciencia infinita. Te conviene aprender la lección lo antes posible.

En aquel instante sonaron las campanas.

—Volveré a llegar tarde —masculló Juana al tiempo que subía la escalera para vestirse.


La decisión de permitir que la sobrina de Juana viviera en el convento fue la primera acción administrativa de la madre Brígida, y no sorprendió a nadie, y menos a Juana, que la madre superiora fallara en su favor. Lo esperaba después de la lealtad que había demostrado durante el proceso electoral. El asunto encabezó el orden del día del primer capítulo presidido por la madre Brígida.

—Mi sobrina se ha presentado voluntaria para prestar sus servicios en el convento durante dos años —explicó Juana a la congregación, deteniéndose un instante antes de dar el golpe de gracia—, a cambio de una reducción de la dote.

—¿Cómo? —oyó exclamar a alguien en las primeras filas.

—¿Quién se ha creído que es? —espetó otra monja en la sección veterana.

—¿Qué reducción pide? —inquirió Rafaela, olvidando que ya no era la archivera.

—Mil pesos, quinientos por año —repuso Juana.

—¿Quinientos pesos por año? —chilló Agustina—. ¿Por hacer qué? ¿Escuchar confesiones?

—¿Queréis que paguemos a vuestra sobrina por el privilegio de ingresar en el convento?

—Ingresará de todos modos, sor Melchora, pero con este arreglo podrá venir antes y trabajar a cambio de la reducción de su dote. La muchacha necesita con urgencia un cambio de situación. El cabeza de la familia con la que vive no cesa de insinuársele.

—¿No vive con una hermana vuestra? —inquirió Andrea.

—Por desgracia, ambas son víctimas de las indiscreciones del esposo. Debemos sacar a Belilla... quiero decir a Isabel de allí antes de que sufra algún daño. Puede vivir conmigo y, por supuesto, me haré cargo de los gastos de alojamiento y manutención. No costará al convento más de lo que cuesta mantenerme a mí.

–Que no es poco, dadas vuestras extravagancias.

–¿A qué os referís, sor Agustina? ¿Acaso sabéis en qué medida mis ingresos contribuyen a las inversiones del convento?

–Éstos no son temas para debatir en el capítulo, hermanas –atajó la madre Brígida–. Os aseguro, sor Agustina, que las aportaciones de sor Juana a las arcas del convento son sustanciosas, sin lugar a dudas.

–Por no mencionar las aportaciones a las obras benéficas del arzobispo –masculló Juana entre dientes.

–Sin embargo –prosiguió la madre superiora, alzando un dedo en dirección a Juana–, eso no le da licencia para imponer a esta congregación la presencia de un miembro de su familia sin que su categoría quede del todo clara. O bien es profesa, o alumna interna, beata o criada. Si la muchacha elige profesar, deberá pagar la misma dote que las demás, Juana. Me temo que no podemos hacer ninguna excepción. Si decide estudiar en el convento, deberá pagar el precio correspondiente, y puesto que éste es más elevado que la dote, creo que podemos eliminar dicha posibilidad. Además, creo que vuestra sobrina es demasiado mayor para estudiar aquí. Por otro lado, no necesitamos más criadas, así que la única alternativa es hacerla venir en calidad de beata, de modo que no cobrará, no acumulará crédito alguno para la dote y no gozará de los privilegios que tienen novicias y alumnas. Deberá trabajar y comportarse como una beata. Si estáis de acuerdo, Juana, podemos votar. Es la única salida.

Juana se volvió hacia Andrea, pero su amiga no la miró.

–Si es el único modo de arrancar a la muchacha de su situación actual y proteger su inocencia, acepto –accedió Juana.

–Hermana vicaria, proceded a la votación –ordenó la madre Brígida.

María Bernardina se levantó para obedecer.

Como cabía esperar, los únicos votos en contra fueron los de las Tres Gracias y su grupúsculo de sicofantes. Si bien no había conseguido la reducción de la dote de Belilla, Juana había obtenido lo que más quería, que su sobrina ingresara en el convento de inmediato. Melchora susurró algo al oído de Rafaela, y ambas le lanzaron una mirada venenosa al pasar junto a ella en el patio. ¿Qué otro remedio les quedaba? Durante los tres años del mandato de Brígida, carecerían de influencia, y Juana tenía intención de sacar el máximo partido de su ventaja.

En el priorato escribió una carta a su hermana Josefa en la que le explicaba que Belilla había sido aceptada, pero que no debía presentarse en el convento sin un presente para las monjas. Recomendaba que Belilla escribiera a su abuela de Panoayan para pedirle que enviara algo de las cosechas familiares. Ordenó a la criada de la hermana portera que entregara la misiva de inmediato.

Aquel mismo mes, Belilla llegó con sacos de azúcar y cacao para la madre superiora y el resto de las administradoras, incluida su tía Juana, que como archivera y contadora tenía derecho a doble ración. El obsequio impresionó mucho a Brígida, hasta el punto de que, en lugar de asignar a Belilla el vaciado de los retretes y los orinales de las monjas más ancianas, primera tarea de toda beata nueva, la destinó a la enfermería, lo que le otorgaría cierta ventaja sobre las demás cuando llegara el momento de hacerse novicia.

Al principio, a Juana le costaba recordar la presencia de Belilla y no cesaba de llamarla Juanilla o Concepción.

—Juanilla, haces demasiado ruido en la cocina —gritaba desde el estudio, a lo que la muchacha subía corriendo para disculparse profusamente durante un cuarto de hora.

—¿Dónde estás, Concepción? ¿No te he dicho que me traigas esos libros? —exclamaba en ocasiones, y la muchacha alzaba la vista de los dibujos anatómicos y listas de enfermedades que la enfermera le había ordenado memorizar y preguntaba si debía continuar estudiando o ayudar a Juana con sus libros.

Belilla era dulce y optimista por naturaleza, pero exhibía un carácter indeciso que irritaba a Juana más aún que su buen humor matutino. En ocasiones, Juana sentía deseos de zarandearla. Por supuesto, su timidez le resultaría beneficiosa en el noviciado, de modo que Juana procuraba no perturbar aquella predisposición natural, pero a veces añoraba la impertinencia de Juanilla y la desobediencia perpetua de Concepción, si bien había castigado a ambas por esos rasgos. Como siempre, Juana era un cúmulo de contradicciones.

Al menos tenía ayuda, se recordaba a sí misma, pues a decir verdad, durante las ocho semanas que había pasado sola tras la marcha de Juanilla, a punto estuvo de alojar alumnas internas en su celda, aunque sólo fuera para que se encargaran de las mundanas tareas de cocinar y limpiar. Le gustaba preparar manjares para la condesa y sus demás invitados, pero al término de las visitas siempre quedaba la tarea de limpiar, y ello significaba ordenar a una criada del refectorio que sacara agua del pozo y la llevara a la celda de Juana. Sin embargo, la criada en cuestión no fregaba los platos, frotaba los pucheros ni limpiaba los suelos a menos que Juana le pagara por ello, un lujo que no podía permitirse de forma regular. Si ella misma se encargaba de dichas labores, cuando acababa siempre sonaba la campana de completas, lo que entrañaba que había perdido otra tarde de estudio y por la noche estaría demasiado exhausta para siquiera anotar los acontecimientos de la jornada en su diario. Al contar con Belilla, al menos podía reanudar su horario habitual de escritura en el estudio y de experimentos en la cocina, lo que incluía enseñar a cocinar a su sobrina. Al término de su primer año como beata, le enseñaría el arte del dictado, a jugar al ajedrez y a copiar sus obras, para que así se convirtiera en un cruce entre Juanilla y Concepción.

Lo más extraño de convivir con Belilla era que su sobrina la quería. Su cariño le proporcionaba una sensación palpable, cálida y reconfortante, que despertaba en ella una peculiar ternura y deseo de protegerla. Nunca había profesado más que antipatía a sus hermanastras durante los cuatro años que pasaron en su celda, pero con Belilla sostenía conversaciones de lo más maternal sobre temas personales en extremo, que le recordaban las charlas con su tía María. Por las noches, después del toque de queda, cuando las brasas se extinguían en el brasero y los postigos se cerraban para mitigar el sonido del croar de las ranas en el canal, trenzaba el cabello de su sobrina, cuyos largos mechones dorados relucían como gruesas cadenas de oro a la luz de las velas. La muchacha poseía cualidades que le recordaban mucho a su abuelo. Fruncía el ceño y a renglón seguido sonreía, se inclinaba mucho sobre la comida. Aquellos detalles la acercaban más a Belilla y llegó a esperar su beso en la mejilla por las mañanas y su suave abrazo por las noches. En cierta ocasión, la enfermera le contó que Isabel era muy diestra con la aguja, que había remendado las gastadas sábanas partiendo por la mitad las partes más gastadas y cosiendo las zonas exteriores más nuevas con puntadas diminutas que no causaban úlceras de decúbito a las pacientes. Juana no pudo por menos de abrazar a su sobrina allí mismo, en público.

Era la primera vez desde que dejara la casa de tía María que Juana se sentía parte de su familia, pues de repente recibía cartas de sus dos hermanas y visitas de los hijos de Josefa, que añoraban a su prima y llevaban regularmente noticias de los demás sobrinos y sobrinas de Panoayan.

*29 de septiembre de 1684*

Juanita:
    Lamento no haber ido a visitarte. Villena ha regresado de las minas y no me permite salir de casa. Cada vez que va a Querétaro vuelve atormentado por los celos. Empiezo a creer los rumores de que tiene otra familia allí, razón por la que vuelve agobiado por un sentimiento de culpabilidad que se traduce en celos. Felipe lleva una semana entera peleándose con él a diario en una auténtica batalla de voluntades. En cualquier caso, el zapatero remendón se ha retrasado un mes entero en el pago de su alquiler, y ni siquiera puedo ir a su puerta para armar un escándalo. Estoy enseñando a Felipe a mostrarse amenazador, pero la voz se le quiebra en los momentos más inoportunos, lo que le da una vergüenza espantosa. Pobrecito Felipe, ansía tanto hacerse un hombre… Rezo para que Villena vuelva a Querétaro; sólo entonces tendremos paz en esta casa, y sólo entonces podré volver a concentrarme en mi… perdona, en nuestro negocio. Por cierto, ¿te ha escrito ya María? Dice que madre ha contraído una enfermedad de los pulmones; se la contagió una de las criadas, que se pasó días enteros tosiendo y con fiebre antes de desplomarse en la cocina. Será mejor que acabe la carta para que Felipe

pueda entregarla de camino al trabajo. Dile a Belilla que echo de menos su buen humor, la única dulzura que teníamos en esta casa.

Cariños de todos nosotros para ambas,

Josefa

*10 de octubre de 1684*

Querida Josefa:

He andado tan ocupada, ya que no tengo secretaria, que no he podido responderte hasta ahora. María me escribió pidiéndome dinero para pagar al médico de madre, que aguarda sus honorarios desde hace un mes. Yo no tengo dinero, ¿y tú? Sigo esperando a que el arzobispo me devuelva los cuatrocientos pesos que le presté en mayo, y me he visto obligada a emplear los beneficios que obtuve del festejo (he aquí un buen ejemplo de fondos bien aprovechados) para la reparación del muro del jardín, que a punto estuvo de derrumbarse sobre el huerto durante las últimas lluvias. ¿Has conseguido cobrar ya el arriendo del zapatero? Creo que necesita más que una reprimenda a estas alturas. Haz que Felipe averigüe cómo podemos recurrir a la Audiencia. Le envío tres brazaletes de ónice para que los empeñe, así como un anillo de granate que un admirador me regaló hace ya tiempo. El engaste es de oro puro, así que cerciórate de que obtiene un buen precio por él. Debería bastar para pagar al médico y los medicamentos que necesite madre. No sé por qué no venden algunas cabezas de ganado.

Tu hermana que te quiere,

Juana Inés

P.D.: Si sospechas que Villena es culpable de bigamia, deberías denunciarlo a las autoridades.

P.P.D.: Belilla te manda besos y abrazos.

*15 de octubre de 1684*

Ilustrísima:

Ruego a Vuestra Eminencia Reverendísima que perdone mi insistencia, pero acabo de saber que mi madre está enferma y necesita fondos para pagar a su médico. Asimismo, el tejado de la enfermería tiene goteras y debe ser reparado, y la puerta principal de la iglesia está infestada de termitas y debe ser sustituida de inmediato. De hecho, ya las han retirado para evitar la propagación de las termitas, y ahora nada protege al padre Javier y la congregación del viento frío que entra sin obstáculo alguno en la iglesia. ¿Tendría a bien Vuestra Ilustrísima retornarme los cuatrocientos pesos de oro que os presté la pasada primavera? Se trata de un asunto de cierta urgencia. Confío en que Vuestra Reverencia goce de buena salud y tenga a bien extender la gracia de su mano de oro a su humilde servidora.

A vuestro servicio,

Sor Juana Inés de la Cruz,
tesorera, San Jerónimo


*30 de octubre de 1684*

Querida Juanita:

Te escribo para comunicarte que madre ya se ha restablecido. Sigue algo débil y aquejada por la tos, pero el médico asegura que la infección ha desaparecido y que está fuera de peligro. Si pudiéramos hacerle guardar cama algunos días más... Ya está gritando a las criadas y cada noche insiste en que revise los libros con ella. Hablando de libros, no te inquietes por el dinero. Madre accedió a vender algunas reses, tal como aconsejaste, y los beneficios resultantes nos ayudarán a vivir hasta la cosecha de trigo. Saluda a mi hija de mi parte. Josefa dice que aún no ha localizado a Santolaya. Dile que siga buscando, sobre todo en las pulquerías, su lugar predilecto. Tiene un deber para con ella, es lo menos que puede hacer por su hija primogénita. Si no tenía intención de cumplir su promesa, no debería haber prometido a Belilla que pagaría su ingreso en el convento. No es justo que se vea obligada a trabajar como una esclava mientras su padre dilapida el dinero de su dote. Tanto Josefa como yo somos unas desgraciadas que siempre han caído en las garras de los peores hombres. De las tres, tú eres la única juiciosa, pues no permitiste que en tu vida se mezclaran los hombres. No sabes cuánto agradezco a la Virgen María que Belilla haya elegido seguir tu ejemplo en lugar del nuestro. Madre envía para tu aniversario esta manta tejida con lana procedente del primer esquileo.

Un fuerte abrazo de tu hermana,

María Ramírez, Panoayan

Querida Juana:

Acabamos de regresar de Chapultepec y lamento decir que José está acatarrado de nuevo. Fue una tontería llevarlo con nosotros. Ahora paso el día entero asegurándome de que respira, y me rompe el corazón ver al médico sangrar su pecho diminuto y dejarle esas marcas rojas en su delicada piel. Tomás está tan furioso que no me dirige la palabra, pero le recuerdo que fue idea suya pasar el fin de semana en el bosque. Sólo piensa en los caballos que ha traído de Perú. No podré visitaros hasta que el pequeño haya sanado. Lamento que vuestra madre esté enferma. Creo que nos hallamos en la estación de todos los males. Os ruego aceptéis la última edición del *Corpus Hermeticum* de Kircher como regalo de cumpleaños atrasado. Recuerdo que mencionasteis un extraño sueño poblado de símbolos mitológicos la última vez que os visité, y he creído que esta obra podría resultaros de utilidad. Espero que ya no lo tengáis. Tomás os envía saludos y está impaciente por visitaros la semana próxima. Supongo que eso significa que no estaremos a solas.

Con amor,

M. L.
*18 de noviembre de 1684*


*20 de noviembre de 1684*

Queridísima condesa:

Mi más profundo agradecimiento por el Kircher. No lo tenía, y ya me ha ayudado a discernir el significado de algunos de los símbolos arcanos del sueño. He decidido traducir las imágenes en un poema, de momento un mero esbozo que titulo *Primero sueño* (pues sospecho que habrá otros). Es una de las pocas cosas en mi vida, si no la única (a excepción de estas cartas a vuestra amada persona), que he compuesto por gusto propio. No se trata ni de una comisión ni de una solicitud, sino de mi lucha interna entre las pasiones de un personaje que llamo la Reina Oscura y su némesis, el Helios de la razón. Estoy tejiendo un intrincado laberinto de alusiones y algunas fantasías asaz gongorinas que nos llevarán desde las pirámides de México a las de Menfis. Por dicha razón he elegido la forma más sencilla, la silva, con sus versos de siete y diez sílabas y su métrica libre. En cuanto acabe una versión digna de ser revisada por vos, encargaré una copia a mi sobrina. Os ruego deis un beso a mi ahijado de mi parte. Belilla le manda este brebaje especial de hierbas y miel para su pronta recuperación.

Siempre vuestra,

Juana

Sabía que estaba soñando, y ese conocimiento era lúcido, como la conciencia de encontrarse en un lugar desconocido y familiar a un tiempo. En el sueño estaba sentada ante el tablero de ajedrez frente a la reina de ónice, que se había metamorfoseado en una figura de tamaño y rostro humanos, aunque conservaba la forma y el color de una pieza de ajedrez de ónice. No estaban sentadas a su mesita bajo las ventanas arqueadas del estudio, sino ante un tablero enorme en cuyas casillas, cada una de ellas mayor que su mano, se veían grabados de soles y lunas respectivamente. La estancia carecía de suelo, pero sí tenía ventanas, varias parejas de ventanas abovedadas que rodeaban toda la habitación, y entre ellas se veían estanterías suspendidas en el aire y repletas de librotes e iconos de divinidades paganas, tales como un telar, una báscula, un arpa triangular, una lechuza, una lámpara de aceite, un águila con una serpiente colgando del pico, un león, una pirámide de plata, una granada y un quetzal. El tablero estaba vacío salvo por la sombra de la reina de ónice, pero si Juana volvía la mirada hacia algún objeto de las estanterías, el objeto en cuestión se posaba sobre el tablero para que ella lo examinara. La lámpara estaba caliente, el arpa desgranaba notas etéreas, la granada exudaba jugo rojo sobre sus manos, la báscula pesaba un corazón diminuto en un plato y un reloj igual de pequeño en el otro, en cada cara de la pirámide se veía inscrita una de las fases de la luna, madre, virgen, anciana. Juana quería atraer a la lechuza, pero el pájaro agitó las alas y se alejó, al igual que una bandada de otros pájaros que apareció de la nada, aves oscuras y ruidosas como cuervos, pero con aspecto de chotacabras y plumas blancas sobre la cresta, que entraron volando en la habitación y se posaron en las estanterías.

—Ya veis que la vida es sueño —sentenció la Reina de Ónice.

—Es la conclusión de Calderón —repuso Juana.

—¿Os atrevéis a vivir vuestros sueños? —la desafió la Reina de Ónice.

—Mi único sueño es tener tiempo que dedicar a mi trabajo —aseguró Juana.

—Cerrad ese hemisferio de luz. Dejad que la noche se salga con la suya. Seguid a la lechuza hasta el origen de todos vuestros sueños.

Incapaz de resistirse a las palabras de la Reina de Ónice, Juana cerró los ojos oníricos y salió volando de la habitación como una partícula de materia en un remolino de bruma, estrellas y noche que, como comprendió entonces, era la espiral de la Vía Láctea. Sobre su hombro estaba la lechuza, y ella, Juana, iba ataviada con una túnica de vellón blanco que la abrigaba y era, a la vez, ligera como una pluma. De pronto dejó de dar vueltas sobre sí misma y se encontró a bordo de una barca de vela en un mar oscuro de cuatro colores: púrpura, negro, amarillo y verde claro. Comprendió entonces que navegaba en un mar de humores en dirección a un destino desconocido, sólo indicado por un reluciente obelisco que se alzaba en lontananza. En aquel momento vio una grulla dormida en la proa y un símbolo esotérico pintado en la vela que se recortaba contra la luz plateada de la luna creciente. La embarcación cobró velocidad y surcó las velas, dejando tras de sí una estela fosforecente en las aguas oscuras. Entonces, justamente, el estómago le dio un vuelco, no sabía si de temor o de hambre, y de pronto despertó.

*Solsticio de invierno, 22 de diciembre de 1684*

Dos de la madrugada: no puedo dormir; el sueño ha vuelto a despertarme. En la celda hace un frío espantoso, pero no me queda leña para el brasero, de modo que me he vestido para entrar en calor. La manta de mi madre me reconforta mientras me inclino temblorosa sobre el cuaderno de los sueños. Este poema empieza a convertirse en una obsesión.

Dos y cuarto: he abierto el anteojo para observar el oscuro cielo del alba y he visto la luna llena elevarse sobre los volcanes, cuyas cimas nevadas refulgían a la blanca luz. ¿Son imaginaciones mías o en verdad veo el cono de una sombra en la faz de la luna? ¿Podría tratarse de la sombra de los volcanes? Pero ¿cómo podría ser así, si a este lado no los ilumina nada que pudiera proyectar su sombra sobre la luna? Tal vez sea el inicio de un eclipse solar y por esa misma razón no logro conciliar el sueño.

Dos y media: es un eclipse, sin lugar a dudas. La sombra de la tierra se desliza sobre la luna como una esfera negra que pretendiera devorar a Atenea gajo por gajo. ¿Estará viéndolo don Carlos?

Las tres: la luna está oculta entre sombras. Oigo a los perros aullar en las calles y el ulular desesperado de las lechuzas en los tejos que bordean el canal. Cada vez hace más frío; la mano me tiembla sobre el papel y mis dedos se aferran rígidos a la pluma. Se ha adueñado de mí la melancolía más honda. Creo conocer el significado del extraño sueño, como si mi mente durmiente, sabedora por alguna razón de este eclipse, alimentara mi psique con el simbolismo de sus imágenes. A todas luces, la luna es Atenea y el eclipse lunar es también su eclipse. Si la luz de Atenea cae derrotada, y si Atenea simboliza la sabiduría, en especial la de las mujeres, entonces el faro de mi existencia se ha extinguido en el horizonte, y lo único que resta es un vacío salpicado de estrella, gélido y desprovisto de luz. Cuando Nictímene, señora de Lesbos, intentó adquirir conocimiento consumiendo el aceite de las lámparas que ardían en la sien de Atenea, la diosa la castigó transformándola en lechuza y la condenó a una existencia nocturna. ¿Soy entonces como Nictímene? ¿He ingerido el aceite sagrado para luego ser castigada a las tinieblas perpetuas? Pero por otro lado, la oscuridad es dominio de toda sabiduría secreta. La luna es la diosa encarnada. Ser condenada a la oscuridad es vivir por siempre en presencia de la diosa. ¿Es entonces la oscuridad un castigo o una recompensa? Observo una clara correspondencia entre este eclipse y mi *Sueño*. Debo seguir el hilo de este razonamiento. De todos modos, me resultará imposible conciliar el sueño.

Las cuatro: la luna sigue sumida en la oscuridad; sólo un finísimo contorno de luz blanca palpita en los bordes de la sombra terrestre. Este eclipse lunar que ha inquietado a todas las aves nocturnas, cuyos chillidos resuenan en el sobrecogedor silencio que envuelve el valle, se ha convertido en mi concepto de *Sueño*. Si a esta hora en que el cuerpo se halla en completo reposo, cuando aún faltan dos horas para el alba, el alma... mi alma alzara el vuelo hacia la diáfana espiral de los cielos, sería un soldado en el ejército de Atenea cuya misión consistiría en descubrir la luna y extender de nuevo su luz sobre la noche.

Cinco y media: vuelvo a trabajar en el poema y me he enzarzado tanto en la metáfora de la guerra entre la sabiduría que representa Atenea (la sabiduría secreta de las mujeres) y la sabiduría del poder que representa Apolo (el sol, por supuesto, es el culpable del eclipse) que ni siquiera he advertido que la sombra empezaba a retirarse de la luna. La escena ha cobrado una dimensión aún más peculiar porque Venus ha aparecido por el este para anunciar la salida del sol, que sin duda se alzará sobre la luna llena. Envuelta primero en sombras y ahora bañada en una intensa luz, la luna ha perdido la batalla, y las campanas llaman a prima. Si la luna representara la pasión en lugar de la sabiduría, y el sol simbolizara la razón en lugar del poder, sería lógico que el Dios Sol triunfara sobre la Diosa Luna, pues ella, como una emperatriz oscura (o la Reina de Ónice que regalé a Concepción), me tiraniza por las noches, y sólo encuentro alivio a esa tiranía cuando la luz de la razón alumbra mi corazón. De lo contrario perdería el juicio, y cual Faetón o Lucifer caería de las gloriosas alturas a las heladas corrientes de la perdición.

Debo abandonar ahora este capricho y correr a misa. Por fortuna, ya estoy vestida. No me queda sino ponerme el velo y el escapulario, atarme los zapatos y sujetarme el escudillo. He aquí mi armadura, con la que lucho en ambos bandos. Defiendo y ataco las dos caras de mi ser, el sol y la luna, Apolo y Atenea.

# 21

—Lo que no comprendo de esta analogía, don Carlos, es que si el jardinero es el esposo simbólico de la tierra, pues él (o ella) siembra las semillas que tornarán productiva la tierra, entonces el árbol o la planta que nazca de dicha siembra sería su vástago.

—Exactamente, hermana. Así procede la naturaleza.

—Sin embargo, ¿no podríamos decir también que el fruto que produce el árbol o la flor de la planta son consecuencia del apareamiento de la tierra y sus propios vástagos? ¿No es eso también inherente a la naturaleza?

—La semilla es inherente al vástago, hermana. El viento hace las veces de esposo cuando fecunda a la semilla.

—Cierto, pero el fruto o la flor brotan de una fuente que en un principio fue vástago de la tierra y la semilla, y así se convierte en anfitrión de su propia fecundación.

—Me temo que no os sigo, hermana.

—Me limito a ampliar la analogía, amigo mío. Si es natural considerar que quien siembra la semilla es el esposo y quien con dicha semilla genera un vástago es esposa y madre, ¿no es acaso también natural que madre y vástago se reproduzcan?

—Pero eso es incestuoso, hermana, una abominación de la naturaleza. ¿No insinuaréis que las relaciones incestuosas son naturales?

—Sin embargo, suceden en la naturaleza, como acabo de describir, ¿y acaso no habéis dicho, señor, cuando iniciamos esta conversación, que lo que ocurre en la naturaleza es natural y lo que no ocurre en la naturaleza es antinatural?

—Así es, hermana, pero la naturaleza carece de moral, y eso es lo que distingue al hombre de la naturaleza.

—Escuchad la disolución de vuestro argumento, amigo mío. Si la moral no se da en la naturaleza, entonces la moral debe de ser antinatural.

—No hablábamos de la naturaleza humana, hermana.

—Pero vos habéis emitido un juicio humano sobre un suceso natural. La síntesis de semilla y progenitor tiene lugar con frecuencia en la naturaleza, y sin embargo la tacháis de abominación.

—El hecho de que suceda con frecuencia en la naturaleza no significa que sea frecuente en la naturaleza humana.

—Ergo, la siembra de la semilla y la generación de vástagos tampoco deben de ser comunes ni naturales en la naturaleza humana pese a ser un suceso natural. Y ése es precisamente mi punto de partida en este debate. La mujer no tiene por qué ser esposa y madre si no es inherente a su naturaleza que la siembren o la fecunden.

Don Carlos se cubrió la parte inferior del rostro con los largos y escuálidos dedos de su mano derecha y meneó la cabeza.

—Reconozco que he caído en las redes de mi propia lógica, hermana —admitió antes de volverse hacia los demás invitados—. Una vez a la semana hago penitencia en el locutorio de sor Juana. No perdona ni un solo desliz lógico.

Los otros invitados aplaudieron; eran la condesa, don Ignacio de Castorena y Ursúa, rector de la universidad y superior por tanto de Sigüenza, y el obispo de Puebla, don Manuel Fernández de Santa Cruz, que desde el bautizo del hijo de la condesa participaba en las tertulias semanales de San Jerónimo.

—Excelente debate, hermana, si bien algo inquietante —señaló Castorena al tiempo que se limpiaba la espuma de chocolate atrapada en las atusadas puntas de su bigote.

—Me parece una conversación estimulante en extremo —alabó el obispo, alargando el plato para tomar una segunda ración de huevos reales—, aunque basada en una comparación errónea.

—Belilla —llamó Juana a su sobrina, que columpiaba a José, de tres años, sobre el caballo balancín que Juana había encargado para él las pasadas Navidades–. Sirve a Su Ilustrísima, por favor.

Belilla llevó el plato del obispo al aparador y le sirvió otra ración de flan.

–Quiero ir con los perros –pidió el pequeño a su madre.

Belilla entregó el plato al obispo con una reverencia.

–Si queréis, señora, José y yo podemos salir al patio a jugar con los cachorros –se ofreció.

–Vuestra sobrina es un cielo, Juana –afirmó la condesa–. Gracias, Isabel, pero asegúrate de que no se moja. Aún arrastra el catarro.

Belilla hizo otra reverencia y bajó al niño del balancín.

–¿Hablabais de una comparación errónea, Vuestra Ilustrísima? –preguntó Juana.

–La primera regla de toda comparación, hermana –expuso el obispo mientras acariciaba el flan con la punta de la cuchara–, si me permitís citar a Aristóteles, dicta que los dos objetos que se comparan pertenezcan a la misma especie general. Los humanos y las plantas no pertenecen a la misma especie, de modo que cualquier comparación efectuada entre ellos conduciría por fuerza a una conclusión errónea.

–Creía que la discusión poseía un carácter más general, Vuestra Ilustrísima –replicó Juana–. Creía que el tema era la naturaleza, no los seres humanos ni los árboles.

–Pero los habéis utilizado como ejemplos para ilustrar la naturaleza, hermana. Sin embargo, como podéis observar, no existe comparación posible entre lo que denominamos naturaleza humana y la naturaleza del entorno.

Castorena y don Carlos cambiaron una mirada. La condesa abrió el abanico y ocultó medio rostro tras él, ladeando la cabeza para que sólo Juana advirtiera su bostezo.

–Pero, señor –exclamó Juana, poniéndose en pie al otro lado de la reja–, la ciencia de la medicina nos indica que los cuatro humores que guían los sentimientos y disposiciones de los seres humanos proceden del universo físico. Así, se dice que las personas de naturaleza feliz son sanguíneas u optimistas, regidas por el calor y la humedad; los irascibles reciben el apelativo de coléricos, regidos por el calor y la sequedad; los melancólicos poseen gran cantidad de bilis negra, gobernada por el frío y la sequedad, mientras que a los de menor animación se les llama flemáticos, guiados por el frío y la humedad. La sangre, la bilis y la flema no son dominio exclusivo de los seres humanos.

—Creo que os ha atrapado, obispo —observó la condesa.

Don Carlos y Castorena aplaudieron discretamente. El obispo se sonrojó, dejando traslucir su naturaleza colérica.

—Asimismo —prosiguió Juana, incapaz de resistir la tentación de decir la última palabra— se dice que el calor y la sequedad generan mentes más despiertas que la humedad y el frío, y si bien no comparto dicha postura, pues suele afirmarse que las mujeres son bien húmedas o bien frías, por tanto, poseedoras de mentes inferiores, una vez más el argumento apunta el empleo de cualidades físicas para la descripción de la naturaleza humana.

—Una refutación brillante, Juana, como de costumbre —alabó la condesa.

—Bien —masculló el obispo, aún ruborizado—, volvamos sobre la inquietante analogía del apareamiento entre madre y vástago. ¿Quién sería considerado en tal caso el esposo si no hay una semilla sembrada causante de la reproducción de un fruto o una flor, pues es el propio vástago quien contiene dicha semilla?

—La naturaleza, señor —repuso Juana con una sonrisa.

—¡Ajá! —exclamó el obispo.

—Pero ¿qué me decís del concepto de la madre naturaleza, sor Juana? —terció Castorena.

—Intuyo que sor Juana responderá que la naturaleza no es masculina ni femenina, don Ignacio —contestó por ella don Carlos—. ¿Estoy en lo cierto, hermana?

—No —objetó Juana—. Diría que la naturaleza es tanto masculina como femenina.

El obispo estuvo a punto de atragantarse con el chocolate.

—Os gusta pisar terreno peligroso, sor Juana —constató.

—Pero es del todo lógico, Vuestra Ilustrísima —intervino la condesa—. Si la naturaleza posee cualidades tanto masculinas como femeninas, no hay necesidad alguna de atenerse estrictamente a las leyes del sexo. Por tanto, sería posible que el vástago se reprodujera solo y fuera tanto padre como madre de sus vástagos.

—¿Insinuáis, señora, que los esposos son innecesarios? —farfulló el obispo, de nuevo sonrojado y con expresión algo escandalizada.

La condesa se abanicó con inmensa calma.

—Por supuesto que no, Vuestra Ilustrísima —repuso, fingiendo asombro—, sólo los jardineros.

Todos los presentes rieron la broma, incluso el obispo.

—¿Tomaréis más chocolate? —propuso Juana—. Puedo encargar a mi sobrina otra chocolatera. ¿Un dulce, tal vez?

—No, no, no —dijo el obispo al tiempo que se levantaba—. Se hace tarde, y el arzobispo quiere que mañana diga misa. ¿Nos retiramos, caballeros?

A todas luces, don Carlos no quería partir, pero puesto que los tres hombres habían llegado juntos, se sobrentendía que también se marcharían juntos. Él y Castorena se levantaron y se pusieron los sombreros con pluma. Belilla llegó del patio para ayudar al obispo a vestirse la capa de piel.

—¿Permitís que os acompañemos a palacio, señora? —sugirió el obispo a la condesa.

—No, Vuestra Ilustrísima, os lo agradezco, pero he venido con mis lacayos y además quiero quedarme para comentar algunos asuntos con sor Juana.

—Saludad al virrey de mi parte, entonces —pidió el obispo al tiempo que alargaba la mano para que la condesa le besara el anillo episcopal.

—¿Cenaréis con nosotros mañana? —pidió ella—. Tal vez sea la última vez que tengamos el privilegio de recibiros en palacio.

—Muy agradecido, señora —aceptó el prelado con una inclinación de cabeza—. Hasta mañana entonces. Sor Juana, gracias por ilustrarnos con vuestra maestría retórica.

—Ha sido un placer, Vuestra Ilustrísima —repuso Juana con una reverencia.

Don Carlos y Castorena besaron la mano de la condesa y se inclinaron ante Juana.

—Feliz cumpleaños de nuevo, sor Juana —dijo Castorena—. La librería os traerá el Kepler que os he prometido esta mañana.

–Gracias, don Ignacio. Mis conocimientos de astronomía serían nulos de no ser por la amabilidad de mis amigos.

–Buenas noches, señores –se despidió Belilla en la puerta cuando los hombres pasaron junto a ella.

–Buenas noches, señoritas –canturreó el niño junto a ella.

–¡José! –lo regañó la condesa.

Sin embargo, el niño se limitó a reír y fue a ocultarse entre los pliegues azul celeste de la falda de su madre. Los dos cachorros de perro pastor que había llevado de casa para mostrarlos a su madrina entraron dando tumbos en el locutorio, dejando tras de sí un rastro de huellas fangosas.

–¡José, hijo, ven acá! –ordenó la condesa–. Mira la porquería que han dejado tus animales.

–¿Queréis que lo limpie, tía? –preguntó Belilla mientras recogía platos y vasos.

–No, lleva las cosas a la celda y espérame allí, querida. Iremos juntas a completas –dijo Juana.

Belilla apiló los cacharros pulcramente sobre la bandeja y salió de la estancia tras despedirse con toda cortesía de la virreina. José asomó la carita por entre los pliegues de satén.

–¡Adiós, Belilla! –se despidió.

–Pórtate bien, niño –le advirtió ella por encima del hombro.

–Qué glotón –espetó la condesa, refiriéndose al obispo–. Se moría de ganas de que lo invitarais.

–Me temo que lo hemos escandalizado –señaló Juana.

–Siempre se escandalizan por algo –desdeñó la condesa–. ¿Por qué lo habrá traído Sigüenza?

–Siempre procura asistir a nuestras tertulias cuando está en la capital –repuso Juana–. Incluso ha empezado a escribirme desde Puebla.

–Qué pesadez –suspiró la condesa–. Ahora me veré obligada a confeccionar una lista de invitados, preparar el menú y contratar músicos.

Juana se acercó a la reja.

–No puedo creer que os marchéis de palacio.

–Yo tampoco, a decir verdad. Me había habituado tanto a vivir allí...

El niño salió de su escondrijo.

–Uno de ellos me ha mordido, madrina –aseguró a Juana mientras alzaba un dedo mugriento.

Los cachorros se peleaban junto al aparador, y el pequeño los regañó en broma.

–Eso los calmará, sin lugar a dudas –aseguró Juana, divertida a su pesar por las gracias del chiquillo.

José era una réplica casi exacta de su madre, salvo por el detalle de que tenía rizos rubios en lugar de castaños.

–Vamos, José, me prometiste que le regalarías uno a tu madrina.

–Pero si ya no nos permiten tener perros –protestó Juana.

La condesa le guiñó el ojo para indicar que no era más que un juego.

–El amarillo –propuso el niño, chupándose el dedo lastimado–. Es el que me ha mordido.

–Por supuesto, no podemos abandonar Nueva España hasta que José esté del todo destetado –reanudó la condesa la conversación anterior–. Un lactante jamás sobreviviría a la travesía.

–¿Dónde viviréis tras la llegada del conde de Monclova? –inquirió Juana–. Tengo entendido que llegará el mes próximo.

–Tomás ha alquilado la residencia que Castorena posee detrás de la universidad. Es una casa antigua encantadora, un poco ostentosa pero muy agradable. Castorena zarpará con la flota para buscar profesores en Madrid. Es curioso que no os lo explicara hoy. Estará ausente medio año.

–Que México pueda gozar de vuestra presencia durante muchos años, señora.

–Ah, sí, pero reconozco que también siento añoranza. Echo de menos a mis hermanas, el Guadalquivir y sobre todo la comida. Aquí nadie sabe preparar aquellos platos como Dios manda, Juana, y a veces sueño que los como. A buen seguro echaré de menos las quesadillas de flor de calabacín cuando regrese a España, por no hablar de vuestros postres. ¿No os exaspera la imposibilidad de decantaros por algo?

–La indecisión es un lujo que no puedo permitirme, condesa. Aquí una debe saber con exactitud qué va a hacer en cada momento, ya que lo contrario corre el riesgo de que la acorralen.

—No me digáis que volvéis a tener problemas con la priora.

—No, no tengo problema alguno con la madre Brígida. Es muy prudente y una excelente administradora, pero Rafaela vuelve a ocupar el puesto de vicaria, lo que por supuesto significa que no cesa de anotar todo lo que digo y hago, y las mellizas, María y Marcela, me siguen a todas partes como dos sombras albinas. Pero al menos aún somos mayoría en el gobierno. Ahora se trata de la recaudación de fondos. Hemos invertido buena parte de nuestros recursos en propiedades, y lo cierto es que nos va bien. Siempre y cuando aportemos al convento más dinero que Melchora y sus secuaces, conservaremos la popularidad entre las hermanas.

La condesa meneó la cabeza con expresión anonadada.

—De poetisa a financiera, Juana —comentó.

—Hago cuanto está en mi mano por sobrevivir, condesa.

—¡José!

El chiquillo se había encaramado al aparador y estaba a punto de vaciarse la jofaina sobre la cabeza. Uno de los cachorros empezó a ladrar.

—Se está inquietando —observó la condesa al tiempo que lo sentaba sobre su regazo—. Será mejor que nos vayamos; ha sido una tontería no traer a la niñera.

—Pero es tan agradable que estemos las dos a solas, condesa...

—Lo sé, pero es que a veces se pone tan pesado, ¿verdad que sí, pillo? Decidme, Juana, ¿dónde está aquella muchacha, vuestra secretaria? Desde que vuestra sobrina vino a vivir con vos, ya nunca la veo.

Juana sintió que se le nublaba la vista.

—Concepción —masculló en voz baja para disimular la repentina melancolía que se apoderó de ella— se marchó hace tres años, señora, ¿no lo recordáis? No sé qué ha sido de ella.

—Es cierto, había olvidado aquel pequeño escándalo. Qué lastima —dijo al tiempo que volvía a anudar el lazo que sujetaba la cola de caballo del niño—. Creía que había regresado y quería sobornarla para que nos acompañara a España. José necesitará una buena preceptora, y qué mejor preceptora que una mujer formada a imagen y semejanza de mi querida Juana...

—Sí, en verdad es una lástima —convino Juana—. Temo que su

344

educación se haya echado a perder en su nueva residencia, se halle donde se halle.

—Al menos os fue de utilidad durante su estancia, Juana. Pero... ¿por qué estáis tan sombría? ¿Acaso la echáis de menos?

Juana advirtió un matiz de celos en la voz de la condesa y denegó con la cabeza.

—No, sencillamente es una pena perder a una buena ayudante. Belilla es encantadora, por supuesto, y de mi propia sangre, pero acaba de empezar el noviciado y por tanto tiene su propia vida.

—La caligrafía de aquella muchacha era mejor que la vuestra, Juana —la pinchó la condesa con un destello travieso en sus oscuros ojos—. Caligrafía masculina... ¿no es así como la describían vuestras hermanas?

—Os ruego que no os burléis de mí, señora. Hago cuanto puedo para impresionaros.

Los ojos de la condesa quedaron rodeados de arruguitas cuando sonrió, y Juana contuvo el aliento, como siempre que la condesa la miraba con aquella expresión de candidez absoluta.

—Lo que cuenta es el contenido —aseguró.

El niño apoyó la cabeza en el hombro de su madre y se metió el pulgar en la boca.

—A mi juicio, la forma reviste tanta importancia como el contenido, condesa.

—Sólo veo la forma en función del contenido, Juana.

«Vos sois la forma —quiso decir Juana—, y este niño acurrucado en vuestros brazos es el contenido.»

—Entonces supongo que he alcanzado mi objetivo pese a la cualidad masculina de mi caligrafía.

El niño se sacó el pulgar de la boca y empezó a acariciar el pecho de su madre.

—Adoro cuanto escribís, Juana.

Juana intentó no mirar la mano del niño, que en aquel momento se deslizó bajo el corpiño.

—Y yo a la persona a quien va dirigido.

Por una vez, la condesa se ruborizó al oír el comentario de Juana.

—¡Basta, José, debemos irnos!

Juana estaba satisfecha de sí misma y casi agradecida por el hecho de que la visita tocara a su fin, pues había perdido la capacidad de respirar, y en el locutorio hacía, de repente, un calor espantoso.

—Vamos, José —ordenó la condesa, sacando la mano del niño de su escote—. No te duermas ahora. Habrá que lavarte antes de que te acuesten. Vamos. Coge a los perros y pongámonos en marcha.

Juana se levantó al otro lado de la reja.

—Hasta pronto —dijo.

—Hasta Nochebuena, después del paseo por la Alameda —dijo la condesa—. Mi esposo quiere hablar con vos de Brazo de Plata. No es amigo de los Medinaceli, ¿sabéis?

—Decidle que no se inquiete. Mientras Vuestras Excelencias sigan en México, no desviaré mi lealtad a ningún otro virrey.

—¿Sólo mientras sigamos en México, Juana?

—Sabéis que mi lealtad siempre será vuestra, señora.

—Imaginaos, un lisiado como virrey sólo porque el hermano de mi esposo ha caído en desgracia.

—Esperemos que gobierne con un solo brazo tan bien como Cervantes escribía con una sola mano.

—No nos conviene que gobierne demasiado bien, Juana. ¿Qué diría la gente si, pese a su cuerpo incompleto, todos lo consideraran un virrey mejor que mi esposo, cuyo cuerpo carece de defectos?

—Eso jamás sucederá, señora.

—¡Vamos, madre! —instó el niño, golpeando el suelo con el pie.

—¿Hasta Nochebuena entonces, Juana?

Juana inclinó la cabeza.

—Contendré el aliento hasta ese día.

Una vez más acudió el rubor al rostro de la condesa.

—Me atormentáis, Juana. ¡José, no olvides besar la mano de tu madrina!

Juana alargó la mano por entre los barrotes. El niño juntó los talones de sus botitas blancas, le tomó las yemas de los dedos y la besó levemente en los nudillos. Tanto Juana como la condesa lanzaron una carcajada ante la seriedad del niño. Con el corazón en un puño, Juana los siguió con la mirada mientras cruzaban el patio de la portería, el niño guiando a los cachorros con un cayado en miniatura. Sor Clara sostuvo abierto el portal, y uno de los lacayos le dio una propina. Juana cogió la lámpara y salió del locutorio antes de que sor Clara se acercara para comentar la visita. Se dirigía a la capilla del cementerio. Necesitaba sacar la Caja de Pandora antes del oficio.

*12 de noviembre de 1686*

Qué extraño silencio envuelve hoy el convento, o tal vez sólo se deba al latido desbocado de mi corazón y la sangre alterada de mis venas. La condesa acaba de irse, gracias a Dios, pues no habría podido seguir fingiendo que no pensaba en Concepción mientras hablaba con ella en nuestro código particular. A decir verdad, no pensaba tanto en Concepción como en su cuerpo, la sensación de su piel en mis dedos. Quién fuera el niño que acariciaba ese noble seno. Sé que ella también experimentó la súbita chispa de deseo cuando el niño reencarnó mis pensamientos en su cuerpo. Ay de mí, celosa de un niño y de la inocencia con que expresa la necesidad del pecho de su madre.

Durante la visita, una sombra oscurecía el locutorio, una sombra también relacionada con Concepción. La echo de menos y me preocupa su suerte. Con toda probabilidad, a estas alturas es esposa de alguien (si sobrevivió al viaje) y tiene a un niño pegado a las faldas, como José se pega a las de la condesa, en un estado de posesión total. ¿Alguna vez llegué a poseer a mi madre de este modo? Apenas recuerdo mi infancia. Es mejor así, mejor recordar una ausencia que una presencia que jamás fue mía. Con toda seguridad, mi madre no me pertenecía como pertenecía a Josefa y María, y nunca les perteneció a ellas como ahora pertenece a sus nietos. He sabido que Diego tiene un hijo nacido fuera del vínculo matrimonial, como parece que es el destino habitual de toda mi familia.

Aún me cuesta creer que el conde de Paredes haya sido reemplazado, pero al menos podré conservar a la condesa algún tiempo más. Dice que no se marchará hasta que el niño esté del todo destetado. Puesto que nada sé de criaturas, ignoro a qué edad sucederá eso, si bien me parece ya lo bastante mayor, pero en cualquier caso doy gracias a Dios de que eso me permita gozar de su presencia un poco más.

He de dejar de escribir. Ha anochecido y la oscilación de la lámpara me daña los ojos. La próxima vez debo traer otro frasco de tinta a la capilla. Mi pobre Caja de Pandora ha quedado arañada y abollada en su escondrijo, y el olor a sándalo que antes despedía ha dado paso a un hedor musgoso. Supongo que podría haber dejado la caja en el compartimento secreto de mi escritorio, pero con Rafaela de nuevo en el cargo de vicaria, sé que aquí estará más segura. Debo apresurarme; las campanas llaman a completas.

—Tía, la madre Rafaela os ha estado esperando —anunció Belilla cuando Juana regresó a la celda.

—¿Qué quería? Ya sabía que tenía invitados.

—Decía que necesitaba revisar los libros, pero le he contestado que tenía que aguardar vuestro regreso. Aquí tenéis el rosario, tía. Lo dejasteis sobre el lecho.

—Dios bendiga tu sentido común, Belilla —alabó Juana al tiempo que se sujetaba el rosario al hábito—. Vamos. No, deja la lámpara aquí. Esta noche hay luna llena.

—No me extraña —comentó la muchacha.

—¿Qué no te extraña, Belilla?

—Nada importante, tía —aseguró Belilla con un encogimiento de hombros y el rostro sonrojado.

Juana sabía exactamente a qué se refería. Resultaba curioso que, tras tomar los hábitos, la muchacha se viera perseguida por «nada importante», una forma secreta de decir «pensamientos ilícitos». *Privatio est causa apetitus*, quiso decirle, pero su sobrina no hablaba el latín con fluidez y le convenía descubrir por sí sola el modo de doblegar esos apetitos nacidos de la privación.

# 22

*16 de diciembre de 1687*

Querida hermana:

Te escribo para decirte que la salud de madre ha vuelto a empeorar, y esta vez temo que el desenlace sea fatal. De acuerdo con el médico de Chimalhuacán, sus pulmones jamás se recobraron por completo de aquella enfermedad que contrajo hace algunos años, y ahora escupe coágulos de sangre. El médico afirma que es cuestión de tiempo que nos abandone. He escrito a Josefa y le he pedido que me acompañe durante estos terribles momentos. Diego está aquí, al igual que Antonia, pero Inés no se ve capaz de dejar a su prole, ni siquiera para despedirse de su propia madre. No sé si te permitirán salir del convento, Juanita, pero si existe alguna posibilidad, para madre sería maravilloso verte por última vez, y si puedes, trae contigo a Belilla. La idea de quedar huérfana me hace desear ver de nuevo a mi hija, y además hay asuntos de la herencia que requieren solución.

Tu hermana que te quiere,

María Ramírez

*20 de diciembre de 1687*

Belilla, Josefa, sus cuatro hijos y yo acabamos de llegar a la posada situada a orillas del lago de Chalco. Es la primera vez en dieciocho años que salgo del convento, y al principio me embargó un extraño terror al ver la suciedad y el bullicio de la ciudad. Creía que alquilaríamos un coche, pues había hecho comprar a Josefa un enorme baúl, lleno en su mayoría de regalos para la familia, además de algunos libros y mi estuche de escritura, por supuesto, pero el carruaje de la condesa aguardaba ante el convento para llevarnos a Belilla y a mí a la Plaza Mayor. Nos enviaba asimismo a una de sus damas de compañía con una nota en la que me rogaba que pasara por su casa a mi regreso de Panoayan. Quién sabe cuándo será eso.

Belilla dispuso que Josefa y su familia se reunieran con nosotras a orillas del Jamaica. Por lo visto, Josefa nos acompaña sin contar con el permiso de Villena. Yo viajo ataviada con el hábito para procurarnos cierta protección de los salteadores de caminos. El hijo mayor de Josefa, Felipe, es alto y fornido para su edad, pero su juventud lo delata en cuanto abre la boca. En cuanto lleguemos a Panoayan vestiré de nuevo ropas laicas, si es que recuerdo cómo andar sin el pesado velo sobre la cabeza, sin las abultadas mangas hundiéndome los hombros, sin el escapulario, el escudillo, el rosario, la correa y el griñón que ahora añaden anchura a mis huesos.

La madre Brígida me ha dado permiso para permanecer junto al lecho de mi madre tanto tiempo como considere necesario, lo que equivale a decir «hasta su muerte». Tuvo que presentar una solicitud especial al arzobispo para que autorizara mi salida (acompañada de una donación mía a la actual obra benéfica predilecta de Su Ilustrísima, el Hospital de San Hipólito), pero se nos comunicó que Belilla debería repetir los últimos seis meses de noviciado a su regreso.

No sé si se deberá a mi estado de ánimo o al desaliño general de la estación, pero la ciudad que amaba, la hermosa ciudad de mi recuerdo, se ha convertido en una sentina atestada, mísera y hedionda. Las calles que jalonan la traza, la calle de San Agustín, la calle de Toledo, la calle de Águila, la calle de los Plateros y la calle del Reloj, se me antojan más angostas que antes, y los arcos del acueducto parecen a punto de desplomarse por el fuerte viento. Varias de las cruces públicas ante las que pasamos parecían a punto de caer a causa de la podredumbre de la madera o el peso del gran número de zaramullos que se apoyan contra ellas. Las fuentes públicas, que según recuerdo se contaban entre los proyectos de reforma más preciados del marqués de Mancera, están atascadas por toda clase de residuos, y el hedor de la orina en la arcada del municipio resulta del todo abrumador. Incluso el palacio se ha marchitado bajo el mandato de Brazo de Plata. Han desaparecido los lacayos con librea y los centinelas con yelmo que montaban guardia en la entrada. Sólo la catedral, que aguarda la construcción de sus últimos campanarios, ofrece mejor aspecto que hace dieciocho años, pero resulta incongruente entre tanta fealdad y miseria. Si todo esto es indicio del modo en que gobierna Brazo de Plata, no es de extrañar que la gente reclame su deposición.

Suspiré aliviada cuando Felipe por fin nos consiguió un pasaje en una canoa que transportaba textiles al mercado de Chalco. Deseaba desesperadamente huir del ruido y el hedor, aunque el canal no olía mejor. Pese a los jardines flotantes y las barcazas cargadas de maderas fragantes y especias, por todas partes flotaban animales muertos y demás desechos. Las hijas de Josefa vomitaron a causa del olor y el mareo. No conseguimos respirar con normalidad hasta que cruzamos el valle, pasando ante campos de maíz, caña de azúcar y cacao, y nos adentramos en las sombras de las colinas perfumadas de junípero. Había olvidado cuán fresco es el aire al pie de los volcanes. Mis volcanes, aún tan bellos, dándome la bienvenida después de treinta y un años pasados en la ciudad.

No sé si es la misma posada en la que mi tío y yo nos alojamos cuando contaba ocho años, pero me parecía recordar el edificio, el olor a cordero cocido y el chapoteo del lago cercano. Sin embargo, no recuerdo el rosal trepador que asciende por la fachada hasta nuestra ventana, y la mujer que dirige el establecimiento es tan joven como Belilla, si bien tiene tres hijos pequeños que la siguen por doquier como patitos. He pedido una de las habitaciones privadas para las mujeres. Felipe y su hermano compartirán lecho con los otros viajeros en la sala común. Mañana alquilaré un carro de bueyes para ir a Panoayan. Mi espalda no resistiría seis horas sobre una mula.

Llevo todo el día debatiéndome entre el terror y el gozo. Gozo porque regreso a la hacienda del abuelo después de tres décadas, dejando atrás las intrigas y los repetitivos rituales del convento, y terror que impregna todo ese gozo, pues sé que la ordalía de mi madre desembocará en la muerte.

—¿Y decís, hermana Melchora, que durante vuestro mandato como priora, sor Juana mostró comportamientos en extremo irreverentes?

—Sí, Eminencia Reverendísima, como todas podemos atestiguar, ¿no es así, Rafaela?

—Yo formularé las preguntas, hermanas. ¿Podríais darnos algún ejemplo?

—En cierta ocasión me llamó tonta. ¿Podéis imaginar semejante insulto a una priora?

—¿Lo dijo en vuestra presencia?

—Se le da un ardite el protocolo. Empezó a crear problemas de esta índole el día en que se unió a nuestra comunidad.

—¿Y cómo respondisteis vos a tan grave irrespetuosidad?

—Di parte a fray Payo.

—Por supuesto. ¿Y qué hizo nuestro querido arzobispo?

—Nada en absoluto. Me ordenó que demostrara que no era tonta y que entonces tomaría las medidas oportunas.

—¿Tenéis ejemplos de alguna infracción un poco más grave que una falta de respeto?

—Faltó a los sagrados oficios durante una semana entera. ¡Y era Semana Santa! Ni siquiera se presentó al rosario de Viernes Santo ni a la misa del Domingo de Pascua. Eso debería considerarse una infracción grave.

—¿Cuánto hace de eso?

—Hace poco faltó a los servicios vespertino y matutino, también durante la Cuaresma, Eminencia Reverendísima.

—¿No os parece fascinante, Eminencia Reverendísima, que mientras todas las demás se abstienen de los placeres durante cuarenta días, Juana elija la desobediencia?

—Anotadlo: hábito de desobedecer la Regla durante la Cuaresma. ¿Qué más, hermanas? Y recordad que estas diligencias requieren pormenores, no resúmenes.

—Tenía por costumbre permanecer en vela toda la noche leyendo y trabajando en sus encargos mundanos...

—¿Los villancicos y loas que le encargaba el cabildo? ¿El arco triunfal? Son encargos legítimos.

—Oh, no, Eminencia Reverendísima, me refiero a muchas otras obras. Compone toda clase de poesía profana, sonetos, décimas, endechas, panegíricos, obras teatrales, sátiras...

—Incluso poemas de amor a cierta virreina.

—Parecéis muy versada en los distintos géneros literarios, hermana. ¿Habéis leído alguna vez dichas obras?

—¡Por supuesto que no!

—¿No se representaron algunas de sus obras en el claustro?

—Sí, pero...

—Entonces habréis leído algunos de sus versos.

—No teníamos obligación de asistir a representaciones de esa naturaleza, señor. Iban destinadas a entretener a las alumnas internas y sus familias. Algunas de nosotras no aprobamos las diversiones seglares para muchachas a las que intentamos convertir en epítome de la obediencia y la humildad.

—Entonces, ¿no podéis decirnos nada acerca de sus versos profanos?

—Sólo que su propio padre confesor la abandonó por su causa.

—Siempre discutían sobre la poesía de sor Juana. Parecía más preocupado por sus versos que por sus faltas de comportamiento.

—¿De qué naturaleza eran sus discusiones?

—Su padre confesor quería que sor Juana dejara a un lado sus encargos mundanos y sus borrones profanos...

—Sobre todo esos poemas de amor a la condesa...

—... y se dedicara a leer las Escrituras. También insistía en que modificara su forma de escribir, ya que su caligrafía carecía de toda gracia femenina...

—¿Habéis anotado eso?

—Sí, señor, «caligrafía carecía de toda gracia».

—Gracia femenina. Es un punto importante, hermana. ¿Por qué no se me había informado de ello? Todas las obras de sor Juana que he leído estaban escritas en una caligrafía muy femenina.

—Siempre hacía copiar sus obras, señor —señaló Melchora—, primero a esa castiza que le regaló la madre Catalina, y ahora esa altiva sobrina suya que se hace llamar sor Isabel.

–¿Podéis proporcionarme un ejemplo de esa caligrafía, hermana? Resultaría de suma utilidad para el caso.

–Sor Juana guardaba sus escritos en un estuche, Ilustrísima. Sus primas, que durante un tiempo vivieron aquí, lo encontraron, pero ha desaparecido de su celda. Hemos buscado por todas partes.

–Quedáis encargadas de localizar ese estuche.

–Ya lo hemos intentado, Ilustrísima, pero sin éxito.

–Os ruego ejerzáis la virtud de la perseverencia, hermanas.


*23 de diciembre*

Llegamos anoche. Los hijos de Josefa estaban hambrientos, y Belilla y yo no queríamos perturbar el sueño de madre. María dice que duerme apenas tres horas por noche y pasa el resto del tiempo gimiendo y agitándose de dolor. Sin embargo, debe de haber percibido algo, pues en cuanto entré en la habitación, abrió los ojos.

–Juanita –jadeó–, eres como una aparición.

Quiso abrazarme, pero apenas si podía separar los brazos del lecho. Aun el más leve movimiento le causa un terrible dolor en las piernas, pero al menos come, según dice María, y hace varias siestas a lo largo del día, lo que le proporciona un respiro en los accesos de tos.

Me costó no romper a llorar en su presencia. Parece tan anciana, tan frágil... Su tez posee un matiz como de ictericia, y cuando tose da la impresión de que un fuego le consume los pulmones. Ofrece el mismo aspecto famélico que tía María durante su última visita. ¿Acaso esta enfermedad es cosa de familia? Cuando se vuelve de costado, veo una pronunciada joroba en su espalda. No queríamos fatigarla, de modo que la dejamos al cuidado de su médico mientras Belilla y yo íbamos a quitarnos el hábito.

María me prestó un vestido marrón de corpiño verde oscuro y rebozo a juego. No llevo corsé desde que vivía en palacio y había olvidado el dolor que causa ceñirse la cintura hasta el punto de no poder respirar. Desprovistos de las vendas, mis pechos quedan expuestos de un modo obsceno. Debo reconocer que me sentí ridícula con la crinolina abombándose a partir de mis caderas. También Belilla ofrecía un aspecto peculiar con el vestido de terciopelo rojo que María seleccionó para ella. Contra el hábito blanco, la tez pálida de la muchacha se antoja casi sonrosada, pero sobre el fondo de terciopelo rojo está blanquísima. Cuando nos reunimos con los demás en la cocina, donde nada ha cambiado, aunque todo aparece más destartalado que cuando yo vivía aquí, pese a que las ventanas están cubiertas de vidrio, me convertí en el centro de la conversación.

–Llevas el cabello muy largo, Juana –comentó María, levantando la larga trenza que me había hecho–. Creía que lo llevarías muy corto bajo el velo.

–Pensaba que las monjas tenían que ser pelonas –añadió una de las hijas de Josefa.

Le expliqué que cortarse el cabello al tomar el velo era un acto simbólico destinado a mostrar que la monja elegía cortar todo contacto con el mundo y la persona que dejaba de ser.

–Pero podemos volver a dejárnoslo crecer –señalé con un guiño al niño más pequeño.

–No imagino a los barberos acudiendo regularmente al convento para mantener esquiladas a las monjas –bromeó Diego, a lo que los hijos de Josefa se echaron a reír.

–¿No es el cabello señal de vanidad, Juana? –preguntó Antonia.

Por un instante, recordé la época en que mi hermanastra vivía en San Jerónimo y el modo en que pasaba horas enteras mirando las musarañas y retorciéndose los tirabuzones entre los dedos.

–Antes creía que era señal de estupidez –puntualicé–. No el cabello en sí mismo, sino el tiempo que llevaba dejarse crecer una longitud determinada, que marcaba la rapidez o lentitud con que se pasaba de ser ignorante en una materia a aprender algo sobre ella. Con frecuencia, el cabello me crecía sin que hubiera abandonado la fase de la ignorancia, y entonces volvía a cortármelo para concederme otra oportunidad.

–Entonces, ¿os cortáis el cabello a menudo, tía? –inquirió una de las hijas de Antonia, la única de mis sobrinas que entendía mi razonamiento–. De lo contrario, ahora lo tendríais mucho más largo.

–Y no sería más sabia –agregué.

La niña lanzó una risita ahogada.

–Algunas monjas sí son vanidosas con su cabello –terció Belilla–. Una que se llamaba sor Felipa llevaba rizos bajo el velo, al menos eso me contaron.

–Sor Isabel –espeté con una mirada penetrante–, tales asuntos son confidenciales. Espero que no hayas olvidado que como novicia debes hablar con comedimiento, aunque ahora no estés en el convento.

Belilla se removió incómoda en su silla y al poco se ofreció para ayudar a la doncella a servir el chocolate. Los niños se propinaron discretos codazos, y las niñas se irguieron en sus asientos.

Lo que me confunde de estar aquí no es sólo el hecho de hallarme rodeada de pequeños desconocidos, mis sobrinos y sobrinas que fingen conocerme (a una de las hijas de Antonia le gusta apoyar la cabeza en mi hombro y acurrucarse contra mí como si me conociera de toda la vida), sino que, aparte de ser monja, no soy nadie especial entre ellos. No soy la amiga íntima de la virreina, la comadre del virrey ni la anfitriona del salón más codiciado de Nueva España. Sólo soy Juanita, que abandonó su tierra natal muchos años atrás y ahora es monja en un convento. Qué alivio no verme obligada a hacer de anfitriona, si bien aquí también me siento forzada a divertir a todos con relatos de la vida conventual.

*Más tarde*

Las últimas Navidades que pasé aquí con mis hermanas y mi madre tenía ocho años, y de eso hace ya treinta y uno. ¿Cómo es posible condensar tanto tiempo en unas pocas líneas del diario? Recuerdo los dulces que preparaba Francisca, sobre todo las empanadas de calabaza y la rosca rellena de fruta, donde escondía la figurita del Niño Jesús. Francisca falleció hace algunos años, según me cuenta mi madre, y Juanilla murió dando a luz exactamente un año después del funeral de su madre.

–Qué escándalo armaste por tratar a una esclava como novicia –comentó mi madre.

Intentó reír, pero el esfuerzo le revolucionó los pulmones y provocó un espantoso acceso de tos. El doctor dice que debemos impedirle hablar, pero Isabel Ramírez siempre ha sido muy testaruda, y ninguno de sus hijos ni nietos le dirá jamás lo que debe hacer. Dejaremos a madre al cuidado de Antonia y Belilla mientras mis hermanas y yo llevamos flores a la tumba de mi abuelo.

## Nochebuena

Es la última noche de las posadas* de Navidad, y María está muy ocupada supervisando la preparación de tamales y atole para distribuirlos entre los aparceros y sus familias. Belilla y yo asistiremos a la misa del gallo en Chimalhuacán, en la parroquia donde fui bautizada. María y Josefa no quieren que vayamos, pero le he recordado que llevo más de la mitad de mi vida cantando en la misa del gallo y no puedo abandonar la tradición. A decir verdad, ardo en deseos de volver a vestir el hábito y eliminar esta terrible opresión que me atenaza el torso. Asimismo, pese a todos los años que he ansiado salir de mi confinamiento, aunque sólo fuera durante unas horas, he descubierto que echo de menos el convento. Añoro mis libros, la rutina de escribir durante las calladas horas que siguen al toque de silencio. Si bien aquí puedo escribir, y de hecho lo estoy haciendo ahora mismo, sólo lo consigo cuando todo el mundo se ha acostado. Mis sobrinas lo consideran una costumbre misteriosa y siempre quieren leer lo que escribo u hojear los escritos de la Caja de Pandora.

Qué inocentes y sinceras son estas niñas. A su edad, yo también anhelaba leer cuanto caía en mis manos, pese a las reprimendas de mi abuelo. Nunca comprendí sus amonestaciones, pues su actividad predilecta era que ambos nos sentáramos bajo las jaracandás, cada uno con su lectura. El hecho de haber regresado lo

* Pequeñas procesiones conmemorativas, en las que se cantan villancicos. Se realizan durante ocho días. (*N. del E.*)

devuelve a mis sueños, en los que siempre jugamos una partida de ajedrez.

## 29 de diciembre

Madre se siente demasiado débil para usar el orinal. Dice que tiene la sensación de que se le quiebran todos los huesos cuando intentamos levantarla del lecho para asearla. Su rostro y su cuerpo entero han menguado y le confieren aspecto de niña, una niña diminuta y ajada, con profundos hoyos en las mejillas y agudas líneas en la mandíbula y la frente. Dice que la Muerte está sentada sobre ella, que no la deja respirar y la llena de un frío sobrecogedor. Las cinco, es decir, Josefa, María, Antonia, Belilla y yo dirigimos la nona por turno. Los niños se arrodillan silenciosos en el pasillo, procurando no llorar por su abuela. Diego entra y sale de la casa, trayendo leña para los braseros, bajando y subiendo la escalera con el médico. Algunas noches se embriaga sobremanera y se duerme sentado a la mesa de la cocina tras llorar con el rostro sepultado entre las manos. De todos nosotros, creo que él y María son quienes más tiempo pasan con nuestra madre. Por mi parte, creo que llevo casi toda la vida llorando su pérdida.

## 3 de enero de 1688

Madre ha muerto esta mañana, y la casa está llena de llantos infantiles. Los mayores entienden lo que sucede, y los pequeños lloran porque ven llorar a sus madres. Anoche, cuando empezó el ahogo y una suerte de velo negro le nubló los ojos, Diego salió en busca del sacerdote del lugar. El médico quería sangrarla una vez más, pero madre no se lo permitió.

—Creo que se acerca el fin, Juanita —me susurró cuando la incorporé para que la flema no la asfixiara.

Madre quería que todos entráramos en la habitación para que pudiera bendecirnos por última vez. Acto seguido, el sacerdote le administró la extremaunción y ella se sumió en una especie de trance provocado por la fiebre, según aseguró el médico. No recobró el conocimiento. El sacerdote dice que debemos enterrar su estragado cuerpo de inmediato y el médico conviene con él. Hemos decidido prescindir del velatorio para evitar que la infección se propague a alguno de los niños. Madre será enterrada a los pies del abuelo en el cementerio. A partir de hoy llevaré de nuevo el hábito y me cubriré el rostro con el velo durante un año entero. Pronto deberé regresar a la vida de clausura.

*Epifanía de 1688*

Hemos decidido regresar a la ciudad de México a finales de semana. Soñé que un terremoto sacudía la ciudad, y que Melchora y Rafaela desenterraban la Caja de Pandora de entre los escombros de mi celda, aunque en realidad llevo la caja conmigo. Debo de estar más ansiosa por marcharme de lo que creo. Resultaría muy fácil a las Tres Gracias entrar en mi estudio. La idea de que registren mis pertenencias me revuelve el estómago. Debo empezar a despedirme de Panoayan. Después del almuerzo saldré a dar un paseo por los campos de maíz, desde donde contemplaba los volcanes cuando era niña. Quiero llenarme los ojos del Popocatépetl y el Iztaccíhuatl. En algún rincón de sus sombras, en un cementerio de Tepeaca, yacen los huesos de Leonor Carreto, mi marquesa, quien creía que yo veía en ella a la sustituta de una madre. Ahora mi madre también yace en su sombra, y deberé añadir otra calavera a mi altar el Día de los Difuntos.

—La Inquisición no es un organismo autónomo, sor Melchora, al menos no en las Indias. Debemos tomar en consideración a la Audiencia y al Tribunal, donde ejercen poderosos amigos del marqués de la Laguna, por no mencionar, por supuesto, que el virrey es presidente de todos los organismos rectores y podría revocar cualquier sentencia emitida contra ella. Debemos aguardar el momento adecuado, hermana Melchora. Ejerced la virtud de la paciencia y recabad más ejemplos de la locura de Juana para el archivo que estamos recopilando. ¿Cómo anda la búsqueda?

—Rafaela encontró un cuaderno titulado *Primero sueño*, que contiene un oscuro poema a medio componer.

—No me interesan sus poemas, ya os lo dije.

—Pero sí os interesará lo que hallamos en la cara interior de la cubierta, Vuestra Ilustrísima. Ha tomado notas sobre un eclipse de luna... Ya sabéis que se abandona a la contemplación del cielo a través de ese telescopio que tiene... En cualquier caso, las notas están repletas de referencias paganas a los griegos, y mirad esto. ¡Aquí se equipara a Lucifer!

—¿No os parece una información valiosísima, Ilustrísima?

—Habéis obrado bien, hermanas. Creo que el arzobispo se complacerá en concederos diez años de perdón de vuestros pecados al ver este documento.

*8 de enero*

María ha pasado dos días enteros en el dormitorio de madre, fregando y llorando, sin permitir que nadie la ayude. Al otro lado de la puerta cerrada la oímos maldecir entre sollozos, y en ocasiones el cepillo se estrella contra una pared o la puerta. Anoche la oí lamentarse como la mujer que deambula por la noche llamando a sus hijos perdidos. Sin embargo, en este caso es la hija quien llora y la madre quien se ha perdido. Acostada junto a mí en el lecho, Josefa lloraba con el rostro sepultado en la almohada. Sé que quería que la abrazara, pero en lugar de eso me levanté a escribir. Sólo la escritura me proporciona solaz. Ha llegado el momento de volver a la ciudad de México. Debemos seguir adelante con nuestras vidas.

*10 de enero*

Una vez más nos encontramos en la posada de Chalco. Llueve desde hace dos días, de modo que no hemos conseguido ninguna barcaza que nos lleve de regreso a la ciudad. Josefa augura una espantosa pelea con Villena por haberse marchado sin permiso y Felipe ha prometido matarlo si lastima a su madre. Las niñas ya lloran ante semejante perspectiva. Cuánto histrionismo por ese bígamo. No entiendo por qué Josefa no lo abandona de una vez por todas y se traslada a Panoayan con sus cuatro hijos. Sabe Dios que a María le vendría bien su perspicacia. Estoy inquieta por María. No derramó una sola lágrima en nuestra partida y apenas si dirigió la palabra a Belilla. Incluso su abrazo de despedida resultó forzado. Es como si se hubiera encerrado en el luto. Llueve otra vez, de modo que no podemos emprender el viaje hasta que despeje. Belilla dice que aún sueña con madre, así que supongo que su espíritu está perturbado por alguna razón. He vuelto a tener aquella vieja pesadilla sobre tío Juan y la lámpara de Aladino; serán el lugar y el recuerdo de mi primer viaje a la ciudad los que han desenterrado esas repugnantes imágenes de las catacumbas de mi memoria.

*11 de enero*

Acabo de encontrar la nota que la condesa me hizo llegar a través de su doncella para pedirme que me detuviera en su casa antes de regresar al convento. ¿Osaré siquiera contemplar tal tentación? ¿Acaso no aprovecharé la oportunidad de visitarla por una vez, verla en su entorno, dormir bajo su techo? Me parece que no volveré a salir del convento. Tendré que llevar conmigo a Belilla, claro está, porque dadas las tentaciones que podrían surgir, me conviene contar con su presencia. Dios mío, deberían azotarme. Acabo de enterrar a mi madre y ya empiezo a preocuparme por las tentaciones. Bastará con que recuerde que debo mantener a raya la influencia de la Reina Oscura mediante el velo de luto que cubre mi rostro.

# 23

Llegaron a la ciudad después de vísperas, y en la plaza Juana alquiló un coche para todos. En primer lugar se dirigieron al barrio de San Pedro y San Pablo para dejar a Josefa y sus hijos. Josefa quería que Juana entrara con ella en casa, temerosa de las represalias de su esposo, pero Villena esperaba en la puerta de su vivienda, con la camisa remangada y los faldones caídos sobre los calzones, y Juana no tenía ningún deseo de hablar con él. Se excusó ante Josefa, la besó en ambas mejillas, abrazó a sus sobrinas y sobrinos, y ordenó al cochero que continuara. No reveló a Belilla su destino hasta que el carruaje se detuvo ante los leones de granito que guardaban la mansión.

—La condesa nos ha invitado a pasar la noche —anunció sencillamente.

—¿Aquí, tía? —exclamó Belilla con los ojos abiertos de par en par por el asombro—. ¿Está permitido?

—No debes hablar de esto con nadie del convento, Belilla. Es nuestro secreto, ¿lo entiendes?

—Si vos lo decís, tía…

Dio su nombre al guardia, quien ordenó a dos lacayos que descargaran el baúl del coche.

—Seguidme, por favor —pidió el hombre.

Las guió hasta la puerta principal de la casa y llamó a la puerta con la aldaba en forma de cabeza de león. La galería estaba iluminada con candelabros de pared, cuya suave luz se reflejaba sobre las esferas doradas de los naranjos en miniatura que jalonaban en macetas la puerta de doble hoja.

—Sor Juana Inés de la Cruz desea ver a la condesa —anunció al chambelán que estaba sentado junto a la puerta con su jubón, calzones y guantes blancos.

El chambelán abrió la puerta y se inclinó ante ellas cuando entraron en el vestíbulo.

—Acomodaos, por favor —pidió mientras señalaba dos sillas doradas de respaldo alto—. En seguida os anuncio. Los señores marqueses están cenando. ¿Me permitís vuestras capas?

Belilla recorrió con la mirada los tapices que adornaban las paredes, los cortinajes de seda de las ventanas y el chapado dorado del mobiliario.

—Nunca había estado en un lugar tan suntuoso —aseguró, fascinada.

—No mires tanto, Belilla —la amonestó su tía—. Compórtate como si fuera lo más natural del mundo. Es una grosería parecer tan impresionada.

—Sí, tía —musitó Belilla antes de cerrar la boca y erguir la espalda.

Entraron dos doncellas empujando un delicado carrito con una jofaina y una pila de toallas. Imitando a su tía, Belilla sumergió una de las toallas en la jofaina, se limpió el rostro, se lavó las manos y se las secó con una toalla limpia. Acto seguido, las criadas se arrodillaron a sus pies y les limpiaron el barro de los zapatos y dobladillos antes de desaparecer con el carrito por una puerta lateral.

—No estoy acostumbrada a tantas atenciones, tía.

—Considéralo una buena forma de mantener limpios los suelos —replicó Juana.

Belilla asintió y clavó la mirada en sus zapatos limpios como si estuvieran hechizados. El enorme reloj dio la hora previa a completas. De pronto oyeron el sonido de unos pasitos que se acercaban corriendo.

—¡Belilla! —gritó una voz al otro lado de la puerta.

Al cabo de un instante, el pequeño José entró a la carrera y se abalanzó sobre el regazo de Belilla. Lo seguían otros pasos más adultos que resonaban presurosos sobre el suelo embaldosado. Juana contuvo el aliento y se obligó a permanecer sentada.

—¡Oh, Belilla! —exclamó José, rodeándole el cuello con los brazos—. ¡Te he echado tanto de menos! ¿Dónde estabas?

—¿Ya te está atormentando? —inquirió la condesa.

Juana se vio obligada a tragar saliva para poder articular. María Luisa llevaba un vestido de damasco amarillo con un corpiño muy escotado de terciopelo negro, que acentuaba la esbeltez de su cintura, y mangas abombadas también negras con cuchillos de satén amarillo. El moño que lucía bajo en la nuca estaba envuelto en una fina red dorada, y adornaban sus orejas largos zarcillos también de oro. Tras ella venía don Tomás, cuya sonrisa dejaba como siempre al descubierto sus dientes irregulares.

—¡Sor Juana, qué sorpresa! ¡Bienvenida! —la saludó.

—Señores, perdonad la intromisión —se disculpó Juana con una reverencia.

—¡Tonterías! —desechó don Tomás al tiempo que le besaba la mano—. Como decís en vuestro país, nuestra casa es vuestra casa.

Ordenó al chambelán que hiciera llevar el baúl al ala de los invitados.

La condesa no había apartado la mirada del rostro de Juana.

—No os veo los ojos a través del velo, Juana.

—Perdonadme, señora, pero estoy de luto.

—Oh, Juana, cuánto lo siento.

La condesa abrazó a Juana y luego a Belilla.

—Habrá sido un gran consuelo para ella teneros cerca al final —señaló.

—Así lo creo, señora —repuso Belilla—, sobre todo mi tía Juana.

—Entrad, entrad. Debéis de estar desfallecidas después del viaje —dijo don Tomás, rodeando los hombros de Juana con el brazo—. José, deja de pegarte a Belilla, que la vas a asfixiar.

—No me importa, señor —aseguró Belilla.

—Es demasiado mayor para saltar al regazo de las mujeres, ¿verdad, hijo?

—Tengo casi cinco años —se enorgulleció el niño, tomando la mano de Belilla mientras atravesaban el solario y recorrían el pasillo que conducía al comedor.

364

Belilla no podía evitar contemplar con admiración los ornamentados espejos y los retratos alineados a lo largo del corredor e iluminados por candelabros de pared en forma de garras leoninas.

Bajo un candelabro cuya luz se intensificaba por los cristalitos colocados entre las velas, el servicio había dispuesto dos cubiertos sobre la mesa que, para satisfacción de Juana, estaba cubierta con un mantel de encaje en el que se veía el famoso dibujo de las jerónimas.

—Hemos tomado sopa y tortilla —explicó la condesa—, pero si os apetece algo más sustancioso...

—No, gracias, señora. La sopa nos sentará de maravilla.

—Vino para las señoras —ordenó don Tomás al mayordomo.

—Para mí no, señor —declinó Belilla—. Nunca he probado el vino.

—Sírvele un poco —insistió don Tomás, a lo que el mayordomo llenó ambas copas hasta la mitad de clarete—. Son los últimos restos de nuestra bodega —anunció al tiempo que alzaba la copa para brindar—. Por fortuna abandonaremos México dentro de unos meses, ya que de lo contrario tendríamos que conformarnos con agua. Por el inesperado placer de vuestra visita, comadre.

El corazón de Juana había dejado de latir, pero logró alzar la copa y brindar. ¿Había dicho don Tomás que se marchaban?

—¿Tenéis intención de cenar con el velo puesto, Juana? —inquirió la condesa—. ¿No podríais retirarlo sólo para el ágape?

Juana obedeció, enrolló la gasa blanca y la ocultó bajo la lana negra del velo exterior.

—Mucho mejor así —alabó la condesa—. Así no os mancharéis de vino esa gasa tan hermosa.

Juana tomó un sorbo de vino y lo dejó resbalar por su garganta, agradecida por el repentino calor que le produjo en rostro y orejas.

—¿Sirvo la sopa, señora? —preguntó el mayordomo.

—Sí, por favor, Rogelio, y trae pan fresco.

—Disculpad, don Tomás, ¿habéis dicho que os marcháis dentro de unos meses? —inquirió Juana.

—Zarparemos con la flota en abril —asintió el marqués—. Me temo que nuestra estancia en México toca a su fin.

—Estamos desolados, por supuesto —terció la condesa.

—¿Cuándo lo supisteis?

—Cuando llegó el último despacho del rey —repuso don Tomás—. Está disgustado en extremo con la actuación de Brazo de Plata en Nueva España y me anuncia que el nuevo virrey, que asumirá el cargo en noviembre, es Melchor Gaspar Baltasar de Silva y Mendoza, conde de Galve. Lo recuerdo como paje de la reina madre y más tarde como gentilhombre del rey, pero por lo visto ha heredado una serie de títulos importantes. Nunca comprenderé cómo ha logrado que le nombren virrey.

—O él o su esposa habrán comprado el virreinato —supuso la condesa—. Tengo entendido que la familia de doña Elvira puede permitirse semejante lujo.

—Lo he verificado, María Luisa, y no es eso lo que ha sucedido —aseguró su esposo—. Es un misterio tanto para mis aliados de Madrid como para nosotros. En cualquier caso, sí sé que De Galve y su hermano conspiraron contra mi hermano, el duque, y estuvieron implicados en su caída en desgracia y, por ende, en nuestra expulsión de palacio. No estaré en México cuando llegue.

Juana clavó la mirada en la crema de zanahoria y supo que no podría probar bocado. Cogió un panecillo caliente de la cesta y una cuña de tortilla de patatas del plato, bebió más vino y escuchó el relato que Belilla hacía de su viaje, pero sólo podía pensar en que pronto le arrancarían otro pedazo de corazón.

—... lo dijo padre —decía el chiquillo.

—Nada de eso, jovencito —lo regañó la condesa, agitando un dedo ante él—. Tu padre no dicta las reglas en lo que a ti te concierne, aún no. A la cama. Llévatelo, Lupe.

—Quiero que me lleve Belilla —exigió el niño con un mohín.

—Belilla está cenando. Anda, no seas pesado.

—Subiré después de la cena y te contaré un cuento —prometió Belilla a José al tiempo que le alisaba el cabello.

—¿Lo prometes?

—Lo prometo.

—¿Un cuento muy largo? Quiero un cuento muy largo.

—Todo lo largo que quieras.

La niñera ayudó al pequeño a bajar de su sillita alta y le tomó la mano.

—Si te olvidas lloraré —advirtió José al salir.

—¿No nos das un beso de buenas noches? —preguntó don Tomás.

—No —replicó el niño antes de salir corriendo del comedor.

—Está muy malcriado —suspiró la condesa—. Pero tú eres muy buena con él, Belilla. ¿Dónde aprendiste a manejar tan bien a los niños? Yo no tengo paciencia con él cuando se pone tan tonto.

—Cuidé de los hijos de mi tía Josefa, señora.

—Qué extraño que una muchacha a la que se le dan tan bien los niños desee hacerse monja —comentó don Tomás.

—Amo a Dios más que a los niños, señor —musitó Belilla con la mirada clavada en el plato.

—Tiene auténtica vocación —acudió Juana en defensa de su sobrina.

—Como su tía, a buen seguro —aseveró la condesa, mirándola a los ojos.

—Espero que más —rogó Juana—. Tomará el velo a finales de agosto, y ruego para que halle el hábito más acorde con su naturaleza que yo en su momento.

Belilla frunció el ceño sin comprender el significado de las palabras de su tía, pero dejó correr el asunto.

—Mira, María Luisa, Juana no ha probado bocado.

—Perdonadme —se disculpó Juana al tiempo que apartaba de sí el plato y el cuenco—. La noticia de vuestra partida me ha quitado el apetito.

—Pero Juana, sabíais que tarde o temprano nos marcharíamos —exclamó la condesa.

—Rogaba para que fuera más tarde que temprano, señora.

—Si no fuera por ese De Galve —masculló don Tomás—, tal vez nos habríamos quedado unos años más. En honor a la verdad, no tengo prisa alguna por regresar a España, máxime teniendo en cuenta las intrigas que se cuecen en la corte.

—¿Consideraríais la posibilidad de trasladaros a un lugar más cercano? —sugirió Juana—. ¿De quedaros en Puebla, por ejemplo, o ir a Michoacán? Tengo entendido que Valladolid es muy hermoso.

—¿Permanecer en Nueva España bajo la férula del petimetre que traicionó a Medinaceli? ¡Sed realista, Juana! ¿Qué pensaría la gente?

—Me temo que mi esposo está en lo cierto, Juana. Por mucho que deteste la idea de dejar... este país... no podemos convertirnos en el hazmerreír de todos.

Juana apuró la copa de vino. De pronto sintió deseos de abandonarse por completo a los vapores del vino. ¿Y por qué no? Aquella noche era libre. ¿Quién podía impedírselo? El mayordomo volvió a llenarle la copa, y Juana la alzó para proponer otro brindis.

—Por los ocho años más felices de mi vida —brindó con la voz a punto de quebrarse—, gracias a Vuestras Excelencias.

Los otros tres entrechocaron las copas contra la de ella. Belilla le rozó el hombro y la besó impulsivamente en la mejilla.

—Sólo os ruego que me prometáis una cosa —pidió Juana con la voz ya pastosa por el vino al tiempo que se volvía hacia la condesa—. Prometedme que no moriréis de camino a Tepeaca.

Los ojos de la condesa se llenaron de lágrimas.

—Pensáis en la esposa de Mancera —musitó.

—Creo que deberíamos retirarnos, tía —terció Belilla—. Parecéis cansada.

—¿Cansada? —repitió Juana—. No estoy cansada, Belilla, sino que tengo el corazón destrozado.

—Vamos, vamos —intentó apaciguarla don Tomás—. Siempre había deseado tomar algunas copas con vos, Juana Inés de la Cruz. Ya conocéis el dicho: los poetas y los borrachos siempre dicen la verdad. ¡Más vino, Rogelio!

—¿Insinuáis que os he mentido, señor?

—Insinúo que ésta es nuestra única oportunidad de conocernos a fondo, de igual a igual.

—Oh, no —gimió la condesa—. Ya empieza. Se ha emborrachado con todos nuestros invitados desde que recibimos la carta del rey. Creo que se ha encariñado con México tanto como yo.

—Señora, ¿no tenéis un hijo al que atender? —sugirió don Tomás a su esposa—. Y tú, doncella, ¿no tienes una promesa que cumplir?

—Vamos, Belilla —instó la condesa, retirando la silla de la mesa—. Ya es hora de que nos retiremos y dejemos a los señores con su bacanal.

—Pero, tía... —protestó Belilla.

—Obedece a la condesa —ordenó Juana a su sobrina, contenta de que la condesa la hubiera incluido en la categoría de los señores—. Detesta que la desobedezcan.

—¡Qué gran verdad! —exclamó don Tomás.

Juana lamentaba ver alejarse a la condesa, pero aguardaba con impaciencia la conversación a solas con el virrey... que ya no era el virrey. En fin, la conversación a solas con don Tomás, con su compadre. Por primera y sin duda única vez en su vida, sabría lo que se sentía al verse tratada como un hombre, no con la fingida igualdad que proporcionaba el locutorio, donde Juana no era más que una actriz que entretenía a sus invitados. Aun don Carlos la trataba en ocasiones con una suerte de deferencia condescendiente. Ahora experimentaría la igualdad de dos amigos que conversan con una botella de vino entre ellos.

Tocaron toda una serie de temas, como la muerte de la madre de Juana, el abandono de ésta cuando ella era niña, la biblioteca de su abuelo, el hecho de dejar de comer queso porque había oído que entorpecía el cerebro, el precio de un pasaje a Cádiz, las dificultades que don Tomás tendría para transportar a sus caballos en la flota, el desierto en que México se había convertido bajo el gobierno de Brazo de Plata, la muerte inminente de la reina si no daba a su esposo un heredero al trono español, el orgullo que don Tomás sentía por su hijo, el peculiar modo en que su amor por su esposa había renacido tras el nacimiento del pequeño y, más extraño aún, en que María Luisa se había alejado de él por causa del mismo acontecimiento. Don Tomás le habló también del día en que su hermano mayor le asestó un golpe en la cabeza con una pala de jardinero, a causa de los celos que le provocaba el hecho de que Tomás fuera el favorito de su padre, e insistió con un puñetazo sobre la mesa que no le importaba no tener más hijos, ya que ello conducía a la rivalidad entre hermanos y al resentimiento por parte de su esposa.

Con igual énfasis, Juana le refirió su compromiso de amasar

una fortuna en el convento, aunque ello significara renunciar a sus estudios durante un tiempo. Según explicó, estaba convencida de que el voto de pobreza era un engaño, un artificio más inventado para garantizar el sometimento de las mujeres. Incluso los frailes mendicantes y el arzobispo, que siempre le pedía prestado dinero y nunca se lo devolvía, acumulaban dinero y comerciaban con reliquias. No existía el concepto de santidad a través de la pobreza, insistió asestando otro puñetazo sobre la mesa: sólo sufrimiento, tormento, injusticia y un solo día de trescientos sesenta y cinco en que el mundo te recuerda por tus sacrificios.

—Vamos, Juana, ¿acaso no os gustaría ser canonizada? —la pinchó don Tomás.

—¿Por qué razón, señor?

—Por vuestros sacrificios, por vuestro conocimiento, por vuestra rebeldía.

—Si la rebeldía fuera cosa santa, señor, sin lugar a dudas sería una santa.

—Santa Juana Inés de la Cruz —recitó don Tomás al tiempo que le daba una palmadita en la espalda—, patrona de las mujeres rebeldes. ¿En qué día deberíamos instaurar vuestra festividad?

Juana tomó otro trago de vino, que ahora se le antojaba suave como la leche.

—Pongamos el día de vuestra partida —propuso—, pues los santos suelen ser conmemorados en la fecha de su muerte. ¿Sabéis ya el día de vuestra marcha?

Toda alegría desapareció de los ojos de don Tomás.

—El veintiocho de abril, si no hay retrasos.

Juana alzó la copa.

—En tal caso, el veintiocho de abril sería mi día, día de las rebeldes, de las mujeres inteligentes y de la libertad para hacer de esa inteligencia el uso que consideren más conveniente. Y que a mi muerte, mis extremidades, cabeza, corazón, hígado y demás órganos internos a excepción de los sexuales (que deberán ser quemados y sus cenizas arrojadas al canal) se distribuyan entre las mejores universidades del reino para demostrar que las mujeres son en verdad iguales a los hombres, que la anatomía no es un capricho del destino, que no es la biología, sino la religión y el gobierno de los hombres lo que dicta la superioridad del varón sobre la fémina.

En el rostro de don Tomás se pintaba una expresión rayana en la estupefacción. Brindó con ella sin apartar la mirada de sus ojos, y Juana advirtió que tenía las pupilas dilatadas. Qué extraña figura ofrecía en aquella bacanal, como la había denominado la condesa, una ménade envuelta en un hábito blanco y negro sentada junto a un noble Penteo de cuello manchado de vino y peluca ladeada.

—¿Y cómo os gustaría que celebráramos vuestra festividad?

Juana clavó la mirada en el clarete que llenaba su copa y al cabo de unos instantes la alzó para proponer otro brindis.

—Ese día, todos los hombres lavarán los pies a las mujeres con que se topen, ya sean conocidas o desconocidas, pobres, prostitutas o monjas.

—Así pues, ¿es humillación lo que buscáis, Juana?

—Desquite, señor, por una eternidad de besar la tierra que pisan los hombres.

Una sombra oscureció el rostro de don Tomás. A lo lejos doblaron las campanas de silencio.

—Entonces, ¿no brindáis conmigo? —preguntó ella.

—Brindaré —aseguró don Tomás— y os lavaré los pies. Besaré la tierra que pisáis, pero por desgracia, nada de ello os proporcionará la igualdad que anheláis.

—Tal vez sea necesario esperar a otra era —aventuró Juana—, y mi vida no sea más que un ladrillo en los cimientos de dicha era.

—Tengo una idea mejor —sugirió don Tomás, indicando al mayordomo que abriera otro frasco—. La conmemoración que describís va destinada a todas las mujeres, pero sólo existe un modo de rendir homenaje a santa Juana, que no sólo es una mujer rebelde, sino ante todo una mujer erudita. Se trata de manteneros viva por siempre, conservar vuestro cerebro, Juana, pero no en los repugnantes líquidos de la ciencia, sino en la perpetuidad de la palabra —le tomó las manos con entusiasmo—. Que nuestra generación y todas las generaciones venideras que agreguen un ladrillo a los cimientos de la igualdad de la mujer tengan siempre acceso a vuestras ideas. He aquí el homenaje apropiado para la santa patrona de las mujeres eruditas, ¿no os parece?

Juana estalló en sollozos que le desgarraban los pulmones y le sacudían los hombros. El mayordomo les sirvió más vino, y don Tomás bebió en silencio mientras escuchaba su llanto. Susurró algo al mayordomo, quien salió de la estancia y regresó al poco con una caja lacada de cigarros. Don Tomás sacó dos, los encendió con una de las velas que había sobre la mesa y le ofreció uno. Juana nunca había fumado un cigarro tan grueso, si bien había tomado afición a los finos, pero el humo casaba bien con el sabor del vino y mitigaba la tristeza que le atenazaba el corazón desde hacía muchos días.

Tras el segundo frasco de vino pasaron al aguardiente. Los cigarros despertaron el apetito de Juana, de modo que don Tomás ordenó al mayordomo que trajera una bandeja de queso y fruta. Comieron membrillo, naranjas, dátiles azucarados, queso de cabra y aceitunas. Durante un rato comentaron las verdaderas intenciones de El Tapado, a quien Juana recordaba cariñosamente como el artista al que fray Payo había encargado pintar los paneles de su arco triunfal.

—Resultó ser un espía flamenco que pretendía infiltrarse en la corte mexicana —explicó don Tomás—. ¿Cómo iba a mostrarme indulgente con él, Juana?

—Pero no merecía la soga con que lo castigasteis —replicó Juana—. Cuando fray Payo lo llevó al locutorio para presentármelo, recuerdo que sus ojos eran bondadosos en extremo y que tenía un modo desconcertante de escudriñar mi interior.

—Todos los espías son excelentes conocedores de la naturaleza humana —señaló don Tomás—, ya que de lo contrario les resultaría imposible conocer a quienes engañan. Payo siempre se mostró demasiado confiado con los forasteros.

—Es una lástima —suspiró Juana—. Era un artista excepcional.

La conversación empezó a cargarse de redundancias, pese a que ninguno de los dos lo advirtió. Don Tomás acabó narrándole de nuevo el incidente de la pala de jardinero y la alegría malsana de su hermano al saber que había estado a punto de matarlo.

—¿Os lastimó? —inquirió Juana entre carcajadas.

—Sólo en la cabeza —repuso don Tomás al tiempo que arrojaba la peluca al suelo y le daba la espalda para mostrarle la parte posterior de la cabeza–. ¿Veis qué plana es? Podría hacerme pasar por un indio.

Rieron juntos, bebieron más aguardiente y comieron más fruta. Casi despuntaba el alba cuando por fin se levantaron con dificultad. Juana se vio obligada a sujetarse las faldas en la correa del cinto para no tropezar con ellas mientras el mayordomo la conducía al ala de los invitados.

Le habían asignado un dormitorio separado del de Belilla, y se alegraba sobremanera, pues no quería que su sobrina la viera en semejante estado de embriaguez. Se quitó el velo como pudo y se despojó del escapulario sin antes desprender el escudillo, por lo que se arañó la mejilla con el metal. El dolor le produjo una mueca, pero hizo caso omiso de él mientras se soltaba el griñón, desabrochaba el cinturón, desanudaba las cintas de la túnica y se quitaba las vendas de los pechos. Por alguna razón que no lograba descifrar entre los vapores del alcohol, recordó la medalla de santa Catalina que no se había quitado en catorce años y la dejó sobre la mesilla de noche. Ataviada aún con la camisa y los zapatos, se acurrucó entre las sombras del lecho.

En un principio creyó que era un sueño. Tenía que ser un sueño, pues ahí estaba Concepción, desnuda junto a ella, acariciándola a través de la camisa. Quería alejar de sí a la muchacha, sabedora de que las sorprenderían y denunciarían, pero sentía las extremidades pesadas, la cabeza aturdida y los ojos inmóviles. Siguió adormilada, disfrutando de los dedos que le acariciaban la espalda, y soñó que flotaba de espaldas por un río y que una mujer la esperaba en la otra orilla. «Otra vez este sueño», pensó al tiempo que se dejaba envolver en el chal oscuro y conducir hacia la casa de cristal. Pero en aquel instante el sueño cambió, y de pronto subía por la escalinata de la casa de la condesa, y era la condesa quien la llevaba de la mano, no a una casa de cristal, sino a un lecho rodeado de cortinajes de terciopelo. Era la condesa quien le quitaba la ropa, desabotonándole la camisa antes de tocarle los pechos.

Juana despertó con un sobresalto.

–Oléis a zaramullo –musitó la condesa, tendida junto a ella.

Intentó incorporarse. Sin duda, se trataba de un sueño.

—¿Adónde vais, Juana? Llevo toda la noche esperándoos.

La condesa le acarició el rostro en la oscuridad.

—Dios mío, no estoy soñando —murmuró Juana.

—¿Qué tenéis en la cara? Parece una herida —señaló la condesa, resiguiendo el corte con un dedo húmedo.

—Un simple arañazo, señora.

De repente percibió la lengua de la condesa en la mejilla.

—Está sangrando —constató.

La idea de la condesa saboreando su sangre le contrajo el vientre, pero era incapaz de moverse.

—¿Por qué habéis tardado tanto, Juana?

—Pero señora...

—Chist...

La condesa cubrió la boca de Juana con sus cálidos dedos que olían a agua de rosas.

—Bésame, Juana.

Olvidó el dolor que le atravesaba la cabeza, se apoyó sobre un codo y atrajo a la condesa hacia sí. La besó con delicadeza, deslizando la mano por las curvas satinadas de sus caderas, los suaves pliegues de su cintura, las esferas de aquellos pechos que tantas veces había tocado en su imaginación, la carne redondeada y fresca de sus nalgas... Manos y labios pletóricos de ternura.

—Tu boca es tan cálida... —susurró la condesa, cediendo a la presión de la lengua de Juana.

—Si pudiera sentir tu rodilla romper las aguas de mi vergüenza —recitó Juana con ardor, recordando un viejo poema—. Si pudiera apoyar la mejilla contra los tiernos tendones de tu muslo, oler el húmedo algodón que Atenea nunca llevó...

Era consciente de que respiraban al unísono, de los dedos de la condesa enredados en su cabello, de la fragancia del sexo de la condesa entre las sábanas.

—Si pudiera olvidar al diablo y al sacerdote que vigilan mis ojos. Si pudiera saborear el pan, la sangre, la sal entre tus piernas...

Juana se sentó a horcajadas sobre ella y le besó el cuello, los hombros, los lóbulos de las orejas y de nuevo aquellos labios infinitamente tiernos. Le succionó los pezones excitados hasta que la condesa arqueó la espalda y gimió como si sintiera dolor.

–Si pudiera transformarme en abeja y liberar esta alma..., nada os salvaría de mi aguijón.

Sus caderas se agitaban con fuerza, y Juana advirtió que se sentía joven y fuerte, los músculos de los brazos flexionados sin dificultad, los muslos elevándolas a ambas hacia un clímax que se asemejaba al éxtasis pero sonaba como el más profundo de los dolores. Sintió que un reguero de sudor le recorría la espalda y que la condesa le clavaba las uñas en la carne.

Al cabo de un instante, la condesa empezó a golpearla en el pecho y el vientre con manos débiles pero insistentes que, junto con los sonidos que brotaban de su garganta, indicaron a Juana que lloraba. Juana se incorporó y la abrazó con fuerza, sepultando el rostro en aquel cabello perfumado de lilas. Lloraron juntas durante un rato, aferradas la una a la otra, cada mirada y cada gesto subrepticio que habían cambiado a lo largo de los años resumido en ese dulce abrazo.

–Nunca más diré que no tengo fe en los milagros –prometió Juana.

La condesa se apartó de ella.

–¿Cómo lo sabías, Juana?

–¿A qué os referís?

–Lo que deseaba, lo que debías hacer. ¿Lo habías hecho antes?

Aun en aquellas circunstancias precisaba cerciorarse de la fidelidad de Juana.

–No, ¿y vos?

–¡Por supuesto que no! Es sólo que no parecía resultarte desconocido, como si estuvieras versada en estos asuntos.

–Vivís en mis sueños, señora, de ahí mi destreza.

La condesa volvió a besarla, introduciéndole la lengua en la boca. Juana la abrazó de nuevo con fuerza y sumergió un muslo en la humedad entre las piernas de la condesa.

–¿Qué poema era el que recitabas? No lo conozco, ¿verdad?

–No es más que una letanía que compuse, señora, acerca de los sueños y los deseos que hay en ellos.

–Nunca me has llamado por mi nombre, Juana.

–María Luisa –musitó Juana–. Te quiero, María Luisa.

–Y yo a ti, Juana Inés, mi poetisa, mi Safo.

–Safo amaba tanto a mujeres como a hombres –le recordó Juana.

–¿Y tú?

–Yo sólo te amo a ti.

–¿Y antes de mí? La amabas a ella, ¿verdad? ¿A esa otra virreina?

–No así, nunca he amado a nadie como te amo a ti. Ni he deseado a hombre alguno, sólo siento aversión ante la idea de la intimidad con un hombre. Me casé con mis libros, con la abstracción de la cruz, para no conocer varón. A diferencia de ti, señora de la Laguna.

María Luisa le acarició el rostro con el dorso de la mano.

–No he yacido con mi esposo desde el nacimiento de José.

–Lo deduje durante nuestra conversación –repuso Juana.

–¿Hablasteis de mí?

–Eres nuestro denominador común.

Juana bajó el rostro para saborear una vez más el pan y la sal ocultos entre las piernas de María Luisa. Más suspiros de agonía y goce. Esta vez no le clavó las uñas en la espalda, sino que le tiró extasiada del cabello. Juana se secó el rostro mientras María Luisa recobraba el aliento.

–En todos los años que Tomás ha tenido placer conmigo –explicó por fin la condesa–, nunca he experimentado nada parecido a esto, Juana, a esta intensidad que me derrite las piernas y me hace sentir la vejiga a punto de estallar.

Tomó el rostro de Juana entre las manos y la besó con suavidad en las mejillas, los párpados, la boca, la nariz y la frente.

–Sabes a aceitunas, Juana.

–A ti, María Luisa.

La condesa la besó una vez más.

–¿Qué más puedo darte, mi décima musa? –le susurró al oído.

En algún lugar cacareó un gallo. Juana comprendió que despuntaba el nuevo día y que por fin, a la edad de treinta y nueve años, despertaba a su verdadero ser. Cuando por fin se durmieron, Juana aún en camisa y zapatos, con la rodilla sobre el muslo de María Luisa, sabor a aceitunas y agua de rosas en la boca y los dedos de la condesa hundidos en su cabello, las campanas de todas las iglesias de la ciudad anunciaron la misa mayor.

Juana no despertó hasta mediodía, y por entonces, lo único que quedaba de María Luisa en el lecho eran algunos mechones de su cabello sobre la almohada. Se incorporó aturdida y a buen seguro no habría sabido si había estado con la condesa de no ser por la fragancia que despedían sus dedos. Tenía los tobillos inflamados por haber dormido calzada. Usó el orinal, se lavó la cara y el sexo con una toalla y sumergió la cabeza en la jofaina para mojarse el cabello. El agua fría le penetró en el cuero cabelludo, le abrió los ojos y mitigó un tanto su jaqueca. Se vistió a toda prisa e introdujo los cabellos de María Luisa en las vendas de los pechos. El velo y el escapulario estaban arrugados por el descuido con que se había despojado de ellos tras la velada pasada con don Tomás. En efecto, la noche había sido una auténtica bacanal. Ahora comprendía que las ménades fueran capaces de destrozar por completo a un hombre ebrio. Cualquier cosa era posible en semejante estado.

Mientras descendía por la ancha escalera de caracol, se cubrió el rostro con el velo interior de gasa blanca. No soportaba la idea de mirar a María Luisa a los ojos.

La condesa y Belilla se hallaban en el solario, compartiendo una jarra de zumo de naranja mientras José jugaba a sus pies. El sol que se reflejaba en las baldosas lastimaba los ojos de Juana, pero también acentuaba las mechas doradas y rojizas de los cabellos de María Luisa y arrancaba un brillo especial a la cremosa textura de aquel rostro amado.

—Buenos días, tía —saludó Belilla antes de inclinarse para hacer cosquillas a José con el rostro algo arrebolado.

—Es tarde, Belilla —repuso Juana—. ¿Por qué no me has despertado antes? Espero que hayáis dormido bien, señora.

—La cuestión es cómo habéis dormido vos, Juana —replicó la condesa con un destello irónico en la mirada—. Rogelio me ha dicho que vos y Tomás sostuvisteis una larga conversación regada con varias botellas.

—Os lo ruego, señora, no me lo recordéis —gimió Juana, frotándose las sienes.

María Luisa le sirvió un vaso de zumo, que Juana apuró ansiosa.

—¿Queréis que llame a Rogelio para que os traiga el desayuno?

Juana aún sentía la boca reseca, y la jaqueca empezaba a extender sus tentáculos por la marga que era su cerebro, pero declinó el ofrecimiento y anunció que debían regresar al convento. Comprobó que el baúl ya estaba preparado en el vestíbulo.

—Tomás se decepcionará si os marcháis antes de que se levante —comentó María Luisa—, pero con toda probabilidad no se levantará en todo el día. Es lo que suele suceder después de una velada como la de ayer.

Las acompañó a la puerta, tomando a Juana del brazo como una comadre o una confidente. Juana anhelaba abrazarla, sentir una vez más su cintura de avispa entre los dedos, pero mantuvo las manos entrelazadas bajo el escapulario. El pequeño José se aferraba al velo de Belilla.

—Gracias por todo, señora —dijo Juana sin atreverse a volver el rostro por temor a verse arrastrada hacia el imán de sus labios—. Por favor, explicad a mi compadre que nos resulta imposible demorar más nuestra marcha. Y dadle las gracias por tan inolvidable velada.

María Luisa se inclinó hacia adelante, le levantó el velo y juntó la mejilla a la de ella.

—Inolvidable, sin lugar a dudas —murmuró—. Gracias a vos por aceptar la invitación, Juana, y a ti, Belilla, por hacer compañía a mi diablillo anoche.

Abrazó a la joven con fuerza y acto seguida ordenó al pequeño que se despidiera de su madrina. José rodeó la cintura de Juana con los brazos. Ella se agachó para besarlo y le devolvió el abrazo.

El guardia ya había dispuesto el coche, y dos lacayos ataron el baúl a la parte posterior. La condesa las despidió desde la puerta. Juana casi tenía la sensación de que ansiaba verlas marchar.

—Recuerda, Belilla, ni una palabra a nadie de esta visita —advirtió a su sobrina mientras el coche se alejaba.

—Guardaré vuestro secreto, tía.

Juana se la quedó mirando un instante y al percibir un destello de arrogancia en su expresión se convenció de que la muchacha sabía algo acerca de la noche anterior. Mientras recorrían la calle del Reloj, recordó que Belilla había manchado la memoria de sor Felipa en Panoayan, repitiendo rumores que había escuchado sobre la vanidad de la novicia.

—No creas que he olvidado tu descarado comentario sobre sor

Felipa –espetó con voz gélida–. Estoy segura de que tu supervisora se disgustaría mucho si supiera que hablas mal de los muertos.

–Cometí un error y os agradezco que me enmendarais, tía –se
disculpó la muchacha, desaparecida ya la arrogancia de su rostro.

Juana se reclinó en el asiento y contempló el bullicio de la traza. Frente a la catedral, mujeres indias con niños sujetos a la espalda con paños sostenían enormes cestas de flores en equilibrio sobre la cabeza. Llamó a una de ellas desde el carruaje y le compró
un ramillete.

–Apéate –ordenó a su sobrina.

–¿Por qué, tía?

–Lleva estos lirios al altar de san Judas y dale las gracias en mi
nombre.

–Vuestra Merced –intervino el conductor–. Las calles son demasiado peligrosas para una joven.

–El hábito te protegerá –dijo Juana–. Debes llevar el crucifijo
bien visible.

Precisamente entonces recordó que había dejado la medalla de
santa Catalina sobre la mesilla de noche.

# 24

*13 de enero de 1688*

De nuevo en San Jerónimo, y la cosecha de cítricos está ya muy avanzada. La fragancia dulce e intensa de las mandarinas y los limones que Andrea ha traído para darnos la bienvenida inunda mi celda. Fingí estar exhausta para que me dejara en paz y así disponer de algún tiempo para plasmar mis pensamientos antes de vísperas. Qué peculiar haber faltado al ritual séptuplo de las horas canónicas durante mi ausencia y ahora sólo poder suspirar al escuchar las campanas que rigen nuestra vida cotidiana con monótona precisión. Pero no es mi intención escribir sobre esta circunstancia. Necesito dejar constancia de los sentimientos que despertó en mí la noche pasada y acto seguido quemar las páginas antes de ir al coro, pues no puedo arriesgarme a que me descubran.

Recuerdo que mi mente parecía separarse de mí, como la yema de la clara, y que en mi imaginación observaba cómo mis manos y mi boca expresaban el conocimiento de mi deseo, como si siempre hubiera sabido cómo proporcionar placer a otra mujer. ¿Será la armonía de nuestro sexo, el hecho de que ambas somos mujeres lo que me ha dotado de este saber? ¿O será una epistemología sepultada desde siempre en mis huesos, un conocimiento innato en mí?

Al principio todo sucedió con tal rapidez que ni siquiera recuerdo cómo empezó, pero a la vez cada segundo permanece grabado en lo más profundo de mi memoria, ese lugar donde el tiempo se distiende cual cristal líquido, perdiendo toda forma y todo recuerdo de su función, fundiéndose hasta quedar reducido a la esencia más básica para luego transformarse en cualquier cosa, adquiriendo cualquier forma que los labios que insuflan aire en el molde deseen conferirle. En estos instantes, el cristal sigue derretido, arremolinándose ardiente e informe en mi mente. No quiero conferirle forma alguna, pues ello entrañaría tornarlo tangible, otorgarle un significado concreto, y por una vez, no es significado lo que busco, sino sólo el recuerdo de ese significado y de ella mientras maduraba al contacto de mi lengua.

*Después de vísperas*

Tengo la impresión de que alguien ha registrado mis pertenencias. No, a decir verdad, lo sé a ciencia cierta. Tras inspeccionarlo todo, he hallado dos de mis plumas romas y una clase distinta de tinta, una variedad mediocre que al secarse palidece, en el tintero. Podría afirmarse que la tinta pierde cuerpo con el frío y que olvidé afilar las plumas antes de partir, pero la prueba más flagrante es la filigrana que aparece en la resma de papel sobre mi mesa. Se trata de una filigrana distinta, lo que significa que el papel no procede de la librería de don Lázaro. Santa Madre de Dios, ¿habrá alguien hecho copias de *Primero sueño* durante mi ausencia? ¿Quién podría comprenderlo? ¿Y por qué habrían empleado tanto papel y gastado mis plumas? También he encontrado todos mis libros desordenados; algunos están colocados por orden alfabético, cuando yo los había ordenado por categorías. Belilla dice que limpió antes del viaje a Panoayan, pero no recuerda haber retirado los libros de las estanterías. Debo preguntar a Andrea si sabe algo del asunto.

Han transcurrido dos semanas y sigo sin tener noticia de la condesa. Ni mensajes, ni cartas, ni visitas... Su ausencia me revela cuanto necesito saber. De no ser por ella, casi creería que no sucedió nada, que todo fue producto de la embriaguez y mi capacidad de dar vida a mis fantasías por causa de Dionisio. Belilla me observa sin cesar. Aventuro que la muchacha sabe algo. Si alguna vez lees estos escritos, Belilla, debes saber que fui débil y caí en la tentación, y te ruego que no me desprecies por lo que soy. Pero a fin de cuentas, ¿qué soy? No es sodomía amar a otra mujer. Tal vez adulterio, desear a la mujer de mi vecino, pero no el pecado de los griegos. ¿O quizá sí? ¿Y por qué vuelvo a hablar de este amor como si de un pecado se tratara? Tiempo atrás resolví que no podía haber nada pecaminoso en mi amor por María Luisa. ¿Era la voz de la abstracción la que hablaba, la voz de la castidad y la inocencia? Aristófanes diría que ahora soy una mujer completa, pues he hallado mi otra mitad en cuerpo y alma. Pero ¿qué dice ella? ¿Se considera completa o pecadora? ¿Piensa en sí misma como mi otra mitad o como cómplice de un crimen innombrable?

—Estoy muy asustada, sor Andrea. Temo por ella, por su alma.

—No exageres, Isabel. Deja el destino del alma de tu tía en manos de Dios, pues a ti no te incumbe.

—Pero percibo que es mi pecado, y si no lo confieso, también yo estaré condenada.

—Entonces debes contárselo a tu padre confesor, hermana, no a mí.

—No puedo, ¿acaso no lo comprendéis? Eso equivaldría a denunciarla.

—Por el amor de Dios, ¿qué ha hecho ahora?

—¿Me dais permiso para contároslo?

—Bajo la condición de que entiendas que no se trata de una confesión.

—Y si vos se lo contáis al padre Núñez, ¿será entonces una confesión?

—No, a menos que considere que he pecado al escucharte y consentir tu debilidad.

—Pasamos la noche en casa de la condesa cuando regresamos de Panoayan.

—Sí, la madre Brígida ya lo sabe. Las noticias vuelan entre los criados.

—La tía bebió vino con el marqués, mucho vino, según creo. Y por la mañana, cuando fui a despertarla, dormían en el lecho, y la habitación despedía un fuerte olor a licor.

—¡Santa Madre de Dios! ¿Juana se acostó con el marqués?

—No, con él no, sino...

—¿Qué? ¿Con quién?

—La condesa. La condesa estaba desnuda y se abrazaban como... como amantes.

—En el nombre del Padre, del Hijo y del Espíritu Santo. ¿Te vieron?

—Por supuesto que no. Al principio estaba tan aterrada que dejé caer los cortinajes y me senté a esperar. No sabía qué hacer. En un momento dado me acerqué de nuevo al lecho y toqué la pierna de mi tía, que ni siquiera se había quitado los zapatos, para intentar despertarla. Pero entonces pensé en cómo se sentiría si me viera allí, testigo de la intimidad de aquel dormitorio, así que bajé e hice compañía al niño hasta que despertaron. La condesa bajó en primer lugar y se comportó como si nada hubiera sucedido. Alrededor de una hora más tarde, la tía bajó con el rostro cubierto por el velo. Al poco nos despedimos y partimos. Y entonces compró una flor y me hizo apearme del coche y entrar en la catedral para llevársela a san Judas.

—¿Hizo una ofrenda a san Judas? Oh, Juana, qué agallas.

—¿Qué significa, sor Andrea?

—¿Quieres a tu tía Juana, Isabel?

—Por supuesto.

—Porque si en verdad la quieres, debes comprender que tu cariño te exigirá ciertos sacrificios e incluso pecados. ¿Estás dispuesta a arrostrarlos por ella, Isabel?

—Pero ¿cómo puedo hacer eso e intentar al mismo tiempo alcanzar la perfección?

—No puedes más que rezar por la gracia necesaria para comprenderla.

### Miércoles de Ceniza

La historia se repite, sin lugar a dudas. Heme aquí, en vísperas de la partida de otra virreina, con la frente cubierta de ceniza y un voto de silencio y soledad para la Cuaresma. Es el único recurso para no desmoronarme. Una vez más te pregunto, oh Dios, por qué siempre me arrebatas a quienes amo. ¿Acaso te he digustado tanto que debes castigarme una y otra vez con distintos grados de pérdida, desde mi tía María hasta mi madre y la condesa? No dudo de tu existencia, de que eres el Salvador, y creo firmemente en tu omnipotencia. No obstante, dudo de los sacerdotes y desafío sus reglas. ¿Por eso me castigas? ¿Es éste el pecado imperdonable que me obligará a pasar toda la eternidad en el infierno? No puedo continuar así. Mi corazón no puede soportar más sufrimientos. Debo resolver de una vez por todas mantener mis emociones bajo control, no volver jamás a entregar mi corazón, ni siquiera permitirme susurrar deseos secretos a mi alma. Debo erradicar por completo esos deseos, arrancarlos como malas hierbas perniciosas de la marga a fin de que se marchiten y no fecunden. Debo hacer que mi corazón se vuelva estéril y sembrar sólo los campos de mi mente. Ya basta, Señor, basta por favor de este dolor perpetuo.

### Sábado Santo

Apenas si puedo escribir, pues la fiebre se ha apoderado de mí. Llevo toda la Cuaresma enferma, y no hago más que permanecer sentada con el rosario en la mano, rezando por la pérdida de la memoria y el advenimiento de la muerte. Belilla me lee en voz alta. He pasado dos semanas en la enfermería, aquejada de escarlatina, según afirma sor Gabriela. Me la contagió la madre Catalina antes de morir. Otra muerte. Deja que yo también muera; sólo

deseo morir y no resucitar. Encaja la losa sobre mí, líbrame de
este dolor. La erupción continúa, me escuece como hormigas sobre la piel, y Belilla me alivia con cataplasmas frescas. No comprende la esencia de la auténtica enfermedad. El padre Pedro acu-
dirá más tarde a confesarme para que mañana pueda comulgar.
Espero que la hostia no se marchite sobre mi lengua.

Juana, corazón de mi corazón:
   He recibido noticia de tu curación. También yo he estado enferma, si bien mi mal ha sido más psíquico que físico. Sin embargo, no
puedo permitirme el lujo de estar postrada. Debo vaciar la casa de
Chapultepec y preparar nuestra partida. Quiero llevarme conmigo
tus escritos, Juana, hacerlos publicar para que tengan la resonancia
que merecen. Conocemos a un impresor en Madrid, un caballero
de la Orden de Santiago, hombre poderoso e influyente, y mi esposo tiene intención de cobrarle un favor pidiéndole que publique tu
obra. Lo quiero todo, incluso las loas y los villancicos, y también el
texto de *Los empeños de una casa* y los bocetos de *Neptuno alegórico*, si
logras encontrarlos.
   ¿Podrías hacérmelo llegar todo antes del 28, querida? No puedo
abandonar Nueva España sin ti, y ésta es la única forma que conozco de llevarte conmigo aparte de hacerte raptar. Me complacería en
grado sumo que aceptaras, Juana. Escríbeme.

M. L.<br>
*4 de abril de 1688*<br>
(24 días antes de nuestra partida)

*18 de abril de 1688*

Querida condesa:
   Faltan diez días para vuestra partida y aún no he recibido de Puebla las copias de mis villancicos. Tal vez podría enviároslas si no llegan
antes de vuestra marcha. El cabildo está buscando los dibujos de *Neptuno alegórico*, pero no confío demasiado en que los localicen. Don
Fernando Deza se encarga de la copia de *Los empeños de una casa*, y
mientras, Belilla se dedica a copiar todos los escritos que obran en mi
poder y carecen de copias. Lo haría yo misma, pero como sabéis, mi

caligrafía no hace justicia a mi obra. Desde que Concepción se fue, he perdido la costumbre de copiar mis escritos. Algunos de los poemas están inconclusos, y encontramos otros ocultos entre páginas de libros, pero creo que cuando todo esté listo, dispondré de material suficiente para llenar un baúl entero, sin lugar a dudas más de lo que cabría en un solo volumen publicado. No entiendo por qué iba un impresor madrileño a publicar los alocados borrones de una monja de Indias. No obstante, honraré vuestra petición y dejaré en vuestras manos la tarea de edición y elección, ya que no sólo sois mi mecenas y más amada lectora, sino también dueña de todo mi trabajo, pues el hijo que la esclava ha concebido, dice el derecho que pertenece al legítimo dueño al que obedece la madre. Por tanto, os confío la misión adicional de dar encabezamientos a mis poemas.

Impaciente por volver a veros,

Jidl†

Belilla y cuatro criadas acarrearon el pesado baúl que contenía los escritos de Juana hasta el locutorio, donde la condesa y don Tomás aguardaban para despedirse de ella. No veía a María Luisa desde aquella noche, a causa del voto de silencio, de la enfermedad, del ajetreo de la condesa con el traslado y de la agitación de recopilar los escritos. Creía que durante aquel tiempo había logrado embalsamar lo que quedaba de su corazón en un sudario de racionalidad, sin permitirse escribir demasiado en la Caja de Pandora a fin de evitar la tentación de expresar sus sentimientos, y negándose asimismo a recordar lo que había ocurrido en casa de la condesa y a pensar en su partida.

En líneas generales, bastó hasta ese día, en que comprendió que sería la última vez que veía a María Luisa. Se perfumó las muñecas con aceite de sándalo, se pellizcó las mejillas para dar color a su tez cetrina y respiró hondo tres veces antes de salir de su celda. Se recordó que no sería una visita privada, pues Sus Excelencias acudían a despedirse de todas las comunidades religiosas a las que habían patrocinado, a todos los abades y prioras de cuyas casas habían sido adalides durante su estancia de ocho años en Nueva España. El consejo de gobierno en pleno se congregaría en el locutorio, por no mencionar a las hermanas serviles que no dejaban pasar ninguna ocasión de codearse con los invitados aristocráticos.

Aspiró otra profunda bocanada de aire en el vestíbulo y al entrar en el locutorio comprobó que todas las hermanas se habían reunido con sus invitados al otro lado de la reja y que los asientos estaban divididos entre las dos facciones, con las madres Brígida, Andrea, María Bernardina y Ana de Jesús a un lado de la condesa, y Melchora, Rafalea, Agustina y las mellizas al otro lado de don Tomás. Tras cada bando se agrupaba un frente de partidarias, y todos los presentes bebían un cordial verde claro en diminutos vasos de cristal.

No veía a don Tomás desde la noche de su visita y había esperado sentirse incómoda en su presencia, avergonzada cuando menos por haber abusado de su hospitalidad, pero en cambio al verlo experimentó una intensa camaradería, como si fuera su hermano mayor, y a punto estuvo de devolverle el guiño que le dedicó.

Los ojos de la condesa la atravesaban como dardos. Iba vestida de azul marino, y las plumas de pavo real que adornaban su sombrero realzaban su tez de alabastro, la flor carmesí de sus labios y los pendientes de esmeraldas que pendían de sus lóbulos. En el escote, entre los exuberantes pechos, cuya visión obligó a Juana a clavarse las uñas en la palma de la mano, lucía la medalla de santa Catalina que Juana había olvidado en su casa. Un estremecimiento le recorrió el cuerpo de pies a cabeza. Largo tiempo atrás había regalado aquella medalla a la marquesa, y ahora María Luisa la llevaba como señal de su derecho sobre Juana. Y Andrea se había dado cuenta de que era suya.

—Perdonad mi tardanza —se disculpó con una reverencia, consciente de que todos la miraban con fijeza.

—Tomad un poco de licor de hierbas —propuso la madre Brígida, y al instante alguien le alargó un vasito—. Es un obsequio del marqués, y los vasos son suyos.

—Estáis muy delgada, Juana —observó la condesa.

Don Tomás se levantó para cederle su asiento.

—Os lo ruego, Juana —pero ella declinó el ofrecimiento.

¿Cómo iba a sentarse tan cerca de María Luisa sin perder el juicio?

—En honor de una santa especial de la que vos y yo hablamos en cierta ocasión —insistió el marqués.

—¿A qué santa os referís, Excelencia? —inquirió Melchora.

—Una santa a la que se conmemora el veintiocho de abril, madre —repuso don Tomás, enarcando las cejas en dirección a Juana.

—No sé de ninguna santa especial a la que conmemoremos en el día de hoy —aseguró Melchora—. ¿Y vos, Rafaela?

—Mañana celebramos la festividad de Santa Catalina de Siena —terció Andrea—, pero mañana es día veintinueve.

Juana empezaba a recordar la conversación ebria que había sostenido con don Tomás aquella noche, sobre la posibilidad de convertirse en santa patrona de las mujeres rebeldes. Santa Juana, canonizada el día en que él y su esposa abandonaran México, el día de su fallecimiento. Decidió cambiar de tema.

—Todos los escritos que he localizado están guardados en el baúl, señora —explicó a la condesa al tiempo que retiraba la mano que María Luisa había tomado entre las suyas—, si bien faltan muchas obras a cuyos propietarios no he logrado encontrar.

—¿No os parece de una inmensa generosidad, madre Brígida, que Su Excelencia se lleve consigo los borrones de Juana y encuentre para ellos un impresor en España? —comentó Melchora con sequedad.

—La generosidad nada tiene que ver en este asunto, señoras —replicó don Tomás tras tomar un sorbo de cordial—. Es lo menos que podemos hacer por nuestra décima musa.

—¿Vuestra décima musa? —repitió Melchora—. ¿Así la llamáis, señor?

—Así la llamo yo, hermana —intervino la condesa—. Después de Polimnia, musa de la poesía sacra, Euterpe, musa de la poesía lírica, Érato, musa de la poesía amorosa...

—Melpómene, musa de la tragedia —la interrumpió don Tomás—, Clío y Calíope, musas de la historia y la poesía épica, Urania, musa de la astronomía, Talía, musa de la comedia, y... ¿cómo se llama la última, María Luisa? Nunca logro recordar su nombre.

—Terpsícore —señaló Juana—, musa de la danza.

—Exacto —exclamó don Tomás—, la novena hija de Zeus y diosa de la memoria.

—Como iba diciendo —prosiguió la condesa—, después de la novena llega Juana Inés de la Cruz, musa de las décimas y, por ende, la décima musa.

Don Tomás lanzó una carcajada estentórea al escuchar el juego de palabras de su esposa.

—Ya comprendo, se trata de un juego de palabras —dijo Juana.

—En parte sí —convino la condesa—, pero sobre todo es el honor que merece vuestra obra, digna de las musas.

Juana empezaba a sentir calor bajo el velo. Las seguidoras de Melchora cambiaban miradas discretas. Rafaela se había dirigido al aparador y tomaba notas en el libro de invitados.

—Pero ya existe la décima musa, señora —recordó Juana a la condesa—, al menos según Platón.

Dicho aquello probó el espeso líquido medicinal y sacudió la cabeza involuntariamente.

—Lo sé, Juana, pero es la décima musa de la Antigüedad y vos sois la décima musa del mundo actual.

—Se me ocurre una idea mejor —señaló don Tomás al tiempo que trazaba palabras invisibles en el aire con el dedo—. El Fénix de América...

—Os lo ruego, señor... —intentó atajarlo Juana, pero don Tomás alzó la mano para proseguir.

—Seguidme la corriente, por favor —pidió—. El Fénix es una criatura mitológica nacida de sus propias cenizas, al igual que América nació de las cenizas de Europa y al igual que vuestra poesía, sor Juana, nace de las cenizas de los versos griegos.

Agustina hizo una mueca a una de las mellizas, que a punto estuvo de echarse a reír.

—Deseamos inundar España con vuestra obra, Juana —aseguró la condesa.

—Como un río que se sale de madre —añadió don Tomás.

—Una inundación castálida —agregó la condesa—, desde Delfos hasta Valladolid.

—¡Excelencias, os lo ruego! —exclamó Juana, dejando el vaso sobre la mesa y volviendo su rostro arrebolado hacia Andrea.

—Mirad cómo se sonroja, Tomás —rió María Luisa.

—Yo moriría de vergüenza si alguien me dedicara tantas lisonjas —espetó Melchora.

—Adulación es un término más apropiado —se sumó a ella Agustina.

—No conviene a una monja recibir tantas alabanzas, señora —advirtió la madre Brígida a la condesa.

—Perdonadme, madre —masculló don Tomás al tiempo que dirigía una mirada enojada a la superiora—. Nada más lejos de mi intención que exhibir descortesía alguna ante Vuestra Señoría y las hermanas a las que hemos apreciado y patrocinado durante ocho años, pero todas debéis comprender que mi señora esposa y yo elogiaremos a quien nos plazca y en la medida que nos plazca, y si Vuestra Señoría no desea presenciarlo, ella y su bandada de moscas negras pueden retirarse y dejarnos en paz.

—De todos modos, es con Juana con quien deseamos pasar este rato —añadió la condesa.

Juana cerró los ojos. «¡Santo Dios! —pensó—. Lo que me faltaba, que armen un escándalo en presencia de todas y yo tenga que arrostrar las consecuencias cuando se marchen.» Oyó a sus hermanas levantarse de las sillas mientras Melchora mascullaba entre dientes que daría parte al arzobispo. Las patas de las sillas arañaron el suelo, y numerosos cuerpos se agolparon a su alrededor antes de dispersarse.

—Adiós, hermanas —las despidió don Tomás—. Dios sea con vosotras.

—Señor marqués —musitó la madre Brígida—, me resulta muy triste veros partir a vos y a Su Excelencia la condesa, pero debo decir, y ruego perdonéis el candor de una anciana que ve las cosas con excesiva claridad, que vuestro comentario ha sido imprudente en extremo, y temo que Juana deba pagar por él.

Juana abrió los ojos, pero mantuvo la cabeza gacha.

—Os esperamos en el capítulo, Juana.

—Sí, madre —murmuró Juana.

—Sed puntual, por favor.

—Ahí estaré, madre.

La madre Brígida y Andrea salieron del locutorio.

—Santo cielo —exclamó la condesa—. Mirad lo que habéis hecho, Tomás.

Don Tomás se sirvió más cordial de la jarra de cristal colocada sobre el aparador y se dejó caer sobre una silla.

—Lo siento... —empezó, pero Juana no le permitió continuar.

—No tenéis por qué disculparos. Desde que llegué aquí he pagado por un error lamentable tras otro. Ya estoy habituada a ello.

—Me alegro de que se hayan marchado —suspiró la condesa, tomando de nuevo la mano de Juana para besársela—. Quiero abrazaros y besaros hasta que llegue el momento de partir. Tomás, ¿por qué no vais a supervisar la carga del baúl en el coche?

—Ah, ahora me desterráis a mí —rió el marqués al tiempo que se levantaba—. De acuerdo, os dejaré solas, pero sólo unos minutos. También yo quiero disfrutar de ella, María Luisa, y tenemos poco tiempo.

En cuanto don Tomás y sus lacayos salieron del locutorio con el baúl, María Luisa se inclinó y besó a Juana en los labios, un beso intenso y húmedo que sabía a cordial.

—Corazón mío —murmuró—, he pensado tanto en ti...

—Señora, esto es peligroso —advirtió Juana, mirando por encima del hombro.

—Oh, Juana, ¿qué vamos a hacer? No puedo vivir sin verte.

Los ojos de Juana se llenaron de lágrimas.

—Oídme con los ojos —masculló, asiendo las manos de María Luisa—. ¿Podéis ver entre este humor líquido que me habéis desgarrado el corazón? ¿Que he entregado mi alma a vuestro amor? Ahora sois el alma de este cuerpo y el cuerpo de esta sombra. ¿Acaso no lo comprendéis? En cuanto os marchéis, perderé mi única razón de ser y entonces me convertiré en un fantasma con pluma.

—¡Basta, Juana! —gritó María Luisa.

Cerró los ojos, y las lágrimas resbalaron por el polvo blanco que le cubría las mejillas.

—Os lleváis lo mejor de mí. Nada me importa si se publica; sólo quiero que lo tengáis vos.

—Prométeme que me lo enviarás todo, Juana. Quiero lo que ya has escrito, lo que vas a escribir, lo que estás escribiendo ahora. Todo, Juana, incluso esa letanía de anhelos que hay en los sueños.

—¿Y me prometéis no morir antes de que os lo envíe? Prometedme también que no me olvidaréis.

—Estoy muriendo ahora, Juana.

Ansiaba tanto besarla, abrazarla otra vez, aspirar la fragancia de su piel y sus cabellos, lamer las lágrimas de sus ojos... Pero debía ser fuerte por las dos; era la única posibilidad de conservar la cordura. Separó sus dedos de los de María Luisa.

—El baúl contiene dos sonetos nuevos para vos con mi retrato —dijo Juana.

Juana rozó la medalla de santa Catalina con los dedos.

—He aquí el símbolo de mi corazón —musitó, cerrando los ojos para no ver la suave carne blanca que sobresalía del corpiño azul—. La he llevado durante años.

—Entonces la besaré cada noche —prometió la condesa— y recordaré dónde la dejaste.

—Os amo tanto… —musitó Juana.

—Prométeme que nunca amarás a otra, Juana.

—¿Cómo puedo amar si os lleváis con vos mi corazón? —gimió Juana cuando don Tomás regresaba al locutorio.

—Quiero pediros un último favor como vuestro humilde admirador y antiguo protector, sor Juana —solicitó, hincando una rodilla en tierra ante ellas y sin advertir las lágrimas que arrasaban sus rostros.

—Lo que deseéis, señor.

—Recitad «Hombres necios» para mí. Quiero tenerlo fresco en la memoria cuando abandonemos la ciudad. En él hacéis un uso muy ingenioso de la ironía.

—Señora, vuestro esposo es un hombre inusual en extremo —señaló Juana a la condesa—. No creo que ningún otro hombre hallara esa redondilla tolerable, por no hablar de ingeniosa.

—Permite que te muestre cuán inusual es en verdad mi esposo, Juana.

Dicho aquello, la condesa le tomó el rostro entre las manos y la besó largamente en la boca delante de su marido.

—Siempre habéis sido muy intrépida, señora —murmuró Juana, sonrojada.

—Mi turno —anunció don Tomás, pero la condesa le lanzó una mirada que hizo estremecer incluso a Juana.

—¿Puedo al menos tocarle la mano? —pidió don Tomás mientras tomaba la mano de Juana y la besaba con infinita suavidad, haciéndole cosquillas en la muñeca con el mostacho.

—Recitad el poema, Juana —rogó la condesa—. Hacedlo por mí.

Juana irguió los hombros y les recitó el poema mientras las lágrimas le resbalaban en profusión por las mejillas y por las imágenes de la Anunciación que se veían en su escudillo.

–Santa Juana –dijo don Tomás en cuanto terminó–. Cada año, en esta fecha, ungiré los pies de mi esposa con aceite bendito y besaré el suelo que pise en vuestro honor.

Levantó el pie de Juana y besó la suela de su zapato.

–Ha llegado la hora de partir, señora –advirtió entonces a su esposa–. Debemos visitar aún Regina Coeli y llegar a la villa antes de que se ponga el sol.

Juana caminó entre ellos hasta el portal. María Luisa le rodeaba la cintura y don Tomás, los hombros.

–Decidme, Juana, ¿cuándo pronunciará Belilla los votos permanentes? –inquirió don Tomás.

–La toma de velo tendrá lugar a finales de agosto.

–Deberíamos haber llegado a Cádiz por entonces –señaló el antiguo virrey al tiempo que sacaba una bolsita de cuero llena de monedas–, pero nos complacería mucho contribuir a su fiesta florida en nombre de nuestro hijo, que le ha tomado tanto cariño, y en señal de gratitud a su madrina, que tanto lo ha querido.

–No puedo aceptarlo, señor –dijo Juana, negando con la cabeza.

–Debéis hacerlo, Juana, pues no aceptaré una negativa –advirtió don Tomás, cerrándole los dedos en torno a la bolsa.

–Saludad a Isabel de nuestra parte –pidió María Luisa– y decidle que José le escribirá en cuanto aprenda a escribir.

–Dad un beso a mi ahijado de mi parte y de parte de Belilla.

La barbilla empezaba a temblarle de nuevo. Cuando don Tomás la abrazó, sintió en la garganta un nudo tan tenso que parecía a punto de estallar. No soportaba la idea de corresponder al abrazo de María Luisa, de modo que permaneció rígida entre sus brazos, mientras aspiraba la cálida fragancia de agua de rosas que emanaba su piel.

–Basta de tristeza –exclamó María Luisa–. Tal vez no volvamos a vernos, Juana, pero no desapareceré de vuestra vida y exijo pronta respuesta a todas mis cartas.

En presencia de la hermana portera, la condesa la besó de nuevo en ambas mejillas y le oprimió las manos por última vez. Juana mantuvo la cabeza gacha para que nadie advirtiera que las lágrimas volvían a aflorar a sus ojos. En cuanto el portal se cerró tras ellos, salió a toda prisa del patio de sor Clara antes de que la portera tuviera ocasión de coserla a preguntas. Pasó el resto de la tarde arrodillada ante la imagen de la Guadalupana, hasta que las campanas de nona le recordaron que había faltado al capítulo.

# FIN DE PARTIDA

## 1689-1692

# 25

Querida Juana:

Al regresar de nuestro paseo por el Guadalquivir, Tomás y yo hemos encontrado cuatro ejemplares del primer volumen de tu obra que nos ha traído el impresor. ¿Qué mejor regalo de aniversario puedo darte que éste, aunque llegue a tus manos con varios meses de demora? Te envío sólo dos ejemplares como avanzadilla, pues el impresor ha fletado una caja entera para cada librería de Nueva España. Oh, Juana, me siento muy orgullosa de ti. Espero que la premura con que se llevó a cabo la compilación del libro no merme la profundidad y complejidad de su contenido, y asimismo espero que apruebes mis dotes editoriales y no consideres demasiado simplistas los títulos que he dado a tus poemas. Esta tarea me levantó el ánimo al menos, pues durante la travesía se apoderó de mí la melancolía al recordar las excursiones en barca que Tomás y yo hacíamos en Xochimilco, así como las serenatas en barcazas cubiertas de orquídeas y contigo no muy lejos, en el convento. Durante todo este año, el corazón me ha pesado de añoranza, Juana, un peso agravado por el conocimiento de que poseo tus palabras, tus poemas, tus villancicos y, por supuesto, ocho años de recuerdos. Lo tengo todo salvo tu presencia, tu voz y esos ojos capaces de ver en mi interior.

Esta noche, abrazada a tu libro, alzo la mirada al cielo y doy gracias a Dios por concederte el don especial de plasmar la carne en palabras, pues al menos las palabras sobreviven, como las estrellas que brillan hoy sobre Sevilla. Si fijo la mirada en Casiopea, casi te veo sentada frente a tu escritorio, pluma en mano, trabajando hasta altas horas de la madrugada al ritmo de las esferas.

Tengo muchos otros pensamientos que compartir contigo, pero lo que más deseo ahora es hacerte llegar estos ejemplares. Lamento no poder decirte con los ojos lo que deseo expresar, pero debes saber que esta noche nuestras almas se han mirado a la milagrosa luz de la luna que reluce a lo largo del Guadalquivir. Recuerda que eres la guardiana de mis secretos y mi más querida amiga. Te deseo larga vida, Juana.

Siempre tuya,

María Luisa
*12 de noviembre de 1689*

Juana besó la caligrafía que cubría el pergamino y volvió a guardar la carta de María Luisa en el volumen encuadernado en piel. En verdad, qué mejor regalo de aniversario podía enviarle, pensó mientras deslizaba los dedos sobre las letras grabadas en oro del elaborado título que la condesa había compuesto: *Inundación castálida de la única poetisa, musa décima, sor Juana Inés de la Cruz, religiosa profesa en el Monasterio de San Jerónimo de la Imperial ciudad de México, que en varios metros, idiomas y estilos, fertiliza varios asuntos con elegantes, sutiles, claros, ingeniosos útiles versos para enseñanza, recreo y admiración.* Dejó el libro sobre la mesa con delicadeza y abrió la Caja de Pandora.


*22 de febrero de 1690*

Aun después de ver mi libro durante varias semanas no puedo creer que sea autora. Ahora comprendo el orgullo que siente la madre por su primogénito, su necesidad de sostenerlo en brazos sin cesar, contemplarlo, acariciarlo, maravillarse ante su presencia, pues sin duda éste es el fruto de las fértiles calderas de mi mente y la perseverancia de la condesa, la verdadera artífice de la publicación. Hojeo las páginas y todavía me resulta extraño ver mi obra compilada en un volumen; ni siquiera recuerdo haber escrito algunos de los pasajes. He regalado el segundo ejemplar a Belilla con una dedicatoria especial a mi sobrina predilecta. La lectura no le apasiona, según me ha confesado, pero promete leer el libro de cabo a rabo. «Ahora sois famosa, tía», me dijo hace poco con los ojos iluminados de admiración.

—¡Tía, sor Clara dice que vuestros invitados os están esperando! —exclamó Belilla con voz que parecía resonar contra los suelos entarimados.

Juana aún no se había acostumbrado a los sonidos de su nueva celda, en especial al eco de las voces y las pisadas en las distintas estancias. Tras la partida de la condesa se había trasladado a la celda de la madre Catalina en un intento de empezar de nuevo. Era una vivienda de dos dormitorios, un pequeño salón, cocina y un cuarto de baño con una bañera alicatada de dimensiones suficientes para tenderse en ella. Juana y Belilla compartían uno de los dormitorios, apenas lo bastante grande para albergar los dos lechos y los correspondientes roperos, mientras que el otro hacía las veces de estudio. No era una celda tan amplia ni lujosa como la de la anciana madre Paula, con sus hermosos suelos embaldosados y las ventanas abovedadas con vistas a los volcanes, pero resultaba más práctica y fácil de mantener limpia entre las dos, y además carecía de escaleras, que hacían estragos en su ciática. Guardó la Caja de Pandora en el compartimento secreto del escritorio y se preparó para otra tarde de invitados.

Desde la publicación de *Inundación castálida* en México, Juana recibía más visitas en el locutorio que en las épocas en que la marquesa y la condesa dominaban la vida social de Nueva España. Quienes habían logrado hacerse con un ejemplar de su libro querían que se lo dedicara, y quienes se habían quedado sin el volumen creían que tal vez Juana disponía de su propio almacén y estaría dispuesta a venderles un ejemplar, por el que gustosamente pagarían el doble de lo que cobraban los libreros. Decepcionados y dudando de que, como afirmaba Juana, sólo poseía un ejemplar de la obra, insistían en que cuando menos les ofreciera un recital de sus poemas y aplaudían con cortesía después de cada uno de ellos, aunque sus miradas ausentes revelaban que en realidad no la escuchaban.

Debería comportarse con la mayor cautela ante los invitados de aquella tarde, pues no eran otros que el virrey, el conde de Galve, y su esposa doña Elvira, quienes a diferencia de sus predecesores habían decidido no honrar a Juana con su amistad y mecenazgo incondicionales. Cerraba la comitiva el exuberante y asaz superfluo hermano mayor del virrey, con quien, según se rumoreaba, doña Elvira vivía un apasionado romance epistolar que había granjeado a su esposo el mote de «El Cornudo». El virrey había solicitado una audiencia privada y una representación especial de su poesía para el palacio y su séquito. Por descontado, Sus Excelencias poseían un ejemplar del libro de Juana, que el susodicho hermano mayor les trajo de España, y deseaban que la autora les escribiera una dedicatoria especialmente personal y profunda. Con muchos ambages le dieron a entender que les disgustaba el hecho de que ninguno de los poemas que había compuesto para ellos figurara en la publicación, pero Juana recordó a los gobernantes que el libro se había preparado pocos meses después de su llegada a México y circuló por España durante un año entero antes de llegar a las Indias. Asimismo les aseguró que contarían con un apartado propio en la segunda edición, cuya publicación ya ultimaba la condesa de Paredes.

—¿Y a quién dedicaréis la segunda edición, sor Juana? —quiso saber la virreina, que tenía el molesto hábito de cubrirse la boca con el abanico cada vez que hablaba.

—La dedicatoria no suele modificarse en la edición revisada de un mismo texto, señora. Además, la condesa jamás lo permitiría, pues es muy posesiva con las dedicatorias.

—Lo comprendo —masculló doña Elvira, mirando a su cuñado con un mohín enfurruñado.

—Tal vez seamos merecedores de la dedicatoria de alguna obra vuestra en el futuro —aventuró el virrey.

—Deberías ver el entusiasta público que nuestra «décima musa» y única poetisa de la ciudad imperial de México ha conseguido en Madrid, Gaspar —comentó el hermano del virrey.

—Os lo ruego, señor —interrumpió Juana—. Sé que se trata del sobrenombre que me puso la condesa y no de un epíteto de vuestra invención, pero no se me permite escuchar semejantes halagos. Comprometen mis votos.

—Pero es cierto, hermana, sois muy famosa en nuestro país —insistió el hermano.

—Muy a mi pesar, os lo aseguro, señor —replicó Juana.

—Vamos, hermana, por lo que tenemos entendido, vuestro prodigioso intelecto es la guinda de Nueva España desde hace décadas. Por lo visto, la Nueva España no ha dado ningún otro criollo capaz de superaros en ingenio.

—Olvidas a Sigüenza, mi señor —terció doña Elvira.

—Sigüenza es un botarate engreído —espetó el hermano—, incapaz de escribir ni una sola línea decente aunque le fuese la vida en ello.

—Don Carlos es mi amigo más querido, señor —se enojó Juana—. Me resulta imposible escuchar críticas contra él sin encolerizarme, ya me comprendéis.

—Por supuesto, sor Juana —dijo el virrey con voz tan gélida como su mirada—. Si un vulgar canónigo puede engendrar una devoción para la que vuestros invitados no hallan contrapartida, es posible que nuestra visita haya tocado a su fin —Se volvió hacia su esposa y su hermano—. Parece que nos despiden. ¿Os parece que nos retiremos?

—Creo que este año no celebraremos el ágape de Pascua en San Jerónimo —constató la virreina.

Juana sabía muy bien a qué se refería. A causa de la ofensa de que se creían objeto, el convento no recibiría limosnas especiales del virrey aquella Pascua.

Los dejó marchar sin intentar aclarar su comentario ni disculparse por su sinceridad. Los enemigos de los Medinaceli eran sus enemigos, tal como había prometido a la condesa. Sabía que no era prudente enemistarse con palacio, pero no se permitiría volver a sentir apego por ningún virrey ni virreina. No obstante, sabía que le convenía enmendar el daño si pretendía obtener el patrocinio de palacio. Compondría un poema para el aniversario de doña Elvira y una loa para el del conde.


—La misa ha terminado. Id en paz —entonó el arzobispo en latín con los brazos muy abiertos, de espaldas al altar.

Acto seguido entrelazó las manos en una breve plegaria, se dio la vuelta, besó el mantel y, seguido de seis acólitos, condujo a su rebaño al exterior de la catedral. Junto a los bancos de piedra que jalonaban un lateral entero del atrio se alineaban docenas de zaramullos de calzones gastados y cabello enmarañado, esperando al arzobispo. Era Jueves Santo, y el máximo representante de la Iglesia en el reino se disponía a lavarles los pies. Sin embargo, antes de iniciar la ceremonia, otro prelado debía prestar tan humilde servicio a Su Ilustrísima.

Aquel año recaía en el obispo de Puebla la tarea de lavar los pies arzobispales, pero el obispo había delegado el honor en uno de los léperos de la plaza con la promesa de pagarle un puñado de ducados por las molestias. Muy diligente, el pobre hombre se arrodilló a los pies del arzobispo, desanudó las resquebrajadas correas de cuero de sus sandalias y le quitó las medias desgarradas. Las personas más cercanas se taparon la nariz. Entre el hedor de pulque pasado que exudaban los poros del lépero y el rancio olor a queso de cabra que despedían los pies del arzobispo, el espectáculo era un auténtico atentado a los sentidos.

El obispo contuvo el aliento, horrorizado al ver la arcilla negra incrustada entre los dedos de los pies del arzobispo, la mugre de las larguísimas uñas y los numerosos juanetes y callos. Con ayuda de una pastilla de jabón, el zaramullo enjabonó los malolientes pies del arzobispo mientras su propia suciedad se mezclaba con la del pontífice. Una vez enjuagados y secos, los pies del arzobispo no parecían más limpios, sólo que ahora hedían a jabón de lejía en lugar de a queso podrido. El arzobispo se puso de nuevo las fétidas medias, se abrochó las sandalias y cambió una mirada con el lépero, que iba descalzo y cuyos pies, pese a aparecer negros por la mugre, al menos no apestaban el atrio entero.

—Un nuevo mandato os doy —citó el arzobispo antes de sumergir los pies del hombre en el agua sucia—, que os améis los unos a los otros como yo os he amado.

—Vuestro sermón, Ilustrísima —se oyó decir al obispo—, fue el sermón de Vieyra sobre el mandato de Cristo, ¿no es así?

—Es el sermón que siempre doy en Jueves Santo —repuso el arzobispo mientras frotaba los mugrientos pies del pobre.

—Plantea una cuestión compleja.

—Ese hombre es un genio —sentenció el arzobispo.

—¿A vos qué os parece, Ilustrísima?

El arzobispo terminó de secar el primer par de pies e indicó al siguiente que se sentara.

—Si no os importa, Manuel, tengo... —señaló la larga fila de pies sucios que esperaban para ser lavados— algunos asuntos que atender. ¿Podríamos aplazar nuestra conversación sobre Vieyra hasta después de vísperas?

Levantó los pies del segundo hombre y restregó vigorosamente con el jabón la inmundicia que cubría las plantas.

—Un nuevo mandato os doy, que os améis los unos a los otros como yo os he amado —masculló mientras trabajaba.

—Observo que no hay ninguna mujer aquí, Ilustrísima —comentó el obispo.

—No os moféis de mí, señor.

—Si la memoria no me falla, Ilustrísima, María Magdalena, la prostituta, dio a Jesucristo el ejemplo que hoy seguís. ¿Acaso no bañó los santos pies con sus lágrimas y luego los secó con sus cabellos?

El siguiente infeliz ocupó su lugar. El agua de la jofaina había adquirido ya el color y el olor del canal.

—Un nuevo mandato os doy —empezó el arzobispo, pero el obispo lo interrumpió, pues el hedor le revolvía el estómago y estaba harto de aquella farsa, que no denotaba humildad alguna, sino todo lo contrario.

—Tal vez en honor de vuestro amigo Vieyra podríais contemplar la posibilidad de ampliar vuestra beneficencia a las mujeres, ya que a fin de cuentas fue una mujer, y notoria pecadora además, quien enseñó a Nuestro Señor la humildad del amor.

—Éste no es lugar adecuado para disquisiciones teológicas, señor. Si no deseáis ayudarme, tened al menos la bondad de retiraros y permitir que me concentre en mi tarea. ¡Vosotros! —espetó a los acólitos—. ¡Traed más agua, más jabón y más toallas!

Pero el obispo no tenía intención de dejarse disuadir con tanta facilidad.

—Al fin y al cabo, Jesucristo murió en la cruz por María Magdalena en la misma medida que por estos destacados especímenes de virilidad —insistió, dedicando una sonrisa al reducido público que se había apiñado a su alrededor.

En la frente del arzobispo empezó a palpitar una venita.

—¿Adónde pretendéis llegar, señor? —inquirió.

—¿Seríais capaz, Ilustrísima, de mostrar una fineza semejante hacia una hija de la Iglesia? ¿Sor Juana Inés de la Cruz, por ejemplo?

El arzobispo se acuclilló y lanzó una larga y furibunda mirada al obispo.

—¿Insinuáis acaso que no soy capaz de lavar los pies de esa pecadora?

—A todas luces, sois capaz de lavar los pies de cualquiera, Ilustrísima —aseveró el obispo al tiempo que señalaba con un ademán de cabeza la fila de mendigos y vagabundos—. La cuestión reside en si la amaríais tanto como amáis a estos hombres, tanto como Jesucristo amaba a la ramera Magdalena. Ahora que todo Madrid celebra el libro de Juana, sin lugar a dudas merece una limpieza espiritual a vuestros ojos, Ilustrísima.

El rostro del arzobispo adquirió distintos matices de rojo y violeta.

—A mis ojos, Manuel, os diré que veo una cosa con claridad diáfana.

El obispo enarcó una ceja y aguardó a que el prelado continuara.

—Veo que no fuisteis nombrado arzobispo de México a causa de vuestro asiduo trato con mujeres. No creáis que la noticia de vuestro comportamiento no ha llegado a oídos de la Santa Sede.

El obispo sintió el golpe de la humillación como un bofetón.

—Eso es una acusación calumniosa —farfulló.

—Denunciadme a la Audiencia, si así lo deseáis, pero hacedme el favor de desaparecer de mi vista.

Los acólitos reaparecieron cargados con dos jofainas de agua limpia, y el arzobispo reanudó las abluciones.

—Un nuevo mandato os doy, que os améis los unos a los otros como yo os he amado.

Sin añadir una sola palabra más, el obispo salió de la catedral y se dirigió a la Casa de San Jerónimo en coche.

—No os enfurezcáis, Vuestra Ilustrísima —aconsejó Juana—. No tenéis nada que reprocharos.

El obispo mojó un picatoste en el chocolate y se comió medio de un solo bocado.

—Ha osado decirme algo así en público.

—Pero también vos lo habéis avergonzado, ¿no es cierto?

—El muy hipócrita lo merecía.

—A buen seguro, el arzobispo considera que vos también merecíais la pulla. Se me antoja peculiar sostener semejante discusión en torno a unos pies sucios.

—El sermón de Vieyra lo provocó todo —puntualizó el obispo—. Quería debatir con él la cuestión que plantea sobre cuál fue el mayor acto de amor de Jesucristo, y recordarle que precisamente María Magdalena dio a Nuestro Señor la idea de lavar los pies.

—Pero Vieyra no se ocupa de María Magdalena —señaló Juana.

—Lo sé, Juana, pero el arzobispo acababa de pronunciar el sermón de Vieyra, y consideré una hipocresía que despreciara con tanta contundencia a las mujeres y en cambio estuviera dispuesto a besar los pies de esos hombres mugrientos y abyectos. No sabe nada de la humildad de Jesucristo, pero aun así finge un talento caritativo en extremo. Quien exhibe humildad de esta guisa, desconoce el significado del término. ¡Y deberíais haber visto sus pies! —exclamó con una mueca—. ¡De todo punto repugnantes! No comprendo cómo se soporta a sí mismo.

—Tengo entendido que gusta de afectar humildad —comentó Juana.

—Yo no afecto humildad, Juana. Creo en la limpieza y en dar ejemplo a los pobres. Pero el arzobispo se considera la quintaesencia de la humildad y cree que entiende a Vieyra por el mero hecho de que son amigos.

—¿Y qué entendéis vos, Ilustrísima? ¿Cuál es a vuestros ojos el mayor acto de amor de Jesucristo? ¿Tal vez el sacramento de la Eucaristía, a través del cual podemos unirnos a Jesucristo, como creía santo Tomás? ¿El hecho de lavar los pies de sus hermanos para mostrarnos la humildad del verdadero amor por la humanidad, como creía san Juan Crisóstomo? ¿O quizá Su sacrificio en la cruz para la redención de nuestros pecados, como creía san Agustín?

–Para seros sincero, discrepo de la opinión de san Juan Crisóstomo; no creo que el asunto de los pies pueda compararse con los otros dos sacrificios. En cambio, considero harto difícil elegir entre la Eucaristía y la Crucifixión. ¿No estáis de acuerdo conmigo, Juana?

–En realidad, no creo que revista importancia alguna cuál fuera el mayor sacrificio. ¿Puede una acción perfecta tener más o menos relevancia que otra?

–Las consecuencias de las acciones pueden poseer distintos grados de valor, ¿no os parece, hermana? ¿Se beneficia el ser humano más del sacramento de la comunión, en el que puede participar con regularidad y para el que puede prepararse a diario, o de la redención abstracta del sacrificio de Jesucristo?

–Observo que creéis más en los beneficios prácticos que en los espirituales –apuntó Juana.

–No necesariamente, Juana, pero los hombres son seres eminentemente prácticos y proclives a beneficiarse más de las acciones tangibles.

–No obstante, considero que el argumento de Vieyra no guarda relación alguna con la humanidad. Su pregunta no gira en torno a las consecuencias de las acciones de Cristo, sino al motivo oculto que hay tras cada acción, y aun más, la fineza de la beneficencia. Vieyra plantea qué acción constituye un ejemplo más fehaciente del amor de Cristo, no cuál beneficia en mayor grado a la humanidad. Existe una diferencia entre causa y efecto, ¿no os parece?

–Comprendo vuestra postura, Juana, pero ¿cuál es el propósito de una acción sino su efecto? Jesucristo recibe el nombre de Divino Verbo porque, a través de Él, Dios transmitió Sus mandamientos, uno de los cuales exigía que nos amáramos los unos a los otros como Jesucristo nos amaba. A fin de demostrar Su amor, sacrificó a Su propio Hijo en la cruz para redimir nuestros pecados y nos dejó el sacramento de la comunión para que purificáramos nuestras almas. Ya veis, Juana, que cada acción divina tenía el propósito terrenal de redimir nuestros pecados y purificar nuestras almas, y que Dios actuó por la necesidad de redención de los pecados y de purificación de las almas.

—¿Afirmáis entonces, Vuestra Ilustrísima, que nuestras almas pecadoras fueron la causa de Sus acciones o qué Su amor por nosotros Lo impulsó a redimir y purificar nuestras almas? Si somos la causa de las acciones de Dios, entonces Sus acciones no son sino efecto de nuestros pecados, y de acuerdo con ese argumento podemos aseverar que no fue Dios, sino nosotros quienes engendramos a Jesucristo a través de nuestros pecados. No os mostréis tan escandalizado, amigo mío. A fin de cuentas, el argumento es vuestro, no mío.

—¿Y cuál es el vuestro, Juana?

—Nos hemos alejado tanto del quid de la cuestión que nos veríamos obligados a retroceder un tanto para retomarlo. He empezado este debate exponiendo una premisa general, según la cual una acción perfecta no puede ser más ni menos relevante que otra. Huelga decir que, como Hijo de Dios y también de María, sin pecado concebida, Jesucristo es perfecto. De ello se desprende que tanto la muerte de Jesucristo en la cruz como el sacramento de la Eucaristía que instauró en la Última Cena son acciones perfectas (al igual que el lavado de pies, una demostración de amor perfecto) y por tanto iguales con respecto a sus beneficios y fineza. Mi intención era refutar la premisa de Vieyra, según la cual una fineza de Jesucristo puede superar a otra, algo que se me antoja imposible dada la naturaleza perfecta del agente y la etimología del vocablo fineza.

El obispo se inclinó hacia delante.

—Proseguid, Juana, resulta fascinante. En los cuarenta años transcurridos desde la primera vez que pronunciara ese sermón, nadie ha osado rebatir la premisa de Vieyra, ni mucho menos enzarzarse en una discusión semántica con él.

—Cabe la posibilidad de que, al ser portugués, tradujera erróneamente la raíz latina de fineza —aventuró Juana—. Para Vieyra, el apelativo fino aplicado al amor denota un amor que no busca reciprocidad, amor por amor. Sobre la base de semejante interpretación, no resulta difícil comprender por qué hace el distingo entre la Eucaristía, la ablución de los pies y la Crucifixión, pues extrapolada, una acción parecería más fina que otra, más puramente motivada por el amor y sin esperanza de reciprocidad, ya que, en verdad, ¿cómo puede corresponder el hombre al sacrificio de Jesucristo? Los hombres se pueden hacer sacerdotes, lavar los pies de los pobres y administrar la Eucaristía, pero no sacrifican su vida en la cruz.

—Sacrificamos buena parte de nuestra existencia corpórea, Juana. Nuestro voto de celibato, si me permitís hablar con franqueza, no está tan alejado del sacrificio en la cruz.

—Cierto, pero vuestro celibato no redime nuestros pecados, Ilustrísima. Tal vez redima vuestros pecados, pero no los de la humanidad. Por ende, vuestro celibato no es una fineza, pues la etimología del término significa la demostración de la perfección. En su estado adjetivo, algo fino es algo perfecto y puro. Como sustantivo, fineza es la demostración o el ejemplo de perfección, una imitación, si lo deseáis. Recordad a Platón, quien afirma que la naturaleza es la imitación de la realidad, pues si la realidad existe en la mente de Dios y lo que anida en la mente de Dios es pefecto, lo que tenemos en la naturaleza es una imitación de lo real. La realidad a la que nos referimos es el amor de Jesucristo, que es perfecto en sí mismo y por tanto fino, pero la imitación de Su amor, la acción a través de la cual Dios demuestra Su amor, es la fineza. Así pues, al bautizar el amor de Jesucristo con el nombre de fineza, Vieyra confunde la realidad con la imitación. Además, al preguntarse qué acción (Eucaristía, ablución de los pies o Crucifixión) constituye un ejemplo más fehaciente del amor de Jesucristo, olvida que lo que es fino ya es perfecto en sí mismo, y que si todas esas acciones son finezas, entonces todas ellas son ejemplos de perfección y por tanto ejemplos igualmente perfectos del amor de Jesucristo.

Los ojos del obispo centelleaban divertidos, y lanzó una sonora carcajada tras escuchar la perorata de Juana.

—¿Os burláis de mí, Ilustrísima?

—Al contrario, Juana, vuestro análisis me ha deleitado en grado sumo. No me cabe la menor duda de que, con el tiempo, seríais capaz de rebatir al mismísimo san Pablo.

—Los argumentos carentes de validez son fáciles de rebatir. Vieyra nos da numerosos ejemplos que contradicen su premisa y elucidan la mía.

—Debéis escribir este discurso, Juana. Es una crítica demasiado... fina para no plasmarla sobre papel. Alguien tiene que poner en su lugar a Aguiar y Seijas.

—No creo que me convenga provocar las iras del arzobispo. Ambos sabemos que puede ser muy extremado.

—En tal caso, permitid que yo lo haga, Juana. Permitid que le restriegue su hipocresía en las narices. Está convencido de que Vieyra es un genio más allá de toda crítica. Vuestro análisis le causará una apoplejía, os lo aseguro. Escribidlo para mí, Juana; conozco al grupo idóneo para compartir vuestras ideas.

—No me interesa tener problemas con el arzobispo, Ilustrísima.

—No os inquietéis, Juana. Si me lo permitís, asumiré la autoría de esta crítica. Pero necesito tenerla por escrito, ver con mis propios ojos esos ejemplos a que habéis hecho referencia. La lógica nada vale sin ejemplos.

—Pero ¿qué beneficio obtendría yo de semejante ejercicio? —inquirió Juana.

—Desquitaros por el odio que el arzobispo os profesa, por supuesto, un odio que no merecéis... por no mencionar la satisfacción de haber justado con uno de los personajes predilectos de Aguiar y Seijas.

Juana frunció el ceño, incapaz de decidir si debía o no acceder a la petición del obispo. ¿Cuáles serían las repercusiones si el arzobispo llegaba a descubrir que el escrito era obra suya y no del obispo? A buen seguro privaría a Juana de sus privilegios de escritura. Y ya no le quedaban amigos en palacio que pudieran interceder por ella. De Galve estaba demasiado ocupado intentando domeñar a las castas y, según se decía, la virreina, doña Elvira, estaba demasiado ocupada escribiendo cartas de amor a su cuñado. Sin embargo, qué inmejorable oportunidad de ajustar cuentas con Aguiar y Seijas por todos sus abusos, sus absurdos edictos y castigos, todo el dinero que no tenía intención de devolverle, su avaricia, su misoginia. Con ayuda de su lógica y los contactos del obispo, Aguiar y Seijas quedaría desprovisto cuando menos de una parte de su cesárea arrogancia.

—Si accedo, Ilustrísima, será bajo la estricta condición de que nadie llegue a conocer el nombre de la verdadera autora de la crítica.

—Por supuesto, Juana. ¿Creéis que me beneficiaría estar aliado con una monja, sobre todo con vos, sor Juana, en un asunto de esta índole?

—Y de que no se haga pública.

—Por descontado.

—La crítica no será publicada.

—No, Juana.

—No circulará por el reino.

—Sólo la leerán mis amigos, os lo prometo.

—En ese caso, accedo. Escribiré la crítica, pero no podré enviárosla; deberé entregárosla en mano.

—¿Cuánto tiempo os llevará, Juana?

En aquel momento, las campanas llamaron a misa de mediodía.

—Primero debo terminar el *Divino Narciso* para enviárselo a la condesa y también debo empezar los villancicos para la Asunción, pero a estas alturas ya puedo componerlos con los ojos cerrados —contó los meses con los dedos—. En julio, para la festividad de María Magdalena.

Los ojos del obispo quedaron rodeados de mil arrugas cuando sonrió.

—Muy apropiado —fue su único comentario—. Ahora debo dejaros, Juana, antes de que Su Ilustrísima averigüe que he estado aquí. No quiero que crea que he venido a lavaros los pies.

Se inclinó profundamente ante ella y se puso el capelo rojo.

Juana lo siguió con la mirada cuando salió del locutorio y se detuvo a decir unas palabras a sor Clara. Algo empezó a agitarse en su pecho.

# 26

Durante dos semanas después de acabar su crítica a Vieyra, Juana no quiso hablar a don Carlos de su trabajo, temerosa de que la verdad saliera a la luz, pero el deseo de impresionar a su amigo con su poder de refutación retórica pudo más que ella, de modo que le reveló el secreto durante su última sesión. No le permitió llevarse su copia, ya que ello incrementaría el riesgo de que cayera en manos del arzobispo quien, inexplicablemente, era buen amigo y adalid de don Carlos. Así pues, su amigo permaneció sentado durante una hora leyendo su texto mientras ella le preparaba una tortilla de queso y cebolla en el refectorio.

Don Carlos se paseaba ante la puerta del locutorio cuando Juana regresó seguida de una refectolera que llevaba la bandeja. Don Carlos padecía un dolor en el costado que atribuía a una piedra de la vesícula, por lo que no podía beber más que leche y comer alimentos inocuos en extremo.

–¿Y bien? –le preguntó.

–¿Tenéis intención de enviárselo a la condesa para el nuevo volumen?

–Se me ha ocurrido la idea, aunque, por supuesto, el arzobispo no puede averiguar jamás que yo soy su autora.

Don Carlos continuó paseándose por la estancia.

–Se os está enfriando la tortilla, amigo mío.

Don Carlos se detuvo ante la bandeja, cogió una rodaja de cebolla descarriada y la masticó con lentitud. Juana empezaba a impacientarse con su silencio.

—¿Os parece bueno? ¿Convincente?

Su amigo se volvió hacia ella.

—Querida Juana, ¿cuándo habéis escrito vos algo que no resulte convincente? Es precisamente la excelencia del escrito la que me acongoja.

—¿Qué os acongoja?

—¿Qué intenciones lleva el obispo? ¿Lo sabéis acaso?

—Estoy segura de que aún alberga resentimiento contra Aguiar y Seijas por no haber obtenido el arzobispado.

—¿Y por qué os utiliza a vos para vengarse del arzobispo?

—No es el único con cuentas que saldar.

Don Carlos dobló la tortilla, la recogió y siguió caminando por el locutorio mientras comía, dejando tras de sí un rastro de huevo y cebolla en el suelo.

—Aquí hay algo que no cuadra, Juana, pero no sé a ciencia cierta de qué se trata —aseguró con la boca llena—. La tortilla está deliciosa —comentó, lamiéndose los dedos—, Don Manuel quiere hacer pasar la crítica por suya y distribuirla sólo entre un grupo selecto de amigos para así vengarse del arzobispo. ¿Cómo pretende alcanzar su objetivo si el arzobispo no tiene noticia del escrito, Juana?

—A buen seguro, el arzobispo forma parte del selecto grupo, don Carlos.

—Pero ¿no veis, Juana, que a fin de servir a su propósito, que es cierta venganza para vos y el obispo, el arzobispo tendría que saber que vos estáis implicada de algún modo?

—He hallado mi venganza redactando la crítica. No es necesario que el arzobispo sepa que es obra mía para que me sienta vindicada.

—Pero querida Juana, vos estáis por encima de tales mezquindades. ¿Por qué recurrís al subterfugio cuando toda vuestra vida ha sido un libro abierto de brillante desafío? Esta crítica debe ser publicada para que el mundo conozca lo que una mente iluminada es capaz de hacer con la teología obsoleta. Al diablo con los resentimientos y las intrigas del obispo. Que encuentre a otro que le sirva de ventrílocuo.

—¿Os oponéis a mi decisión porque el arzobispo es amigo vuestro? —quiso saber Juana.

Don Carlos apuró el vaso de leche, enjugándose ligeramente la boca con el último trago.

—El arzobispo ha sido bondadoso conmigo, Juana. Me ha ayudado a obtener cargos relevantes sin los cuales me habría resultado imposible mantener a mi familia y saldar mis deudas. Sin embargo, mi objeción nada tiene que ver con el arzobispo, y además, Vieyra no es un profeta. Es un erudito, como nosotros, y los eruditos se rebaten mutuamente, lo cual mantiene vivo el discurso. Pero Juana, lo que siempre he admirado de vos es que nunca habéis temido expresar vuestras opiniones, y ahora en cambio habéis permitido que el obispo os implique en tan pueril engaño. Habéis puesto vuestra autoridad en sus manos al otorgarle el derecho de hacer suya vuestra obra teológica más ingeniosa hasta la fecha, y eso, amiga mía, es una tragedia.

Don Carlos nunca le había dirigido más que alabanzas, razón por la que Juana esperaba sus reuniones semanales como agua de mayo. Aun cuando discrepaban en sus interpretaciones de algún texto, don Carlos nunca dejaba de admirar la perspicacia de sus argumentos, si bien éstos nunca lo convencían de que cambiara de opinión. También ahora admiraba su crítica, pero al tiempo criticaba el motivo que provocara su redacción. Sin embargo, más que criticarla, expresaba una actitud que a Juana le resultaba del todo nueva: estaba decepcionado por algo que su amiga había hecho, y Juana no soportaba esa decepción. En cierto modo era como verse traicionada, si bien reconocía que don Carlos estaba en lo cierto. En el pasado, nunca había recurrido a los subterfugios, y al hacerlo se había traicionado a sí misma. De pronto experimentó una intensa oleada de náuseas.

—Habéis palidecido, Juana —comentó don Carlos y se acercó a la reja—. Os ruego me perdonéis; no pretendía mostrarme tan brusco.

Juana bebió un sorbo de agua de piña a fin de mitigar el mareo.

—Tenéis razón, obré sin pensar —admitió—. Permití que mis emociones tomaran las decisiones en mi lugar. Todas me indignan sobremanera —bufó, meneando la cabeza.

—Tenéis derecho a indignaros, Juana, así como a criticar a cuantos eruditos se os antoje, pero el engaño es lo que no considero prudente.

—Convengo con vos, amigo mío; cometí un error de juicio.

—Y yo he logrado entristeceros —suspiró don Carlos.

—Estoy enojada conmigo misma —puntualizó Juana—. Una persona que ha consagrado su vida a desarrollar el intelecto no debería dar rienda suelta a sus emociones, sobre todo las emociones vengativas.

—Es una batalla encarnizada, Juana. Y en cualquier caso, ¿quién soy yo para criticar vuestras acciones? No sé qué sensación produce el odio del propio sexo, pero si en algo se asemeja a la sensación que produce el hecho de que desdeñen mi obra como juicios trastornados de un criollo, entonces concluyo que debe de provocar la más profunda de las iras y además un intenso deseo de venganza.

—¿Qué más da, de todos modos? —replicó Juana con un encogimiento de hombros—. El mundo es de los misóginos.

—No me contaréis entre ellos, ¿verdad, Juana?

—Si os contara entre ellos, amigo mío, no estaríais aquí sentado señalando mis errores, sino refocilándoos con la fatal mácula de mi naturaleza, como sin duda hace el obispo.

—¿A qué os referís?

—A la vanidad, por supuesto. Sed testigo de la inmodestia que me embarga cuando contemplo mi libro.

—Resulta difícil para una inteligencia de vuestro calibre quedar exenta de la vanidad, Juana, máxime porque estáis rodeada de majaderos.

—Opino que los majaderos viven más tiempo y más felices.

—Todo majadero incapaz de captar el lirismo y la perspicacia de vuestras palabras debería considerarse un desgraciado.

—Sois siempre generoso en vuestros elogios, don Carlos.

—Sólo desearía que este magnífico análisis alcanzara a un público más amplio que el obispo de Puebla y sus compadres, sobre todo ahora que tanta gente ha comprado vuestro libro. Él mismo ha adquirido tres ejemplares.

—Sí, me indicó que debía ir a la librería de la viuda de Calderón.

—Así pues, ¿lo habéis visto recientemente?

—Vino ayer para recoger su copia de la crítica.

—¿Se la entregasteis antes de mostrármela a mí? —se escandalizó don Carlos con los ojos muy abiertos tras los anteojos.

—Habíamos hecho un trato —señaló ella.

—Oh, Juana —suspiró don Carlos, meneando la cabeza.

—¿Qué sucede?

—No sé si debería decíroslo, pero tal vez os ayude a comprender las sospechas que albergo acerca de vuestro amado obispo.

Se interrumpió un instante para limpiarse las gafas con el dobladillo de la capa.

—¿Y bien?

—Yo estaba en el establecimiento de la viuda de Calderón cuando entró el obispo acompañado del padre Núñez. El obispo adquirió los tres ejemplares y dio uno al padre Núñez.

Juana frunció el ceño ante la ambigüedad de la explicación.

—¿Y?

—¿Acaso el padre Núñez no es aún calificador de la Inquisición?

—¿Insinuáis que pretende censurar mi libro?

—Lo único que digo, Juana, es que el obispo y el padre Núñez acudieron juntos a la tienda, y que yo sepa, no son grandes amigos precisamente.

Juana cerró los ojos y rememoró la conversación que había sostenido con el obispo acerca de su padre confesor.

«—Ha estado enfermo, ¿sabéis? —le había contado el obispo—. Me refiero al padre Núñez. Se trata de una extraña afección ocular.

»—A buen seguro es motivo de regocijo para él. El padre Núñez gusta de castigarse a sí mismo.

»—Tengo entendido que no cesa de interesarse por vos. Creo que os echa de menos, Juana.

»—Yo no estaría tan segura de ello, Ilustrísima. El padre Núñez es un hombre de convicciones profundas, y hace diez años me condenó a la penitencia perpetua de su ausencia.

»—Dicen que vos prescindisteis de él, Juana.

»—Le di a elegir.

»–Me atrevería a decir que, en la mente de un anciano sacerdote como el padre Núñez, las monjas no dan a elegir a sus padres confesores, sino más bien a la inversa.

»–El libre albedrío es el libre albedrío, una más de las finezas de Dios, Ilustrísima.

»–Jamás claudicáis, ¿no es así, Juana?

»–En raras ocasiones.

»–Lo que os convierte en una persona peligrosa en extremo, hermana.

»–No creo que ninguna mujer pueda ser peligrosa, Ilustrísima. Ello implicaría que las mujeres tienen poder, y si no pueden aspirar a una educación siquiera, ¿cómo pretenderán aspirar al poder?

»–No me estoy refiriendo a las mujeres en general, sor Juana, sino a vos.»

Diez días después de la festividad de San Jerónimo estalló un escándalo en la ciudad. La gaceta de México anunciaba la publicación de una nueva obra en Puebla. Se trataba de una osada crítica contra el sermón sobre el mandato de un jesuita erudito, titulada *Carta atenagórica de la madre Juana Inés de la Cruz, religiosa profesa de velo y coro en el muy religioso convento de San Jerónimo*. La obra acababa de salir de la imprenta y estaba siendo llevada a la capital, donde la viuda de Calderón la vendería en exclusiva. Dedicada a sor Juana, la publicación había sido patrocinada por una tal sor Filotea de la Cruz, del convento de la Santísima Trinidad de la ciudad de Puebla.

Estructurada como una carta dirigida a un «señor» anónimo, *Carta atenagórica*, según explicaba la gaceta, «era una alocución semántica ingeniosa, aunque cínica acerca de un debate teológico relativo al más significativo ejemplo del amor de Jesucristo, al que la mundialmente conocida sor Juana aportaba su granito de arena, sumándose así no sólo al honorable portugués, el padre Antonio de Vieyra, sino también a los más eximios doctores de la Iglesia católica, a saber santo Tomás, san Agustín y san Juan Crisóstomo».

El mismo día en que aquel artículo apareció en la gaceta, don Carlos llevó a Juana un ejemplar del panfleto. Andrea se reunió con ellos en el locutorio, el rostro tan ceniciento como el de Juana. Era el primer escándalo al que debía enfrentarse como madre superiora y la disgustaba sobremanera que implicara a su amiga.

—Acabo de regresar de Puebla —explicó don Carlos al tiempo que alargaba el panfleto a Juana entre los barrotes; su rostro y capa aún aparecían mugrientos por el viaje, y tenía el cabello alborotado bajo el polvoriento sombrero—. Lo sabía, Juana. Estaba convencido de que el obispo albergaba motivos ocultos para induciros a escribir vuestra crítica. Erais vos quien debía permanecer en el anonimato, y en cambio es él quien se esconde tras un seudónimo. ¡Cobarde!

Juana abrió el texto por una página al azar y empezó a deambular por la estancia, debatiéndose entre la rabia y la desesperación a medida que releía sus palabras. Las advertencias de Sigüenza le resonaban en los oídos.

—Pero no llega a refutar a los santos, ¿verdad, don Carlos? —inquirió Andrea, espantada.

—Se trata de un debate teológico, madre. Es inherente a tales tratados analizar todas las facetas de una cuestión.

—Pero los santos, Juana —insistió Andrea, volviéndose hacia ella—. ¡Has contradicho a los santos!

—Me lo juró —masculló Juana con voz extremadamente tensa—. Me juró que jamás lo publicaría, que sólo lo distribuiría entre un selecto grupo de amigos.

—¿Cómo pudiste confiar en él, Juana? —gimió Andrea.

—No tenía razón alguna para desconfiar. Lo consideraba un amigo.

—Era una trampa, Juana —suspiró don Carlos, sacudiendo la cabeza—. ¿Acaso no lo comprendéis?

—¡Por supuesto que no! —se encolerizó Juana al tiempo que arrojaba el panfleto sobre el banco—. ¿Con qué antecedentes contaba para desconfiar del obispo?

—Entre vuestro libro y este asunto, jamás lograremos enmendar esta catástrofe a los ojos del arzobispo —sentenció Andrea, recogiendo la gaceta.

Juana se masajeó las doloridas sienes.

—Pero no es esto lo peor —advirtió don Carlos con los ojos hinchados tras los anteojos—. No habéis visto lo que precede a vuestro análisis, Juana. Se trata de una carta de la supuesta sor Filotea.

Juana arrebató el librito a Andrea y lo abrió por la primera página, abriendo la boca cada vez más a medida que leía.

—Censura y aplaude a un tiempo vuestro intelecto —explicó don Carlos, citando textualmente una de las reprobaciones de sor Filotea: «Letras que engendran elación, no las quiere Dios en la mujer, pero no las reprueba el Apóstol cuando no sacan a la mujer del estado de obediente».

—«Mucho tiempo habéis gastado en el estudio de filósofos y poetas —leyó Juana en voz alta—; ya será razón que se perfeccionen los empleos y se mejoren los libros.»

—Por lo visto, sor Filotea insinúa que no leéis las Escrituras, Juana —señaló don Carlos.

—Dios misericordioso —musitó Andrea.

—Seguid leyendo, Juana —instó don Carlos.

—«Lástima es que un tan gran entendimiento de tal manera se abata a las rateras noticias de la tierra, que no desee penetrar lo que pasa en el cielo; y ya que se humille al suelo, que no baje más abajo, considerando lo que pasa en el infierno.» —«¿Me está amenazando?», —se preguntó Juana, alzando la mirada hacia don Carlos.

—Os dice que vais por el camino de la perdición, Juana —explicó Andrea, aferrada con ambas manos a las cuentas del rosario.

—¿No la detectáis? —exclamó don Carlos—. ¿No atisbáis la envidia que traslucen sus palabras? ¡Es por vuestro libro, Juana! Vuestro libro os ha reportado mucha fama tanto aquí como en el extranjero, y la fama equivale a «un interés indigno por lo terrenal», lo que a su vez engendra soberbia y desobediencia, conduciendo a una vida de vanidad y una eternidad en el Infierno. ¡Eso encierran sus palabras!

—¡Dios bendito! —farfulló Andrea, al tiempo que se persignaba con el crucifijo.

—¡Víbora! —siseó Juana—. ¡Maldita serpiente traidora! No me extraña no haber tenido noticias de él. ¡Embustero! ¡Me prometió que no lo publicaría!

—Tal vez el obispo tuviera intención de cumplir su palabra,

Juana, pero vuestro libro pudiera más que él –aventuró Andrea–. Por el amor de Dios, ¿qué castigo nos infligirá ahora el arzobispo?

–Dispensadme si os contradigo, madre Andrea –dijo don Carlos–, pero creo que el obispo tuvo en todo momento intención de publicar la crítica de Juana.

–¿Cómo has podido hacernos esto, Juana? Conocías bien la precariedad de tu relación con el arzobispo...

–Era una cuestión de honor, Andrea –la atajó Juana con frialdad–. ¿No consideras que ya he sufrido bastantes abusos del arzobispo?

–Pero no estás en posición de enfrentarte con un arzobispo, Juana –insistió Andrea.

–Creía contar con el cobijo del anonimato y la promesa de un obispo.

Andrea se oprimió la sienes y gimió para sus adentros.

–Me temo que vuestra protección acabó con la partida del conde de Paredes, querida Juana –lamentó don Carlos–. Por lo visto, en la actualidad vuestros únicos amigos somos yo, un criollo de baja cuna, y vuestra madre superiora. Todos los demás se hallan en España.

Juana tenía un lado del rostro entumecido y el otro le estallaba de dolor mientras la sangre le llenaba la sien y se le agolpaba detrás del ojo derecho. Se sentó en el borde del banco junto a Andrea y recitó muy despacio un avemaría, inhalando y exhalando el aire al tiempo que procuraba concentrarse en la oración.

«Ave María, llena eres de gracia, el Señor es contigo.»

En el confín más lejano de su conciencia percibía la voz aterrada de Andrea y los intentos de Sigüenza de apaciguar sus temores.

«Bendita tú eres entre todas las mujeres, y bendito es el fruto de tu vientre, Jesús.»

La gotas de lluvia resonaban como clavos contra las contraventanas, clavos que le atravesaran la sien, clavos en las manos y los pies, sacrificada en la cruz de su sexo por el hombre que la había traicionado.

«Santa María, madre de Dios, ruega por nosotros pecadores, ahora y en la hora de nuestra muerte, amén.»

–Juana, ¿te encuentras mal? –preguntó Andrea, asiéndole el hombro.

El dolor flotaba detrás de su ojo con tal intensidad que apenas si podía parpadear.

–Estoy bien, sólo un poco mareada.

–¿Qué vamos a hacer, Juana? –inquirió su amiga.

–Debe responder, por descontado –afirmó don Carlos–. Se impone una refutación.

–No más cartas, por el amor de Dios –rogó Andrea.

–¿Qué otro remedio me queda, Andrea? Si no refuto estas reprobaciones, me convertiré en el hazmerreír de Nueva España. Todo el mundo creerá que me dejé intimidar por el obispo, cuando en realidad fue idea suya plasmar sobre papel mis pensamientos.

–Tus sempiternos pensamientos son la raíz del problema. De una vez por todas, ¿por qué no los destierras en aras de la salvación de tu alma? Al pronunciar los votos debías abandonar el mundo, pero en cambio has traído el mundo al convento, Juana.

Juana aspiró hondo para reprimir el enojo.

–Creo que lo mejor será hacer voto de silencio y soledad –concluyó–. Necesito tiempo para meditar mi estrategia. Debo considerar mi respuesta de forma prudente y concienzuda, y para ello no puedo permitirme distracción alguna. ¿Me das permiso como madre superiora y mi única amiga en el convento, Andrea?

Andrea se volvió hacia don Carlos.

–Confío en vuestro parecer, don Carlos. ¿Qué me aconsejáis?

–¿Recordáis las corridas de toros, madre? ¿El modo en que el toro sale del toril, listo para la batalla, sin nada más que sus atributos para defenderse del ataque de banderilleros, picadores, rejoneadores y un matador cuyo único propósito es hacerlo danzar hasta la muerte, hasta atravesarle el corazón con la espada? Lo mismo veo aquí, madre. Juana es el toro, y el obispo, el matador. Le han clavado la última banderilla, y ahora sangra furiosa y asustada a un tiempo. ¿Se permitiría al toro regresar al toril y retirarse perdedor del juego? ¿Se tendería en la arena a esperar la estocada mortal? Juana debe desempeñar el papel que le corresponde en la faena, madre. Debe intentar cornear al obispo con su respuesta.

—Pero primero te ruego que dediques un mes a la expiación de tu arrogancia, Juana —pidió Andrea.

*11 de noviembre de 1690*

Querida condesa:

Os escribo en vísperas de mi cuadragesimosegundo aniversario, cuando me dispongo a enzarzarme en lo que don Carlos ha dado en llamar una «faena» con el obispo de Puebla. En cuanto leáis el panfleto que os adjunto comprenderéis a qué se refiere. He pasado un mes entero expiando mi arrogancia (en aras de Andrea) e intentando decidir el modo de empezar mi respuesta a la falsa sor Filotea. ¿Cómo se prepara un toro para afrontar al matador? ¿De dónde sacaré los testículos para igualar los cuernos que, según don Carlos, deben cornear a este cobarde matador eclesiástico? No se trata de que no tenga nada que decir, pues me sobran los reproches y las recriminaciones, pero en esta réplica no sólo deseo exponer una reacción ante el ataque del obispo. Si en verdad ésta ha de ser mi última faena en la plaza del debate intelectual, que sea un testimonio y una argumentación en la que defienda el derecho de la mujer a disertar sobre cualquier materia que se le antoje. Estoy hasta la coronilla de la idea de que las mujeres deben vivir en la obediencia y la inopia, como si fuéramos siervas o perros. Huelga decir que se nos considera meros enseres, pero seamos cuando menos enseres pensantes, con capacidad de raciocinio, con voz e ideas, no los peces mudos que Neptuno defendía, según cuenta la mitología, o los lerdos bueyes a los que Isis no permitía formar parte de su rebaño. Don Carlos dice que dos detractores míos ya han dado sendas conferencias en la universidad y que asimismo se ha pronunciado un sermón en la iglesia de San Pedro y San Pablo con vistas a mancillar mi reputación. La telaraña de la persecución se extiende. ¡Echo tanto de menos vuestra mente ilustrada para iluminar las sombras de mi desesperanza! Escribidme pronto, os lo ruego.

Vuestra abatida,

Juana

Selló la carta y ordenó a Belilla que la llevara al priorato. En cuanto su sobrina se fue, Juana recorrió todas las estanterías de la celda y sacó cuantos textos pudieran servirle de munición para su defensa. De la cocina cogió las *Vidas* de san Jerónimo, santo Tomás y las dos santas Teresas, la de Ávila y la de Jesús. Del salón tomó la *Vulgata* y los cuatro volúmenes de Juan Díaz de Arce sobre la exposición de los textos bíblicos. Del dormitorio retiró *De claris mulieribus*, de Boccaccio, el *Libro de la ciudad de las damas*, de Christine de Pizan, y *Agudeza y arte de ingenio*, de Baltasar Gracián. En el estudio encontró *De arte magnetica*, de Kircher, y *De institutione oratoria*, de Quintiliano, así como varios libros de astronomía necesarios para refutar alusiones bíblicas a constelaciones y mitos, tratados de música para descifrar el código musical, libros de matemáticas, física, medicina, historia, arquitectura, leyes e incluso astrología, pues todas ellas, según argumentaría, eran ciencias menores en comparación con la reina de las ciencias, es decir, la teología. Pretendía demostrar que no sólo leía las Escrituras, sino también todo lo necesario para comprenderlas, pues éstas estaban repletas de referencias a esas ciencias y otras, ninguna de las cuales tenía sentido alguno si uno no captaba las referencias. Por tanto, concluiría, a fin de leer verdaderamente las Escrituras, a fin de gozar de la iluminación de las Sagradas Letras, se imponía dominar las ciencias menores; sólo entonces podía una persona afirmar que comprendía a los profetas y a los apóstoles. También quería demostrar que no era la única mujer de la historia con inclinaciones intelectuales, sino sólo una rama en la extensa genealogía de mujeres eruditas, entre ellas santa Paula, compañera de san Jerónimo y fundadora del primer convento de la orden.

Pasó meses leyendo y tomando notas para organizar las distintas partes de su argumentación en varias hojas que llegó a llenar de citas y distintos niveles de análisis. Extendía aquellas hojas en el suelo para poderlas ver todas a un tiempo y decidir qué necesitaba desarrollar, abreviar o desplazar, así como para garantizar cierta coherencia en el conjunto. Las páginas se multiplicaron, y el suelo de su estudio se convirtió en una alfombra de pruebas y refutaciones.

Andrea exoneró a Juana de las tareas docentes, pero no le concedió licencia de soledad, de modo que se veía obligada a asistir a los capítulos y a los oficios diarios. Intentaba trabajar con el máximo ahínco entre las campanadas que las convocaban al coro, pero nunca sabía si llamaban a tercia, nona, vísperas o completas, y mientras sus hermanas cantaban y sus propios labios formaban las sílabas del cántico, su mente seguía urdiendo el hilo de su réplica. En las asambleas se sentaba con el cuaderno sobre el regazo, ajena por completo a los temas debatidos e incluso a las quejas sobre su falta de atención y participación. Por regla general, Belilla le rozaba el hombro para indicarle que la reunión o el oficio habían tocado a su fin, momento en el que se levantaba y seguía a Belilla hasta la celda para volver a zambullirse en el trabajo. Don Carlos la esperó en el locutorio varias veces, pero Juana no se presentó a ninguna de sus tertulias semanales, de modo que al fin su amigo dejó de acudir.

Durante aquel período comió poco; prefería no romper el ayuno cuando despertaba porque su mente siempre funcionaba con mayor lucidez por las mañanas, y la comida tendía a abotagarle los sentidos. Subsistía por medio de fruta y café turco, y fumaba el tabaco que las refectoleras le procuraban en el mercado. En ocasiones se trataba de mezclas ásperas y amargas que le escaldaban el paladar, mientras que otras se le antojaba seda fresca que resbalara por su garganta. En cualquier caso, la combinación de tabaco y café confería a su mente una agudeza sin parangón. Pronto llegó la Cuaresma; comprendió que había dejado atrás Navidad, Epifanía y las festividades de santa Paula y santa Ágata sin reparar en ellas. En su estudio imperaba la más absoluta anarquía. Montones de libros ocupaban cada centímetro del suelo, los papeles cubrían su mesa, el dormitorio y el salón. Tenía las manos moteadas de tinta, que también le manchaba las mangas y la falda del hábito.

Era martes de carnaval, y la ciudad resplandecía por el fragor de los fuegos artificiales. Las procesiones recorrían la ciudad, enormes payasos y efigies sobre zancos, zaramullos disfrazados de sacerdotes, castas vestidas de criollas, hombres vestidos de mujer y mujeres disfrazadas de hombre. Un buen día para restablecer el orden, se dijo antes de empezar a recolocar los libros y organizar los distintos conjuntos de notas que había tomado. Más tarde pidió a Belilla que cogiera hojas de alcanfor, flores de espliego y ramitas de romero para perfumar el baño. Dos criadas trajeron agua del pozo. Juana la calentó en el brasero y la vertió casi hirviendo en la bañera, reservando la que emplearía para el enjuage. Remojó las hierbas en el agua y esperó a que la estancia se llenara de vapor antes de entrar con una vela y correr el cerrojo tras ella.

—¿Estáis segura de que no me necesitáis, tía? —dijo Belilla al otro lado de la puerta—. No quiero que os quedéis dormida en la bañera.

—Déjame, querida; sé lo que me hago —aseveró Juana.

—Pero tía, últimamente no estáis lo que se dice... —protestó la muchacha.

—Sube a la azotea a ver los fuegos artificiales —ordenó Juana—. Necesito estar sola. No te inquietes, sólo necesito estar a solas y poner en orden mis pensamientos.

Se despojó de todas las ropas, incluida la camisola que estaban obligadas a llevar aun en el baño, y aspiró la fragancia de las hierbas que perfumaban el vapor. Se metió en la bañera y de inmediato sintió el sudor en la piel. El cuero cabelludo y las axilas se le humedecieron. Los azulejos se le antojaban pegajosos bajo el cuerpo. El aire espeso y cargado de humedad dificultaban su respiración.

Era un baño ritual, como los que tomaban los indios del norte, de los que don Tomás le había hablado tantos años antes. Recibía el nombre de baño de sudor y servía para purificar el alma antes de un viaje espiritual o una batalla. La única diferencia estribaba en que los indios celebraban su ritual en una estancia circular de adobe, con piedras calientes en el centro y un anciano de la tribu entonando cánticos para los iniciados. Ella tendría que ser anciana e iniciada a un tiempo, y puesto que desconocía todos los cantos a excepción del canto llano que entonaban siete veces al día, se inclinaría por hablar, pero no con la Virgen ni con san Judas, sino con los espíritus de su madre, su tía María, su abuelo y la marquesa. Les rogaría que la bendijeran y le dieran valor para la inminente liza con el obispo. Se sumergiría en el agua e imaginaría que toda duda y debilidad se disipaban de su cuerpo cual sudor. A su abuelo le pidió protección y guía, a su madre claridad para alcanzar los objetivos, a su tía devoción por la tarea y a la marquesa sutileza, pues sus palabras debían ser astutas y delicadas a un tiempo. A lo lejos oyó el estallido de los fuegos artificiales en la plaza.

Permaneció sentada en la bañera, conversando con sus espíritus hasta que el agua se enfrió y su piel despedía la fragancia de un huerto de hierbas aromáticas bajo la lluvia. Antes de salir se lavó a conciencia con el jabón de Castilla, se enjabonó el cabello y los genitales y se aclaró el cuerpo con el cubo restante de agua fresca, que resbaló por sus piernas hasta perderse en el canalón que hacía las veces de desagüe. Su piel mojada se encogió al sentir el frío de la habitación, pero caminó hasta el brasero y se secó al amor de su lumbre antes de vendarse de nuevo los senos y ponerse la camisa de dormir, el velo corto y una bata limpia. Ya estaba preparada para sentarse a su escritorio («Respira hondo, Juana») y redactar su respuesta a la transvestida sor Filotea, que no era otra que el obispo de Puebla disfrazado de monja y, por ende, su igual.

# 27

Las mechas ardían en su estudio, y el olor a sebo impregnaba el aire. Por un instante imaginó que alguien la contemplaba desde el otro extremo de la estancia, y un estremecimiento le recorrió todo el cuerpo. Podría tratarse de un juego, pensó y se vio a sí misma sentada en un teatro mientras el escenario se iluminaba con el suave fulgor de las velas. Las estanterías atestadas, el telescopio, el astrolabio, la mandolina, el tablero de ajedrez, la mesa de los mapas cubierta de libros y papeles, el tocado azteca suspendido sobre el desordenado escritorio. A buen seguro, don Carlos lo consideraría una extraña palestra para la liza, pensó. Tenía frío, pero no quería perder un solo instante encendiendo el brasero, de modo que cogió la manta de lana colgada del gancho tras la puerta, se la echó sobre los hombros y se acomodó en la silla de la marquesa.

Respira hondo de nuevo, Juana. Sí, todos sus sentidos estaban ojo avizor. Exhala el aire, Juana. Abrió el tintero (he aquí mi sangre), eligió la mejor pluma de ganso (he aquí mi espada) y mezcló la tinta hasta que el plumón se tornó negro y esponjoso. Acto seguido sacó un cuaderno del cajón inferior del escritorio y escribió el título en la cubierta: *Respuesta a la muy ilustre sor Filotea de la Cruz*. Tras aspirar otra profunda bocanada de aire, abrió el cuaderno por la primera página, descansó la pluma sobre la curva de su mano, con la caña oprimida contra el callo del dedo corazón, y empezó a escribir.

Muy ilustre señora, mi señora:

No mi voluntad, mi poca salud y mi justo temor han suspendido muchos días mi respuesta. ¿Qué mucho si, al primer paso, encontraba para tropezar mi pobre pluma dos imposibles? El primero (y para mí el más riguroso) es saber responder a vuestra doctísima, discretísima, santísima y amorosísima carta.

Sentía deseos de agregar otros dos o tres calificativos, pero decidió no hacerlo, pues el exceso era la fachada de la burla, y debía avanzar un poco más antes de dar rienda suelta al sarcasmo que, por otro lado, no podía eludir del todo.

El segundo imposible es saber agradeceros el tan excesivo como no esperado favor de dar a las prensas mis borrones; merced tan sin medida que aun se le pasara por alto a la esperanza más ambiciosa y al deseo más fantástico, y que ni aun como ente de razón pudiera caber en mis pensamientos;

Se volvió hacia la primera pila de hojas que había ordenado antes sobre su escritorio, el montón titulado «Introducción», y copió varias citas bíblicas sobre personajes que dudaban ser merecedores de los favores divinos que se les dispensaban.

No es afectada modestia, señora, sino ingenua verdad de toda mi alma, que al llegar a mis manos, impresa, la carta que vuestra propiedad llamó atenagórica, prorrumpí (con no ser esto en mí muy fácil) en lágrimas de confusión.

Incluyó más citas en la introducción, desplazando su argumentación hacia el dominio del silencio, que no siempre indica incapacidad de hablar, escribió, sino más bien la mudez provocada por la humildad y la estupefacción.

Y hablando con más concreción os confieso, con la ingenuidad que ante vos es debida y con la verdad y claridad que en mí siempre es natural y costumbre, que el no haber escrito mucho de asuntos sagrados no ha sido de poca afición ni de aplicación la falta, sino obra de temor y reverencia debida a aquellas Sagradas Letras, para cuya inteligencia yo me conozco tan incapaz y para cuyo manejo soy tan indigna.

Añadió una cita de san Jerónimo y otra de Séneca para insinuar que, como humilde monja de mente subdesarrollada a causa de la edad y el sexo, las Escrituras representaban un desafío que más valía no afrontar. Por dicha razón, continuó, se concentraba en materias seglares en lugar de sacras, pero sólo a instancias o por encargo de otras personas (inclusive vos, deseaba añadir, pero resistió la tentación). Lo único que había escrito en toda su vida por placer era *Primero sueño*; todo lo demás, recalcó, incluidos los homenajes a palacio, villancicos y ejercicios espirituales (las cartas y los poemas privados dirigidos a la condesa no contaban, pues el obispo atacaba sus composiciones públicas) eran composiciones ajenas.

... Y a la verdad, yo nunca he escrito sino violentada y forzada y sólo por dar gusto a otros; no sólo sin complacencia, sino con positiva repugnancia, porque nunca he juzgado de mí que tenga el caudal de letras e ingenio que pide la obligación de quien escribe;

¿Por qué no mentir y exagerar? No se trataba más que de recursos retóricos, al igual que el seudónimo que empleaba el obispo y el uso de la confesión de la monja para estructurar la polémica relativa a la represión intelectual de la mujer.

... es que desde que me rayó la primera luz de la razón, fue tan vehemente y poderosa la inclinación a las letras, que ni ajenas reprensiones –que he tenido muchas– han bastado a que deje de seguir este natural impulso que Dios puso en mí.

Expuso varios ejemplos de ese «natural impulso» que desde la infancia, desde el día en que, a los tres años, siguió a su hermana a la escuela y suplicó a la maestra que le enseñara el arte de la lectura, la impelía a vivir consagrada por entero a aprender, renunciando a las amistades, actividades e incluso comidas que pudieran interponerse en el camino de sus estudios.

> Entréme religiosa, porque aunque conocía que tenía el estado cosas (de las accesorias hablo, no de las formales) muchas repugnantes a mi genio, con todo, para la total negación que tenía al matrimonio, era lo menos desproporcionado y lo más decente que podía elegir en materia de la seguridad que deseaba de mi salvación.

Pormenorizó las circunstancias negativas que demoraron su decisión de profesar, a saber, la falta de soledad, el calendario diario de obligaciones, el ruido producido por tantas personas viviendo juntas, y acabó descubriendo, una vez inmersa en la vida conventual, que sus inclinaciones, «pues de apagarse o embarazarse con tanto ejercicio que la religiosa tiene, reventaba como pólvora, y se verificaba en mí el *privatio est causa appetitus*».

Tras exponer las características de la oradora, se zambulló en la primera justificación de su defensa. Como monja de la orden de San Jerónimo, hija de san Jerónimo y santa Paula, se consideraba en la obligación de igualar la erudición de sus «padres» religiosos consagrando sus inclinaciones al estudio de la teología. En este punto incorporaría uno de sus argumentos principales, según el cual para ahondar al máximo en el estudio de la reina de las ciencias, primero había tenido que estudiar sus ciencias accesorias.

> ¿Cómo sin lógica sabría yo los métodos generales y particulares con que está escrita la Sagrada Escritura? ¿Cómo sin retórica entendería sus figuras, tropos y locuciones? ¿Cómo sin física, tantas cuestiones naturales de las naturalezas de los animales de los sacrificios, donde se simbolizan tantas cosas ya declaradas y otras muchas que hay? ¿Cómo si el sanar Saúl al sonido del arpa de David fue virtud y fuerza natural de la música, o sobrenatural que Dios quiso poner en David? ¿Cómo sin aritmética se podrán entender tantos cómputos de años, de días, de meses, de horas, de hebdómadas tan misteriosas como las de Daniel, y otras para cuya inteligencia es necesario saber las naturalezas, concordancias y propiedades de los números?

Geometría, arquitectura, historia, leyes, música, astronomía... Cada ciencia poseía su propia racionalidad, su aplicación en la lectura del Libro Sagrado, la suma de todos los libros jamás escritos, al igual que la teología era la suma de todas las artes y las ciencias.

> ... Y así, por tener algunos principios granjeados, estudiaba continuamente diversas cosas, sin tener para alguna particular inclinación, sino para todas en general; por lo cual, el haber estudiado en unas más que en otras no ha sido en mí elección, sino que el acaso de haber topado más a mano libros de aquellas facultades les ha dado, sin arbitrio mío, la preferencia. Y como no tenía interés que me moviese, ni límite de tiempo que me estrechase el continuado estudio de una cosa por la necesidad de los grados, casi a un tiempo estudiaba diversas cosas o dejaba unas por otras; bien que en eso observaba orden, porque a unas llamaba estudio y a otras diversión; y en éstas descansaba de las otras, de donde se sigue que he estudiado muchas cosas y nada sé, porque las unas han embarazado a las otras.

Pasó a ilustrar las virtudes y los defectos de semejante método, y acabó concluyendo que tal vez habría alcanzado mayor profundidad y menor amplitud en su educación si, por un lado, hubiera gozado de un entorno escolar dotado de profesores y compañeros de estudios, y por otro, hubiera llevado una vida sin las numerosas interrupciones de la Regla y las necesidades y solicitudes de sus amadas (en este punto se vio incapaz de contener el sarcasmo) hermanas en Cristo. Asimismo, existían otros problemas que entorpecían el buen desarrollo de una educación formal, de las rivalidades y las persecuciones de que había sido objeto durante los pasados veintidós años.

> ... y los que más nocivos y sensibles para mí han sido no son aquellos que con declarado odio y malevolencia me han perseguido, sino los que amándome y deseando mi bien (y por ventura mereciendo mucho con Dios por la buena intención) me han mortificado y atormentado más que los otros con aquel: *No conviene a la santa ignorancia que deben, este estudio; se ha de perder, se ha de desvanecer en tanta altura con su misma perspicacia y agudeza.* ¿Qué me habrá costado resistir esto? ¡Rara especie de martirio, donde yo era el mártir y me era el verdugo!

Al recordar tamañas necedades, Juana sintió que le hervía la sangre y se vio impulsada a emplear una analogía que tal vez más tarde se viera obligada a eliminar, so pena de que la acusaran de sacrilegio, pero que encerraba una prueba ética valiosísima para su argumentación. El odio maquiavélico de que era víctima, escribió, se debía a su importancia, pues al crecer su prestigio en tanto que erudita y poetisa, despertó la envidia de quienes se sentían superiores y por tanto denigrados por sus superiores logros, al igual que los fariseos se sintieron desplazados por los logros de Jesucristo y escarnecieron sus atributos de rey con una corona de espinas, pues la cabeza que es tesoro de sabiduría no puede esperar sino una corona de espinas.

A lo lejos oyó las campanas del toque de queda y los sonidos de la fiesta que ya decaía en la Plaza Mayor. Oyó que Belilla limpiaba la bañera, los arañazos del cubo contra los azulejos, las salpicaduras de agua en el suelo y el siseo de la escoba. No había ido a completas, constató, y se preparó para la visita que sin duda recibiría de Andrea. Sin embargo, la superiora no acudió. Por fin, la celda quedó en silencio, y Juana comprendió que Belilla se había acostado.

Se levantó y estiró la espalda, arqueándola hacia atrás con las manos en la cintura para luego inclinarse hacia delante y tocar el suelo con las yemas de los dedos. Un dolor agudo le ascendió por las piernas y la columna. Se irguió de nuevo, efectuó unas rotaciones de hombros en ambas direcciones, giró la cabeza para desperezar los músculos del cuello y por fin alzó los brazos y fingió subir por una escalera de mano con ellos.

El ejercicio le sentó bien, de modo que se acomodó de nuevo en su silla, sumergió la pluma en el tintero y siguió escribiendo sin hacer caso de los gruñidos de protesta que emitía su estómago.

Yo confieso que me hallo muy distante de los términos de la sabiduría y que le he deseado seguir, aunque *a longe*. Pero todo ha sido acercarme más al fuego de la persecución, al crisol del tormento, y ha sido con tal extremo que han llegado a solicitar que se me prohíba el estudio.

Una vez lo consiguieron con una prelada muy santa y muy cándida que creyó que el estudio era cosa de Inquisición y me mandó que no estudiase. Yo la obedecí (unos tres meses que duró el poder ella mandar) en cuanto a no tomar libro, que en cuanto a no estudiar absolutamente, como no cae debajo de mi potestad, no lo pude hacer...

Recordaba el castigo que le impuso Melchora como consecuencia de la fuga de Concepción, sellando con tablones sus librerías y confiscándole los útiles de escritura, y recordaba también todo lo que había aprendido en las páginas abiertas de la naturaleza y en el laboratorio científico que le brindaba la cocina.

Y yo suelo decir viendo estas cosillas: si Aristóteles hubiese guisado, mucho más hubiera escrito. Y prosiguiendo en mi modo de cogitaciones, digo que esto es tan continuo en mí que no necesito de libros; y en una ocasión que, por un grave accidente de estómago, me prohibieron los médicos el estudio, pasé así algunos días, y luego les propuse que era menos dañoso el concedérmelo, porque eran tan fuertes y vehementes mis cogitaciones que consumían más espíritus en un cuarto de hora que el estudio de los libros en cuatro días; y así se redujeron a concederme que leyese.

Revisó sus notas en busca de las listas que había confeccionado de mujeres que aparecían en las Escrituras y en textos antiguos, y a las que consideraba sus antepasadas intelectuales. Débora, Ester, Rahab, Ana, la reina de Saba, Minerva, Cenobia, Hipasia, Gertrudis, Catalina de Alejandría... La historia estaba salpicada de mujeres famosas, mujeres que escribían, gobernaban y llevaban la vida que les placía. Incluía a la duquesa de Aveyro, a Cristina reina de Suecia, a sor María de Ágreda e incluso a la monja alférez, Catalina de Erauso, que vivió gran parte de su existencia como hombre, soldado, amante incluso, y que llevada a juicio al descubrirse su impostura, no fue ajusticiada porque había aspirado a la perfección, es decir, al género masculino, y vivido como un español excepcional. Omitió adrede a Safo, Juana de Arco y santa Librada, la primera porque no deseaba hacer alusiones sexuales y las otras dos porque ambas habían sido ejecutadas por su rebelión contra la Iglesia.

Y para no buscar ejemplos fuera de casa, veo una santísima madre mía, Paula, docta en las lenguas hebrea, griega y latina y aptísima para interpretar las Escrituras. ¿Y qué más que siendo su cronista un máximo Jerónimo, apenas se hallaba el santo digno de serlo, pues con aquella viva ponderación y enérgica eficacia con que sabe explicarse dice: «Si todos los miembros de mi cuerpo fuesen lenguas, ¿no bastarían a publicar la sabiduría y virtud de Paula?». Las mismas alabanzas le mereció Blesila, viuda; y las mismas la esclarecida virgen Eustoquio, hijas ambas de la misma santa; y la segunda tal que por su ciencia era llamada Prodigio del Mundo.

Se adentraba ahora en el otro eje de su argumentación, es decir, la refutación de la oposición de san Pablo a las mujeres, que la benévola sor Filotea había utilizado como una de sus premisas para exhortar a Juana a reprimir sus impulsos intelectuales: «Que las mujeres guarden silencio en las iglesias, pues no se les permite hablar». Con ayuda de la exposición de Juan Díaz de Arce acerca de ese tema en *Studioso Bibliorum,* concluyó:

... y al fin resuelve, con su prudencia, que el leer públicamente en las cátedras y predicar en los púlpitos no es lícito a las mujeres; pero que el estudiar, escribir y enseñar privadamente no sólo les es lícito, pero muy provechoso y útil; claro está que esto no se debe entender con todas, sino con aquellas a quienes hubiere Dios dotado de especial virtud y prudencia y que fueran muy provectas y eruditas y tuvieren el talento y requisitos necesarios para tan sagrado empleo. Y esto es tan justo que no sólo a las mujeres, que por tan ineptas están tenidas, sino a los hombres, que con sólo serlo piensan que son sabios, se habría de prohibir la interpretación de las Sagradas Letras, en no siendo muy doctos y virtuosos y de ingenios dóciles y bien inclinado.

–¿Aún estáis despierta, tía?

Las palabras de Belilla la sobresaltaron. Giró el cuello con un movimiento brusco, y una punzada de dolor le atenazó toda la columna. Su rostro se paralizó en una mueca muda de agonía.

–Lo siento, tía –se disculpó la muchacha, corriendo a su lado–. Creía que me habíais oído abrir la puerta; he llamado varias veces.

—Ya sabes que no oigo nada cuando escribo —masculló Juana con la cabeza rígida mientras Belilla le masajeaba el músculo agarrotado.

—Parece una soga con nudos —comentó.

—¿Qué haces despierta? Sabes que debes dar mi clase matinal.

—He tenido una pesadilla, tía. He soñado que os ahogabais en la fuente del patio y que vuestro cuerpo flotaba en el agua y que las personas que pasaban por allí os arrojaban piedras, y otros tiraban pétalos al agua, y teníais dos pesos de oro sobre los ojos y una pluma negra os salía de la boca, y teníais las manos cruzadas sobre el pecho y sosteníais vuestro libro en lugar de un rosario...

—¡Cuidado, Belilla! —la regañó Juana—. No aprietes tanto.

—Lo siento, tía, es que el mero hecho de pensar en el sueño me pone nerviosa. ¿Qué creéis que significa? Me ha parecido un mal augurio.

Juana se apartó de la mano de su sobrina. Tendría que caminar un rato para ablandar el músculo, ya que de lo contrario no podría erguir la cabeza, y acabar la repuesta.

—¿Por qué no preparas un poco de chocolate? —sugirió—. Hazlo bien espumoso, como a mí me gusta, y tráeme también tasajo y pan. Estoy hambrienta.

—Nos queda un poco de arroz con leche —dijo Belilla.

—Magnífico, siempre y cuando no se haya agriado.

—¿Por qué no me acompañáis a la cocina, tía? Necesitáis un descanso. Estáis trabajando desde antes de completas, y son casi las tres de la madrugada.

—Ve tú —repuso Juana—. Caminaré un poco y haré ejercicios de respiración hasta que regreses.

—¿Prometéis no trabajar?

—Debo acabar el escrito esta noche. He decidido dejar de escribir durante la Cuaresma.

—Pero tía...

—¡Obedece, Belilla!

—Sí, tía.

La muchacha salió del estudio a toda prisa, y Juana hizo sus ejercicios, aspirando hondo mientras caminaba en una dirección y espirando despacio cuando volvía sobre sus pasos. Le dolían los pulmones, como si hubiera contraído un catarro, aunque todavía no presentaba ninguno de los otros síntomas. Deslizó la mano bajo el velo. Tenía el cuero cabelludo aún húmedo; había olvidado secarse el cabello antes de empezar a trabajar.

Belilla regresó con una gran bandeja de arcilla sobre la que había colocado la chocolatera, las tazas, pan, tiras de tasajo y arroz con leche. En una de las tazas, Juana vio flores de tilo que Belilla había echado para poder dormir sin pesadillas. Se sentaron a la mesa de los mapas y comieron en silencio. Al terminar, Juana fumó un cigarro mientras Belilla encendía el fuego en el brasero. Por primera vez, Juana advirtió cuán pálida y flaca estaba su sobrina. Había perdido peso y apenas tenía fuerzas suficientes para manejar el fuelle.

Sintió un estremecimiento y se arrebujó aún más en la manta.

—Quiero que te acuestes, querida —ordenó a su sobrina—. Tienes aspecto de no haber dormido en varias semanas.

—Os velaba, tía.

—Pamplinas, Belilla. Debes velar por tu salud.

De repente, la muchacha se acuclilló ante ella, la agarró por las rodillas y la miró con los ojos arrasados en lágrimas.

—Ese sueño me ha asustado mucho. ¿Y si significa que va a sucederos algo malo? ¿Qué sería de mí sin vos?

Juana acarició la mejilla de Belilla con el dorso de los dedos manchados de tinta y exhaló un suspiro tan profundo que la espalda le dolió. Por un instante se sintió anciana y abrumada por el conocimiento de que su vida era un ejemplo para aquella niña y todas las niñas que buscaban elevarse por encima de sus destinos biológicos.

—Siempre me suceden cosas malas, cariño, pero de algún modo siempre consigo resistir, combatirlas o sobrevivir a ellas. La respuesta —señaló los papeles desparramados a su alrededor— pretende lograr las tres cosas. Y ahora acuéstate, Belilla.

La muchacha asintió y se secó las lágrimas con el cuello de la camisa de dormir.

—Creo que fregaré los platos mañana, después de misa —musitó con párpados temblorosos mientras recogía los enseres de la tardía cena—. No olvidéis que es miércoles de ceniza.

Juana miró el reloj. Faltaban dos horas para prima.

–Descansa.

–Ojalá pudiera quedarme a haceros compañía, tía.

Belilla bostezó, y Juana la siguió con la mirada mientras la muchacha se llevaba la bandeja a la cocina como una alumna reacia a abandonar a su maestra. Eso era lo que habría necesitado Juana más que nada en el mundo de niña, que una mujer mayor le enseñara a hacer uso de su inteligencia para poder conferir forma a su vida. Sin embargo, Juana había aprendido aquella lección sola, a fuerza de luchas y persecuciones. Los únicos maestros que había tenido eran hombres como su tío, el obispo de Puebla y su padre confesor, el padre Núñez, cuyo objetivo no consistía en edificar, sino en poseer y oprimir.

Volvió la última página escrita del cuaderno y empezó un nuevo pasaje en el que ensalzaba las virtudes de las maestras. No se le había ocurrido con anterioridad, pero era del todo lógico que las mujeres cultas se encargaran de la educación de las jóvenes.

Porque ¿qué inconveniente tiene que una mujer anciana, docta en letras y de santa conversación y costumbres, tuviese a su cargo la educación de las doncellas? Y no que éstas o se pierden por falta de doctrina o por querérsela aplicar por tan peligrosos medios cuales son los maestros hombres, que cuando no hubiera más riesgo que la indecencia de sentarse al lado de una mujer verecunda (que aún se sonrosea de que la mire a la cara su propio padre) un hombre tan extraño, a tratarla con casera familiaridad y a tratarla con magistral llaneza, el pudor del trato con los hombres y de su conversación basta para que no se permitiese. Y no hallo yo que este modo de enseñar de hombres a mujeres pueda ser sin peligro, si no es en el severo tribunal de un confesionario o en la distante docencia de los púlpitos o en el remoto conocimiento de los libros; pero no en el manoseo de la inmediación.

Cuando el Ángelus anunció el primer oficio del día, Juana había terminado la *narratio* de su defensa, y sólo le restaba la conclusión. Puesto que la noche anterior había faltado a completas, sabía que le convenía asistir al servicio, pero no se veía capaz de apartarse de su respuesta. Tendría que soportar el enojo de Andrea y los agravios que le arrojaran durante el siguiente capítulo. La tacharían de insubordinada, impía, incorregible... pero ¿qué importaba a fin de cuentas? Cuando estuviera muerta y enterrada, su rebeldía nada significaría en comparación con la magnitud del tratado que ahora redactaba.

Garabateó una nota a Andrea para suplicarle indulgencia una vez más, rogando que le permitiera escribir las últimas páginas de su Respuesta y se las dio a la somnolienta Belilla para su entrega. En cuanto la muchacha se fue, Juana se puso su hábito normal, sintiendo que el cabello le daba tirones con el peso del velo, y fue a la cocina para preparar café y un huevo frito. Sólo le quedaba redactar la defensa de la poesía como manifestación sagrada y erudita, así como la conclusión para su benevolente hermana, sor Filotea. Se marcó la frente con hollín del fogón.


—Estaba equivocado, Juana —admitió don Carlos al tiempo que cerraba el cuaderno que contenía la respuesta—. *Carta atenagórica* era un juego de niños en comparación con esta obra maestra.

Juana se cubrió la boca con el pañuelo para toser y asintió en señal de gratitud. La inflamación de la laringe la había dejado afónica, y se le antojaba justicia irónica, si no poética en extremo, que su refutación del dictamen de san Pablo acerca del silencio de la mujer en temas religiosos fuera seguida de aquella afección que la había dejado sin voz.

Don Carlos abrió de nuevo el cuaderno por una de las últimas páginas y leyó en voz alta: «¿Llevar una opinión contraria de Vieyra fue en mí atrevimiento, y no lo fue en su paternidad llevarla contra los tres santos Padres de la Iglesia? Mi entendimiento tal cual, ¿no es tan libre como el suyo, pues viene de un solar? ¿Es alguno de los principios de la Santa Fe, revelados, su opinión, para que la hayamos de creer a ojos cerrados?».

Los ojos oscuros de don Carlos despedían un destello triunfal cuando alzó la vista.

—Sois un genio de la pregunta retórica, Juana. Me descubro ante vuestra excelencia.

Puesto que no podía hablar, Juana le dedicó una mueca, y don Carlos estalló en carcajadas.

—Y esto otro... —se levantó para continuar leyendo—: «Las escasas obras mías que se han publicado, la aparición de mi nombre y, de hecho, el permiso para su publicación, no son fruto de mi libre albedrío, sino licencia de otros que escapa a mi control, como fue el caso de *Carta atenagórica*». Es una refutación lúcida y valiente en extremo, Juana, y me complace verla reiterada en varios pasajes del texto —avanzó deprisa hasta la última página—. Éste es, de todos, mi pasaje favorito: «Si el estilo de esta epístola, venerable señora, es indigno de vos, ruego disculpéis su doméstica familiaridad o la ausencia de respeto decoroso, pues al dirigirme a vos, hermana mía, como monja profesa, he olvidado la distancia que me separa de vuestra distinguida persona, lo cual no sucedería si os viera desprovista del velo».

Lanzó otra carcajada, y Juana advirtió cierto matiz vengativo en su risa.

—En efecto, habéis desvelado al obispo, Juana —declaró, dejando al descubierto sus dientes grisáceos por entre la sonrisa maliciosa—, y habéis vuelto en contra suya la farsa, pues se ha convertido en un obispo castrado, en vuestra hermana, a la que dispensáis un trato de doméstica familiaridad e igualdad. Pretendía reprenderos como otros obispos pretenden enmendar a las monjas descarriadas, y vuestra réplica toma su actitud al pie de la letra y presupone sin reserva alguna la feminidad de vuestra interlocutora, eliminando, como escribís, cualquier distancia que pudiera mediar entre la monja verdadera y la falsa. Ha dejado de ser superior a vos. ¡Bravo, Juana, bravo!

Sus aplausos resonaron en el silencio del locutorio.

—¿O tal vez «Olé» resultaría más apropiado?

Juana le sonrió, pero no podía compartir su refocilación. Sabía que un toro particularmente fiero y valeroso podía recibir el indulto en la arena, pero no si había corneado al matador.

«¿Me haríais el favor de entregar una copia al obispo?», garabateó en la pizarrilla que había llevado consigo al locutorio.

Don Carlos frunció el ceño al leer su petición y se mesó la barba incipiente.

—Sería un honor hacer de mensajero para vos, sor Juana —dijo.

Juana negó con la cabeza; no se refería a eso.

—Pero me vería en la obligación de informar al arzobispo de su contenido.

«¿¿¿Por qué???», escribió Juana.

—Porque me han nombrado asesor de la Inquisición —explicó don Carlos, mordiéndose el labio inferior—. Por lo visto, el padre Núñez ya no puede desempeñar el cargo sin ayuda, y el arzobispo me ha designado sucesor suyo.

Juana cerró los ojos. La consabida venita del cuello empezó a palpitarle con fuerza. ¿Por qué no se lo había contado antes? ¿Por qué había permitido sin más que le mostrara ese documento cuando, a todas luces, pondría en peligro su cargo y tal vez incluso su amistad?

«¿He perdido a mi amigo?», preguntó.

—Jamás perderéis mi respaldo, Juana, y jamás haría nada que pudiera perjudicaros, pero si el obispo revelara al arzobispo que yo le entregué vuestra respuesta, podría quitarme todos los cargos que ha tenido a bien otorgarme, y entonces, ¿qué sería de mí, Juana? Sabéis que necesito medios para subsistir.

Se miraron fijamente a través de la reja.

—Debéis creerme, Juana.

Juana escudriñó el rostro de su amigo.

—¿Y si pido a uno de mis alumnos que entregue vuestra respuesta al obispo la próxima vez que visite la ciudad de México? ¿Os complacería esa solución?

«Prometedme que no hablaréis de este asunto con nadie. Por favor, por favor.»

Don Carlos se arrodilló ante ella, le tomó la mano a través de los barrotes y se la besó justo encima de los nudillos. Juana sintió sus labios fríos y pegajosos sobre la piel, como si de ostras se tratara, pero en sus ojos leyó una lealtad que la apaciguó, al menos de momento.

Aquella y otras muchas noches, Juana no logró conciliar el sueño, enferma de preocupación por la suerte de su respuesta y la suya como consecuencia de haber confiado el documento a don Carlos. Debía adoptar ciertas medidas para protegerse y proteger a Belilla si la Inquisición la condenaba. Pero ¿por qué iba a condenarla el Santo Oficio? No había escrito nada sacrílego, nada que contradijera la fe o los votos que pronunciara en su momento. No era más que la expiación de una monja, azuzada por la publicación no autorizada de una carta privada. A buen seguro, los sabios inquisidores sabrían distinguir entre herejía y confesión. Pero ¿y si no sabían? Por el momento, lo mejor que podía hacer era protegerse desde el punto de vista económico.

Había ahorrado mil cuatrocientos pesos de sus encargos y pediría licencia para guardarlos en las arcas del convento, a fin de que se invirtieran en la adquisición de varias casas en las inmediaciones del convento de las capuchinas, que Andrea y su administración deseaban agregar a las propiedades de San Jerónimo. Solicitaría unos dividendos modestos de dichas inversiones, el cinco por ciento, o bien setenta pesos, que se le abonarían anualmente hasta su muerte, a partir de la cual Belilla recibiría la misma cantidad durante el resto de sus días. Como copropietaria de dichas fincas, su nombre figuraría en las escrituras, una de cuyas copias obraría en su poder.

Hasta después de poner en práctica su idea, redactar todas las solicitudes, obtener la aprobación en el Libro de Profesión del convento, firmar todas las notas y efectuar todas las transacciones en presencia de escribanos reales, incluyendo una cláusula sobre el puntual pago trimestral de su asignación, que daría comienzo el año siguiente, Juana no pudo volver a conciliar el sueño, segura en el conocimiento de que, cualesquiera que fuesen las consecuencias de la respuesta, ella y Belilla jamás podrían ser expulsadas del convento sin que ello supusiera la violación del contrato.

# 28

Querida Juana:

Ha transcurrido un mes desde el auto de fe en la Plaza Mayor y aún recuerdo con pavor el hedor a carne y cabello quemados, y escucho en sueños los lamentos de los condenados. Gracias a Dios, no permití a Tomás que llevara a José, pues habría sido un modo muy cruel de presenciar la festividad de la Inmaculada Concepción. ¿Cómo puede una ciudad tan avanzada como Madrid ser tan bárbara en el castigo de supuestos criminales, cuyo único delito, en verdad, es el descontento por una Corona impotente y una fe yerma? Tomás lee esta carta por encima de mi hombro y me aconseja que mida mis palabras, pues los acólitos de la Inquisición acechan en cada rincón y los sellos reales bien poco importan en estos tiempos de suspicacia y tumulto. Sin embargo, no me inquieta mi suerte, sino la tuya, Juana. La refutación de Vieyra es una de tus obras maestras, pero eso mismo me causa gran consternación. Muchos veneran a Vieyra, entre ellos Aguiar y Seijas, y me preocupa que te enfrentes a él más allá de toda medida y él, a su vez, haga caer sobre ti todo el peso de la Iglesia. El bueno de Tomás, pese a su enfermedad, lee tu obra con avidez y en tales momentos veo de nuevo luz en sus ojos, aunque también a él lo angustian las consecuencias de la Refutación. Por descontado, la incluiré en el nuevo volumen, junto con *Primero sueño*, pero antes procuraré obtener la aprobación de algunos buenos amigos, siete teólogos, para publicar sus opiniones al tiempo que tus textos. Tal vez eso te proporcione cierta protección. Tanto Tomás como yo haremos cuanto esté en nuestra mano por nuestra Juana. Ahora debo volver a mis labores editoriales. Tu fama, mi décima musa, es como un puente tendido entre España y las Indias. Deberías ser testigo de la inundación (no he podido resistir la tentación de este juego de palabras) de pedidos de *Inundación castálida* que hemos recibido de libreros de Barcelona, Santiago, Lima, La Habana, Oaxaca, Puebla e incluso Santa Fe, por no hablar de tu hermosa ciudad.

No olvides enviar el prólogo del segundo volumen en cuanto lo termines. Este año, la flota zarpará con demora. ¡Quién sabe cuándo recibirás esta carta!

Tuya de todo corazón,

María Luisa
*Epifanía de 1691*


*18 de junio de 1691*

Querida condesa:

He aquí la última carta que os escribiré durante un tiempo, pues he accedido, como favor especial a Andrea, nuestra nueva madre superiora, a dejar de escribir hasta que estas despiadadas lluvias cesen de caer sobre la ciudad. Todo sacrificio cuenta, afirma. La gaceta publica que las cosechas de trigo y maíz se han ido al garete, lo que sin lugar a dudas tendrá nefastas repercusiones para las castas. Nuestras puertas se ven asediadas a todas horas por gentes que mendigan pan. Algunas de nuestras hermanas más ancianas han muerto, pues las lluvias traen mucho frío y humedad, y ahora que incluso la leña está racionada, carecemos de combustible suficiente para abrigarnos durante la noche. Muchas cosas han cambiado desde vuestra partida. Circula el rumor de que la gente culpa a De Galve de la lluvia y la devastación.

Sigo sin recibir respuesta del obispo, si bien hace ya más de tres meses que le envié mi réplica. De hecho, en mi reducido mundo, estas lluvias compensan la sequía de visitantes que asola mis tardes. Ni siquiera don Carlos acude a nuestras tertulias semanales, e imagino que su ausencia guarda alguna relación con la Respuesta. Me parece sobrecogedor que, mientras *Carta atenagórica* obtuvo la reacción casi inmediata (si bien negativa) de clérigos, profesores y eruditos de todo el virreinato, la respuesta haya generado un silencio sepulcral.

Por supuesto, no ha sido publicada, lo que explica en parte el silencio, pero me consta que el obispo la ha distribuido entre sus compadres habituales de Puebla y la ciudad de México. Sé que el arzobispo la ha leído, pues el padre Nazario me contó que Aguiar y Seijas le pidió consejo respecto a mi vida espiritual después de haber leído, en sus palabras, un documento perturbador en extremo que yo había redactado recientemente. Una vez cumpla la penitencia y encuentre el modo de adquirir más papel, encargaré a Belilla una copia de la Respuesta para poder enviárosla.

El frío me cala los huesos como mil puñales. Debo terminar la carta y concentrarme de nuevo en el balance de las cuentas antes de que se me entumezcan los dedos. Mañana volveré a escribiros.


*24 de junio de 1691*

Perdonad mi prolongada ausencia, señora, pero hemos estado de luto por la madre Brígida, que falleció víctima de una grave inflamación pulmonar. La procesión en honor de san Juan estaba llena de flagelantes tocados con capirote que suplicaban al Cielo el fin del azote de las lluvias. Las clases se han suspendido, y las alumnas internas han sido enviadas de vuelta a sus casas, ya que cada vez resulta más difícil alimentarnos a todas.


*7 de julio de 1691*

De nuevo estoy con vos, señora. No es necesario que me apresure a echar la carta, pues De Galve no ha hecho reparar las calzadas, y apenas hay tráfico de entrada y salida a la ciudad. Las lluvias cesaron ayer, tras casi un mes de precipitaciones constantes, pero ahora se cierne sobre la ciudad un calor sofocante, y un vapor maloliente se eleva de la tierra anegada, mezclándose con el hedor de la carne podrida del mercado. Apenas puedo respirar sin que me sobrevengan arcadas. Belilla se ha presentado voluntaria para ayudar en la enfemería, y ruego a la Virgen que no enferme. Pese a su extrema delgadez, su cuerpo posee una fuerza mucho mayor que el mío, pero nadie puede rehuir el efecto de estas emanaciones putrefactas. Perdonad que os dé detalles tan sórdidos, señora, pero esta carta es a la vez misiva y crónica.

*12 de julio de 1691*

Ha sobrevenido otra calamidad, una infestación del gorgojo chahuixtle, que ha echado a perder el grano almacenado. La ciudad ha sucumbido a la hambruna, y nos hemos visto obligadas a dejar marchar a casi todas nuestras criadas, salvo las esclavas y las beatas. Nos hemos impuesto una dieta de una taza de frijoles y un ñame diarios, complementada por dos huevos cada viernes. Andrea ha apostado guardias ante el gallinero para asegurarse de que ninguna de nosotras cae en la tentación de robar una gallina. Sueño con el sabor del agua de piña y las quesadillas de flor de calabacín.


*29 de julio de 1691*

Don Carlos apareció ayer en el locutorio, magullado y miope. Por lo visto, él y el arzobispo se enzarzaron en una discusión sobre mi *Respuesta*, y el arzobispo lo atacó con el báculo, rompiéndole las gafas. Es un milagro que el vidrio no le lastimara los ojos, aunque la carne que los rodea aparece muy inflamada y violácea, y según dice sufre fuertes jaquecas que se le antojan coágulos de sangre palpitando entre los ojos. ¡Aguiar y Seijas es una bestia!

Don Carlos me pide disculpas por su ausencia; la lluvia, sus obligaciones cada vez más numerosas y el ataque del arzobispo le han impedido visitarme hasta ahora. Cuando le pregunté si tenía noticias acerca de la *Respuesta*, cambió de tema; sólo justo antes de partir me comunicó que el obispo y el arzobispo urden represalias contra mí. Afirma que los he escandalizado a tal punto que temen hacer público el manuscrito por temor a llamar la atención de la Inquisición. ¿Por qué ese espectro atormenta mi vida cual sombra maléfica?

Belilla está realizando una copia de la *Respuesta* para que pueda adjuntarla a esta carta y enviárosla en cuanto se reanude el servicio de correo. ¿Tendríais la bondad de hacérsela llegar a fray Payo y el marqués de Mancera? Tal vez se avengan a escribir disculpas que la defiendan. Belilla no posee las aptitudes caligráficas de Concepción, pero trabaja con mayor eficiencia al no emplear las intrincadas florituras que tanto tiempo robaban a mi antigua secretaria. Espero que la *Respuesta* os guste lo bastante para incluirla en algún volumen futuro. Transmitid mis más cariñosos saludos a don Tomás y a mi ahijado.

Beso vuestros pies,

Juana

–Habéis mencionado, sor Melchora, que el padre Núñez y sor Juana discutían una y otra vez acerca de los poemas de amor que ella componía para la condesa.

–Así es, señor. El padre Núñez afirmaba que no sólo era irreverente que Juana compusiera poemas profanos e intercambiara de forma constante presentes con la condesa, sino que además la pasión expresada en dichos poemas era contraria a su sexo y vocación.

–Rafaela, ¿por qué no mostráis al arzobispo esos pasajes que copiasteis de su correspondencia con la virreina?

–Observo que habéis dedicado mucho tiempo a copiar escritos.

–Su correspondencia siempre ha sido prolífica, señor, al menos lo que hemos visto de ella. Existen muchos documentos que no hemos leído, cartas que llegaron cerradas con el sello de palacio y que no osamos abrir, textos entregados en secreto por su ayudante o un paje real que tenía órdenes de esperar junto al portal la respuesta de sor Juana.

–Así pues, las cartas se remontan a la época en que don Tomás aún era virrey.

–Por desgracia no, Ilustrísima. Tal como ha dicho sor Rafaela, no hemos visto gran parte de su correspondencia, bien porque la quemó o bien porque la escondió en esa caja que nadie ha podido localizar. Lo que os mostramos procede de cartas enviadas por la condesa desde su regreso a España.

–«Nada importa que seáis mujer y estéis lejos, pues el alma hace caso omiso de sexo y distancia.»

–¿No queréis seguir leyendo, Vuestra Ilustrísima? Hay una carta que, en mi opinión, hallaréis sumamente reveladora, por así decirlo.

–Ahora no, hermana. Leeré cuanto me habéis entregado a su debido tiempo y os devolveré el fajo entero una vez el caso quede cerrado.

–Pero es la única documentación de que disponemos, Ilustrísima.

–Y queda en buenas manos, hermana. Os felicito a ambas por vuestra previsión. No me sorprendería que fuerais merecedoras de otra década de absolución por parte de Su Ilustrísima. Por supuesto, podríais evitar por entero el purgatorio si nos entregarais el famoso estuche de sor Juana.

–Seguimos buscándolo, Vuestra Ilustrísima.

–¿Y bien, sor Agustina? ¿Qué podéis decirnos acerca de la relación de sor Juana con la virreina?

–¿Cuál de ellas?

–La condesa de Paredes, por supuesto. Recordáis la amistad que las unía, ¿verdad?

–Recuerdo a la perfección su amistad, si es que así queréis llamarla.

–¿Cómo la llamaríais vos, hermana?

–Una abominación, por supuesto. ¿Dónde se ha visto a dos mujeres besándose en los labios?

–¿Cómo decís?

–Oh, sí, Vuestra Ilustrísima, no son imaginaciones mías; lo presencié con mis propios ojos el día que acudieron a despedirse ella y el virrey. No querían que ninguna de nosotras los acompañara. Don Tomás dijo algo ofensivo a la madre Brígida, y todas nos levantamos y salimos del locutorio... todas a excepción de Juana, claro está.

–Tomé nota del asunto, Vuestra Ilustrísima.

–Tenéis alma de archivera, sor Rafaela. Proceded, sor Agustina.

–Melchora me pidió que me quedara a vigilarlos, de modo que dejé la puerta del locutorio entornada y los observé. La condesa envió a su esposo a supervisar la carga del baúl que contenía los escritos de Juana, y en cuanto se fue, ella...

–¿Quién, la condesa o sor Juana?

–La condesa, Vuestra Ilustrísima. Tomó el rostro de Juana entre las manos y la besó.

–¿En los labios? ¿Estáis segura?

–Como besan los amantes.

–¿Y sor Juana se apartó?

–A mí no me lo pareció, señor. Más bien tuve la sensación de que correspondía al beso.

–Pero no estáis del todo segura.

–No sé nada de besos, Vuestra Ilustrísima, pero sí sé que la condesa besó a sor Juana, y no una vez, sino dos, y la segunda en presencia de su esposo.

—¿Y qué hizo don Tomás?

—Levantó el pie de sor Juana y le besó la suela del zapato.

—Os recuerdo que esto no es ninguna broma, hermana. Puede que estéis acusando a un buen hombre.

—Os he contado lo que vi, Vuestra Ilustrísima. Tal como os he dicho, no son imaginaciones mías.

—Siempre supe que esa amistad era pecaminosa, pero ¡pensar que don Tomás pudiera estar implicado en el asunto! ¿Cómo creer tal cosa? ¡El virrey de Nueva España besando la suela del zapato de una monja!

—Mientras presencia que su esposa besa en los labios a otra mujer.

—A una religiosa, supuestamente.

—He aquí la degeneración de la corte española, hermanas. No es de extrañar que los súbditos de tan corrupta Corona suframos el castigo de las lluvias torrenciales. No es de extrañar que Juana no sólo haya salido impune de todas las transgresiones que ha cometido, sino que incluso sea felicitada por su obstinación y desobediencia.

—¿Hemos mencionado ya, Vuestra Ilustrísima, que sor Juana y su sobrina pasaron la noche, sin permiso, añadiré, en casa de la condesa a su regreso del funeral de la madre?

—No recuerdo haber oído esa historia, hermana.

—Uno de sus lacayos era amigo íntimo de la doncella personal de la madre Brígida y se lo contó. Como es una buena muchacha, no dudó en contárselo a la madre superiora, pero Brígida no pareció muy interesada en la información y jamás interrogó a Juana al respecto. Yo soy la única priora que ha sido capaz de meter en vereda a Juana a lo largo de los años.

—¿De qué informó la muchacha?

—Por lo visto, sor Juana y el conde disfrutaron de una larga velada, Vuestra Ilustrísima. Fumaron cigarros y dieron cuenta de varios frascos de vino, además de toda suerte de licores hasta el alba. Como compadres, según el relato del lacayo.

—Esa mujer no tiene respeto alguno ni sentido de la propiedad.

—Así ha sido siempre, Vuestra Ilustrísima, sobre todo cuando desde palacio la exhortaban a ello.

—Pues os aseguro que esos días han tocado a su fin, hermanas.

*Festividad de la Asunción*

Hoy don Carlos me ha traído dos publicaciones. En primer lugar, su antología de la victoria de la Armada española sobre la francesa en Florida (a la que aporté un poema) y esa antigua relación sobre el joven caribeño Alonso Ramírez, que ninguno de los impresores de la ciudad se ha avenido a publicar jamás. Al parecer, su relación con el arzobispo ha dado alas a su carrera literaria, y ha reanudado su amistad con la viuda de Calderón. No sé cómo es posible imprimir con todo el embrollo de las lluvias y el calor, pero no se lo he preguntado. En los últimos tiempos se muestra susceptible en extremo y a buen seguro mi pregunta lo mortificaría. Dice haber oído que la segunda edición de mi libro ya circula por Madrid. Supongo que deberé aguardar la llegada de la próxima flota para verla.

*23 de agosto*

Acabo de regresar de tercia, pero la ciudad está sumida en la oscuridad, y escribo a la temblorosa luz de una rancia lámpara de aceite. Fuera, los perros aúllan, los asnos rebuznan, las campanas doblan y la gente grita. Las lluvias han dado paso a un eclipse solar que, en mayor medida que las inundaciones, reforzará las supersticiones que se han propagado como el chahuixtle. Incluso don Carlos cree que Dios está castigando a México.

—Somos unos impíos, Juana —sentenció cuando lo vi por última vez.

—¿Cosechas devastadas para almas devastadas? —aventuré.

—Sería justo, Juana. ¿Acaso no sois culpable de pecados graves? Yo sí.

—¿Afirmáis entonces que debemos sentirnos responsables por estos infortunios? Me sorprendéis, don Carlos. ¿Qué ha sido del matemático que sólo confiaba en la verdad de los números? ¿Del científico pegado a su telescopio que daba gracias a Dios por la oportunidad de estudiar los fenómenos naturales?

—Incluso los astrónomos aztecas creían en las señales, Juana. Los

448

caminos de Dios, sea cual sea su denominación, siempre han sido inescrutables.

–Observo que la relación con el arzobispo está haciendo mella en vos, Sigüenza –espeté, incapaz de contener el sarcasmo.

–Y yo observo que la ausencia de relación con la misma persona ha generado en vos una incredulidad más allá de toda mesura cristiana, sor Juana –replicó don Carlos sin un ápice de sarcasmo.

Lo sabía. Sabía que algún día perdería a don Carlos, y se me antoja tan extraño que, pese a la paliza que a punto estuvo de dejarlo ciego, se haya encariñado de Aguiar y Seijas hasta el extremo de vender parte de su biblioteca a instancias del arzobispo y destinar los beneficios a la Hermandad de la Misericordia. Pero supongo que así proceden los hombres, aliándose los unos con los otros y olvidando la amistad que los une a las mujeres. No obstante, en lo más hondo de mi ser temo que don Carlos esté en lo cierto, que esta oscuridad sea señal del eclipse de mi influencia en el mundo. Han transcurrido cinco meses desde que escribiera la *Respuesta*, y es como si hubiera caído en un abismo de silencio y tinieblas. No hay cometa ni constelación alguna que alivie un poco la oscuridad, y el único sonido que se escucha es el latido de mi pobre corazón.

*Toque de silencio*

Al término de la sexta (un espeluznante oficio celebrado a la luz de las lámparas que alumbraban el coro inferior a mediodía, mientras la iglesia desierta y negra sólo se iluminaba por las velas votivas), Andrea anunció que el virrey había enviado una petición a todos los conventos y monasterios para rogar a los religiosos que hagamos cuanto esté en nuestra mano por disipar la maldición que pesa sobre México. Andrea decretó que diéramos vueltas al claustro en velo corto y azote hasta vísperas. Mientras describíamos patéticos círculos en aquella penumbra pesada, rezábamos los quince misterios del rosario. Después de cada avemaría debíamos azotarnos una vez, y después de cada padrenuestro, tres veces. Me dediqué a contar cada uno de los latigazos, pues era lo único que me impedía emprenderla a gritos con Andrea, y en total nos administramos ciento noventa y cinco azotes. Sólo las más enfermas y las más ancianas quedaron exoneradas del ejercicio. Incluso las beatas y los hijos de las criadas tuvieron que acompañarnos, si bien por fortuna Andrea limitó la flagelación a las profesas. Me estremece la grotesca exhibición de ignorancia y superstición que llamamos fe. Y aquí estoy ahora, con cataplasmas de consuelda sobre los verdugones, rezando para que no se infecten.

*1 de septiembre*

Surtiera o no nuestra penitencia algún efecto (los supersticiosos dirían que los sonidos de los lamentos, los rezos y la flagelación, combinados con sonidos similares procedentes de otras comunidades religiosas, se fundieron en una sola nota penetrante que perforó el caparazón negro de las esferas y apartó la sombra de la tierra del sol), lo cierto es que el eclipse terminó, y cinco días de fuertes vientos han disipado el hedor húmedo que impregnaba el aire. Seguimos sin tener maíz, trigo ni productos frescos, pero la ciudad parece haber despertado de su estupor, y por todas partes se oyen martillazos mientras la gente repara tejados y puentes. La gaceta informa de que el virrey ha puesto a los indios a limpiar el acueducto, pues resulta imposible hacer llegar agua potable a la ciudad, ya que el acueducto está obstruido por los residuos de la inundación. Las calles de la traza aún son canales fangosos, pero la Plaza Mayor ya ha sido drenada, y en la catedral volverá a celebrarse la misa. Desde mi banco de la capilla de las beatas oigo la cantinela de los buhoneros y los gritos de los niños, y doy gracias por que el mundo regrese a la normalidad, aunque la hambruna continúa haciendo estragos.

*10 de septiembre*

He recibido una misiva sucinta y brusca del arzobispo en la que me prohíbe escribir a menos que sea con finalidades religiosas, es decir, para componer villancicos, ejercicios espirituales y textos por el estilo. Si hago caso omiso de su orden y escribo cualquier documento de índole seglar o personal, dará parte a la Inquisición. Asimismo, ha cerrado mis cuentas con los libreros y exige que devuelva todos mis libros o bien salde las deudas de inmediato. Por último me ordena vender parte de mi biblioteca y donar las ganancias al Colegio de San Juan de Letrán, casi destruido por las lluvias. Enviará a dos de sus frailes con un baúl para recoger los libros que venderé mañana. ¿Es ésta la reacción a mi *Respuesta*? Se trata de medidas drásticas, no cabe duda, pero nada en comparación con lo que esperaba. ¿Imaginé sólo que la *Respuesta* era un documento sembrado de peligros, o es éste el comienzo de una censura mucho más severa? Debo seleccionar los libros de los que puedo prescindir y decidir a qué otros renunciaré. Asimismo, deberé preguntar a los libreros si pueden aguardar el regreso de mi hermana para cobrar mi deuda. Aún debe cobrar tres meses de alquiler a ese zapatero remendón, y tengo más joyas que darle para vender. Mi solvencia quedó reducida a la nada tras mi última inversión.

### 20 de octubre

El viento frío que azota las contraventanas se me colaba entre los resquicios del hábito al regresar de la clase de música. Las pobres muchachas están cansadas de cantar siempre los mismos villancicos y repetir las escalas, pero no tengo deseo alguno de enseñarles nada nuevo. Hace más de un mes que no leo ni escribo. Ni siquiera envié a la condesa una carta de felicitación por su aniversario el día 3. Belilla dice que parezco un espantapájaros con hábito, y es que mi apetito se fue con el baúl de libros que el arzobispo me obligó a vender. No tengo noticias del obispo de Puebla ni de Sigüenza.

### Día de Difuntos

Soñé que vivía de nuevo en palacio, comiendo los mameyes más dulces y conversando con el marqués de Mancera sobre la santidad de Catalina de Alejandría. Él la tachaba de mística, mientras que yo insistía en que era una erudita excelsa, ilustrando mi aseveración con el ejemplo del examen al que la sometieron cincuenta filósofos para avalar su sabiduría. De repente, revivía el examen que el marqués organizara con aquellos cuarenta profesores de la Universidad, y comprendí en sueños que santa Catalina y yo éramos víctimas de la misma persecución, pues ella fue perseguida por su fe en el cristianismo y por no someterse a la voluntad de aquel emperador pagano y libidinoso, y yo soy perseguida por mi fe en la educación y por no someterme a la voluntad de la Iglesia. Creo haber encontrado la solución al tedio y la inercia que se han adueñado de mí. Ya que los villancicos figuran en la lista de escritos aprobados por el arzobispo, compondré una serie de villancicos en honor de santa Catalina a tiempo para su festividad, que se celebra el día 25, y los ofreceré al cabildo para que sean cantados en la catedral.

*12 de noviembre*

Don Carlos es el único que ha recordado mi aniversario. Me ha traído un ejemplar de la segunda edición de mi primer libro, un volumen envuelto en vitela parda y un lazo de terciopelo que ha obtenido en secreto de la viuda de Calderón. La remesa llegó en la flota, pero el arzobispo ha prohibido su venta hasta que me sea levantado el castigo. Don Carlos dice que los libreros están furiosos con él. Mi amigo parece más cauto que nunca, y también produce la sensación de andar con el rabo entre las piernas. Cuando le mostré mis villancicos, se mostró reacio ante la idea de ofrecérselos al cabildo. Según dice, está seguro de que el arzobispo los censurará y enviará a la Inquisición a mi puerta.

—Pero son villancicos en honor de una santa —protesté—. No es poesía profana.

—Lo sé, Juana, pero observad a qué santa habéis escogido para vuestra elegía. No creeréis que los paralelismos existentes entre vos y santa Catalina escaparán al discernimiento de Aguiar y Seijas.

Don Carlos promete que, a fin de enmendar su reciente conducta intolerante y ridícula, los llevará una vez terminados a la catedral de Oaxaca, donde sin duda el cabildo eclesiástico los aceptará y se avendrá a representarlos. ¿Será su naturaleza acuaria la que lo impulsa a comportarse de forma tan veleidosa, como el viento que cambia de rumbo de forma constante? Pero a fin de cuentas, ¿qué más da si al menos ha recobrado el sentido común? Además, convengo en que, con toda probabilidad, el cabildo y el arzobispo censurarían los villancicos, ya que expresan con excesiva claridad mi rechazo a la autoridad masculina. Que las alabanzas de santa Catalina se canten en Oaxaca. ¡*Victor, victor!*

*27 de noviembre*

Garabateo estas líneas con gran premura. Acabo de regresar del confesionario, donde el padre Nazario me ha anunciado que el arzobispo lo releva de su puesto como mi padre confesor y ha ordenado a Andrea que guarde bajo llave mis plumas y cuadernos. El padre Nazario afirma que los villancicos a santa Catalina fueron un craso error, pues lo pusieron en ridículo ante su superior. El arzobispo dice que he restregado el excremento de mi descaro en la cara de la Iglesia. ¿Dónde está la condesa? ¿Por qué no me ha escrito? ¿Acaso todo el mundo me ha abandonado a este tormento de silencio?

# 29

Querida y entrañable Juana:

Perdona por no haberte respondido antes, pero llevo varios meses junto al lecho de mi pobre Tomás y lamento decir que su salud no mejora. Su estado es tal que los médicos no lo revelan a mujer alguna, ni tan siquiera a la esposa, pero sea cual sea su mal, le causa espantosos dolores que no aplacan ni las grandes dosis de láudano que le administran. Para colmo, se ha adueñado de él una extraña demencia; ya no me reconoce, sino que me llama por el sobrenombre con que llamaba a su madre. Cuando esta carta llegue a México, es posible que, Dios mediante, ya nos haya dejado. No es que desee su muerte, Juana, y eres la única a quien puedo revelar estos pensamientos, pues sé que me comprendes. Sencillamente es que sufre lo indecible, y se me antoja una injusticia atroz que un hombre tan bueno deba padecer una muerte tan innoble. La idea del fallecimiento de Tomás me hace sentir espantosamente sola, y empiezo a comprender la sensación de pérdida perpetua que describes en tus cartas. Los médicos están asaz seguros de que no le queda más de un mes de vida. ¿Qué será de mí entonces? De no ser por José (tu ahijado se ha convertido en un muchacho muy apuesto, y si bien sólo tiene nueve años, ya ha robado el corazón de varias de mis damas), ingresaría en un convento o me haría de nuevo a la mar para regresar a Nueva España. Sin embargo, debo pensar en el futuro de mi hijo en la corte, y la reina madre, a quien Tomás ha servido como mayordomo mayor, dice que le complace pensar en José como en el nieto que otra María Luisa (descanse en paz nuestra reina francesa) nunca le dio. Ahora que el rey se ha casado en segundas nupcias, ¿quién sabe cuánto tiempo seguiremos gozando de su favor? Debo cultivar el afecto que la reina madre profesa a mi hijo, aunque por supuesto hay quienes lo desprecian a espaldas de aquélla por haber nacido en Nueva España, lo cual me recuerda que la única corte posible para un criollo se halla en ultramar.

Como puedes suponer, Juana, la enfermedad de Tomás no me ha permitido durante el verano y el otoño dedicar demasiado tiempo al segundo volumen de tus obras, pero me complace comunicarte que después de Navidad terminé de compilar todas las piezas, y el libro obra ya en poder de los impresores, que prevén su publicación para el próximo julio o agosto. Con un poco de suerte verás un ejemplar antes de que muera el año. A mi parecer, hallarás el libro sorprendente por diversas razones. La primera, por supuesto, es que contiene algunas de tus obras más excepcionales, ese *Sueño* intrincado y místico que encabeza la sección de poesía, y la crítica brillante y osada contra Vieyra (cuyo título me he permitido cambiar por *Crisis sobre un sermón*, ya que me disgusta emplear títulos ajenos) que abre el libro, seguida de las palabras de apoyo de mis buenos amigos. El hecho de que unos teólogos peninsulares muestren su acuerdo con la obra de su némesis femenina y denuncien la de su ídolo portugués sin duda dará que pensar a Fernández de Santa Cruz y Aguiar y Seijas, ¿no te parece? Qué gran victoria para ti, Juana. Cuánto desearía estar allí para presenciar el efecto que estas réplicas surten en tus superiores. A propósito de réplicas, no he incluido la *Respuesta a sor Filotea* en el volumen, a pesar de recibirla con suficiente antelación, porque considero que merece un volumen propio. Se trata de un texto demasiado perfecto y completo para quedar encajonado entre muchos otros. ¿Qué reacciones ha suscitado? ¿Se ha encargado Fernández de Santa Cruz de publicarlo también? A decir verdad, lo dudo. No le convendría publicar una obra que tan concienzudamente confuta los argumentos de ese patán, esa sor Filotea. Así pues, demoraré la publicación de tu *Respuesta* hasta que tu situación se haya esclarecido.

Querida Juana, no sabes cuánto ansío verte, qué daría por estar cerca de ti, tocar tus manos manchadas de tinta y escudriñar los oscuros tinteros de tus ojos para leer las palabras que tu pluma ya no me escribe. Ruego a la Virgen de Guadalupe (nuestra Virgen morena, en cuyo honor recibe su nombre la de Tepeyac) que goces de buena salud y soportes bien la tensión que sin duda te producen esos pueriles ataques contra tu inteligencia. Esos sacerdotes serán superiores en sexo y rango, Juana, pero saben muy bien que no te llegan ni a la suela del zapato por lo que a entendimiento se refiere. Te envío todo mi amor y muchos besos de tu ahijado,

María Luisa
*21 de febrero de 1692*

Habían transcurrido más de tres meses desde que la condesa escribiera aquella carta, que no llegó a Vera Cruz en la flota hasta la semana anterior y que Juana acababa de recibir. A buen seguro, el conde de Paredes ya habría fallecido, y Juana lloró al pensar en su enfermedad y su dolor, en la pérdida de otro benefactor, y rezó en silencio por su memoria mientras sus hermanas cantaban el oficio vespertino. Después de completas compró una vela a la hermana sacristana y la añadió a su altar. A partir de entonces debería encender ocho velas, por su abuelo, la marquesa, tía María, su madre, la madre Catalina, sor Felipa, la madre Brígida y ahora su compadre, don Tomás.

Rezó una decena de avemarías y tres padrenuestros en recuerdo del conde y pasó un tiempo, no sabía cuánto, de silencioso luto. Hacía casi seis meses que no hablaba, desde finales de noviembre, cuando el arzobispo decretó la confiscación de todos sus útiles de escritura. Mientras observaba a Melchora y Agustina guardar sus plumas y tinteros en una caja, juró no volver a pronunciar palabra hasta que le devolvieran todos los instrumentos, y si no se los devolvían nunca, nunca volvería a hablar. A fin de cuentas, su voz hablada no era más que el eco de su verdadera voz, que brotaba de las plumas en tonos firmes y mesurados.

Al principio, Andrea y Belilla le suplicaron que abandonara el voto de silencio. Belilla comentaba que era como vivir con un espectro y que estaba tan asustada que prefería pasar el día entero en la enfermería y las aulas. Andrea llegó al extremo de calificar su actidud de autocompasión y no penitencia, como erróneamente creían las demás. En verdad, no era autocompasión ni penitencia su motivo, sino una rabia e indignación tan profundas, tan insoportablemente estruendosas que la ensordecían desde las entrañas.

Por las noches, mientras dormía, se oía vociferar encolerizada, mascullar todas las palabras que reprimía durante el día. ¿Cómo osáis arrebatarme la voz? ¿Por qué no me rebanáis el cuello y me arrancáis las cuerdas vocales? ¿Por qué no me cortáis la lengua, me descuajáis los ojos, me llenáis la nariz y los oídos de sebo, me amputáis las yemas de los dedos? Todas mis facultades van ligadas a la pluma. Sin ella soy ciega, muda e insensata. Los pensamientos pululan como gusanos por mi cabeza. Mi mente se pudre en este silencio, y mi espíritu queda reducido a cenizas. Estoy vacía, sola sin mi voz.

Soñaba imágenes de un sacrificio en que ella era la víctima colocada sobre el tajo sacrificial, con el obispo y el arzobispo como sumos sacerdotes, Andrea, Melchora y Agustina en calidad de paniaguadas que les entregaban los instrumentos de tortura. Un rosario por soga, un velo de espinas, un bocado en su boca y un crucifijo de afiladas puntas que se convertía en una tijera.

Despertaba en el instante en que el arzobispo, invocando los nombres de Abraham y san Pablo, le clavaba la tijera en el cuello, y encontraba a Belilla incorporada en su lecho, arrebujada entre las mantas, el blanco de sus ojos casi fosforescente a la luz de la luna que entraba a raudales por la ventana.

–Me aterráis, tía –musitaba Belilla en aquellas ocasiones–. ¿Por qué no decís algo? No se lo diré a nadie.

Pero Juana no podía articular palabra. Se levantaba de la cama, entraba en el estudio, sacaba la Caja de Pandora de su escondrijo y se quedaba mirando la filigrana de una hoja en blanco mientras imaginaba su mano trazando borrones ininteligibles. Había cometido el error de dejar la pluma que siempre guardaba en la caja sobre la mesa la última vez que escribiera, por lo que sus hermanas la habían encontrado entre las páginas de un libro y se la habían llevado. Durante unas semanas se había dedicado a recoger cuantas plumas encontraba en el patio y en el huerto y guardarlas como oro en paño entre los pliegues de su túnica, pero alguien la denunció. De todos modos, no tenía tinta; el hollín que rascaba de los braseros y mezclaba con agua producía un mejunje tenue e inestable que las quebradizas plumas no podían absorber.

Empezó a perder la memoria. Olvidaba el texto de una plegaria o un canto, los nombres de sus sobrinos y sobrinas (incluso llegó a olvidar el nombre de Belilla durante un día entero), los títulos de sus ficciones predilectas... En cierta ocasión cogió su ejemplar de *Inundación castálida* y leyó su nombre como autora del libro, pero no recordaba haber escrito ninguna de las palabras que contenía, ni mucho menos haber experimentado las emociones que llenaban cada página. El envalentonamiento en las últimas líneas del prólogo al lector: «Y así, Dios mediante, no es éste más que una muestra de la fibra: si el tejido no complace, no desenvolváis el fardo». La ironía del poema compuesto para el peruano que le envió las vasijas. El humor de Castaño en *Los empeños de una casa* cuando se ponía falda azul y chal de dama, y se le tomaba por doña Leonor, a quien cortejaba don Pedro. Los ingeniosos juegos de palabras en su sátira sobre los hombres necios. El pesar de los poemas fúnebres por la marquesa y las pasiones expresadas con valentía en cada poema dedicado a la condesa.

> *Tránsito a los jardines de Venus,*
> *Órgano es de marfil, en canora*
> *música, tu garganta, que en dulces*
> *éxtasis aun al viento aprisiona.*
> *Pámpanos de cristal y de nieve,*
> *cándidos tus dos brazos, provocan*
> *Tántalos, los deseos ayunos:*
> *míseros, sienten frutas y ondas.*

¿Quién había sido? ¿Y cómo había pasado de semejante proliferación de verso y sentimiento a ese desierto yermo de gusanos?

Al recibir la carta de la condesa no supo quién le escribía desde España, pero tras leer las primeras frases, las aguas de su memoria se desbordaron, y durante varios días se sintió como el Arca de Noé, a la deriva en un diluvio de recuerdos.

Recordaba *Neptuno alegórico* y cuánto le había costado hallar el concepto mitológico idóneo para el arco. Con todo lujo de detalles, recordaba largas conversaciones sostenidas en el locutorio, las discusiones con la condesa en torno al cometa, las crónicas del virrey acerca de los territorios septentrionales, los pueblos que se habían alzado contra los misioneros y luchado contra la Iglesia durante varios años, el gigantesco siluro devorahombres en los cristalinos ríos del Paso del Norte, los atardeceres verdes en el Camino Real. El último recuerdo la asaltó como un torrente de conciencia: la bacanal vivida la noche que pasó en su casa como invitada y los placeres de doble filo a los que se había entregado.

Sus labios, la seda de su piel, el sabor de su sexo, el arañazo de sus uñas, las palabras... ¿Qué más puedo darte, mi décima musa? El rato que habían llorado juntas en el claroscuro de aquel lecho. Las calas que había ofrecido a san Judas para agradecerle la concesión de aquella noche imposible con la condesa y también en memoria del cuadro de la marquesa, *Atenea entre calas*, la primera señal que Juana percibiera de su verdadera naturaleza.

«Querida Juana —releyó las palabras de la condesa—, no sabes cuánto ansío verte, qué daría por estar cerca de ti, tocar tus manos manchadas de tinta y escudriñar los oscuros tinteros de tus ojos para leer las palabras que tu pluma ya no me escribe.»

Era su primera semana lúcida tras meses de oscuridad, si bien la lucidez hacía su aparición por etapas, proporcionándole primero conciencia de su cuerpo y más tarde de todo cuanto la rodeaba. Cuando los recuerdos del conde y la condesa remitieron, advirtió que su hábito se había agrandado o que ella había menguado en su interior, pues las mangas pendían mucho más de lo habitual, y sentía el griñón holgado alrededor de la cabeza. Deslizó los dedos bajo el escapulario para explorar la caja torácica y siguió bajando, primero hasta el hueso púbico y luego hasta las angulosas rodillas. Comprendió que había adelgazado mucho. Con cautela, pues acababa de reparar que se hallaba en el coro y todas sus hermanas cantaban uno de los oficios, alzó la mano hasta el rostro y se tocó barbilla, pómulo, sien y la frente más huesuda que nunca. Su boca se movía por voluntad propia, si bien de ella brotaban sonidos tan tenues que sólo ella podía oírlos.

De repente, el silencio se trocó en algo distinto, y en lugar de oír los gusanos de los pensamientos no expresados que se retorcían implacables por su cerebro, empezó a oír voces. Las beatas hablaban de la falta de pan en el mercado. Los personajes se dirigían a ella desde sus obras. La condesa conversaba con la marquesa. Cada vez que se sentaba ante el tablero de ajedrez, su abuelo le advertía: «Protege tu torre», hasta que por fin comprendió que debía comprar la celda. Debía hablar con Andrea para iniciar el papeleo. En la calle, un pregonero pronunciaba el nombre del virrey, el conde de Galve. Y al fondo, el estruendo constante de lloros y gritos infantiles. Sonido de escobas, utensilios de cocina y pasos. Y en alguna parte doblaban las campanas, unas campanas mucho más insistentes que las de la Regla.

—¡Tía!

Le resultaba difícil prestar atención a lo que acontecía a su alrededor, distinguir entre las distintas voces que exigían reconocimiento en su memoria.

—¡Aprisa, tía! ¡Hay un motín!

¿Era Belilla? ¿Por qué hablaba tanto Belilla? ¿Acaso no sabía que Juana precisaba silencio? Entre Belilla, Juanilla y Concepción... El último nombre le golpeó el corazón como un puñetazo. *Mea culpa*, Concepción, por dejarte marchar a tierras desconocidas. *Mea culpa*, Concepción, por no protegerte. *Mea culpa*...

—¡Tía, los indios! ¡Se están amotinando contra palacio!

—¿Qué indios?

Eran sus primeras palabras en más de medio año.

—Venid conmigo, tía. Desde el tejado se ve la plaza.

Belilla le tironeó de la mano y la condujo hasta la azotea de su celda. Caía la tarde, y de la plaza parecía elevarse una suerte de bruma roja. Juana percibió un olor a madera carbonizada y vio que en las azoteas de los demás conventos ya se agolpaban las religiosas. Todo el mundo miraba hacia el norte, en dirección a la plaza, donde una humareda oscura se alzaba al cielo anaranjado, y las antorchas se movían como un enjambre de abejas al anochecer.

—Pero ¿qué sucede, Belilla? ¿Qué es todo este jaleo?

—Una revuelta, tía. Los indios han prendido fuego al mercado y al palacio. El virrey se ha escondido, y la casa del cabildo está sitiada. ¿No habéis oído al pregonero? Las campanas llevan horas doblando.

—Pero ¿por qué?

—Por la hambruna, tía. Los indios se mueren de hambre. El otro día, los corchetes dieron una paliza a una india que se quejaba del precio de los cereales. Creo que la mataron, o que el hijo que esperaba murió. Y también han pegado a otros sólo por querer comida. No pueden permitirse pagar los precios que les piden, y ahora las castas han tomado las calles y exigen que el arzobispo o el virrey les den maíz.

—Pero ¿de qué les servirá quemar el palacio? —inquirió Juana, recordando los nidos de palomas bajo los balcones de su antiguo hogar, el suave ronroneo que complacía tanto a la marquesa que prohibió matar un solo pájaro en todo el recinto.

—¿De qué sirve el palacio si la gente se muere de hambre, tía?

Juana miró a su sobrina durante un largo instante. En la penumbra del anochecer, con el cielo teñido de naranja y negro, y el rostro cubierto por el fino hollín que traía la brisa cargada de humo, la muchacha tenía aspecto de mendiga.

—¿Has vuelto a ayunar? Tienes un aspecto horrible, Belilla.

—Oh, tía, sabía que algo os sucedía. Asistíais a capítulo como el resto de nosotras cuando la hermana Melchora anunció que debíamos racionar aún más la comida. Ahora comemos pan sólo dos veces por semana y carne una vez al mes. Subsistimos con caldos y sopas.

Apenas oía las palabras de Belilla pese a que ambas gritaban para hacerse oír por encima del estruendo procedente de la plaza. Curvó los dedos e intentó formar un ocular con la mano, tentada de enviar a Belilla a buscar el anteojo a la celda. De repente, el cadalso instalado ante la catedral se incendió como un crucifijo. A su alrededor, las hermanas profirieron gritos de espanto. Desde el punto de observación privilegiado que era la azotea de San Jerónimo, Juana tenía la sensación de que la ciudad entera había perdido el juicio y que ella, sumida en el silencio, había estado ajena a ello. Quería formular a su sobrina más preguntas sobre la revuelta, pero no se veía capaz de hablar en voz lo bastante alta, de modo que se limitó a observar. La embargaba la sensación de que acababa de despertar de una larga enfermedad y no sabía qué día ni estación era, si bien el viento cálido y el ángulo del sol apuntaban al estío.

Permanecieron en la azotea hasta que el resplandor del fuego murió y la luna asomó por el este, tras los volcanes. Las campanas tocaron a completas, y todas las monjas descendieron al patio,

461

ochenta figuras de velo negro que bajaban escaleras y rodeaban el claustro sin palabra ni cuchicheo alguno, produciendo sólo el sonido de pisadas sobre las losas.

Una vez en el coro, entonaron el himno inicial, hicieron examen de conciencia en silencio y comenzaron la penitencia habitual del último rezo. «He pecado de pensamiento, palabra, obra y omisión. Por mi culpa, por mi culpa, por mi grandísima culpa.» A continuación cantaron el cuarto himno, seguido del número noventa, que aquella noche se antojaba muy apropiado para la situación que atravesaba la ciudad. «No temerás los terrores de la noche, ni la saeta que de día vuela, ni la peste que avanza en las tinieblas, ni el azote que devasta a mediodía.» Al llegar al último salmo del servicio, Juana había prorrumpido en llanto y apenas alcanzó a entonar el himno ni la antífona. Le temblaban los hombros mientras rezaba el padrenuestro en silencio, pero el *Salve Regina* confirió una energía creciente a su voz:

–Salve, Reina, Madre de la misericordia, nuestra vida, nuestra dulzura y nuestra esperanza –cantó mientras percibía que la fuerza volvía a ella.

Andrea, Melchora y las vigilantas se volvieron para mirarla.

–A ti clamamos, hijos desterrados de Eva. A ti suspiramos, gimientes y llorosos, en este valle de lágrimas.

El entumecimiento del silencio empezaba a disiparse, y Juana sentía que la sangre volvía a correrle libremente por las venas, produciéndole un cosquilleo en los brazos y una cálida palpitación en el plexo solar.

El *Angelus* cerró el oficio, pero antes de que las monjas abandonaran el coro, Andrea les indicó que se arrodillaran para iniciar un período de cincuenta y cuatro días de devoción al rosario.

–Esta noche y las próximas veintiséis noches –anunció–, rezaremos cinco decenarios del rosario para rogar al corazón encarnado de Jesús y su Santa Madre que salven a México de las catástrofes que nos azotan. Las siguientes veintisiete noches rezaremos cinco decenarios del rosario para dar gracias por su intervención divina. –Se volvió hacia Juana–. Sor Juana –musitó con inflexión casi maternal–, ahora que vuestro voto de silencio ha tocado a su fin, os ruego que dirijáis el rosario de hoy.

Juana se soltó el rosario del hombro, tragó saliva para disipar el nudo que le atenazaba la garganta y preguntó qué día era.

—Domingo —repuso Andrea—. Los misterios gloriosos.

Juana carraspeó, hizo la señal de la cruz ante su rostro con el crucifijo del rosario y empezó el credo. El primer misterio glorioso era la Resurrección, y por un instante imaginó que todas las monjas rezaban por ella, por su resurrección de la tumba de silencio en la que había yacido durante siete meses.

—El auténtico héroe de la noche fue el arzobispo —aseguró don Carlos mientras tomaba una humeante taza de chocolate aguado—. Mientras el virrey y su esposa permanecían ocultos en el monasterio de San Francisco, y el corregidor y su esposa se escondían en San Agustín, si no me equivoco, Su Ilustrísima dijo misa en la plaza y caminó entre los insurrectos sin temor alguno. Los pobres acólitos estaban aterrados, temblorosos bajo las sotanas, pero Su Ilustrísima, con la mitra, el báculo y la túnica de Corpus Christi, seguido por dos sacerdotes que llevaban bien alto el tabernáculo, parecía un mesías en tierras salvajes.

Juana sintió deseos de resoplar, pero todas sus hermanas estaban fascinadas por el relato. Andrea había preguntado a Juana si el consejo de gobierno del convento podía sumarse a ella durante la visita de don Carlos, pues todas ardían en deseos de oír la historia del motín. Cada una de ellas aportó un pedazo de chocolate, que las refectoleras habían mezclado con agua en lugar de leche a fin de preparar el suficiente para todos, y asimismo habían llevado las últimas frutas confitadas de la despensa.

—Ebrios de pulque y odio, los paganos saqueaban, quemaban y vociferaban como salvajes, pero en cuanto vieron el Sagrado Sacramento... —se golpeó la frente con la palma de la mano—. Deberíais haberlos visto, hermanas. Como por obra de un milagro, abandonaron la destrucción y se arrodillaron ante Su Ilustrísima cual rebaño de dóciles ovejas. Por supuesto, a su alrededor ardía la ciudad entera, el mercado, el cabildo, el palacio...

—Vimos arder el cadalso —terció Rafaela.

—Quedó reducido a cenizas —explicó don Carlos—, pero lo han

reconstruido para ajusticiar a algunos de los cabecillas del levantamiento.

—¿Así que han echado el guante a esos malnacidos? —espetó Agustina, sin ruborizarse siquiera ante su propia obscenidad.

—La Audiencia lleva a cabo una investigación exhaustiva, sobre todo en relación con los indios que vendían sus mercancías en el mercado, y han localizado a tres o cuatro cabecillas. Lo más extraño es que casi todos ellos son mujeres.

—¿Las cabecillas eran mujeres? —preguntó Juana.

—Las que empezaron a ir del granero a la catedral pidiendo comida y fingiendo que los soldados las habían herido.

—¿De modo que no las azotaron, que ninguna mujer sufrió un aborto?

—Embustes —masculló don Carlos con el ceño fruncido—. Ya sabéis cuán diestras son todas esas indias en el arte de inventar historias.

—¿Qué fantasía puede existir cuando el pueblo tiene hambre? —terció una voz dócil desde el fondo de la sala.

Todas se volvieron hacia Belilla.

—Es grosera e impertinente, como su tía —susurró Agustina a Melchora.

—Belilla tiene razón —respaldó Juana—. Tendría sentido que las mujeres encabezaran un alzamiento por culpa del hambre, ya que son ellas las responsables de alimentar a sus familias.

—Tenemos entendido que muchos han muerto, señor —dijo Andrea en un intento de cambiar de tema.

—La plaza quedó sembrada de cadáveres, madre —repuso don Carlos—. Casi todos ellos murieron aplastados por el gentío, decenas de miles de indios y castas surgidos de Dios sabe dónde, y algunos murieron por los disparos de los soldados. Los supervivientes intentaban una y otra vez encaramarse a las balaustradas de palacio esgrimiendo cañas llameantes que habían arrancado de los tenderetes del mercado. Y el edificio municipal... —sacudió la cabeza con ademán dramático— ha quedado reducido a la nada. Prendieron fuego al carruaje del corregidor y lo pasearon por la plaza. Las pobres mulas que tiraban de él se pusieron tan frenéticas que fue necesario sacrificarlas. Los presos encerrados en las mazmorras murieron asfixiados por el humo. No sé cómo logré salvar los archivos.

—Así pues, os hallabais en el meollo de la contienda —indicó Melchora.

—De no ser por los estudiantes que entraron conmigo, lo habríamos perdido todo. ¿Podéis imaginarlo, Juana? ¡Todo un siglo de documentos quemados por culpa de esos indios ignorantes! Por desgracia, no logramos salvarlo todo, pero sacamos buena parte antes de que las vigas del techo se desplomaran.

—¡Qué tragedia! —exclamó Rafaela.

Juana escuchaba la descripción de su amigo con una mueca de disgusto. ¿Desde cuándo tildaba Sigüenza y Góngora a los indios, su objeto predilecto de estudio, según creía ella, de ignorantes, paganos y salvajes?

—¿Han quedado extinguidos los incendios? —quiso saber Andrea—. Aún se ve humo.

Don Carlos negó con la cabeza.

—El ayuntamiento sigue ardiendo, y el palacio está en ruinas. Algún desaprensivo clavó a la puerta una nota que rezaba: «Se alquila este corral para gallos indígenas y gallinas castellanas».

—Hijos de perra desagradecidos —profirió Agustina—. Perdonadme, madre —se apresuró a disculparse.

Andrea miró a Juana con las cejas enarcadas.

—Los indios no pueden haber escrito esa nota, don Carlos —señaló Juana.

—El colegio de San Juan de Letrán admite castas, Juana. No todos son analfabetos.

—No insinuaba eso —aseguró ella—, sino que la calificación de «gallos indígenas» hace referencia, en mi opinión, a los indios, ¿no creéis? ¿Y no os parece en extremo improbable que los indios se llamen a sí mismos de ese modo?

—¿Insinuáis que los criollos escribieron esa nota, Juana? —inquirió don Carlos.

—Sí, creo que la escribieron los criollos, a quienes el gobierno desagrada tanto como a los indígenas. Puesto que vos estabais allí, don Carlos, ¿no creéis que entre el gentío también había otros criollos?

—Sí, pero no provocando incendios ni saqueando el mercado, Juana.

—Aun así, no me parece justo achacar toda la culpa de la insurrección a los indios.

—¿Desde cuándo sois adalid de las castas? —le preguntó Melchora.

—¿No recordáis aquella cancioncilla que compuso para la festividad de la Inmaculada Concepción, ese versillo en lengua india? —terció Agustina.

—El versillo recibe el nombre de tocotín, hermana —puntualizó Juana—, y la lengua de que habláis es el náhuatl.

—No creo haber visto esa composición, Juana —señaló don Carlos.

—Es una pieza antigua, amigo mío. Me parece que por entonces iniciabais vuestra vinculación con el arzobispo y no visitabais el convento con frecuencia.

Don Carlos se encogió de hombros.

—No discuto que a todos nos disgusta el gobierno de De Galve, Juana, pero os aseguro que la insurrección ha sido obra de las castas.

—Del hambre de las castas —corrigió Belilla.

—¿Y a quién consideráis responsable del hambre de las castas, sor Isabel? —espetó Rafaela—. ¿Acaso, como vuestra tía, culpáis también de ello a los criollos?

—Todos nosotros tenemos la culpa —replicó Belilla—. Nosotros con nuestros pecados, nuestra arrogancia, nuestra falta de contrición. Nosotros hemos provocado las lluvias, el infortunio y la hambruna que han conducido a la insurrección.

Juana contuvo la lengua. Si bien discrepaba del análisis, estaba impresionada, pues jamás había visto a Belilla plantar cara a sus superiores. «Debo dejar de pensar en ella como una chiquilla —se dijo—. Tiene ideas y convicciones propias.»

—Convengo en todo con sor Isabel —intervino Andrea—. Llevamos una semana rezando la devoción al rosario y observando especial diligencia en nuestra disciplina y meditación. De hecho, si perdonáis la imposición, señor de Sigüenza, ¿podríais rogar al arzobispo que nos dé su bendición? No es necesario que acuda en persona, pero tal vez podría enviar al padre Núñez para que diga una misa penitencial.

Juana sintió un nudo en la boca del estómago. La idea de volver a ver al padre Núñez le producía náuseas. Habían transcurrido casi diez años desde su último encuentro, desde que Juana prescindiera de él por la falta de caridad que el sacerdote mostraba hacia ella. El padre Núñez se enojó de tal modo por sus críticas que no sólo dejó de ser su padre confesor, sino que también castigó a toda la comunidad por no doblegar su espíritu rebelde, jurando no volver a poner los pies en San Jerónimo hasta que la manzana podrida hubiera sido retirada del cesto. ¿Accedería ahora, bajo las circunstancias reinantes, a visitar de nuevo a las hijas de San Jerónimo?

—Sor Juana —interrumpió don Carlos sus pensamientos—. ¿Nos veremos la semana próxima para nuestra tertulia a la hora habitual?

—No, don Carlos —repuso Andrea antes de que Juana pudiera responder—. Al menos no de momento. Sor Juana atraviesa su proceso de purificación.

Juana bajó la vista para que don Carlos no advirtiera su perplejidad. No sabía a qué se refería Andrea.

—Comprendo —dijo don Carlos—. En tal caso, la paz sea con vos, hermana.

Juana asintió sin levantar la mirada.

—Gracias por vuestro informe, señor —prosiguió Andrea—, y perdonad que no hayamos podido ofreceros nada más sustancioso.

—A vuestro servicio, madre. Buenas tardes os dé Dios, hermanas.

Al salir del locutorio, Andrea siguió a Juana a su celda. Tenían asuntos que comentar acerca del padre Núñez y el progreso de sus ejercicios espirituales, explicó. Juana no habló hasta que se hallaron en la celda con la puerta cerrada y los postigos echados.

—¿Qué pretendes, Andrea? —preguntó sin ambages—. Sabes bien que no estoy realizando ejercicios espirituales, y me disgusta que hayáis prohibido a don Carlos que me visite.

—Siento no haberte hablado de ello antes, Juana —se disculpó Andrea al tiempo que tomaba asiento en un taburete—, pero debemos tratar el tema ahora. Se nos acaba el tiempo.

—¿Me necesitáis, tía? —terció Belilla, disimulando un bostezo—. De lo contrario, me gustaría dormir una siesta antes de vísperas.

—Me enorgullece que te hayas mantenido firme, Belilla —alabó Juana.

—No alientes su impertinencia, Juana.

—Os ruego me perdonéis, madre —musitó Belilla, bajando la cabeza.

—¿Podemos ofrecerte algo de comer, Andrea? Si es que tenemos algo.

—No, gracias —declinó Andrea—. Aún tengo que repasar las cuentas con Rafaela. Es una secretaria excelente, pero como tesorera es capaz de pedir al panadero que nos denuncie por no saldar nuestras deudas.

—Ve a dormir un poco, Belilla —ordenó Juana a su sobrina—. No has hecho nada malo.

Belilla besó a ambas en la mejilla y se retiró en silencio al dormitorio.

—Trabaja demasiado —observó Juana.

—Sí, es una fuente de inspiración para las novicias —señaló Andrea.

Juana sacó un cigarro del bolsillo y lo encendió con una vela.

—Fingiré que no estás fumando en mi presencia, Juana.

—Gracias.

Juana inhaló el humo y de inmediato sintió que el tabaco le despejaba la mente.

—Y ahora dime qué sucede. Ha sido la primera vez que te oigo mentir.

—Debemos conseguir que obtengas de nuevo el favor del padre Núñez. Se aproximan tus bodas de plata y le necesitas.

Juana la miró con ojos entornados entre el humo. Siempre sabía cuándo Andrea ocultaba algo.

—¿Qué sabes tú que yo no sepa? —le preguntó.

—Tu voto de silencio te ha mantenido tan alejada de la realidad que no me pareció prudente decírtelo antes, pero el obispo de Puebla ha azuzado a todos los prelados de Nueva España para que presenten una queja contra ti ante la Inquisición.

—¿Una queja sobre qué?

—¿Realmente eres tan ingenua que no lo sabes, Juana?

—¿Sobre la *Respuesta a sor Filotea*?

–Ése fue el catalizador, sí, pero la queja se refiere a ti en concreto. Quieren que sirvas de ejemplo... negativo, por supuesto, para demostrar que la Iglesia no puede volver a permitir jamás que una religiosa alcance la notoriedad que tú has adquirido. Dicen que el propio cabildo eclesiástico ha contribuido a tu ignominia al darte tantas comisiones profanas, y que también las laxas reglas de nuestra casa tienen parte de culpa. Intentarán conseguir el cierre de los locutorios de todos los conventos, ya que, a todas luces, las mujeres poseen una fe demasiado endeble para permitírseles mantener relaciones mundanas. En resumidas cuentas, Juana, si bien tú eres el ejemplo y el verdadero blanco de sus iras, todas las monjas de Nueva España arrostrarán las consecuencias de tu castigo. Y ten la seguridad de que utilizarán cuanto ha sucedido en la ciudad desde el verano pasado para echar más leña al fuego de su...

El cigarro se había consumido entre sus dedos. No se veía capaz de mirar a Andrea, de modo que se fijó en la imagen de santa Catalina colgada cerca de la puerta. *¡Victor! ¡Victor! ¡Victor!* Recordó el sentimiento de triunfo que experimentara al componer aquellos villancicos, la única forma en que se le permitía escribir, y se le ocurrió que jamás volvería a componer otro villancico para la Iglesia.

–... nada que podamos hacer –decía Andrea–. Creo que la mejor estrategia consiste en recuperar a uno de tus protectores, el único que puede interceder por ti ante los prelados y el arzobispo.

–Es indignante –alcanzó a articular Juana.

–Cierto, has indignado a todo el mundo. Pero hay más...

Andrea se mordió el labio y clavó la vista en el suelo mientras retorcía la tela de sus mangas.

–¡Habla! –gritó Juana.

–Sucedió en capítulo. Estabas allí, pero imagino que no lo oíste. La comunidad votó expulsarte de la Orden si no te sometes a un severo proceso de purificación.

–¿Cómo dices? ¿Con qué derecho? Pronuncié los votos a perpetuidad.

–Olvidas las bodas de plata, Juana.

–Pero no es más que una formalidad.

—Cierto, pero aun así deberás firmar una nueva profesión de fe y esperar el año de rigor para obtener la aprobación y así poder renovar los votos permanentes. Las demás te consideran indigna de continuar al servicio de Dios.

Juana deambulaba por la celda, incapaz de permanecer quieta.

—¿Cómo se atreven, Andrea? ¿Cómo se atreven? ¡Con el prestigio que he traído a esta casa! ¿Me toleraron mientras contaba con benefactores en la corte, y ahora que he quedado despojada de ellos me convierto en anatema? ¿Pretenden echarme a la calle como si fuera una judía errante?

—No depende por entero de ellas, Juana; por eso quiero que recuperes al padre Núñez, ya que eso nos ayudará a matar dos pájaros de un tiro.

—No me hará caso, es viejo y testarudo como una mula.

—Por esa razón he apelado a él personalmente, y espero que, con ayuda del arzobispo, regrese en calidad de confesor de nuestro convento. Si lo hace, Juana, debes abordarle con gran veneración, arrodillándote ante él, lamiéndole los zapatos, si es necesario. Debes hacer cuanto esté en tu mano para poder enmendar la situación.

—¿Y qué debo hacer entretanto, Andrea? ¿Ensayar arrodillándome ante las santas y lamerles los zapatos?

—Me asombras, Juana. ¿Acaso crees poder permitirte semejantes sarcasmos en las presentes circunstancias?

—Lo siento, mi comentario ha estado fuera de lugar. Sé que intentas ayudarme, pero no comprendo por qué. Si la Inquisición interviene en este asunto, estoy perdida.

—Puede que la Inquisición intervenga y puede que no; dependerá de la gravedad que se atribuya a tu caso. He hecho correr el rumor de tu purificación, como ya has observado, y ahora te corresponde a ti ponerla de manifiesto. Y si quiero que ensayes arrodillándote y besándome la suela de los zapatos, lo harás, porque no permitiré que nuestra casa sea difamada ni nuestros privilegios retirados por culpa de las libertades que te has tomado con la pluma.

Juana meneó la cabeza.

—No puedo creerlo, Andrea. ¿Fue unánime el voto? ¿Se han

vuelto incluso las santas contra mí, después de todo cuanto hice por ellas?

–Baste con decir, Juana, que Belilla y yo nada logramos con nuestros votos.

Los ojos de Juana se llenaron de lágrimas, y se las secó con ademán impaciente.

–¿Qué debo hacer, Andrea?

–El mejor modo de protegerte, Juana, consiste en recurrir a tus votos, llevar la vida que debiste iniciar al tomar el velo hace veinticuatro años. Muéstrales a una Juana distinta. Muéstrales que eres capaz de cambiar.

De repente, Juana se sentía exhausta.

–Lo intentaré –prometió.

–Empezarás mañana mismo con un ayuno y vigilia de cinco días. He ordenado a las criadas que recojan la comida de todas las hermanas, pues a partir de ahora comeremos juntas, como hacen en San José, en lugar de atender a nuestros apetitos personales. Tomaremos las tres colaciones todas juntas en el refectorio, y el primer mes siguiente al ayuno, te pediré que leas en voz alta las Escrituras mientras comemos. Tú podrás comer con las criadas más tarde.

–A buen seguro, mi purificación lleva consigo más que un ayuno y un mes de lectura en voz alta –señaló Juana.

–No puedo apartarte de las alumnas, ya que las otras me acusarían de favoritismo, de quitarte obligaciones en lugar de imponerte más. Pero sí puedo ordenarte que reanudes tu función de tesorera. Rafaela ha convertido las cuentas en un auténtico acertijo que sólo tú puedes desentrañar.

–¿Significa eso que recobraré el derecho a escribir, que recuperaré mis plumas?

–No puedo mostrarme tan indulgente contigo como la madre Catalina, Juana. No recuperarás tus plumas. Cada día, entre nona y vísperas, irás a mi despacho para ocuparte allí de las cuentas. Y otra cosa, Juana... No podrás publicar más libros, ni escribir cartas a nadie ni aceptar más encargos.

Juana tragó saliva. A todas luces, Andrea no había leído la última misiva de la condesa, ya que de lo contrario sabría que el segundo volumen de Juana debía publicarse en verano y con toda probabilidad circulaba ya en España.

—¿Es eso todo?

Andrea se levantó.

—Una cosa más.

—Ya me lo figuraba.

—Quiero que Belilla sea testigo de tu disciplina diaria e informe en capítulo del número de latigazos que te administras durante la semana. Entretanto, haré cuanto esté en mi mano para recuperar al padre Núñez como nuestro pastor.

—Te ruego que no me obligues a hacer eso, Andrea.

—Espero que Belilla anuncie cifras cada vez más elevadas, Juana. Nuestra pureza aumenta con cada azote. Sé que puedo confiar en que me diga la verdad.

—Pero Andrea, esto sobrepasa la humillación, es abuso mental...

—Tal vez, Juana, pero no olvides que tú has abusado de tus votos, de la confianza de la Iglesia y del amor de tus hermanas. Además, ¿qué es la humillación y el abuso mental para alguien que murió para el mundo hace tantos años y desea más que nada volver a morir?

Los ojos de Andrea centelleaban fríos como el hielo. Juana sostuvo su mirada, pero sólo durante un instante. Debía reconocer, aunque sólo fuera para sus adentros, que no le quedaba otro remedio que obedecer.

—¿En qué me beneficiará todo esto si el obispo a pesar de todo presenta mi caso ante la Inquisición? Ya sabéis cuánto le gustaría a Aguiar y Seijas verme condenada al quemadero.

—No podemos negar que te has descarriado, que has pecado, que has rebasado los límites de tu sexo y tu vocación, pero sí podemos negar la acusación de que has abandonado la fe. Debemos demostrar que no eres una hereje, Juana.

—¿También me acusan de herejía?

—Desobediencia, desafío, notoriedad, visitas ilícitas, contacto físico... Aseguran tener pruebas de todas esas acusaciones, y todas ellas se reducen a una sola realidad: que no eres fiel a vuestros votos y, por tanto, vives en apostasía. Alguien se ha empleado a fondo para recabar pruebas contra ti, y afirman que se trata de pruebas irrefutables, algunas de vuestro propio puño y letra.

No sorprendía a Juana que estuvieran al corriente de la noche que había pasado en casa de la condesa. ¿Se lo habría revelado Belilla? Sin embargo, ¿a qué se referían al decir que poseían pruebas de contacto físico? La única que podía haber revelado algo, aparte de Concepción, era Juanilla en relación con la noche en que Juana había intentado evitar que Concepción perdiera el control al saber del abandono de su madre. Sin embargo, las habladurías no eran pruebas, y a buen seguro su palabra valdría más que las murmuraciones de una criada.

—La situación es grave, Juana; por ello nos vemos obligadas a tomar medidas extremas.

—¿Y si el padre Núñez se niega a regresar?

—Si es necesario, le escribiré cada mes para suplicarle que se apiade de ti.

Andrea oprimió el hombro de Juana y la dejó sola en el salón, con la cabeza a punto de estallar por el temor. «No saben nada —intentó convencerse—. Sólo intentan apalearme para lograr mi sumisión.» Se levantó, limpió el polvo de las piezas de ajedrez con el escapulario y retó al espectro de su abuelo a una larga partida. Era la única forma de evitar ceder al miedo, la única forma de pensar con cierta estrategia.

# JAQUE

## Enero-agosto de 1693

# 30

*25 de enero de 1693*

Hija mía:

He recibido todas las peticiones de vuestra priora y no he respondido a ellas adrede, pues soy un anciano achacoso. Me falta el optimismo de la juventud y la paciencia de la madurez. Cierto es que he adquirido sabiduría, pero mi sabiduría palidece ante la desdicha que vuestras acciones infligen a mi alma, y no hallo en mi corazón compasión que me induzca a regresar a la Casa de San Jerónimo para reanudar mi labor como guía espiritual. Debo reconocer que al principio me asombró la insolencia y la audacia de vuestra solicitud, a sabiendas de que se acercan vuestras bodas de plata y necesitáis mi guía. Cómo osa, pensé, después de tanto tiempo, después del trato grosero y beligerante que dispensó a alguien que la quería bien como yo. Cómo osa creer que acudiré en su ayuda.

Ha transcurrido más de una década desde que prescindierais de mí como vuestro padre confesor, y durante todo este tiempo he visto los cimientos de vuestros pecados crecer como los pilares de Tepeaca. Desde vuestros días en palacio sois vana y soberbia, una marisabia de dimensiones flagrantes. Durante toda vuestra vida al servicio de la religión, habéis desafiado el consejo de vuestros superiores. La custodia de la Hostia, símbolo de las leyes que rigen Nuestra Santa Madre Iglesia, ha sido vuestro orinal. En lugar de cultivar fama de devota, os habéis decantado por la notoriedad del mundo. ¿Por qué entonces, me pregunto, tras haber sido tan recalcitrante y dada a la vanagloria, buscáis ahora la disciplina de mi dirección espiritual?

En verdad, pese a haber pasado muchas noches postrado ante la Cruz, rezando por hallar la gracia necesaria para perdonaros, el amargo sabor del resentimiento aún emponzoña mi paladar, los chancros de la indignación aún atormentan mi carne, la esfera oscura del enojo aún nubla mi visión.

Nada me gustaría más que quemar todas las peticiones que la madre Andrea me ha enviado desde el pasado estío y seguir adelante con mi vida, sabedor de que sois una ingrata inmerecedora de mi misericordia, sabedor también de que sólo la amenaza del destierro de la vida religiosa os ha impulsado a solicitar mi protección. La madre Andrea y el padre Nazario defienden el candor de vuestra petición. Dicen que durante el último medio año habéis realizado esfuerzos constantes y sinceros por alcanzar la purificación, pero no puedo evitar ser discípulo del escéptico Tomás.

Sin embargo, hoy conmemoramos la conversión de san Pablo, y si Jesucristo fue capaz de perdonar las terribles herejías que el santo cometió bajo el nombre de Saúl y deslumbrarlo con la luz de la auténtica fe, entonces, ¿quién soy yo para albergar rencor contra una humilde mujer?

Ahora sé que ésta es una prueba a mi profesión, tal vez la última. Dios os ha puesto de nuevo en mi camino, pues de todas las ovejas por las que he velado durante los últimos treinta años, sois la única que permanece descarriada, la única que no sólo se negó a obedecer a su pastor, sino que rechazó a todo el rebaño. Por tanto, ahora sé, hija mía, que Dios no me devolverá la claridad de visión hasta que cumpla con mi obligación respecto a vos y os vuelva a llevar al rebaño de los puros y los santos. Si bien mi vigor se ve temperado por el rencor, recuerdo el consejo que san Pablo dio a los Corintios: «La caridad encierra todas las cosas, cree todas las cosas, espera todas las cosas, soporta todas las cosas». Y así pues, en nombre de la caridad, me convertiré de nuevo en vuestro confesor.

Lo único que os pido, hija mía, antes de regresar como guardián de vuestra vida espiritual, es que hagáis voto de silencio durante los cuarenta días y las cuarenta noches de la Cuaresma para marcar en vuestro corazón el ejemplo de Jesucristo en Getsemaní. Durante ese tiempo, ingerid sólo el alimento necesario para conservar la salud y no hagáis más que meditar acerca de vuestros pecados y rogar el perdón de los mismos. De este modo y con ayuda de vuestra disciplina y purificación constantes, os prepararéis para una confesión general que será el primer paso hacia la renovación de vuestra vocación. Os exhorto a purgar vuestra memoria, al igual que purgaréis vuestro corazón y vuestra mente de los malignos humores del mundanal ruido, la desobediencia y la soberbia. Sin lugar a dudas, el arzobispo esperará de vos una demostración pública de arrepentimiento y renovación en Cristo. Por tanto, añadiré vuestro nombre a la lista de pecadores que tomarán parte en las procesiones de Corpus Christi ataviados con el saco del penitente, para así ayudaros a expiar las vergonzosas infracciones contra la Regla que habéis cometido desde vuestro ingreso en el convento. Asimismo, os ordeno agregar veinte latigazos a vuestra disciplina diaria, ya que sólo a través de la mortificación diligente, la renuncia genuina y la penitencia perpetua enterraréis vuestro nombre mundano y vuestra indecente reputación por siempre jamás. Si sangráis en vuestra disciplina, y deberíais sangrar, en memoria de Jesús, que derramó su sagrada sangre por vos, pensad en ello como la redención de los pecados, pues el pecado es la manifestación más pérfida de la enfermedad espiritual. El lunes después de Pascua emprenderemos la difícil tarea de vuestra salvación.

Vuestro padre espiritual,

Antonio Núñez de Miranda, S. J.

Juana sacó un cigarro de la cigarrera y lo encendió con una ramita del brasero. Le temblaba la mano y se vio obligada a entornar los ojos para guiar la llama hasta su destino. Sentía el cerebro como hecho añicos en el cráneo.

—¿Qué haréis, tía? —inquirió Belilla, sentada a la mesa de la cocina mientras doblaba la carta.

Juana dio una chupada al cigarro y exhaló el aire despacio, sintiendo el escozor en los ojos que siempre la acometía en los primeros instantes.

—¡Quiere que me convierta en el hazmerreír de todos! —exclamó mientras se paseaba entre la puerta de la cocina y el salón—. ¡Valiente guía espiritual!

Belilla desdobló otra vez la carta y la releyó.

—¿Os ayudaría el virrey?

—¿«El Cornudo», como lo llaman? Sé razonable, Belilla. Su ayuda no haría más que acelerar mi caída. No volveré a confiar en ningún virrey.

—Al menos el padre Núñez no ha rechazado vuestra solicitud, tía.

—Sí, pero observa qué solaz me ofrece. Ayuno, sangre, humillación pública... Pretende que todos se burlen de mí, ya lo verás.

Dio varias chupadas rápidas al cigarro para aliviar la tensión que le atenazaba la garganta. ¡Tantos años, pensó, tantos subterfugios para acabar en un escándalo público! Apuró el cigarro y arrojó la colilla al brasero.

—¿Cómo puedo ayudaros, tía? No soporto veros tan trastornada.

Juana meneó la cabeza, conteniendo el impulso de gritar a su sobrina que dejara de acribillarla a preguntas. Debía pensar, idear una estrategia, recobrar la seguridad en sí misma. Ya había cometido el error de ceder al miedo y permitir que Andrea escribiera al padre Núñez. Como consecuencia de ello, se veía obligada a soportar aquella invectiva, aquella amenaza contra su existencia. En lugar de salvarla de la desgracia que representaba la expulsión de San Jerónimo, el padre Núñez proponía la purga pública en un sambenito, rodeada de pervertidos y zaramullos. Encendió otro cigarro y siguió paseándose.

—... de la condesa —decía Belilla.

—No puedo implicar a la condesa en esto, ¿acaso no lo comprendes? Si ella no hubiera organizado la publicación de mis libros, nada de esto habría sucedido. Sólo le entregué el material que me pidió porque dudaba de que ningún impresor español estuviera dispuesto a perder el tiempo con los borrones de una monja de ultramar. ¡Y ahora ya se han publicado dos volúmenes y la tercera edición del primero! ¡No es de extrañar que me odien!

—También habéis publicado otros escritos, tía.

—Pero ninguno de ellos es una recopilación de trabajos ni se ha publicado en España. No son más que villancicos y loas de difusión local y poca resonancia más allá de los círculos religiosos.

—No olvidéis los villancicos a santa Catalina, la *Carta atenagórica* y esa comedia que escribisteis para don Fernando. No os hacen ningún bien.

Juana golpeó el suelo con el pie.

–¡*Carta atenagórica*, «la décima musa»! Con tantas alusiones griegas, no me sorprende que me consideren más pagana que católica. ¡Pero si los títulos ni siquiera son obra mía!

Aplastó la colilla del segundo cigarro contra el costado el brasero. En aquel momento, las campanas llamaron a sexta.

–¿Qué vais a hacer?

–Por el momento, sólo puedo hacer una cosa, ir a sexta. Acompáñame, Belilla. Cuando volvamos preparé el almuerzo; ya sabes que pienso con mayor claridad cuando cocino.

–He prometido almorzar con sor Melchora. Cree que debo hacerme cargo de la enfermería porque, al parecer, sor Gabriela se ha vuelto muy olvidadiza.

«Mejor –pensó sor Juana–; de ese modo podré concentrarme en la estrategia que debo seguir con el padre Núñez.»

–Pero cuidado con lo que le dices, Belilla. Esa Melchora siempre guarda un as en la manga. No menciones la carta del padre Núñez; de todo modos, estoy convencida de que ya la ha leído.

Se prendieron los escudillos en los escapularios y salieron a toda prisa de la celda. Juana había adquirido el hábito de cerrar con llave siete veces al día. Desde que vendiera a Juanilla, no había aceptado ninguna criada que viviera con ella por temor a que Melchora le asignara a una de sus paniaguadas, pero aun así desaparecían cosas, señal de que alguien registraba sus notas y papeles. Se trataba de una conspiración, sin lugar a dudas. A veces sospechaba incluso de Belilla.

En el claustro tropezaron con una bandada de ocas que campaban a sus anchas entre los árboles desde que el último decreto del arzobispo prohibiera también la presencia de gatos en el convento. De todas partes llegaban hermanas, algunas de las aulas, otras del refectorio, la enfermería y la sala de música, muchas de la sala de costura, las novicias del huerto y la lavandería, Melchora, Agustina y sus sicofantes de la sala capitular... Todas pasaban junto a ellas como si fueran invisibles. Sólo la anciana sor Clara, la hermana portera, se molestó en dirigirles la palabra mientras cojeaba tras ellas, apoyándose en su bastón. Juana se apartó para que la anciana entrara en la iglesia antes que ella.

–¿Obedeceréis al padre Núñez? –preguntó Belilla en un susurro.

–No me queda otro remedio –repuso Juana en voz igual de baja al tiempo que estiraba el cuello para asegurarse de que no las seguía nadie, pero como de costumbre, eran las últimas de la fila–. Sin embargo, existen posibilidades de subversión incluso en la sumisión, Belilla.

Belilla le asió la mano.

–Oh, tía, temo por vuestra vida cuando habláis así.

–Tonterías. Teme por mí si me someto a algo sin resistencia alguna; he ahí la verdadera medida de mi derrota. Y ahora calla antes de que nos reprendan.

Belilla se sentó al fondo del coro, con las monjas más jóvenes, mientras Juana se dirigía a su asiento en la segunda fila, consejo de gobierno. Una de las pocas ventajas de haber sido tesorera de San Jerónimo durante tantos años era gozar de un asiento permanente más cómodo junto a la reja. Desde allí veía la puerta que daba al patio y más allá, la calle. ¡Cómo soñaba con aquella calle, imaginando una vida sin habitaciones, campanas ni superioras!

–*Deus in adjutorium meum intende* –entonó, aunque mentalmente ya estaba demoliendo los argumentos que el padre Núñez esgrimía en la carta.

Núñez de Miranda pretendía hacerla ayunar y meditar sobre sus pecados durante la Cuaresma, pero más que ser una purga, el ayuno debía prepararla para una confesión general seguida de una exhibición pública de penitencia por Corpus Christi. ¿Y si, en lugar de la penitencia pública, se ofreciera a redactar un documento público, una crónica de pecados que pudiera distribuirse por todo el virreinato? ¿No constituiría eso una humillación mucho más efectiva y universal que un solo día de castigo físico? La mera lógica provocaría la intriga necesaria para lograr que Melchora le devolviera las plumas y el papel, que llevaba más de un año sin ver y, a buen seguro, el padre Núñez no desdeñaría la oportunidad de difundir una crónica de sus pecados de su propio puño y letra. Tal vez incluso estaría dispuesto a interceder por ella ante el arzobispo, pues los útiles de escritura le habían sido confiscados por decreto de Su Ilustrísima. Se le ocurrió otra idea; mataría dos pájaros de un tiro utilizando ese mismo documento como confesión redactada durante sus cuarenta días de silencio. Conocía bien la forma confesional que generaciones pasadas de monjas habían perfeccionado, el sublime arte de autodegradación, el delicado equilibrio entre la revelación total y la sinceridad modesta, los hambrientos ojos del observador.

No esperó a Belilla al término del oficio, sino que corrió en busca de Andrea para hablarle del mejor modo de cumplir los deseos de su confesor.

–Ah, Juana, buenas noticias –la saludó Andrea con una sonrisa franca–. El padre Núñez ha accedido a ser de nuevo tu confesor.

A poca distancia de ellas caminaban Agustina y María de San Diego, una recién iniciada en el grupo de las interesadas que, según se rumoreaba, era los ojos y los oídos de Melchora.

–Gracias a Dios que ha decidido mostrarse caritativo conmigo –murmuró Juana, percibiendo que se ruborizaba bajo el griñón.

Si alguien sabía cuán poco confiaba en el padre Núñez, era Andrea. Sin embargo, no cesaba de amonestarle por sucumbir a las tentaciones de la esfera terrenal, como fumar y hablar.

–Me gustaría contestar al padre Núñez esta misma tarde, a ser posible –anunció Andrea–. ¿Serías tan amable de ayudarme? Ya sabes que no se me da muy bien el arte de escribir cartas.

–En realidad, de eso precisamente quería hablar con vos –señaló Juana–. ¿Me acompañáis a dar un paseo por el huerto? –Dicho aquello se volvió hacia las monjas que escuchaban la conversación–. A solas, por una vez.

Andrea la miró de soslayo y contuvo una sonrisa.

–Sor Agustina, sor María, si no os importa, hoy había prometido a sor Carmela dar clase a las novicias, pero esta carta al padre Núñez reviste vital importancia, de modo que tal vez pueda convenceros de que me sustituyáis.

Las vigilantas se miraron un instante y por fin asintieron con ademán brusco.

–¿Cuál es el tema de la lección, madre? –masculló Agustina entre dientes.

–La disciplina, hermana, vuestra especialidad.

–¿Debo ir yo también, madre? Si la clase versa sobre la... –empezó María.

—Por supuesto, hermana. La disciplina es el ámbito de las vigilantas. Las novicias deben conocer también vuestras opiniones al respecto. Os lo agradezco muchísimo.

Andrea y Juana se encaminaron al huerto, y Juana no pudo por menos que oprimir el brazo de su amiga en señal de gratitud.

—¿Qué sucede, Juana?

—Aún no; ya sabes que incluso los árboles tienen oídos en este lugar.

Juana condujo a Andrea a la capilla del cementerio, cuyo interior fresco y umbrío olía a piedra húmeda. Antes de hablar, se cercioró de que no había ninguna monja acechando en las adelfas que rodeaban el edificio, y por fin se sentó junto a Andrea en el único banco aún servible de la capilla.

—Andrea, tienes que ayudarme —urgió—. La penitencia pública que sugiere el padre Núñez será mi final, lo sé. Jamás lograré superar semejante ultraje.

—¿Qué puedo hacer, Juana? Tengo las manos atadas. Tú misma te has granjeado el castigo.

«Mantén la calma —se dijo Juana—; de nada te servirá enfrentarte a tu única amiga.»

—No pretendo eludir mis responsabilidades y sé que me he ganado el castigo, pero ello no significa que desee convertirme en el hazmerreír de Nueva España. Sabes muy bien que eso es precisamente lo que pretenden lograr.

—Al menos están dispuestos a brindarte otra oportunidad, Juana. Cualquiera de nosotras ya habría acabado en el cadalso.

—Si pudiera escribir una confesión durante la Cuaresma, el padre Núñez podría entregársela al arzobispo y publicarla, por lo que a mí respecta, al igual que publicaron mi crítica a Vieyra. Eso satisfaría su deseo de humillarme en público y me daría ocasión de defenderme... sin que ellos lo supieran, por supuesto.

—No se trata de una defensa, Juana, ni de un certamen. Tienes toda la razón; desean verte castigada en público. De nada servirá intentar burlar sus intenciones. Acepta el castigo y da gracias de que sea lo único que te imponen.

Por supuesto, Andrea estaba en lo cierto, pero Juana no soportaba la idea de convertirse en un espectáculo. Ella, que había pasado toda su vida pugnando por granjearse el respeto de sus iguales, que había demostrado una y otra vez su excelencia a quienes se consideraban más inteligentes en virtud de su sexo, que había mantenido correspondencia con virreyes, virreinas y obispos, que había publicado tres libros y tenía fama de ser la décima musa y única poetisa de América, segunda erudita más destacada de México tras don Carlos de Sigüenza y Góngora, aclamada por cortes y clero, ¿cómo podía permitir tamaña humillación?

—Que me castiguen hasta el día del Juicio Final si así lo desean, Andrea, pero al menos déjame conservar cierta dignidad.

—¿Es dignidad o vanidad lo que pretendes conservar?

—Por el amor de Dios, hablas como el padre Núñez.

—Has sido célebre en Nueva España durante veinticinco años, Juana; ahora ha llegado el momento de honrar el velo y los votos. Me prometiste cooperar.

Juana se levantó con los puños apretados y empezó a pasearse por la capilla, cuya tarima casi hueca crujía a cada paso que daba. Del otro lado del muro del convento le llegaba el bullicio de la calle que conducía al barrio indio. Una mujer vendía dulces y un hombre vociferaba los nombres de los pájaros enjaulados con los que comerciaba. De repente recordó una conversación que había sostenido largo tiempo atrás acerca de la jaula que era el destino de toda mujer. ¿Con quién había hablado de ello? Ah, sí, con Concepción. Advirtió que se ruborizaba en la penumbra. El destino es la jaula en la que toda mujer nace, había dicho, y ahí estaba, una década más tarde, demostrando su propio argumento.

—Te ruego que te sientes, Juana, empiezas a marearme.

Juana se detuvo, se apoyó contra el altar de piedra con la mirada clavada en Andrea e intentó apelar por última vez a su amistad.

—Recuerdo que durante la toma de velo prometimos protegernos mutuamente por siempre. ¿Vas a ayudarme en nombre de esa promesa, Andrea, o pretendes presenciar cómo me marchito en esta jaula de locos que me están construyendo?

Andrea se miró las manos y deslizó el anillo de oro por su dedo con ademán nervioso.

—En la toma de velo —musitó sin dejar de mirar el anillo—, creía que eras mi amiga del alma. Puesto que, aparte de mí, eras la única que profesaba de forma voluntaria, te consideraba tan consagrada como yo al deber de servir a Jesucristo. Sabía que adolecías de ciertas vanidades, aun entonces, pero creía que la vida de oración y devoción que habíamos elegido te ayudaría a superarlas, de modo que jamás te reproché nada. Pero a partir de entonces, cada una siguió su camino. Mientras tu recibías en el locutorio, yo rezaba novenas en mi celda. Mientras tú componías poemas, villancicos y obras de teatro, yo cosía mantillas con las demás, impartía clases y guardaba vigilias. Mientras tú acumulabas aliados políticos, yo ayunaba y me flagelaba para combatir la envidia y el engreimiento. Yo he recorrido el camino de la purificación mientras tú ascendías por la escalera de la prosperidad. Has subido cuanto has podido, Juana. Tu única posibilidad de permanecer en el convento pasa por someterte a la Regla. De lo contrario, serás como Ícaro e intentarás fabricarte unas alas de cera, pues una confesión escrita no sería otra cosa, una falsa huida, un objeto que se derretirá al calor de su escrutinio.

Juana sintió un nudo en la boca del estómago y deseos de llorar por la exasperación.

–También yo he impartido clases –replicó, incapaz de contener el enojo–, y todas las piezas públicas que he escrito a lo largo de mi vida, cada villancico, loa y drama, el arco triunfal, la carta sobre el sermón, la respuesta el obispo... todas ellas fueron encargos o réplicas inducidas por otras personas, y casi todas han reportado beneficios considerables al convento, por si lo habías olvidado.

–Tus libros no han reportado al convento más que vergüenza.

Juana apartó la mirada de Andrea y echó un vistazo al huerto, donde dos criadas recogían cítricos. Le convenía bajar la voz.

–¿Y qué me dices del prestigio? ¿Qué me dices de las dotaciones que hemos recibido precisamente porque las familias de las novicias han visto mi nombre y el del convento en la primera página de esos libros? ¿Cómo si no habríamos obtenido el patrocinio de las familias más acaudaladas de España y Perú, que nos han ayudado a recobrarnos del hambre y la destrucción? De no ser por la popularidad de esos libros, nuestras granjas seguirían hipotecadas y nuestros tejados se caerían a pedazos. La pureza y la santidad no son los únicos atributos que iluminan una orden religiosa, Andrea. ¿O acaso ignoras que, mientras tú guardas vigilia y te flagelas en busca de la perfección, Melchora, Agustina y Rafaela urden intrigas políticas contra ti y contra mí?

—Es cierto, Juana —reconoció Andrea a su espalda—. Tu fama ha traído riqueza a San Jerónimo en muy poco tiempo, pero ¿qué me dices de tu alma? ¿Acaso nada te importa la salvación? ¿Es que el mundo te absorbe a tal extremo? He aquí las preguntas del arzobispo. Vistes hábito de religiosa, pero no muestras inclinación religiosa alguna, sólo ambición de fama y prestigio.

—Vivimos en mundos distintos, Andrea. No puedo esperar que comprendas mi postura.

—Mírame, Juana.

Cuando sus ojos se encontraron con los de Andrea, Juana intentó disimular el repentino temor que se había adueñado de ella. Si lograba fingir que Andrea no era más que otra enemiga, no perdería la compostura ni prorrumpiría en desgarrados sollozos.

—¿Qué quieres que haga, Juana?

Se le nubló la vista y la apartó de Andrea, meneando la cabeza.

Andrea se acercó más a ella y le apoyó una mano en el hombro. El mero hecho de tocar a una hermana en Cristo ya constituía una violación de la Regla.

—Pese a todo lo que he dicho, aún te quiero, Juana. Sé cuán difíciles serán los próximos meses. Dime qué puedo hacer para aliviar tu carga.

Juana experimentó el impulso de arrojarse en brazos de Andrea, pero no podía exteriorizar más debilidad. Cruzó los brazos con fuerza bajo el escapulario y se obligó a no volverse. Andrea le estaba demostrando su piedad, y debía utilizarla en su propio beneficio.

—Devuélveme los útiles de escritura —pidió—. Es lo único que pido.

Andrea retiró la mano de su hombro.

—Hablaré con el padre Nazario y pediré permiso al arzobispo —le prometió—. Si me lo concede, tu deseo se verá cumplido. Quiero que vayas a mi celda después de nona y me ayudes a redactar la respuesta al padre Núñez. Y no olvides que mañana celebramos la festividad de santa Paula. Querría que cantaras en su honor durante la misa mayor.

Juana intentó dar las gracias a Andrea, pero el nudo que se le había formado en la garganta casi le impedía respirar, y su amiga ya salía de la capilla. Juana quedó rezagada unos instantes y la siguió con la mirada hasta que desapareció entre las sombras moteadas del huerto. Desde el otro lado del muro le llegaron los gritos de un mulero azuzando a sus bestias. Más allá de aquellos muros de tezontle, pensó, la gente se ocupaba de sus asuntos como de costumbre, mientras su mundo entero se rompía en pedazos. Por el rabillo del ojo vio el destello anaranjado de una mariposa monarca que levantaba el vuelo desde las adelfas. Se acercaba el momento de que las monarca abandonaran México. Nunca había escrito sobre ello, nunca había descrito la imposible belleza de una bandada de mariposas anaranjadas y negras migrando hacia el norte. Por un instante consideró la posibilidad de sacar el estuche de escritura de su escondrijo, adonde lo había devuelto tras el último registro que Melchora realizara en su celda, pero decidió esperar hasta después de completas, cuando pudiera asegurarse de que nadie la veía.

Andrea había sido muy perspicaz al pedir su ayuda después de nona, pues durante aquellas cuatro horas anteriores a vísperas llovía, y sin sus cuadernos y plumas, la lluvia le producía una melancolía difícil de soportar. Al regresar de su almuerzo con Melchora, Belilla anunció que la vicaria le había hablado del próximo año electoral y preguntado si le interesaría presentarse al cargo de asistente de maestra de novicias.

—¿Sólo quería hablar de eso? Falta un año para las elecciones y, además, creía que te convertirías en la enfermera.

—También yo —convino Belilla con un encogimiento de hombros—, pero por lo visto tiene otra candidata en mente para ese puesto.

—¡Qué ridiculez! Llevas años estudiando con Gabriela. Que ella sea la asistente de la supervisora. ¿Te ha preguntado algo sobre mí?

—Ha sacado a colación el tema de la carta, tía, pero le he dicho que no se me permitía hablar de ella.

—¿Por qué le has dicho eso?

—Porque eso fue lo que me ordenasteis.

—Pero no para que lo repitieras, Belilla. Si pretendes participar en la vida política del convento, debes aprender a callar, sobre todo cuando se trata de asuntos privados que yo te cuento.

—Perdonadme, tía, no sabía que...

—¿Qué ha dicho acerca de la carta?

—No gran cosa, tía. Sobre todo se ha referido al padre Núñez y ha dicho que su vista debe de ser más precaria aún de lo que imaginaba.

Juana sintió deseos de zarandear a su sobrina.

—Esfuérzate por no ser tan lerda, Belilla. ¿Acaso no ves que habla en acertijos? No se refería a la salud del padre Núñez, sino a su capacidad de discernimiento.

—Ah... Entonces, ¿lo critica por su decisión de volver a ser vuestro confesor?

«Excelente deducción», pensó Juana.

—No quiero que vayas más a su celda, Belilla. No comprendes cuán peligrosa y artera es, y a todas luces no estás preparada para manejar sus insinuaciones.

La barbilla de Belilla temblaba; bajó la mirada hacia la cesta de bordado que había traído de la sala de costura, y Juana advirtió que sus pestañas rubias estaban mojadas por las lágrimas. Resopló exasperada y subió a descansar.

—No olvides fregar los platos —avisó desde el rellano.

Añoraba más que nunca a Concepción, su sentido común y su capacidad de desenmascarar las hipocresías de las monjas.

Estaba enojada cuando llegó a las dependencias de Andrea para escribir la carta al padre Núñez, pero logró contenerse al comprender que Andrea no tenía intención de redactar la misiva. Se sentó a la mesa de la madre superiora y cogió con cariño la única pluma. Si bien no era más que una sencilla pluma de pavo, descuidada y de punta quebradiza, era la primera que Juana sostenía entre los dedos desde hacía más de un año, y se sentía como si le hubieran devuelto una parte de sí misma, un apéndice perdido que encajaba a la perfección en la curva de su mano. Cuando las primeras gotas de tinta le mancharon los dedos, experimentó la sensación de que recibía una transfusión de su propia sangre.

—Debes redactarla como si fuera obra mía —advirtió Andrea.

—Tendrás que copiarla; el padre Núñez conoce mi caligrafía.

—Pon la fecha de mañana, Juana. Tal vez santa Paula interceda por ti. Necesitas toda la ayuda del mundo.

Juana frunció el ceño, pero guardó silencio y se abandonó a la voz que latía en su interior.

*26 de enero de 1693*

Reverendo padre:

Con una humildad sin precedentes, el día de la festividad de Santa Paula, patrona de nuestra Santa Casa de San Jerónimo, nuestra oveja descarriada, sor Juana Inés de la Cruz, reconoce la extrema generosidad de vuestra decisión de convertiros de nuevo en su confesor, pese a no ser merecedora de ello. Asimismo acepta vuestro sabio consejo, vuestra exhortación a purgar de su mente y alma de todo pecado. Sin embargo, puesto que piensa con mayor claridad esgrimiendo una pluma y desearía aprovechar los cuarenta días y noches de penitencia silenciosa para narrar la crónica de sus pecados, me ha rogado que solicite la devolución de sus útiles de escritura con este único fin. Plasmará cada detalle de su confesión sin sucumbir a los ejemplos vagos aunque subjetivos que empleó en su procaz respuesta a la sabia sor Filotea, ciñéndose por entero al escrutinio objetivo de una vida sometida a examen, pues como decía Aristóteles, «una vida que no se somete a examen no merece ser vivida».

Tal vez decidáis, tras leer tan miserable crónica, que la vida quedó desperdiciada en su ser, y según ella misma afirma, ello constituiría una conclusión caritativa en el caso de una persona tan repulsiva como es ella. Sabedora de la imposibilidad de relatar todas y cada una de las infracciones cometidas durante el cuarto de siglo transcurrido desde que pronunciara los votos y los veinte años precedentes, limitará sus ejemplos a las ocasiones más flagrantes en las que su nefasta inclinación, esa pasión por el conocimiento, se ha puesto de manifiesto en el destino y la naturaleza de Juana Inés Ramírez de Asbaje, a fin de poder olvidar esa vida para siempre y recobrar la vocación cual difunta resucitada en la pureza de la Regla.

Así pues, apreciado padre Núñez, por la gracia de la Inmaculada Concepción, y bajo la guía de nuestros Padres, san Jerónimo, san

José y san Judas, sor Juana aguarda el inicio de la Cuaresma para comenzar su infame narración, símbolo de su más sincera penitencia. Por supuesto, no empezará su humillante tarea hasta que recibamos autorización del arzobispo.

Siempre vuestra fiel seguidora,

Sor Andrea de la Encarnación
Priora de San Jerónimo

El Miércoles de Ceniza, el propio padre Núñez trazó la señal de la cruz con ceniza sobre la frente de Juana.

—Reverendo padre —murmuró ella, olvidando el voto de silencio que el sacerdote le había impuesto.

Cayó de rodillas y alargó la mano para tomar la del padre a través de la reja del coro. El cura había envejecido y adelgazado de tal modo en la década que llevaba sin verlo que parecía un esqueleto ataviado con hábito de jesuita. Sus nudillos sobresalían como guijarros afilados, y la piel moteada de su mano se le antojó apergaminada al besarla. La acometió un inesperado sentimiento de ternura. ¿Por qué no la había avisado Andrea de que acudiría?

—De las cenizas venimos y a las cenizas volvemos —fue cuanto dijo el padre Núñez, rozando con su pulgar manchado de hollín la frente de Juana hasta llegar al puente de la nariz y los párpados cerrados.

Juana no volvió a verlo hasta el Domingo de Ramos, cuando ataviado con la túnica pascual dijo misa en la iglesia y bendijo las frondas de palmera de toda la congregación. El Jueves Santo, con ayuda del padre Nazario, lavó los pies a las monjas en el coro inferior, y acto seguido Juana, con una devoción que a ella misma le sorprendió, le quitó las sandalias y le lamió las suelas de los pies, que estaban secos y olían a callos y piedra caliza.

Su primera confesión con él tuvo lugar el Viernes Santo, y en su transcurso habló como era debido de sus infracciones. Vanidad, impaciencia, melancolía... El padre Núñez la absolvió con una penitencia leve, pero no reveló si había obtenido permiso para escribir la crónica. La segunda confesión se desarrolló del mismo modo, al igual que la tercera y la cuarta. El padre Núñez la escuchaba en absoluto silencio y le imponía la penitencia correspondiente, pero no mencionaba si recuperaría el privilegio de la escritura o le devolverían las plumas para que pudiera redactar su confesión general. Juana no se veía capaz de preguntárselo, ya que ello se parecería demasiado a una súplica. Andrea no le restituiría nada sin el consentimiento del arzobispo, pero a veces, inexplicablemente, salía de su despacho mientras Juana repasaba los libros de cuentas.

En tales ocasiones, Juana no perdía el tiempo. Vertía un poco de tinta en un vial que había sacado de la enfermería, escondía una pluma en el bolsillo, cogía una hoja en blanco de la pila que había sobre el escritorio de Andrea y se la guardaba entre las páginas de uno de sus libros. Más tarde, después de completas, de que la campana anunciara el toque de queda y de cerciorarse de que Belilla dormía, Juana se encerraba en el estudio gélido e iluminado sólo por una vela, y se ponía a escribir. Debía ser muy sucinta y tomar apuntes concisos en extremo, abreviando cuantas palabras podía, pero a veces cedía al deseo implacable de permitir que la pluma se deslizara por la página, que la tinta fluyera como agua o sangre, sin límite alguno. Era un sentimiento muy parecido a la bendición.

# 31

—Pero tía —protestó Belilla—, os han prohibido escribir.

—No estoy escribiendo nada, Belilla, estás escribiendo tú. Es la segunda carta de la condesa que no he podido contestar. Debo decirle que deje de escribirme, que están utilizando sus cartas contra mí, y puesto que yo no puedo hacerlo, necesito que tú le escribas por mí. También tengo que darle las gracias por el *Segundo volumen*. Y no recibirá la misiva hasta Navidad...

—Sólo lo haré esta vez, tía. Por favor, no volváis a pedirme que comprometa mis votos.

—Escúchame bien, sor Isabel. No habrías pronunciado los votos de no ser por mi influencia, así que no te hagas la virtuosa conmigo. Tengo asuntos que atender en el mundo exterior, lo aprobéis o no tú, Andrea o el mismísimo Dios, y necesito tu ayuda. ¿Acaso cuando precisabas que te procurara la dote y te costeara la toma de velo te dije «sólo por esta vez, Belilla, no vuelvas a pedirme ayuda»? ¿Te dije «hasta aquí hemos llegado, sólo te querré hasta este punto»?

—De haber sabido que me vería obligada a mentir por vos, a desobedecer por vos, habría ido a otro convento, tía.

—¿Cuándo has mentido por mí? ¿Acaso porque no te permití que presenciaras mis flagelaciones? Escuchabas desde el otro lado de la puerta, ¿no es cierto? Contabas cada uno de los azotes.

—Yo no deseaba presenciarlas, me lo ordenaron.

—Tú no deseabas presenciarlas, y yo no deseaba que las presenciaras. Lo importante es que sabías que me flagelaba y podías presentar tu informe cada semana.

—Pero me ordenaron ser testigo de la disciplina, tía.

—Los ojos no son los únicos testigos, y además, ¿dónde se ha visto que una sobrina dé testimonio contra la hermana de su madre? No era más que otra forma de torturarme, de humillarme. ¿Era eso lo que querías?

—Hice voto de obediencia, tía, y vos también.

Sin poder contenerse, Juana abofeteó a Belilla en el rostro, no una, sino dos veces. «Ingrata —la vituperó—, traidora, imbécil, maldita imbécil.» Se arrepintió de inmediato, pero el daño ya estaba hecho. Belilla salió a toda prisa de la celda, cubriéndose el rostro con las manos. Acometida por la furia, Juana había arrugado la misiva de la condesa en el puño. Una vez a solas, alisó el papel perfumado y contempló la amada caligrafía.

Querida Juana:

Nada sé de ti desde que me enviaste aquellos intrépidos villancicos en honor de santa Catalina. Tu valor no deja de asombrarme. Aun en medio de las intrigas que bullen a tu alrededor como el agua del chocolate, logras componer villancicos y poner de relieve a figuras históricas como Catalina de Alejandría. Comprendo la razón por la que crees tener tantas cosas en común con ella, pero la ironía, por supuesto, reside en que ella sufrió persecuciones por ser cristiana, mientras que a ti te persiguen los cristianos. Escríbeme, Juana, pues necesito conocer tu opinión acerca del *Segundo volumen de las obras de sor Juana*. Sé que es un título carente de imaginación en comparación con el que di al primer volumen, pero creo que ya ha quedado consolidada tu reputación como décima musa y Fénix de México, y el propósito de este segundo volumen es demostrar la diversidad de tus talentos y la amplitud de tu intelecto. No se trata sólo de una antología de poemas, Juana, sino que es una recopilación de tus más excelsas obras eruditas... ¿Puedo llamarlas finezas, en honor de Vieyra? No veo el momento de saber qué opinión te merece el libro. Privada de la compañía de Tomás (descanse en paz) y

494

con José en manos de sus preceptores, aún echo más de menos a mi Juana.

Impacientemente tuya,

María Luisa
*28 de marzo de 1693*

Unos contundentes golpes en la puerta arrancaron a Juana de su melancolía. Guardó la carta de la condesa en el compartimento secreto de su escritorio y corrió al salón para abrir la puerta. La sorprendió ver al padre Núñez. Lo flanqueaban Andrea, que exhibía una expresión compungida, y Melchora, en cuyo rostro se pintaba una sonrisa maquiavélica.

—Reverendo padre —saludó con una genuflexión mientras el nerviosismo se apoderaba de ella, pues por lo que sabía, ningún sacerdote había puesto jamás los pies en el claustro—. Entrad, os lo ruego.

El padre Núñez cruzó el umbral y trazó la señal de la cruz ante el rostro de Juana.

—Vengo en nombre de la Santa Inquisición —anunció con voz más ronca que nunca.

Por entre los tenues mechones de su cabello negro, Juana vio chancros escariosos en el cuero cabelludo. Su sotana despedía un penetrante olor a naftalina.

—¿En qué puedo serviros, padre? —preguntó.

—Vengo a expurgar vuestra biblioteca, Juana Inés de la Cruz, por orden del arzobispo.

Juana aferró la tela del hábito y lanzó una mirada a Andrea, que mantenía la vista clavada en el suelo del salón. Melchora cruzó los brazos bajo el escapulario y entornó los ojos como un lagarto.

Debería haberlo supuesto.

—¿Expurgar mi biblioteca, padre? Pero ¿por qué razón?

—Tenemos pruebas de que obran en vuestro poder libros prohibidos.

—Le he dicho que eso es absurdo, Juana —habló Andrea—. ¿Cómo podrían obrar en tu poder libros prohibidos? Os han informado mal, reverendo padre.

—El *Índice* se modifica con tal frecuencia que cualquier podría poseer textos prohibidos, madre. Por ejemplo, si tenéis una edición antigua del *Quijote*...

—No habrán prohibido a Cervantes —atajó Andrea.

—No el libro en su totalidad, y desde luego no las ediciones más recientes, pero en todas las ediciones anteriores a 1640 se ha suprimido una frase de un capítulo de la segunda parte. Si encontrara una edición antigua en vuestra biblioteca, Juana, me vería obligado a dar parte.

—¿Una frase? —repitió Juana—. ¿De qué frase se trata?

El corazón le latía desbocado. En la habitación contigua tenía un montón de libros de contrabando sobre la mesa, todos ellos obsequio de don Carlos. El primero era *Dialéctica*, de Abelardo, sobre la naturaleza de la verdad y la razón, salpicado de numerosas notas al margen. Bajo él se hallaban los cuatro diálogos de Platón sobre el juicio y la ejecución de Sócrates; y para infundirle ánimos, *Lisístrata*, de Aristófanes, a fin de recordarle que la victoria sobre las leyes de los hombres no era fruto iluso de su imaginación, sino que tenía antecedentes en la Antigüedad. Llevaba toda la semana consultando aquellos textos e intentando memorizar los pasajes más significativos, que pretendía utilizar como comentarios adicionales en su crónica de pecados si alguna vez le concedían permiso para redactarla.

Melchora escudriñaba el brasero por encima del brazo del diván.

—Catorce palabras, para ser exactos —explicaba en aquel instante el padre Núñez—. Tal es el rigor con que la Santa Inquisición desempeña sus obligaciones. Como censor del Oficio, por supuesto, he realizado numerosos expurgos, pero hace ya años que no efectúo ninguno, desde que padezco estas cataratas.

—¿Puedo ayudaros en algo, padre? —propuso Melchora.

Juana le lanzó una mirada furibunda.

—A decir verdad, os lo agradecería sobremanera, hermana. Necesito que alguien sea mis ojos y me lea en voz alta los títulos de los libros.

—Yo puedo hacerlo, padre —se apresuró a sugerir Juana,

—Eso no está permitido, Juana. Debéis retiraros de la celda durante el expurgo. La hermana Melchora me asistirá.

—¿Adónde debo ir, padre? ¿Y qué me decís de Belilla, quiero decir, sor Isabel?

—Vuestra sobrina permanecerá aquí con nosotros. La madre Andrea os llevará a una celda privada hasta que terminemos nuestra tarea.

—¿Os referís a una mazmorra?

—Por supuesto que no, Juana —terció Andrea—. Esperaréis en mi celda.

El padre Núñez la miró con el ceño fruncido.

—Lo esencial es que salga de aquí. Llevadla adonde gustéis, madre, pero cuidaos de implicar vuestra alma en sus pecados.

—¿Qué hay de mi crónica, padre?

—El arzobispo ha denegado vuestra petición —repuso el sacerdote.

El temor le cerró la boca del estómago como un nudo cruel.

—No lo comprendo —farfulló—. Ni siquiera puedo pensar sin mis útiles de escritura.

—No volveréis a escribir —espetó Melchora—. Nunca.

—Pero padre...

—Una vez completado el expurgo, vuestra confesión tendrá lugar el día de Santiago —anunció el padre Núñez—, en las dependencias de la Inquisición... a puerta abierta.

—Pero padre...

—Nada podemos hacer, Juana, más que someternos a la voluntad del arzobispo —la interrumpió el confesor.

—No lo comprendo —repitió Juana con voz quebrada—. ¿Por qué soy objeto de semejante persecución, padre? ¿Es ésta la prueba que debo arrostrar para renovar mis votos?

—¡Hipócrita! —siseó Melchora—. ¡Mirad esto! —exclamó al tiempo que introducía la mano en el brasero y sacaba una colilla—. ¡Mirad esto, Vuestra Reverencia! —La alargó al sacerdote, pero éste no la cogió—. Para colmo de todos los males, fuma. ¿Os parece una conducta digna de una esposa de Cristo, padre?

La vicaria volvió a arrojar la colilla al brasero.

El padre Núñez meneó la cabeza.

—Todo el mundo tiene razón, Juana. Os habéis mostrado harto rebelde y negligente respecto a vuestra profesión.

—Creo que Juana es consciente de los agravios que ha infligido a nuestra profesión, Vuestra Reverencia —intervino Andrea—, y me consta que su arrepentimiento es sincero...

—Oh, sí, muy sincero —se mofó Melchora.

—En efecto, hermana vicaria, a mi parecer, lo es. A lo largo del último año, todas hemos sido testigos del progreso de su purificación. Tengo la absoluta seguridad de que nada desea más que continuar al servicio de Dios y de que no escatimará esfuerzos para granjearse ese privilegio.

—Sois afortunada al contar con una madre superiora tan devota, Juana —señaló el padre Núñez—. Entre ambos deberíamos ser capaces de garantizar vuestra salvación. ¿Qué es un expurgo en comparación con eso?

—¿Lo empezaréis hoy mismo, reverendo padre? —quiso saber Andrea.

—No, por desgracia. Es casi hora de vísperas, y después del servicio no habrá suficiente luz. Empezaré mañana después de misa. Madre, rogad a la archivera que se una a nosotros. El Santo Oficio gusta de anotar meticulosamente todas sus sesiones. Asimismo, debemos hacer inventario de las posesiones de Juana.

Juana tragó la bilis que le ardía en la garganta.

—¿Por qué hacéis esto, padre Núñez? ¿Acaso no sentís caridad alguna por mí? Procedéis como si ya hubiera sido condenada.

El padre Núñez la miró con ojos entornados.

—Precisamos una lista exhaustiva de vuestros libros, Juana. La Inquisición ha examinado con detenimiento cada uno de vuestros borrones, ninguno de ellos más egregio que la carta a sor Filotea, y hemos llegado la conclusión de que no merecéis ni un ápice de caridad.

—Esto rebasa los límites de unas bodas de plata, Vuestra Reverencia —observó Andrea—. No me habíais dicho que la Inquisición intervendría.

—El Santo Oficio siempre interviene en asuntos de heterodoxia, madre.

—¿Habéis leído vos mi *Respuesta*, padre? En ella no figura una sola referencia a fuentes prohibidas. Todas mis referencias son legítimas.

—Tal vez no hagáis referencia a ellas en esa carta, pero vuestro conocimiento del discurso herético se pone de manifiesto en cuanto escribís.

–Por no mencionar la obscena correspondencia que mantenéis con nuestra antigua virreina –añadió Melchora.

Juana sintió deseos de asestar un puñetazo a Melchora, de romperle los dientes. Se le acumuló saliva bajo la lengua, como un veneno que ansiaba poder escupir al rostro del padre Núñez. La parte inferior de la espalda empezaba a dolerle de un modo intolerable.

–¿Se me permitirá proporcionar testigos para mi defensa, como don Carlos, por ejemplo?

–De Galve ha enviado a Sigüenza a Florida –repuso el sacerdote.

–Pero ¿por qué razón?

–Según tengo entendido, quiere realizar un mapa de la zona con miras a un asentamiento. Por lo visto, De Galve no tiene nada mejor que hacer con su cosmógrafo en jefe que enviarlo a proteger las posesiones de la Corona contra los franceses.

–Creía que era vuestro asistente en el Santo Oficio. ¿Acaso no se le ha consultado este procedimiento?

–Esto no es un juicio, Juana.

–Pero las personas acusadas de herejía obtienen cuando menos el derecho de buscar un defensor.

–Se trata de una confesión pública con ocasión de vuestras bodas de plata. El arzobispo exige que renunciéis por entero a vuestro pasado y obedezcáis de forma incondicional a la Iglesia. Es el fin de vuestra vida mundana, de vuestra vida pública, de vuestra rebelión, de vuestros escritos, de vuestras publicaciones, ni más, ni menos, Juana.

–De lo contrario...

–De lo contrario el Tribunal os declarará hereje y denegará vuestra petición de revalidar los votos.

–El arzobispo pretende verme torturada, ¿no es así? Tal vez incluso ajusticiada.

–No seríais la primera en morir injustamente.

–¿Es también lo que deseáis vos, padre? ¿Por eso accedisteis a volver? ¿Para ayudarles a organizar mi muerte?

El padre Núñez movió los pies, y Juana oyó el crujido de sus rodillas.

–Sois mi hija en Cristo. Si debo perder vuestra vida para obtener la salvación de vuestra alma, así sea.

Juana sintió la tensión del llanto en la garganta.

—No os entreguéis a la autocompasión, Juana —advirtió el sacerdote—. A decir verdad, vuestra muerte no haría sino incrementar vuestra fama, y eso es precisamente lo que no desea la Iglesia.

—¿La Iglesia o el arzobispo?

—El arzobispo es la Iglesia en Nueva España.

—Si de él dependiera, a buen seguro intentaría que me excomulgaran y quizás incluso me exiliaran.

—Nada os complacería más, ¿verdad? —espetó Melchora—. Gozar de libertad absoluta para ir en pos de la virreina.

—Callaos, Melchora. ¿No puedes hacer que se marche, Andrea?

—Ved cómo trata a sus superiores, padre.

—Debemos retirarnos, hermana vicaria —la interrumpió Andrea—. Nuestra presencia ya no es necesaria.

Melchora cayó de rodillas y besó el anillo del padre Núñez.

—Haré cuanto esté en mi mano para ayudaros a alejar esta serpiente de entre nosotras, padre.

Bajo el escapulario, Juana se clavó las uñas en las palmas de la mano para no golpearla.

—En pie, Melchora —ordenó Andrea—. No estamos en la capilla. Si nos disculpáis, reverendo padre, tenemos asuntos que atender antes de vísperas.

—Tiene razón, ¿sabéis? —dijo el padre Núñez con repentino aire paternal en cuanto estuvieron a solas—. El arzobispo no querría que anduvierais suelta por el mundo. Si bien jamás lo admitirían, tanto él como el obispo de Puebla parecen temer el don de la palabra que poseéis, Juana. Saben que tenéis amigos poderosos en el extranjero que facilitarían vuestro regreso al mundo de los vivos. Si el Tribunal os declara proscrita, Aguiar y Seijas decretará vuestra muerte antes de permitir que colguéis los hábitos. Os puede mantener mejor bajo su férula si seguís siendo una profesa.

—Entonces debería hacer lo posible para que me denegaran la renovación de los votos.

—Y sin embargo, es lo único que os protege del garrote.

—En tal caso, mis votos me convierten en mártir y verdugo a un tiempo —citó de un verso que había escrito en la *Respuesta*.

–He aquí la doble obligación de todo religioso. Por la boca muere el pez, Juana. Y ahora acompañadme a la iglesia. He prometido al padre Nazario ayudarle a oficiar vísperas.

Una vez instalada en el coro, Juana no prestó atención alguna al servicio. El dicho que había citado el padre Núñez no dejaba de rondarle por la cabeza: por la boca muere el pez. ¿Era una advertencia o el augurio de su capitulación? *Mundo, ¿por qué insistes en perseguirme?*, había escrito hacía más de una década, lamentando las incesantes invectivas de que la hacían objeto sus hermanas y superioras por causa de su inclinación intelectual. La condesa había incluido aquel poema en el primer volumen de sus obras, bajo el intrépido título de: «Se duele de su destino, insinuando su aversión al vicio y justificando su devoción por las musas».

> *En perseguirme, mundo, ¿qué interesas?*
> *¿En qué te ofendo, cuando sólo intento*
> *poner bellezas en mi entendimiento*
> *y no mi entendimiento en las bellezas?*
> *Yo no estimo tesoros ni riquezas;*
> *y así, siempre me causa más contento*
> *poner riquezas en mi pensamiento*
> *que no mi pensamiento en las riquezas.*
> *Y no estimo hermosura que, vencida,*
> *es despojo civil de las edades,*
> *ni riqueza me agrada fementida,*
> *teniendo por mejor, en mis verdades,*
> *consumir vanidades de la vida*
> *que consumir la vida en vanidades.*

Le producía escalofríos pensar que había predicho su propio destino, pues su vida estaba a punto de consumirse en las llamas del escándalo y el purgatorio perpetuo al que sería condenada.

Aquella noche, entre medianoche y maitines, ella y Belilla ocultaron los más amenazados de sus volúmenes prohibidos: Abelardo, Aristófanes, Bacon, Boccaccio, Descartes, Erasmo, Kircher, Lutero, Maquiavelo, Ovidio, Petrarca y su amado *El banquete*. Tenía tantos... Al igual que Hildegarda de Bingen había sepultado a un soldado excomulgado en tierra santificada, Juana enterró sus libros bajo la tarima de la capilla de las beatas. Había sido siempre el mejor escondrijo para la Caja de Pandora, y aunque a buen seguro la humedad estropearía las hojas y las cubiertas de los volúmenes, cuando menos estarían a salvo de la quema.

Belilla no interpuso objeciones, ni siquiera pronunció palabra cuando Juana la despertó en plena noche para que la ayudara a transportar los libros que había amontonado en los cubos de agua.

—Quiero que te apresures, Belilla —susurró—, y que guardes silencio absoluto. No debemos despertar a nadie.

—¿Adónde vamos, tía?

—Sígueme y calla.

Una vez en la capilla, desplazaron el banco a un lado, y Juana arrancó los clavos oxidados de la tarima con un cuchillo. Juana observó a Belilla con atención mientras guardaba los libros en el hueco, pero no detectó señal alguna de rebeldía ni de resentimiento en sus ojos somnolientos. Selló los tablones con una cola que había confeccionado con resina y harina, y juntas volvieron a colocar la pesada carcasa de hierro del banco en su lugar mientras sus lámparas de mecha corta proyectaban sombras temblorosas en las paredes.

—Ahora vuelve a la celda, Belilla —susurró Juana—, y pobre de ti si te ven.

—¿No puedo esperaros, tía? Me da miedo cruzar el huerto sola.

Juana rezó una somera plegaria a san Lorenzo, patrón de los bibliotecarios, para rogarle que protegiera sus libros de la podredumbre y el descubrimiento, y acto seguido cruzó a toda prisa con Belilla el huerto y el claustro. Llegaron a la celda en el instante que las campanadas de maitines despertaban al convento. Andrea había reinstaurado la observancia del oficio de madrugada como parte de su proceso de purificación. No se exigía la presencia de todas las monjas, y Juana ordenó a su sobrina que se acostara, asegurándole que se disculparía en su nombre ante la superiora. Sólo ella y las santas acudían al intempestivo servicio. Juana se detuvo junto a la fuente para contemplar las numerosas constelaciones que salpicaban el oscuro cielo de Anáhuac. De repente, una luz surcó el horizonte; era una estrella fugaz. Por un instante pensó en el cometa y la indudable influencia que había ejercido en su vida. ¿Sería acaso la estrella fugaz otra señal?

Durante las tres semanas que duró la expurgación, Juana se alojó en la celda de una sola estancia que ocupaba Andrea. Dormía sobre un petate en el suelo, y sólo se le permitía cubrirse con una sábana de lana y una única manta. Andrea confeccionó para ella un calendario de obligaciones además de las clases. Los lunes trabajaba en la sala de costura, los martes debía fregar los suelos del priorato con lejía, los miércoles ayudaba en la lavandería, los jueves y los sábados cocinaba en el refectorio, y los viernes repasaba las cuentas. Los domingos ayunaba y guardaba vigilia por san Jerónimo. No se dirigían la palabra, ni siquiera durante el recreo, pues Andrea no creía en más recreo que el que recreaba su espíritu en la imagen de la perfección, y Juana prefería ayudar a las novicias a coger gusanos de seda o recolectar melocotones que permanecer encerrada en aquella minúscula celda con el zumbido monótono de los rezos de Andrea por única compañía.

En cierto modo fue una época sosegada, y reparó en que existía cierta serenidad en el hecho de no tomar decisiones, de que la Regla de la Orden organizara sus pensamientos y obras. Sin embargo, la ilusión sólo funcionaba siempre y cuando mantuviera a raya sus emociones y no pensara en lo que sucedía en su celda, pues la mera idea de que el padre Núñez y Melchora hubieran invadido su biblioteca y destrozaran sus tesoros a fin de recabar pruebas bibliográficas contra ella la enfurecía y le daba deseos de huir. Lo único que le quedaba en la vida eran sus libros, e incluso éstos se habían convertido en una amenaza. El *Índice* pendía sobre ella como una corona funeraria. En las sesiones capitulares y en el coro, Melchora y Rafaela le lanzaban miradas altivas en extremo, tentándola a maldecirlas entre dientes, pero siempre había alguna vigilanta al acecho, a la espera de que cometiera alguna falta merecedora de denuncia. Justamente en esos momentos Juana se arrepentía de su vocación, e incluso la repugnante idea del matrimonio se le antojaba más halagüeña que la perpetua subyugación a los imbéciles.

Por fin terminó la expurgación, y el padre Núñez abandonó San Jerónimo sin molestarse en dirigir la palabra a Juana, aunque era martes y estaba fregando de rodillas los tablones del priorato cuando el sacerdote pasó por allí. Lo siguió a cierta distancia y se detuvo ante la puerta de dependencia de la superiora cuando anunció a Andrea que la confesión comenzaría, por orden de Su Ilustrísima, el día de Santiago, que se celebraba la semana siguiente. Por fortuna para Juana, dijo, no había hallado ningún texto prohibido en su poder, si bien le quedaba la tarea de averiguar por qué la lista que había obtenido difería en tal medida de otra lista presentada ante el Santo Oficio. «Lo sabía», se dijo Juana, y también sabía quién había confeccionado dicha lista y quién la había presentado a la Inquisición.

Le hedían los pies. No recordaba cuánto tiempo había transcurrido desde la última vez que tomara un baño. Sí, desde el día que se cambió de griñón, camisa y prendas interiores. Desde el día que le llevaron el cilicio y el cuenco de cenizas, único vestigio de sus libros quemados. No recordaba cuánto tiempo llevaba en aquella celda atestada de monjas enloquecidas que se tiraban mutuamente de los pechos desnudos y orinaban de pie, pero en cualquier caso, le habían crecido las uñas, y las utilizaba para escribir en su piel, en la piel delicada y lampiña de la cara interior de sus muslos. Jidl†, sus iniciales en una pierna, y MLMdL, María Luisa Manrique de Lara, en la otra. Cuando se formaban costras sobre las heridas y los muslos empezaban a escocerle, clavaba las uñas bajo las costras y se rascaba con fruición hasta que las heridas volvían a abrirse y el dolor la distraía del espantoso prurito que le atormentaba senos y cintura. Sólo entonces lograba conciliar el sueño, cuando sentía la sangre gotear sobre la estera infestada de piojos que era su lecho.

Despertó del sueño bañada en sudor frío, el rostro adherido a la sábana de lana que había enrollado a modo de almohada. Jadeando en un intento de recobrar el aliento, apartó de sí la manta, cogió las yescas y encendió la lámpara. Dios, estaba a salvo, tumbada sobre la áspera paja del petate en la celda de Andrea, y era Andrea la que dormía bajo la sábana en aquella plataforma dura que llamaba cama.

En el nombre del Padre, del Hijo y del Espíritu Santo (se santiguó y se besó el pulgar), amén. En el sueño le formulaban preguntas, un sinfín de preguntas sobre la intimidad que había vivido con la condesa y Concepción. Exigían descripciones detalladas de lo que había hecho, de los pecados de impudor que había cometido con los ojos y la lengua. ¿Te complacía mirarlas? ¿Las tocaste? ¿Gozaste de placeres carnales con ellas? ¿Les hablaste mientras pecabas? Por cada pregunta para la que exigían respuesta, Juana rezaba un avemaría en silencio. Pregunta tras pregunta, Ave María, llena eres de gracia, hasta que completó cinco decenarios del rosario, ruega por nosotros pecadores, ahora y en la hora de nuestra muerte, pero aun así no callaban. ¿Te has degradado? ¿Has buscado satisfacción al margen de Dios? ¿Confiesas haber cometido terribles actos de infidelidad contra tu Esposo y aberraciones contra tu sexo? ¿Confiesas haber profanado tus votos? La letanía de las preguntas se alargaba horas y horas que ella arrostró en silencio, hasta que los inquisidores optaron por hablar entre sí:

¿Es su silencio negación o afirmación?

¿Qué penitencia merece cada posibilidad?

A los embusteros se les corta la lengua, pero no sabemos si miente o no. A los insubordinados se los condena al silencio perpetuo, pero ella ya guarda silencio. ¿La despojamos de los sacramentos por contener la lengua? ¿O la despojamos de la lengua por blasfemar contra los sacramentos?

¿Puede ser blasfemo el silencio, hermano?

Por fin, convencidos de que no podían sacarla de aquel caparazón de silencio, la arrojaban a una de esas mazmorras secretas de la Inquisición, una celda abarrotada de monjas dementes que al verla trazaban lascivos círculos con las lenguas cenicientas.

Se restregó los ojos hasta que le dolieron las pupilas. Pudor en la mirada, pudor en la palabra... lecciones del noviciado que jamás había puesto en práctica. Pocas de sus hermanas lo hacían, a decir verdad. Belilla, sin lugar a dudas, y Beatriz. Y por supuesto, Andrea. Miró por encima del hombro el lecho de la madre superiora. Andrea yacía sepultada bajo la sábana, la cabeza inclusive, pues no se les permitía dejar ninguna parte del cuerpo al descubierto mientras dormían, y debían acostarse vestidas, con velo corto y escapulario, medias y correa, como si estuvieran muertas. Juana bajó la mirada hacia su camisola empapada, los brazos y las pantorrillas desnudos, los pies descalzos, y meneó la cabeza. Siempre había sido una monja rebelde, la peor de las monjas, la peor esposa que Jesucristo había tenido jamás, y por ello era culpable de soberbia.

De nuevo sintió aquel escozor en la cintura, y llevó la lámpara al baño para examinarse la piel. Durante el sueño se había rascado con desesperación, pues el cilicio, los piojos y el constante prurito que atormentaba su piel la hacían enloquecer como aquellas dementes. Las baldosas del baño le helaban los pies. Las noches habían sido frías aquel verano y tenían racionada la leña, de modo que no resultaba fácil tomar baños calientes ni mantener los braseros cebados durante toda la noche. Dejó la lámpara en el borde de la bañera y se quitó la camisa. La revelación del propio cuerpo era otro pecado, pues conducía sin remisión al placer de la vista y una tentación de las manos que costaba resistir. Meneó una vez más la cabeza, pensando en todas las ocasiones en que había fracasado en el intento de resistir esa tentación.

En un principio no vio nada inusual a la mortecina luz de la lámpara, pero cuando su claridad se afianzó y comenzó a alumbrar los distintos colores de las baldosas, lo distinguió. Grandes verdugones rojos por todo el vientre. Cortes en los muslos. Arañazos en los senos, un reguero de sangre en la cara interior del muslo. Llevaba dos años sin menstruar con regularidad, libre de la tediosa tarea de coserse los paños de hilo a la ropa interior, pero ahora, en vísperas de su confesión pública, cuando más necesitaba sus facultades mentales, volvía a sangrar y se destrozaba la piel en sueños.

En momentos como aquél detestaba su cuerpo femenino por lo que hacía, por lo que no podía hacer, por el hecho de que su sometimiento quedara arraigado en ese cuerpo de glándulas mamarias y útero sanguinolento. Los hombres no sufrían hemorragias mensuales, cólicos que perturbaran su sueño, grotescas distensiones del vientre durante el embarazo, dolorosos desgarros de las entrañas y las caderas durante el parto ni grietas en los pezones causadas por bocas hambrientas y succionadoras. Los hombres no tenían nada que los atara a la tierra aparte de la siembra continua de su semilla, la cual no hacía más que incrementar la agonía de las mujeres. Y aun cuando no trajera hijos al mundo, amamantara bebés ni sufriera las imposiciones del macho, la menstruación recordaba a la mujer que el dolor era el legado de Dios para las hijas de Eva, pues según la Iglesia, el pecado y la muerte empezaron en la mujer, y por su causa todas las mujeres estarían por siempre sometidas al dolor y a las leyes de la misoginia masculina. Cogió un paño, lo sumergió en el cubo de agua helada que había en la bañera y se limpió la sangre de los muslos. La sensación de frío en el sexo le produjo un estremecimiento de placer prohibido. Tras la partida de la condesa, había sellado un pacto consigo misma para no abandonarse a recuerdos que inflamaran su deseo ni volver a sucumbir jamás a la tentación de las manos. Al principio le había resultado harto arduo, pero a medida que transcurrían los años, y sobre todo aquel último, después de que le confiscaran las plumas, olvidó por completo su cuerpo.

El paño mojado alivió el dolor de los verdugones y los cortes, e imaginó una lengua fresca lamiéndole la piel, amando su cuerpo con devoción absoluta, como ella había amado a la condesa hacía ya tantos años. Sentía los pezones endurecidos. Por un instante tuvo miedo de su memoria, de una mente capaz de crear imágenes tan vívidas. «Vuelve a acostarte —se dijo—. Necesitas dormir, despejarte, prepararte para la confesión de mañana.» Sin embargo, nunca se le había dado bien seguir los consejos de nadie.

Apoyó un pie en el canto de la bañera y se deslizó los dedos por los pliegues húmedos del sexo, imaginando que era María Luisa quien la tocaba mientras las yemas de sus dedos frotaban los rincones de aquel lugar prohibido, esa semilla inflamada que contenía los secretos de su propio árbol de la sabiduría. Sentía los dedos húmedos de sangre y otros humores mientras los hundía más entre el vello, recordando los gemidos de placer de María Luisa y el suave arqueo de sus pies. «Si pudiera restregarme a lo largo de tu pantorrilla —recordaba haberle dicho—, sentir tu rodilla romper las aguas de mi vergüenza.» De pronto percibió que la semilla estallaba y apretó la mandíbula mientras la recorrían oleadas de placer. En aquel instante, aún de pie sobre las frías baldosas, rompió a llorar.

En cuanto recobró la compostura volvió a lavarse, se colocó una compresa de paños secos en la ropa interior, se puso el hábito, el escapulario y el velo, y regresó al petate. A todas luces, no lograría conciliar el sueño. Debía preparar su comparecencia ante el Tribunal; la primera impresión era la más importante. ¿Debía, tal como sugería el sueño, contener la lengua y guardar silencio, o por el contrario resultaría más efectivo confesar cual novicia a punto de pronunciar los votos? Si bien la idea del silencio, de rebelarse contra tan humillante espectáculo a través del silencio, la atraía sobremanera, concluyó que sería más prudente seguir el otro camino y adoptar la postura y retórica de una novicia. A fin de cuentas, se trataba de renovar los votos.

Alargó la mano hacia la pequeña cajonera que había junto al camastro de Andrea y sacó del cajón su ejemplar de *Manual para novicias*. Leyó hasta que las campanas llamaron a maitines, momento en que ella y Andrea se reunieron con las santas para cantar las primeras alabanzas del día en honor de Santiago, perseguidor de moros e infieles.

# 32

Era la segunda vez en sus veinticuatro años de profesión que Juana salía del convento. La primera vez fue para enterrar a su madre en Panoayan. Recordaba que todo el mundo se había desmoronado en aquellos canales de agua sucia que se entrecruzaban en el valle de Anáhuac y las achaparradas colinas al pie de los volcanes. Por aquel entonces, lo único que importaba era llegar junto a su madre antes de que se muriera, volver a hablar con ella, hacerle compañía durante su última ordalía. El trayecto de seis kilómetros desde el convento hasta la plaza de Santo Domingo, donde se encontraban las dependencias de la Inquisición, se le antojó mucho más ominoso, no sólo porque ahora era ella quien se enfrentaba a una dura prueba, sino ante todo porque sabía que era culpable de todos los cargos. No era virgen, ni *uxor*, esposa, ni una hermana dócil y obediente. Era en verdad la peor de las mujeres, empezando por aquel lejano día, a los tres años, en que había seguido a sus hermanas a la escuela e insistido en que le enseñaran a leer, hasta la noche anterior, cuando no sólo había sucumbido a la tentación, sino que la había inducido.

Ella y Andrea se sentaban en la parte posterior de la renqueante carreta del padre Núñez, el rostro cubierto por el velo negro y los brazos cruzados bajo el escapulario. Como madre superiora del convento, Andrea había obtenido una dispensa especial para acompañar a Juana. Antes de salir, había insistido en que llevaran los rosarios y rezaran un decenario de avemarías durante el trayecto para encomendar el buen desenlace de la confesión a la Madre de Dios.

Juana mascullaba las oraciones entre dientes, pero su mente vagaba por la ciudad que la rodeaba. Iban dando un rodeo, porque al puente que enlazaba los distritos del sur con la traza, el antaño hermoso puente de Santa Rosa, con sus columnas de piedra y contrafuertes abovedados, le estaban retirando la madera podrida para sustituirla por tablones nuevos. Fueron hacia el sur a lo largo del acueducto de Chapultepec, luego hacia el norte, pasando ante la fachada posterior del Hospital del Amor de Dios, acto seguido hacia el oeste, junto a la universidad y la Plaza Mayor. Juana lo devoraba todo con la mirada. Vio a las mujeres indias que lavaban la ropa a orillas de los canales, la larga cola de indigentes ante el hospital, los estudiantes con sus togas y birretes ante la verja de la universidad. Había gente por todas partes. En una ocasión, cuando se detuvieron para ceder el paso a un vehículo de carga, una muchacha mestiza se acercó corriendo a la carreta con una cesta de placamineros e higos chumbos. Cuánto le habría gustado hincar el diente en la pulpa anaranjada de un placaminero, pensó, sentir el jugo rojizo de los higos chumbos resbalándole por la barbilla. Pero entonces, por alguna razón, la muchacha se detuvo en seco con los ojos abiertos de par en par por el temor. Juana alargó la mano hacia ella, pero la mestiza hizo señal de protegerse contra el mal de ojo y se alejó como alma que lleva el diablo. Juana recordó hacia dónde se dirigían, y el hecho de que la marca de su vergüenza fuera visible a unos ojos sensibles la sumió en un estado entre furioso y melancólico.

Su tristeza aumentó al llegar a la Plaza Mayor. Contuvo el aliento al ver las puertas y los balcones carbonizados del palacio. Por toda la plaza del mercado resonaban los martillazos de la reconstrucción. El municipio ofrecía el aspecto de una miserable colonia de casetas y tenderetes improvisados, donde las castas se agolpaban bajo la columnata, entre el hedor de orina que impregnaba toda la calle. Sólo la catedral permanecía intacta, así como el andamio, que ahora contaba con dos plataformas en lugar de una y se elevaba hasta la cúpula del palacio episcopal.

—Apártate de mi camino, mujer —vociferó el padre Núñez a una anciana mulata que arrastraba una caja de frascos vacíos por la calle—. ¡Apartaos todos! ¡Fuera de la calle! ¡Perezosos, inútiles! ¿Acaso no trabaja nadie en esta ciudad?

—¿Por qué están entabladas esas puertas, padre? —inquirió Juana cuando doblaban hacia el norte en la calle de San Agustín.

—Pulquerías —espetó el padre Núñez, meneando la cabeza—. En esos antros de iniquidad los indios borrachos organizaron su ataque el año pasado. El corregidor las está transformando en viviendas.

Los disturbios se le antojaban muy lejanos en el tiempo. Recordaba las llamas tiñendo el cielo crespuscular de un naranja casi fosforescente, las sombrías campanas de la catedral repicando día y noche para avisar a la ciudad del motín que los indios habían organizado contra el palacio y el gobierno.

—Ese De Galve no ha hecho nada por la ciudad —masculló el padre Núñez por encima del hombro—. Si apartara la mirada de los senos de su mujer, tal vez vería la inmundicia en que se ha convertido la ciudad, pero no, por supuesto, ni siquiera ve los cuernos que lleva sobre la cabeza, maldito cornudo.

—No podéis culpar al virrey de todos los males, padre —objetó Juana—. Las lluvias y el infortunio que asolaron la ciudad ocasionaron muchos de estos daños.

—¡Ese hombre es un imbécil! Está matando a trabajar a los indios en las minas y las calzadas en lugar de devolverlos a los campos, donde pertenecen.

Juana advirtió que la nuca del sacerdote se teñía de rojo. Andrea la pellizcó para que guardara silencio, pero Juana no estaba dispuesta a darse por vencida. De Galve no era su virrey predilecto, pero la sulfuraba que los sacerdotes, que de todos modos ejercían una mayor influencia sobre las masas, no quisieran compartir la responsabilidad de la destrucción.

—¿Acaso podemos atribuir al virrey la responsabilidad de las interpretaciones apocalípticas de las lluvias y el eclipse, padre? Los disturbios no fueron más que una manifestación de nuestros temores irracionales.

El padre Núñez se volvió hacia ella con una mirada enfurecida.

−¿Con quién crees que estás hablando, mujer? ¿Cómo te atreves a dirigirte a mí como una igual! ¡Nos dirigimos a tu confesión pública, y tú osas contradecir al único defensor que tienes!

Andrea volvió a pellizcarla, esta vez con más fuerza, y le masculló entre dientes que contuviera la lengua.

−Perdonadme, padre −musitó Juana.

−Carecéis de humildad, Juana; ésa es la razón por la que temo el desenlace de la confesión.

Juana intentó hacer caso omiso de sus palabras. Acababan de dejar atrás la calle que conducía a la Alameda, y recordó aquellos paseos dominicales en coche con la marquesa y el marqués de Mancera a la sombra verdeante de los grandes álamos, seguidos de un séquito de caballeros y damas a caballo. Otro recuerdo de la Alameda le produjo un escalofrío, pues allí se encontraba el quemadero. La carreta avanzaba entre el monasterio de San Francisco y la Casa de los Azulejos. Había olvidado el nombre del aristócrata que vivía en aquella mansión, completamente revestida de azulejos blancos y azules, una casa ante la que pasaba casi a diario cuando vivía con los Mata y en palacio. Al verla sintió deseos de llorar, pero se clavó las uñas en el brazo para contener las lágrimas.

Por fin se detuvieron ante la iglesia de Santo Domingo. Frente a ella se alzaba el mastodóntico edificio de la Inquisición. Dos guardias los ayudaron a apearse, primero al padre Núñez, luego a Juana y por fin a Andrea, y los alejaron del tropel de mendigos que se agolpaba en torno a la carreta. Entraron en el vestíbulo umbrío del edificio. La puerta con tachones de hierro se cerró a sus espaldas con un golpe resonante. Desde el patio subieron por una escalera de granito hasta llegar a una de las salas públicas del Tribunal. Andrea permaneció fuera, y el padre Núñez llevó a Juana hasta la parte delantera de la sala, ordenándole que se arrodillara de cara al estrado. Sobre él yacían las dos ediciones de su primer libro, así como un ejemplar del segundo volumen.

Por el rabillo del ojo vio que en el primer banco del lado izquierdo se sentaban el arzobispo, el obispo de Puebla y el padre Núñez, la trinidad enemiga. Tras ellos había un grupo de sacerdotes de todas las órdenes y rangos. A su derecha estaba sentado don Ignacio de Castorena y Ursúa, rector de la universidad, y junto a él el sacerdote que había oficiado una homilía en la iglesia de Sa. Jerónimo en defensa de las opiniones de Juana sobre Vieyra, un ta. padre Javier Palavicino. No podía volverse para saber quién ocupaba los bancos posteriores, pero a juzgar por el rumor de las voces, la sala estaba abarrotada. Toda la ciudad había acudido para presenciar su caída; se le ocurrió que el Tribunal se había convertido en un corral de comedias y que ella era la protagonista de los empeños de otra casa, la Casa de San Jerónimo. Experimentó otro estremecimiento al pensar que, una vez más, había augurado su propio destino.

Alguien arrojó un pañuelo desde la galería, y al alzar la vista divisó a Josefa y a su sobrino, Panchito, entre el gentío. El rostro que más ansiaba ver era el de Sigüenza, pero aún no había regresado de Florida. Quería pensar que, de estar allí, se habría sentado junto a Castorena, en el flanco de sus defensores.

Por un instante le acometió la sensación de que había retrocedido en el tiempo y entrado en el salón oriental de palacio, donde el marqués de Mancera había organizado el certamen con los cuarenta profesores. También en aquella ocasión iba vestida de negro y acababa de descubrir un doloroso secreto sobre sí misma que la atormentó durante muchas noches, amenazando con enturbiar la claridad de su presentación («siempre tantos secretos, Juana», se dijo). Pero había prevalecido o, para ser más exactos, había prevalecido el hemisferio de su intelecto, y tal como vaticinara el virrey, logró asombrarlos y vencerlos a todos. Ya a la sazón, no obstante, se cernía sobre ella la sombra del escándalo, y recordaba cuánto había disgustado al padre Núñez y algunos de aquellos hombres obstinados con su discurso sobre la mitología maya, al igual que recordaba al virrey y a fray Payo intentando disuadir al padre Núñez de que se la llevara a un convento en aras de su salvación.

La ironía que era su vida casi le arrancó una sonrisa tras la gasa negra del velo. Un secretario instalado al pie del estrado pronunció los nombres de los inquisidores del tribunal mientras entraban en la sala y subían la escalinata para acomodarse en las sillas de respaldo ancho. Anaya, el fiscal, era el encargado de las acusaciones y se sentaba en el centro. A su derecha estaba Dorantes, y a su izquierda, Olmedo. No le sorprendió en lo más mínimo comprobar que todos ellos eran dominicos, al igual que el arzobispo. El fiscal inició el proceso invocando el nombre del Papa e implorando la gracia de la Virgen María con un *Salve Regina*.

—Yo, hija desposeída de Eva, te invoco a ti, mi adalid en este valle de lágrimas —rezó Juana para sus adentros.

Tras la oración, el secretario empezó a leer un escrito.

—Juana Inés de la Cruz, monja profesa del convento de Santa Paula de la Orden de San Jerónimo, comparecéis ante este tribunal para dar testimonio de todas vuestras faltas e imperfecciones ante un consejo de inquisidores nombrados para examinar el estado de vuestra conciencia y decretar si sois digna de regresar a la vida religiosa como hermana jerónima. ¿Tenéis algo que decir a vuestros superiores?

Tal como había decidido la noche anterior, recurrió a las oraciones de las novicias para responder.

—Oh, clemente Dios, puesto que me has dado a conocer Tu voluntad a través de mi Superior, resuelvo firmemente obedecerle a él como Te obedecería a Ti, y por Ti me someteré sin reservas a él de todo corazón.

—Con la venia del tribunal —terció Castorena al tiempo que se levantaba.

—Decid vuestro nombre y título antes de proceder, señor —ordenó el secretario.

—Antes de empezar —dijo Castorena tras cumplir la orden—, querría aclarar en aras de nuestro alto público... —Desvió la mirada hacia la izquierda, y Juana se preguntó si el propio virrey, o tal vez doña Elvira y su séquito de damas, habrían acudido a presenciar su crepúsculo—, así como para que conste en nuestros archivos, si este proceso es un juicio o una confesión; si se trata de esto último, querría saber por qué una confesión tiene lugar en este foro público en lugar de la intimidad del convento, y si se trata de lo primero, me gustaría conocer los cargos de que se acusa a sor Juana y que se me nombrara defensor suyo.

—Aquí no hay defensores ni acusadores, maestro Castorena —replicó el fiscal—. Se trata de la confesión general de una monja con ocasión de sus bodas de plata. Sus superiores han dictaminado que se celebre aquí a fin de intensificar la penitencia a instancias de su confesor.

—Así pues... ¿no existen cargos contra sor Juana? —insistió Castorena.

—Sólo los que han desencadenado sus propias acciones y los que constan en los archivos de la Orden de San Jerónimo.

Castorena tomó asiento y empezó a escribir como un poseso en su cuaderno. Gracias a la Virgen, al menos uno de sus amigos plasmaría por escrito cuanto sucediera en aquella sala, se dijo.

—Ilustrísima —se dirigió el fiscal al arzobispo—, solicito venia para empezar.

Las rodillas empezaban a dolerle, pero no se movió ni alzó la mirada del mármol estriado del suelo cuando Dorantes se acercó a ella. En la sala reinaba un silencio tenso.

—Sor Juana, empezaréis diciendo un Acto de Contrición y un Credo —instruyó el inquisidor.

Juana obedeció, y su aliento agitó el velo ante su rostro.

—Comparecéis ante este tribunal para purgar vuestra conciencia de todos los actos viles que habéis cometido durante vuestra profesión —anunció el fiscal.

—Suplico a este misericordioso tribunal que escuche mi confesión —rogó Juana con voz monótona—, a fin de que sirva para iluminar la profundidad de mi arrepentimiento y el vigor con que espero reanudar mi vida religiosa.

—¿Vuestra vocación os satisface?

—En gran medida.

—¿Por qué habéis desobedecido las leyes que gobiernan vuestra vocación?

—Porque soy una pecadora y la peor de las mujeres.

—¿Qué es lo que más amáis y perseguís con mayor ahínco?

—A Jesucristo, mi Señor y Divino Esposo. No obstante, confieso que le he sido infiel, que he perseguido la erudición con el mayor afán en un intento de llenar mi mente de todos los conocimientos existentes en los libros y en conversaciones con sabios. Confieso que esta persecución afanosa de la erudición me ha apartado con frecuencia de la verdadera causa de mis votos, que he sido desobediente, arrogante, soberbia, que he cedido a la cólera y la vanagloria.

Las rodillas empezaban a entumecérsele.

—¿Por qué pasiones os inclináis en mayor medida?

—Por la tristeza, la desesperación y el enojo. También el amor es una pasión que no he alcanzado a dominar. Amor por el aprendizaje, por la comodidad, por la comida, la música, la belleza y la palabra escrita.

—¿Os une una amistad especial a alguna persona?

—Ya no estoy unida a nadie en este sentido. Cierto es que en tiempos me unió una gran amistad con nuestra antigua virreina, la condesa de Paredes, pues en ella hallé un alma gemela en asuntos de poesía, filosofía y ciencia.

—Perdonadme, padre Anaya —atajó el obispo de Puebla, dirigiéndose al fiscal—, pero obran en nuestro poder pruebas de que la amistad que unía a sor Juana con la virreina, así como con el virrey, no se ceñía del todo al ámbito intelectual. Sor Juana apadrinó a su hijo, estableciendo así un compadrazgo del todo ilícito para una religiosa.

—Perdonadme vos a mí, señor obispo —terció Castorena al tiempo que se levantaba de nuevo—, pero se nos ha dicho que este acto es una confesión, no un juicio. ¿Desde cuándo se presentan pruebas para una confesión?

—Tal vez el término «prueba» no sea aquí el más adecuado —reconoció el obispo con un considerable cambio de actitud—. Baste con decir que hemos oído las confesiones de casi todas las hermanas profesas de la Orden de San Jerónimo, y ellas nos han dado a entender que la conducta mostrada por sor Juana hacia los antiguos virreyes, así como hacia varios nobles y eruditos de alto rango, como vos mismo, maestro, además del favoritismo que otra pareja virreinal y nuestro antiguo arzobispo, fray Payo, exhibieron hacia ella, han inducido en sus hermanas los vicios de la envidia y la rabia, las pasiones del odio y la aversión, comprometiendo buena parte de sus virtudes.

Juana oyó un entrechocar de talones.

—Figura todo en sus libros, maestro —prosiguió el obispo—; sin duda lo sabréis, siendo como sois uno de sus más fervientes admiradores.

—Recuerdo haber pasado muchas veladas con vos en el locutorio de sor Juana, Vuestra Ilustrísima –señaló Castorena–. Parecían complaceros en extremo tanto sus dulces como su discurso.

Juana ya no sentía las rodillas, pero de pronto un calambre le atenazó la cadera.

–No es ésta la confesión de mis inclinaciones pecaminosas, señor –replicó el obispo.

En el estrado, el fiscal hizo sonar el triángulo.

–Caballeros, si deseáis sostener una conversación privada, salid al vestíbulo. De lo contrario, tomad asiento para que podamos continuar. Fray Agustín, haceos cargo del interrogatorio.

–Repito, señor –insistió Castorena–, que este interrogatorio público es una conducta aberrante en la confesión de una monja.

–Muchos la acusan de haber obrado mal, maestro Castorena –musitó Olmedo con voz meliflua como la de un niño cantor–. Se trata de acusaciones provocadas por sus propias acciones, tal como señalamos al comienzo. El propósito de esta sesión consiste en averiguar si tales acusaciones son ciertas, ya que ello nos ayudará a decidir si le permitimos renovar los votos.

–¿Quién la acusa, Señoría?

–Sabéis bien que la Inquisición jamás desvela sus fuentes –observó Dorantes–. Sor Juana Inés puede intentar adivinarlas si así lo desea, y de hecho, ésa es la dirección en que pretendo encaminar la confesión.

Dorantes cogió uno de los libros de Juana y lo sostuvo entre las manos mientras seguía hablando.

–Hermana, ¿recordáis alguna acción vuestra que vuestros acusadores pudieran interpretar como extravío religioso?

El calambre le descendió por la parte posterior de la pierna.

–Tengo muchos enemigos, Señoría. Sin lugar a dudas, casi todas mis acciones parecerían faltas a sus ojos.

–¿Con quién estáis enemistada, hermana?

–A excepción de dos o tres personas presentes en este tribunal, diría que estoy enemistada con cuantos hallan faltas en mi conducta.

–Decidnos cuál es la causa de dichas enemistades.

–Escribo, publico, cultivo mi mente con el estudio, poseo propiedades en el convento, fui la favorita de la corte durante veinte años, he gozado del favor de varias madres superiores, mantengo correspondencia con el mundo exterior... ¿Deseáis que continúe?

—¿Confesáis estos pecados, hermana?

—Si se consideran pecados, Señoría, entonces los confieso.

—¿Dudáis acaso de que sean pecados, hermana? Pues lo son a los sagrados ojos de la Iglesia; el hecho de que no lo estiméis así equivale a desdeñar la santa doctrina, lo que a su vez constituye blasfemia, si no herejía.

Juana no pudo resistir la tentación de señalar su error lógico.

—¿Se aplican dichos pecados a toda la población? Porque en tal caso, estamos rodeados de herejes. En realidad, la mismísima Biblia es un texto herético escrito por eruditos.

Un murmullo recorrió el fondo de la sala.

—No os atreváis a aturdir a un inquisidor con artimañas retóricas, hermana. Sabéis perfectamente que a las religiosas no se les permite realizar actividad alguna que fomente el pecado de la soberbia. A juzgar por todas las pruebas que hemos evaluado, destacáis en dicho pecado.

El calambre le hacía temblar los músculos de la pierna.

—No lo niego, Señoría.

Dorantes carraspeó y empezó a volver las páginas del libro. Al llegar a la que le interesaba, dobló la esquina y sostuvo el libro en alto.

—Llevádselo a sor Juana —ordenó a un escribano sentado junto al secretario.

El escribano le llevó la segunda edición de *Inundación castálida*.

—Leed en voz alta el pasaje subrayado —pidió Dorantes.

Juana tenía que concentrarse en aquietar su pierna. Respiró hondo algunas veces, pero no logró que la voz no le temblara al hablar.

—«Bien su complacencia al verse favorecida y ensalzada, bien su conocimiento de los ilustres dones de la señora virreina, bien esa secreta influencia (que hasta hoy nadie ha podido verificar) de los humores o los astros, conocida como comprensión, o bien todos estos elementos a una, engendraron en el poeta un amor extremadamente puro y ferviente por Su Excelencia, como el lector podrá observar a lo largo de todo este libro.»

El obispo se levantó de un salto.

—«Secreta influencia de los humores o los astros.» ¿Os sugiere esta frase una relación estrictamente intelectual, maestro Castorena?

Empezaba a temblarle la otra pierna. No sabía cuánto tiempo podría seguir arrodillada sin desplomarse.

—¿Acaso cabe hacerla responsable del modo en que otros interpretan su carácter? —replicó Castorena.

—Tenéis razón, maestro —convino Dorantes antes de rebuscar entre una pila de papeles—. Veamos cómo se juzga a sí misma nuestra postulanta jerónima —propuso antes de volverse hacia el arzobispo—. Ruego me perdonéis si las siguientes palabras os ofenden, Ilustrísima... «Si la luna representara la pasión en lugar de la sabiduría, y el sol simbolizara la razón en lugar del poder, sería lógico que el Dios Sol triunfara sobre la Diosa Luna, pues ella, como una emperatriz oscura (o la Reina de Ónice que regalé a Concepción), me tiraniza por las noches, y sólo encuentro alivio a esa tiranía cuando la luz de la razón alumbra mi corazón. De lo contrario perdería el juicio y cual Faetón o Lucifer caería de las gloriosas alturas a las heladas corrientes de la perdición.»

Lo habían copiado todo, incluso las notas que había garabateado en las guardas de la cubierta de *Primero sueño*. La meticulosidad del agravio la enfureció de tal modo que por un instante olvidó el dolor de sus rodillas.

—¿Son obra vuestra estas palabras, sor Juana? —inquirió Dorantes.

—Fueron escritas la noche del eclipse —repuso ella.

—Decidnos, ¿a quién hace referencia la «emperatriz oscura» que tiraniza vuestras noches?

—Se trata de un mero concepto, Vuestra Reverencia, una metáfora.

—¿Y la mención a caer a las gélidas corrientes de la perdición también es una metáfora?

—No, señor, es un símil.

—En el que os comparáis a Lucifer —añadió Dorantes.

—No a Lucifer en sí mismo, reverendo padre, ni tampoco a Faetón, sino al hecho de consumirse en un apasionado deseo de claridad.

—Tal es el deseo que alberga este Tribunal, sor Juana.

«Entonces, también vos sois como Lucifer», sintió deseos de espetar, pero se mordió con fuerza la cara interior de las mejillas para no hablar.

—No hay pruebas de conducta impropia entre sor Juana y la antigua virreina —insistió Castorena.

El fiscal hizo sonar de nuevo el triángulo. Dorantes cogió otra hoja de pergamino del estrado.

—He aquí una carta que me gustaría leer, maestro Castorena. Existen muchas similares, pero confío en que ésta ilustre con toda claridad al Tribunal acerca de la naturaleza de la amistad existente entre nuestra antigua virreina y nuestra buena hermana, a fin de que el maestro no nos acuse de fundamentar nuestra causa en rumores.

—Proceded, fray Agustín —indicó el fiscal.

—«Querida Juana. No os burléis de mí. Hallé esta carta en un viejo ridículo, aquel de cuentas que utilizaba al llegar a Nueva España (tal vez no lo recordéis, pues nunca parecíais prestar atención a los complementos de moda). Perdonadme por no haberos revelado en su momento estos pensamientos, pero supongo que no quería reconocer que el cometa admitía varias interpretaciones. Mi único objetivo era convenceros, no permitir que me convencierais con vuestra sólida lógica. Recuerdo las discusiones que sostuvimos por esta causa, para en definitiva... —el inquisidor elevó la voz varias octavas—, para en definitiva abrazar las ideas de un cura cualquiera. Qué estúpida fui al tomar partido por hombres estúpidos en lugar de mi propio corazón. Pero digo en mi defensa que ansiaba con locura vuestra devoción incondicional, Juana, y no podía soportar ninguna diferencia entre nosotras.»

Dorantes bajó la página y lanzó una mirada triunfal a Castorena. «Estaba en lo cierto —pensó Juana—. Concepción me traicionó a fin de cuentas.» Nunca había visto la carta, y la muchacha no la había destruido tal como le ordenara Juana. La furia que la envolvió irguió su espalda, y la pierna dejó de temblarle.

—¿Habéis terminado? —preguntó Castorena.

—Resta la mejor parte, caballeros, pero querría que nuestra postulante sor Juana nos hiciera el honor de leernos en voz alta esta carta perdida de la virreina. A mi juicio, su efecto será mayor si la escuchamos de sus labios.

–Hermana, obedeceréis a fray Agustín –ordenó el fiscal.

El secretario le llevó la copia de la carta, escrita, según observó Juana, con la caligrafía de sor Rafaela, y le ordenó que se alzara el velo para que su voz se distinguiera con mayor claridad.

–Protesto, señor fiscal –interrumpió el padre Núñez–. Una monja no puede mostrar su rostro en público, y el inquisidor lo sabe.

–Que lea con el velo bajado –decretó Anaya.

Juana cerró los ojos con fuerza y aspiró hondo.

–Estáis haciendo perder tiempo a estos buenos hombres, hermana –la reprendió Dorantes–. ¡Leed! Y no omitáis nada, pues el secretario se ha grabado en la memoria el contenido de la misiva.

Al principio leyó con voz trémula, pero fue cobrando seguridad al sumergirse en la belleza del escrito.

–«Anoche me senté durante una hora en la terraza que da al jardín de rosas para contemplar el cometa, intentando observarlo con vuestros ojos. En mi imaginación os veo de pie ante vuestro anteojo, con el ojo aplicado al cristal y tomando notas en ese cuaderno que siempre lleváis con vos. Formé un anteojo en miniatura con la mano y me concentré por entero en aquella luz, el leve parpadeo en la punta que se ensanchaba hasta florecer en un astro blanco y refulgente, tras el que ardía una bruma de chispas anaranjadas, un arco de luz diáfana que surgía y menguaba como una evanescencia en el firmamento salpicado de estrellas. Comprendo ahora que ése es el símbolo por el que siempre os recordaré, Juana, nuestra especial amistad... –Juana tragó saliva al ver las siguientes palabras–, nuestro amor evanescente y celestial. ¿Existe tal cosa, Juana? ¿Un amor tan grande como la luz de un cometa, tan lleno de promesas, tan irreal y aterrador como ese astro que surca el cielo cuando Dios así lo quiere? A buen seguro diríais (de esa forma que siempre me hace sentir que nada sé de ciencia): Señora, Dios no determina la vida de los cometas, sino que ciertas fuerzas tiran de la tierra, cuerpos celestes que se interponen en la órbita de la tierra. ¿Qué diríais, me pregunto, si os dijera que vos sois un cometa y yo, el planeta en cuya órbita os habéis interpuesto?»

Un sonoro murmullo estalló en la galería. Juana sintió deseos de llorar. Si María Luisa hubiera estado en la sala, habría reunido el valor suficiente para afrontar aquella humillación, la habría arrostrado con orgullo. Pero en esas circunstancias se sentía avergonzada, vulnerable y sucia.

—¿Admitís, Juana Inés de la Cruz, haber obrado mal no sólo de palabra y pensamiento con la condesa de Paredes? —preguntó Dorantes.

—Éramos amigas íntimas, Vuestra Ilustrísima.

—Muy íntimas, por lo visto. ¿No es cierto, hermana, que tuvisteis contacto físico tanto con la condesa como con su esposo, el conde y nuestro virrey?

—No podía evitar que me tocaran —se justificó Juana—. También fray Payo, durante su mandato como arzobispo y virrey, me abrazaba con frecuencia cuando nos despedíamos al término de una visita.

—Pero un abrazo no es lo mismo que un beso, ¿verdad, hermana?

—No sé a qué os referís, Vuestra Reverencia.

—Una de vuestras hermanas fue testigo —indicó Dorantes antes de concentrarse de nuevo en sus notas—. La condesa de Paredes besó a sor Juana en los labios, y sor Juana correspondió el gesto.

Los presentes profirieron exclamaciones.

—¡Oh, Juana! —oyó gritar a Josefa.

—Y el virrey os besó el zapato, ¿no es así? —insistió el otro inquisidor.

Otra ronda de exclamaciones.

La pierna empezaba a temblarle de nuevo. Un espasmo le recorrió la cadera hasta convertirse en un calambre a la altura del coxis.

—Señor, procedéis bajo la suposición de que negaré vuestras aseveraciones, pero el Tribunal me ha oído decir que no niego nada, sino que lo confieso todo. Me pliego ante vuestra voluntad y la de la Iglesia. Sólo pido que se me permita vivir a los pies de Jesús por el resto de mi vida pecadora.

Aprovechó la oportunidad de manifestar la sinceridad de su declaración para tenderse cuan larga era en el suelo, mordiéndose el labio inferior para no gemir cuando la tensión del calambre se alivió de repente. Las articulaciones de sus rodillas volvieron a su lugar con un chasquido. A través de la delgada tela del velo percibía las irregularidades del suelo.

El padre Núñez se acercó a ella, y Juana olió el estiércol de caballo adherido a las suelas de sus zapatos.

—Guardad vuestras exhibiciones hipócritas para el convento —dijo.

—Esto no es el coro de vuestro convento, hermana —añadió uno de los inquisidores—. Levantaos, por favor.

—De rodillas, Juana —ordenó el padre Núñez.

—Os lo ruego, Ilustrísima —suplicó, ladeando la cabeza para dirigirse al arzobispo—, permitid que demuestre la sinceridad de mi penitencia.

La exclamaciones se trocaron por gritos en la sala.

—¡Impúdica hija de Judas! —vociferó el arzobispo—. ¡Cómo osas dirigirte a mí!

—¡Incorporaos ahora mismo! —ordenó el fiscal.

Juana obedeció, impulsándose con las manos y haciendo una mueca cuando el calambre se apoderó de su nalga izquierda. Las preguntas de los inquisidores continuaron. Olmedo comentó con exhaustividad su crítica contra Vieyra, el pecado mortal que había cometido como monja y como mujer al intentar poner en tela de juicio las enseñanzas de un santo padre. Acto seguido se lanzó a una exégesis de todos y cada uno de los versos que había compuesto para la condesa, recreándose en la disección de cada metáfora, cada juego de palabras y cada alusión. La misma suerte corrieron dos poemas compuestos para el virrey y los poemas fúnebres escritos para conmemorar la muerte de la marquesa. La sermoneó por la hipocresía que representaba llevar un velo para cubrir su rostro cuando de un modo tan flagrante había dado a conocer su rostro al mundo. Al cabo de un rato dieron la vuelta al reloj de arena, y Olmedo discurseó durante otra hora acerca de la peligrosa retórica de su *Respuesta a sor Filotea*.

Juana vivía la ordalía en un estado de semiinconsciencia. Recitaba mentalmente «Hombres necios» para no pensar en su rodilla y su espalda, sabedora de que en un momento dado volvería a desplomarse y ya no sería capaz de incorporarse. A fin de cuentas, concluyó, lo mejor sería que las rodillas le cedieran y caer como un fardo sobre el frío suelo. *Hombres necios que acusáis a la mujer sin razón, sin ver que sois la ocasión de lo mismo que culpáis...*

El interrogatorio se interrumpió, y se dio cuenta de que el fiscal había ordenado un descanso para el almuerzo. La sala se vació en unos instantes. Juana obtuvo permiso para abandonar la posición penitente, aunque Andrea y Castorena tuvieron que ayudarla a levantarse. Le llevaron un taburete, y Josefa bajó de la galería para masajearle las piernas. Qué sensación tan agradable ser tocada por manos que se preocupaban por ella, que sabían qué hacer, manos buenas, capaces, afectuosas, fraternas. Nadie reparó en sus lágrimas gracias al velo.

—¿Qué está sucediendo aquí, padre Núñez? —preguntó Josefa al tiempo que frotaba la pantorrilla de Juana entre sus fuertes manos—. ¿Es esto una confesión o un circo?

—Es una obscenidad —sentenció el padre Núñez, pálido—. Una farsa de una ocasión solemne. Debería haber sabido que era esto lo que pretendían.

—No os torturéis, reverendo padre —terció Andrea—. Juana posee una voluntad de hierro; podrá soportarlo.

—¿Estás segura? —musitó Juana, pero nadie la oyó.

—No se trata de fuerza de voluntad —replicó Josefa—, sino de que la están arrastrando por el fango como a una criminal...

Juana alargó la mano para acallar a su hermana.

—No te inquietes —la apaciguó—. Nada de esto me sorprende, y tocará a su fin.

—No con la suficiente celeridad —insistió el padre Núñez.

—¡Os he traído una salchicha, tía! —exclamó Panchito al entrar con una pila de tortillas con humeantes salchichas.

—Ofrece primero una al sacerdote, Panchito —ordenó Josefa.

En un principio, el padre Núñez declinó el ofrecimiento, pero Andrea insistió en que comiera. Juana no se veía capaz de probar bocado y pidió a su sobrino que le llevara algo de beber.

—Ya está. ¿Te encuentras mejor? —quiso saber Josefa, palmeándole la rodilla.

«No te detengas», quiso decirle Juana, pero se limitó a asentir.

—Necesito andar un poco —anunció.

Josefa le rodeó la cintura, y Juana a ella los hombros. Juntas recorrieron una y otra vez el pasillo que separaba los bancos. Panchito volvió a entrar con un pequeño coco oscuro en el que habían practicado un desigual orificio. Juana bebió con tal rapidez que el dulce líquido le resbaló por las comisuras de los labios y le goteó hasta el sobrecuello.

–Perdonad mi intrusión, sor Juana –se disculpó el padre Javier, situado junto a Castorena–. Sólo quería deciros que soy un ferviente admirador de vuestras obras y que sería para mí un gran honor poseer un autógrafo vuestro en mi ejemplar del *Segundo volumen*.

–No creo que sea el momento más indicado para ello, padre –observó el padre Núñez.

–Fui yo quien dio el sermón en defensa de vuestra interpretación de Vieyra –explicó el otro sacerdote.

–Lo sé, padre Javier –repuso Juana–. Fuisteis sometido a investigación, ¿no es así?

–El Santo Oficio lo consideró ofensivo y me condenó a cien azotes en la Plaza Mayor.

–¿Sufristeis cien azotes por defenderme, señor?

El padre Javier lanzó una mirada al padre Núñez.

–Por atacar a los llamados soldados de la fe que consideraron vuestro análisis rayano en la herejía.

–No era rayano en la herejía –corrigió el padre Núñez–, sino del todo herético.

–Las obras de Vieyra no son las Sagradas Escrituras, padre Núñez –le recordó el joven sacerdote–, pero sé que el arzobispo le profesa gran aprecio y lo considera casi un profeta.

–El Sermón sobre el mandato de Cristo lleva cuarenta años circulando por todas las dependencias de la Iglesia –espetó el padre Núñez mientras la saliva se le acumulaba en las comisuras de la boca–, ¡y de repente llega una mujer y pretende hallar defectos en sus argumentos! ¡Os habéis extralimitado, Juana!

Cuando las campanas tocaron a nona, todo el mundo se había congregado de nuevo en la sala, donde los inquisidores ya ocupaban sus lugares. El guardia le quitó el taburete, pero al menos Juana se sentía fortalecida por el masaje de su hermana. Aspiró hondo y contuvo el aliento un instante, diciéndose que la ordalía habría tocado a su fin al cabo de pocas horas.

Estaba equivocada. La confesión duró muchos días, que Juana tuvo que soportar arrodillada. Su mayor temor era que la encerraran en una de aquellas mazmorras secretas de la Inquisición, práctica habitual en aquellos procesos, pero los inquisidores se conformaron con la promesa de Andrea de que vigilaría personalmente a Juana para que no cometiera ninguna locura antes del término de la confesión. Andrea dejó de acompañarla después de tres días, pues tenía asuntos que atender en el convento. Cada mañana, Belilla le preparaba chocolate caliente, en el que mezclaba un poco de láudano para aliviar el tormento que le causaban las rodillas. Josefa le llevaba fruta y pan para que las fuerzas no la abandonaran, le masajeaba las piernas y la parte inferior de la espalda mientras comía. El padre Núñez estaba cada vez más fatigado, y la tarea de escoltarla en su trayecto diario recayó sobre Castorena, aunque un guardia los seguía de cerca a caballo. Juana decidió depositar su confianza en Castorena; necesitaba su ayuda para hacer llegar unos manuscritos a la condesa antes de que las espías del convento los encontraran y entregaran al Santo Oficio como pruebas adicionales. Ordenó a Belilla que envolviera lo que quedaba de sus papeles y cuadernos en dos paquetes, que una de las beatas escondió discretamente en el carruaje de Castorena.

Por fin, el día de San Lorenzo, cinco días antes de la festividad de la Asunción, la confesión tocó a su fin. Juana apenas si había abierto la boca. La función había corrido casi de forma exclusiva a cargo de los inquisidores.

—¡Juana Inés de la Cruz! —vociferó el fiscal como si Juana no estuviera arrodillada justo al pie del estrado—. ¿Consideráis que todas las infracciones que habéis cometido contra vuestra profesión a lo largo de vuestra vida han quedado manifiestas ante este Tribunal?

—Estoy convencida de ello, Señoría.

—¿No tenéis nada más que confesar?

—Sólo que estoy fatigada en extremo por esta prolongada penitencia que me mantiene alejada de mis hermanas, mis alumnas y la tarea que Dios me ha impuesto, y asimismo que he deseado con toda mi alma que la lepra aflija a todos mis enemigos.

—¡Cómo se atreve! —exclamó el arzobispo.

—Suplico el perdón de Vuestra Ilustrísima —musitó Juana, eludiendo dirigirse directamente al arzobispo—. Debía confesar este último pecado.

Por el rabillo del ojo vio que Castorena sonreía a alguien del público.

Los inquisidores deliberaron durante un rato, y Juana no oía más que el rasgueo de la pluma del secretario y el murmullo que recorría la sala. Por fin, el fiscal se puso en pie.

—El Tribunal ha concluido sus deliberaciones —anunció el secretario.

Dorantes y Olmedo bajaron del estrado, la flanquearon y la arrastraron hasta el estrado. Juana sintió un doloroso cosquilleo en las piernas cuando la sangre volvió a circular por ellas.

El fiscal empezó a leer un documento.

—Hallamos a sor Juana Inés de la Cruz, monja profesa de San Jerónimo de la Ciudad Imperial de México, culpable de los pecados de soberbia y rebelión, pecados que la han inducido a infringir las enseñanzas ortodoxas de la Iglesia en total abominación de su sexo y su vocación.

El arzobispo clavó en ella su mirada azul cobalto.

—A causa de vuestra continuada correspondencia con el mundo exterior —prosiguió Anaya—, de vuestras publicaciones profanas, de vuestras relaciones impías con miembros de la corte y vuestra amistad con mujeres y hombres ajenos a la religión, de vuestra devoción pagana por los libros y vuestra búsqueda constante e inmoral de conocimientos, os declaramos, Juana Inés de la Cruz, pecadora contra la fe. Por vuestros atroces actos de rebeldía tachamos los últimos veinticinco años de vuestra vida de abominación contra las leyes de la Santa Iglesia Católica. En consecuencia, os sentenciamos a una reconciliación plena con vuestra fe y con los sagrados votos de vuestra vocación. Si deseáis continuar al servicio de la Iglesia, consideramos justo y necesario que abjuréis de los jaeces de esa vida, ahora y para siempre. Os serán confiscados todos los libros e instrumentos de vuestras actividades descreídas. No escribiréis nada a excepción de los documentos requeridos para vuestra reconciliación. Jamás volveréis a recibir visitas ni mantener correspondencia alguna con el mundo exterior. En la festividad del santo patrón de vuestra Orden, la jefa de las vigilantas os dará ciento cincuenta latigazos en presencia de toda la comunidad de vuestra casa. Y en señal de vuestra eterna infamia, llevaréis el sambenito sobre el hábito hasta que se os considere digna de renovar vuestros votos como esposa de Cristo Encarnado.

Dorantes la obligó a arrodillarse de nuevo.

Al igual que sucediera durante el certamen con los cuarenta sabios, Juana percibió que su mente se dividía en dos mitades diametralmente opuestas. En aquel proceso, sin embargo, no prevalecerían la razón ni la memoria, sino el sometimiento abyecto de su voluntad. En el hemisferio lógico de su mente oía ecos de la carta que había escrito al padre Núñez hacía más de una década, cuando por fin perdió la paciencia con sus censuras y comprendió que tenía el poder necesario para prescindir de él como padre confesor. En ese momento había poseído tal claridad, tal fuerza de voluntad y sentido del propósito... Invocó el recuerdo fragmentado de aquel texto para componer la refutación que los inquisidores jamás llegarían a escuchar, un contrapunto racional a las respuestas sumisas que buscaban en el hemisferio donde la lógica carecía de raíces.

—¿Renunciáis, Juana Inés de la Cruz, a esa vida de pecado y rebeldía?

—Renuncio.

*... que el exasperarme no es buen modo de reducirme, ni yo tengo tan servil naturaleza que haga por amenazas lo que no me persuade la razón, ni por respetos humanos lo que no haga por Dios...*

—¿Renunciáis al estudio de los libros?

—Renuncio.

*¿No estudió santa Catalina, santa Gertrudis, mi madre santa Paula sin estorbarle a su alta contemplación, ni a la fatiga de sus fundaciones el saber hasta griego? ¿El aprender hebreo? Pues ¿por qué en mí es malo lo que en todas fue bueno? ¿Sólo a mí me estorban los libros para salvarme?*

—¿Renunciáis a vuestras relaciones mundanas?

—Renuncio.

*¿Los aplausos y celebraciones vulgares los solicité? Y los particulares favores y honras de los Excelentísimos Señores marqueses que por sola su*

*dignación y sin igual humanidad me hacen ¿los procuré yo? ¿Pues qué culpa mía fue el que Sus Excelencias se agradasen en mí? Aunque no había por qué, ¿podré yo negarme a tan soberanas personas?*

—¿Renunciáis a la búsqueda de conocimientos seculares?

—Renuncio.

*V. R. quiere que por fuerza me salve ignorando, pues amado padre mío, ¿no puede esto hacerse sabiendo? ¿No es Dios como suma bondad, suma sabiduría? Pues, ¿por qué le ha de ser más acepta la ignorancia que la ciencia?*

—¿Os arrepentís de vuestros pecados?

—Me arrepiento, oh señor, en mi corazón y mi alma de haberte ofendido —volvió a rezar el Acto de Contrición.

*¿No tienen las mujeres alma racional como los hombres? ¿Pues por qué no gozarán el privilegio de la ilustración de las letras con ellas? ¿No es capaz de tanta gracia y gloria de Dios como la suya? ¿Pues por qué no será capaz de tantas noticias y ciencias que es menos?*

—¿Ansiáis morir y resucitar en la religión?

Juana echó mano del *Manual para novicias*.

—Ansío ser guiada a esa feliz muerte, morir a fin de que la destrucción de mi vida me permita gozar de la felicidad de vivir por Dios.

*… yo tengo este genio, si es malo, yo me hice, nací con él y con él he de morir.*

—Renegad entonces de cuanto ha contaminado vuestra vida, pues la ponzoña acecha en objetos, personas y pensamientos, y debéis repudiarlos cual si de la propia serpiente se tratara.

—No pretendo conocer nada, amar nada ni desear nada aparte de Dios y la virtud de la obediencia.

Dorantes y Olmedo volvieron a levantarla. Juana se sentía como un títere entre ellos.

—Ve, pues, hija descarriada de la Iglesia, y empieza tu año de probación, y que Dios te halle digna de continuar vistiendo el hábito de la Orden Jeronimiana.

—Los guardias de la Inquisición acudirán al convento para retirar todo vestigio de tentación de vuestra vida —anunció Dorantes—. Recordad que disponemos de un inventario de todas vuestras posesiones, de modo que no intentéis retirar ninguna de ellas, ya que de lo contrario os enfrentaréis a otro año de probación como penitencia.

–Hágase la voluntad de Dios –recitó Juana.

Hizo una genuflexión pese al dolor que le atormentaba las rodillas y consiguió no desplomarse. Había soportado quince días de tortura física y espiritual, y ahora sabía que, sin lugar a dudas, el purgatorio en vida existía. Antes de que la dejaran marchar, uno de los escribanos se acercó a ella y le alargó el sambenito gris y amarillo que debería llevar durante medio año. Se lo pasó por la cabeza, deslizó las pesadas mangas del hábito por los orificios y se colgó al cuello la placa en la que se leía la palabra «reconciliada».

En la placita de Santo Domingo reinaba un ambiente festivo, y Juana se vio rodeada por personas cuyos nombres no recordaba, a excepción de aquellos que habían permanecido en contacto con ella. Traían flores, pulque y dulces, y no cesaban de reír, besarse y cantar. Creían que había vencido a Aguiar y Seijas y Fernández de Santa Cruz, que había derrotado a la mismísima Inquisición, pero en realidad no era suya la victoria. Acababan de presenciar la última representación de la décima musa. ¿Acaso no comprendían que la habían condenado a una muerte en vida? Sin la compañía de sus libros, el solaz de la pluma y el consuelo de amigos con los que conversar y cartas que la mantuvieran vinculada al mundo, la vida no merecía ser vivida. Tanto daría que la hubieran condenado a la hoguera. En ese caso, la muerte habría llegado con rapidez, y con ella el fin de su infortunio.

Los guardias aparecieron con una larga soga; por un instante, Juana creyó que pretendían azotarla ahí mismo, en presencia de todos. Sin embargo, le ataron las muñecas y sujetaron el otro extremo a la parte trasera de su carreta de mulas, con la intención de arrastrarla por las calles de la traza. En el último instante, un viejo amigo suyo, don Fernando Deza, el tesorero, intercedió por ella y sobornó a cada guardia con un puñado de monedas para impedir que llevaran a cabo aquella postrera humillación.

El padre Núñez permaneció junto a Juana un instante, como si quisiera decir algo, pero por fin se limitó a alzar el brazo y bendecirla antes de desaparecer en el interior umbrío del edificio. Castorena la llevó a su carruaje. Josefa los acompañó y se sentó con el brazo en torno a los hombros de Juana, besándola una y otra vez en la mejilla mientras Castorena se abría paso entre el amasijo de coches que atestaba la plaza y enfilaba la calle que conducía a la Plaza Mayor.

—¿Podemos detenernos en la catedral, don Ignacio? —pidió Juana.

—A vuestro servicio, sor Juana —repuso él antes de guiar los caballos hacia la entrada oriental de la Catedral Metropolitana, la misma puerta que en tiempos había adornado su arco triunfal.

—¿Quieres que entre contigo, Juana? —preguntó Josefa.

—No voy a entrar —contestó Juana—. Sólo quería ver el palacio desde este ángulo.

Juana clavó la mirada en el tablón carbonizado del balcón central, donde con tanta frecuencia se había sentado entre las damas de compañía, embebida en la contemplación de la marquesa, y se despidió de la joven erudita que un día había vivido para complacer a la corte. A partir de ese día, se prometió a sí misma, haría cuanto estuviera en su mano para borrar la memoria de Juana Inés Ramírez de Asbaje.

A través del nudo que le aprisionaba las cuerdas vocales murmuró un verso de su villancico a santa Catalina, otra joven erudita, objeto como ella de persecuciones, vilipendiada como ella por haberse encaramado al árbol de la sabiduría. «Sus sabios silogismos no se encuentran entre nosotros, pero ella no los escribió con tinta, sino con sangre.»

—¿Hablas sola, Juana querida? —preguntó Josefa mientras le masajeaba la espalda en reconfortantes círculos—. ¿No estás contenta? Todo ha terminado. Por fin te han dejado en paz.

Pero Juana estaba pensando en otra cosa, en el Libro de Profesiones del convento, donde renovaría sus votos y firmaría su nuevo testamento de fe. *Yo, Juana Inés, la peor de todas*, firmaría, y la pluma trazaría su firma en la página con la tinta roja de su sangre.

Tlilli, la denominaban los aztecas, la tinta roja de la sabiduría.

«Muero (¿quién lo habría imaginado?) a manos de lo que más amé. ¿Qué es lo que acaba con mi vida? El amor que profeso.»

# MATE
## 1693–1695

# EL CUADERNO DE BELILLA

Tía Juana me ha dado este cuaderno para que plasme en él los acontecimientos importantes que le sucedan. Es como escribir un diario ajeno, algo que me incomoda un tanto, pues no sé hacerlo. Tía Juana dice que es como hablar sola, y le pregunto si eso está permitido, pues sólo debemos hablar con Dios a través de la oración, no entregarnos a conversaciones privadas. Dice que si la amo haré esto por ella. Solicité permiso a la madre Andrea, y me lo concedió, de modo que no hay razón para no proceder.

*30 de septiembre de 1693, día de nuestro padre, san Jerónimo*

Hoy tía Juana ha escrito una petición al Tribunal, declarando por escrito que se halla culpable de todas las acusaciones presentadas contra ella, y que en el tribunal de su propia conciencia se condena a la muerte eterna. Escribe que ha vivido en la religión sin religión, tal como viviría una pagana, pero que su voluntad es aún tomar el hábito y ser readmitida en la Orden de San Jerónimo. Me ha ordenado ser testigo del documento. Acto seguido, la hermana vicaria le ha administrado ciento cincuenta azotes en la sala capitular.

*12 de noviembre de 1693*

Es el aniversario de tía Juana; creo que cumple cuarenta y cinco años. Hemos empaquetado todos sus libros para entregarlos al arzobispo. Ha convencido a la Inquisición de que necesita el dinero que rinda la biblioteca de tía Juana para reconstruir el hospital de los pobres. Quise preguntarle por los libros que escondimos en la capilla del cementerio, pero se hallaba tan alterada que no tuve valor para empeorar su estado. Verla separarse de sus libros ha sido como ver a una madre enterrar a sus hijos. Sostiene cada uno de ellos con gran ternura antes de guardarlo en el baúl, y aquellos por lo que siente un cariño especial los abre y acaricia sus páginas, deteniéndose a releer las notas al margen. Incluso la he oído hablar con algunos de ellos, como si estuvieran vivos. Anoche derramó amargas lágrimas al guardar sus instrumentos. No sabía cuánto apego sentía por esas cosas: la lupa, el reloj de péndulo, el anteojo, el astrolabio que, según decía, le permitía reconstruir la historia de la Vía Láctea, esa diadema india polvorienta y desvaída que tenía colgada sobre el escritorio... Incluso se llevan sus mesas, las estanterías y el tablero de ajedrez. Pasó la última noche en vela jugando una partida contra ella misma, con su pequeño anemocordio apretado contra el pecho. No se le permite conservar objeto alguno en el estudio, ni siquiera tener estudio. Me remuerde la conciencia porque conozco la existencia de esos libros y el estuche de escritura ocultos bajo los tablones del suelo de la capilla. ¿Osaré revelar el secreto a la madre Andrea? ¿Osaré decirle que tía Juana me ordenó esconder el ajedrez del abuelo y su mandolina tras el baúl de ropa blanca en el salón? ¿Que me dio las joyas y el rosario de jade para que los guardara bajo mi colchón?

—No podemos quedarnos en la pobreza —me explicó cuando protesté por las alhajas—. No tenemos más que nuestra renta vitalicia, Belilla, si es que el arzobispo no nos despoja de ella también. No seas tonta. Nos comerán vivas aquí dentro si saben que no tenemos nada.

Así pues, oculté sus brazaletes y anillos, el rosario de jade y el anillo con el retrato diminuto de la condesa, junto con mi ejemplar del primer libro de tía Juana, en un hueco que practiqué en

536

mi colchón, por si alguien mira bajo la almohada y descubre que instigo a tía Juana en su desobediencia. Me resulta harto difícil elegir entre mis votos y la devoción que le profeso, pero sé que sólo cuenta conmigo y me necesita. Dice que está totalmente sola. A veces, de noche, sostiene largas conversaciones en sueños con don Carlos o la condesa.

### 8 de diciembre de 1693, día de la Inmaculada Concepción

Tía Juana se disciplina sin descanso. Vacío el estudio, ha trasladado a él la cama y la butaca, y por las noches oigo el chasquido del azote sobre su piel. Intento no contar los latigazos, pero ayer llegó a treinta y se lastimó de tal modo que esta mañana apenas pudo levantarse. Me asusta esta repentina pasión por la disciplina. Cuando la interpelé al respecto esta mañana, repuso que rememoraba a una vieja amiga, Concepción, su secretaria, cuyo aniversario se cumple hoy, aunque tiene prohibido recordar nada de su vida anterior. Recuerdo a Concepción; siempre estaba sentada a los pies de tía Juana cuando tía Josefa y yo veníamos a visitarla, y recuerdo los celos que sentía al ser testigo de su proximidad. El padre Núñez pasa horas enteras con tía Juana en el confesionario. Creo que está contento de que tía Juana lleve por fin una vida acorde con sus votos. Sugirió a la madre Andrea que la pusiera a trabajar en la enfermería, vaciando orinales y lavando sábanas. La madre Andrea protestó, alegando que sólo Juana podía hacerse cargo de las cuentas del convento. Sin embargo, tía Juana no quiere seguir siendo tesorera. Me confesó que sostener una pluma, aunque sólo sea para escribir números, representa una tortura demasiado cruel para ella.

### 22 de diciembre de 1693

Aún no sé qué hacer respecto a los libros. A punto he estado hoy de revelar el secreto al padre Nazario durante la confesión, pero no puedo evitar considerarlo como una traición. A fin de cuentas, es mi tía, la hermana de mi madre. Por otro lado, nuestra obligación es renunciar a todo apego al pronunciar los votos, y deseo ser una buena monja. Espero que el Niño Jesús me perdone por guardar este secreto. Otro secreto que guardo por tía Juana. Ni siquiera puedo escribir acerca del otro. Creo que sería pecado describir lo que vi. Pobre tía. Cuántos secretos agujerean su corazón. Me pregunto si habrá escrito algo sobre ellos en esa caja que oculta bajo los tablones de la capilla.

### 26 de enero de 1694, día de nuestra madre, santa Paula

Estaba ayudando a sor Clara a tostar semillas de calabaza para sus periquitos, y cuando me preguntó cómo llevaba tía Juana la tensión de su penitencia, le hablé de los libros. No le revelé su paradero ni que son libros prohibidos, sólo que la había ayudado a esconderlos en algún lugar del recinto. ¿Por qué lo he hecho? Sor Clara es la mayor chismosa del mundo. Está casi sorda, así que tal vez no me oyera. Y si me oyó, al menos no seré yo quien denuncie a tía Juana. ¿Puede considerarse esto traición? Perdonadme, tía; me siento peor que Judas. Esta noche guardaré vigilia por san José como penitencia.

### 31 de enero de 1694

Lo sabía; la madre Andrea me convocó ayer a sus dependencias para preguntarme por los libros. Le dije que se los llevaría, que no me parecía correcto revelar dónde se encontraban, y me reprendió por haberme ido de la lengua con sor Clara.

—Deberías habérmelo dicho a mí o a tu confesor —me regañó—. ¿No crees que tu tía ya sufre bastante?

Como penitencia por mi infracción, la madre Andrea me ordenó abofetearme en la boca hasta hacerme sangre, y deberé fregar los platos en el refectorio y comer en el suelo durante un mes. Además, tengo que mostrarle el escondrijo de los libros. Le supliqué que me permitiera llevárselos, pero no accedió. Debo llevarla a la capilla esta noche después de vísperas. Ignoro sus intenciones, pero temo por la caja de escritura. ¿Y si la saco y la oculto en ese viejo y destartalado cobertizo donde se guardan las herramientas de jardinería? Sor Clara dice que en tiempos vivió allí una prisionera, hija de un esclavo fugado a quien Concepción ayudó a escapar. Será mejor que me apresure. Tal vez pueda cavar un hoyo en el suelo del cobertizo y esconder en él la caja.

*Después de maitines, 1 de febrero de 1694*

Encontré un ladrillo suelto en la pared del cobertizo y al retirarlo descubrí un nicho de dimensiones generosas que ocultaba un sombrero de ala ancha. La paja del sombrero estaba llena de agujeros, y la forma contenía flores secas de color rojo, huesos de melocotón y de mango, pieles de naranja rígidas y mechones de cabello enrollados alrededor de un pergamino crujiente por los años y casi negro en los pliegues. Al retirar los cabellos e intentar desenrollar el pergamino, se rompió como una bola de tierra, pero en su interior había algo negro y sólido, una especie de esponja negra y reseca. También vi un collar de cuentas negras y rojas. Me pregunto si estos objetos pertenecerían a la prisionera de la que me habló sor Clara. Todo ello despedía un aire impío, de modo que saqué todos los objetos del hueco, los arrojé al surco de irrigación y limpié bien el hueco. Sólo conservé el collar, pues no es más que un collar y quedaría hermoso en la muñeca de la figura de san José que tenemos en el salón. La caja de tía Juana cabe en el hueco, pero sobresale y no pude volver a colocar el ladrillo. He colocado unas macetas delante para que no se vea. Espero que nadie descubra lo que he hecho. Ése es el problema de los secretos, que se multiplican como pecados o peces.

*11 de febrero de 1694*

Intento mantener a raya la tentación de leer el diario de tía Juana. Eso contiene su caja, así como algunas viejas cartas de la marquesa y la condesa, una pluma de ganso amarillenta y quebradiza por los años y un tintero en forma de lechuza con una dedicatoria de los virreyes de Nueva España fechada en 1666. La tinta que contiene está seca como el hollín. Bruñiré el tintero y se lo daré el día en que renueve sus votos.

*17 de febrero de 1694*

Siguiendo las instrucciones del padre Núñez, tía Juana ha escrito hoy una breve explicación del misterio de la Inmaculada Concepción de Nuestra Señora en el Libro de Profesiones. Al verla tan feliz por volver a escribir, casi se me rompe el corazón. Como prefecto de la Hermandad de la Inmaculada Concepción de María, el padre Núñez quería que dejara constancia de su devoción por ese misterio, muestra de su devoción por la venerable persona del propio padre Núñez. Ya es muy anciano, pero en sus ojos aún brilla un destello vigoroso cuando da la Comunión, si bien ya apenas ve nada y acaba dejando caer la hostia en nuestras manos. Debo reconocer que le tengo miedo. Se muestra tan estricto con ella, que no podría esforzarse más por alcanzar la perfección mediante la oración y la disciplina... Siempre le exige más, y tía Juana se somete a cuanto le ordena, pero distingo una expresión de resentimiento cada vez más clara en su mirada. Algo en su rostro, tal vez la resignación que denota, me recuerda a mi abuela. Parece ya tan lejano el día en que fuimos a Panoayan para enterrarla...

*5 de marzo de 1694*

Tía Juana ha firmado hoy su Protesta, reiterando su deseo de revalidar sus votos y servir a Dios y la Santa Fe durante el resto de su vida. Ha escrito que estaría dispuesta a derramar sangre en defensa de su fe y sus creencias, y acto seguido, para horror de los testigos y mi propia repulsión, se ha clavado la pluma en la muñeca y ha firmado el texto con sangre. La peor, rezaba su firma, la peor del mundo. Nadie articuló palabra, pero advertí que, justo antes de santiguarse, la madre Andrea meneaba la cabeza de forma casi imperceptible y me ha parecido ver lágrimas en sus ojos. Quiere a mi tía más de lo que imaginaba, lo cual debe de ser duro de reconocer en su calidad de madre superiora de esta casa. No se han vuelto a mencionar los libros secretos, de modo que no sé si los ha desenterrado o si permanecerán por siempre bajo el suelo de la capilla. Tía Juana ha llorado cuando le di el tintero, pero me lo ha devuelto de inmediato, diciéndome que lo utilizara para escribir esta crónica.

*Después de silencio, Domingo de Pascua de 1694*

Tía Juana acaba de despertar gritando. Dice que ha soñado que se hallaba en la plataforma del cadalso de la Plaza Mayor, en presencia de miles de personas, y luego se veía agarrotada, y un hombre gritaba que la famosa monja jerónima sor Juana Inés de la Cruz había sido declarada hereje por la Inquisición. Creo que tiene fiebre. Tiene los ojos vidriosos, y el aliento le huele a medicamento. Tal vez haya contraído algo en la enfermería; no me extrañaría, habida cuenta del modo en que el padre Núñez la ha hecho trabajar últimamente.

*18 de octubre de 1694*

No he podido escribir en seis meses. Ha estallado una epidemia que produce feas manchas rojas en todo el cuerpo y graves problemas respiratorios. En la enfermería se hacinan las enfermas. La madre Andrea ha enviado a sus casas a todas las internas y puesto en cuarentena toda esta ala del convento. Nadie puede entrar en ella a excepción de las beatas, sor Gabriela, yo en calidad de ayudante suya y, por supuesto, tía Juana, que friega y vacía orinales como la más humilde de las esclavas. El padre Núñez y el padre Nazario han empezado a administrar la extremaunción a las más graves. Tía Juana no quiere verme en la enfermería, pero la cuarentena me impide salir, como a ella. Me alegro de haber traído conmigo el cuaderno. Aunque no me queda tiempo para escribir, el mero hecho de pensar en lo que escribiría si pudiera me ayuda a desviar la mente de esos cuerpos convulsionados por la fiebre. ¡Y ese horrible hedor...! Es como carne pudriéndose sobre huesos viejos.

*Otro día*

He perdido la noción del tiempo, pues en la enfermería no hay calendario. Una nueva epidemia nos azota. Ésta ataca los intestinos y provoca vómitos que son una mezcla de sangre negra y bilis amarillenta. Y hace tanto frío... Apenas tenemos leña suficiente para calentar agua ni mantas suficientes para abrigar a todo el mundo. Tía Juana no me deja acercarme a las camas ni ayudarla a lavar sábanas o vaciar orinales. Sor Gabriela ha enfermado, de modo que sólo tía Juana, la madre Andrea y yo nos ocupamos ahora de las enfermas. Mi tarea consiste en pelar patatas para la sopa y remojar la harina de maíz para el atole, el único alimento que toleran las enfermas, y no por mucho tiempo. Dios mío, ayúdanos, por favor. Las campanas no dejan de tocar a difuntos por toda la ciudad.

*Otro día por la mañana*

Sor Clara ha sido hallada muerta junto al portal. No creen que haya sucumbido víctima de la epidemia, sino de la vejez, pero aun así la han traído aquí, y la hemos arrastrado hasta el callejón que discurre tras la enfermería, donde recogen los cadáveres al caer la noche. Llueve sin cesar, y el entrechocar de dientes y los gemidos constantes empiezan a atacarme los nervios. Cómo añoro Panoayan, Dios mío. Quiero a mi madre.

Tía Juana trabaja demasiado. Incluso el padre Núñez le ha pedido que tenga más cuidado, pues sostiene en brazos a las hermanas moribundas y les canturrea como si fueran bebés. Ha adquirido la costumbre de llevar un cilicio bajo la camisa, no come y duerme sólo dos horas al día, entre nona y vísperas. Dios mío, no permitas que contraiga la enfermedad. Haz que deje de castigarse.

Anoche trajeron a sor Agustina enferma, y murió al amanecer.

Sor Melchora tiene a las demás hermanas dando vueltas al claustro bajo la lluvia, con la espalda del hábito desgarrada para poder flagelarse mejor. Pese al repiqueteo de la lluvia oigo el chasquido de los azotes sobre la piel desnuda, así como el cántico casi demente de sus oraciones. Atisbo entre las contraventanas de la enfermería y me acomete un miedo atroz al verlas. Algunas caminan de rodillas y, en lugar de disciplinarse, lamen las losas, con el griñón adherido a la cabeza y el velo empapado arrastrándose por el suelo tras ellas.

El padre Núñez y el padre Nazario trajeron el tabernáculo, oficiaron una misa en la enfermería y dieron la comunión a todas. Me siento reconfortada con el cuerpo de Cristo en mi interior.

*5 de febrero de 1695*

Tía Juana ha insistido en que averigüe la fecha, y los ojos se le llenaron de lágrimas al saber que hoy es santa Ágata. No puedo creer que hayamos entrado en el año nuevo y que llevemos tanto tiempo afligidas por esta epidemia. Esta mañana, el padre Núñez se desplomó sobre una de las beatas a la que administraba los últimos sacramentos, y tía Juana se ha ocupado exclusivamente de él durante todo el día.

–Por favor, Juana, salid de aquí –lo oí decirle–. No os dejéis morir de este modo. Creía que avanzabais hacia la perfección, pero veo que lo único que buscáis es venganza.

—¿Contra quién, padre?

—Contra Dios, Juana. Os conozco y sé bien lo que pensáis.

—Callad, padre. El padre Nazario ha venido para llevaros a vuestra casa.

—Si no es venganza, entonces es algo aún peor —insistió el sacerdote.

—Os lo ruego, padre, debéis calmaros.

—San Pedro no os franqueará la entrada al cielo si lo hacéis, Juana.

¿A qué se referiría?

*17 de febrero de 1695*

El padre Nazario ha venido a decirnos que el padre Núñez ha fallecido hoy. Al saber la noticia, tía Juana cayó de rodillas y empezó a rezar el rosario. La madre Andrea está inquieta, pues dice que tía Juana parece haber enloquecido. Tiene las mejillas encendidas y la mirada siempre vidriosa. La madre Andrea dice que parece un saco de huesos.

*6 de marzo de 1695*

Por fin se ha dormido tía Juana. Llevaba días agitándose en la cama, consumida de fiebre, la piel ardiente como un hierro de marcar. Ha perdido el control de sus funciones corporales, y observo a la madre Andrea cuidarla, lavarla, refrescarle el cuerpo con paños húmedos. Yo le froto con aceite de alcanfor los pies y las manos, que se antojan desproporcionadamente grandes en comparación con su cuerpo demacrado. De un día para otro, su piel se ha tornado amarillenta. Le canto canciones, fragmentos que recuerdo de sus villancicos. No prueba bocado, y hemos empezado a colocarle una esponja empapada en los labios cuando la lengua le cuelga reseca de la boca. Tengo mucho miedo. Sé que se muere. Mi tía se muere. Sólo la expresión de la madre Andrea me impide perder el dominio de mí misma.

*23 de marzo de 1695*

He sangrado los brazos de tía Juana en un intento de ahuyentar la infección de su cuerpo, pero no parece servir de nada. De hecho, cada sangría parece surtir el efecto contrario, avejentarla y debilitarla. El padre Nazario le ha dado hoy la extremaunción, ungiendo sus párpados y frente con el aceite de los difuntos. ¡Santo Dios! Experimento sentimientos encontrados. Sé que es egoísta por mi parte desear mantenerla con vida cuando su cuerpo está tan consumido por el mal (su vientre se ha convertido en un bulto duro), pero no quiero que me abandone. No quiero que muera.


*7 de abril de 1695*

Tía Juana despertó por las campanadas a prima con un sobresalto.

—Concepción —me dijo—, llegarás tarde. Te verán. Apresúrate.

—Callad, tía —repuse—. Dormid. Aquí no hay ninguna Concepción. Soy yo, Belilla. Callad.

Pero no logré calmarla. Siguió diciendo incoherencias sobre dinero, unos piratas y un viaje a Panoayan.

—Quédate con mi madre —musitó sin aliento al tiempo que me aferraba las manos con una fuerza que no habría esperado de una persona tan enferma—. No vayas a ninguna parte con esa prisionera, Concepción. Prométeme que te quedarás en Panoayan, que te quedarás con mi madre —y entonces empezó a acariciarme el rostro con las manos frías y amarillentas—. Necesito saber que estarás a salvo. ¿Me lo prometes?

—Os lo prometo —dije, antes de besarla en la frente.

Y enseguida se durmió.

Recuerdo los ojos de Concepción. Cada uno era de un color distinto, y recuerdo haber pensado que era muy fea. No comprendía por qué tía Juana siempre le permitía estar presente en nuestras visitas. Querida, la llamaba, e incluso en las garras de la enfermedad se preocupa por su seguridad. ¿Por qué no me habla a mí de ese modo? ¿Acaso no se preocupa por mí? ¿Acaso no se da cuenta de que me deja sola? Que Dios me perdone. Después de tantos años de oración, sigo sintiendo celos.

—La oración no lavará tus pecados, Belilla —me advirtió cuando llegué al convento—. Sólo te ayudará a perdonarte a ti misma por no ser perfecta.

Recuerdo haber pensado que se equivocaba, que yo sería bastante mejor monja que ella. ¡Qué estúpida he sido! Ha empezado a vomitar un fluido verdinegro. Por la expresión de sus ojos sé que ya nos ha dejado. Ruego a todos los santos que la acojan en su seno.

*17 de abril de 1695, domingo*

Querida madre:

Te escribo para decirte que, tras varios meses de contienda contra las enfermedades que han asolado la Casa de San Jerónimo, tía Juana sucumbió a su destino a las cuatro de la madrugada pasada. Permanecí con ella hasta el final, atendiéndola como ella atendió a las demás antes de caer enferma. No me quería a su lado, temerosa de que yo también contrajera el mal, pero me negué a apartarme de ella. Pasaba casi todo el tiempo masajeándole los pies, lo que parecía aliviarla un tanto, pero hacia el final empezó a sufrir intensos dolores en el vientre y no quería que nadie la tocara. Llevaba cinco semanas sin comer, apenas podía sorber agua de la esponja y escupía un líquido verde oscuro que olía a espíritus. La madre Andrea la sostenía en brazos en el instante de su muerte.

La madre Andrea no permitirá que saquen el cadáver de tía Juana del convento, como ha sucedido con las demás víctimas de esta epidemia, sino que quiere que sea enterrada en la cripta, bajo el coro inferior. La misa se celebrará el martes, y la madre Andrea pedirá al amigo de tía Juana, don Carlos, que pronuncie la elegía. Tía Josefa asistirá. ¿Vendrás a verme, por favor? Me siento muy sola.

Afectuosamente tu hija,

Belilla (sor Isabel María)
de la Casa de San Jerónimo

19 de abril de 1695

Querida condesa de Paredes:
  Os escribo hoy con profunda tristeza, pero prometí a mi tía que
lo haría. Una terrible enfermedad atacó su cuerpo, y nos dejó la madrugada del día 17 de este mes, si bien no la hemos enterrado en la
cripta hasta hoy. Las campanas doblaron durante dos días, y la iglesia
se llenó de dolientes. Desde el momento en que instalamos la capilla
ardiente, sus amigos y admiradores acudieron para presentar sus respetos a la décima musa. Detesto decir esto por temor a maldecir su
alma inmortal, pero creo que deseaba morir. Siempre decía que ya
había muerto, que la mejor parte de sí misma había muerto, y que
su cuerpo seguía por fin a su espíritu hasta la tumba. No puedo creer
que jamás volveré a verla, que yace bajo la pesada losa del coro.
  En lugar de encomedar su alma a Dios, lo último que dijo fue
vuestro nombre y citó un verso de uno de sus poemas: «Bella ilusión
por quien alegre muero, dulce ficción por quien penosa vivo». Está enterrada con el anillo que le regalasteis, el que se abre como un camafeo
y lleva vuestro retrato. La madre Andrea quiere que adjunte estas cartas
vuestras a la misiva. No están abiertas, pues tía Juana tenía prohibido
leer correspondencia alguna, y la madre Andrea prefirió guardarlas selladas y a buen recaudo. Asimismo, incluyo este boceto que hallé entre
los papeles de tía Juana; creo que es un dibujo de los volcanes, con algo
que reluce sobre ellos y que parece una luna, si bien despide largos rayos que se arquean por el valle. Os lo envío porque la leyenda reza «el
cometa, la condesa». Supongo que sabréis a qué hace referencia. En
el dorso del boceto encontraréis un verso escrito en la mediocre caligrafía de mi tía. «Letanía en subjuntivo», tiene por título. El texto aparece desvaído por los años, pero espero que alcancéis a distinguir las palabras que, a buen seguro, iban destinadas sólo a vos.
  Y ahora, señora, debo dejaros, pues debo cumplir otra promesa
que hice a tía Juana.
  Quedo respetuosamente a vuestra disposición y ruego transmitáis
mis saludos a vuestro hijo, a quien recuerdo con mucho cariño.

Sor Isabel María (Belilla)

PD.: ¿Tendríais la bondad de enviarme ejemplares de los otros libros de tía Juana para mi colección? Sólo poseo *Inundación castálida* y
me gustaría mucho tener los demás. Los ejemplares de tía Juana fueron confiscados junto con el resto de sus libros.

Llevo horas sentada en la penumbra húmeda del cobertizo. El sol se pone, de modo que apenas veo lo que escribo. Vine al término del funeral para sacar la Caja de Pandora del hueco; es la última promesa que hice a mi tía. No puedo creer que nos haya dejado y lo único que queda sean estos escritos surgidos de lo más hondo de su corazón, así como el libro de obras suyas que me regaló, su primer vástago, como lo denominaba.

Nuestra última conversación resonaba en mi mente mientras don Carlos recitaba la elegía. Tuvo lugar justo antes de su muerte, y estaba lo bastante lúcida para saber que la madre Andrea la sostenía entre sus brazos, pero imagino que a aquellas alturas ya se habían acabado sus secretos.

—Debes hacer algo por mí, Belilla —musitó, apenas capaz de hablar, por lo que me vi obligada a acercar el oído a sus labios—. Caja de Pandora —jadeó—. Debes quemar la Caja de Pandora.

—Sí, tía.

—Quémalo todo. Prométemelo.

—Os lo prometo.

—Mi bolsillo... la llave.

No le dije que ya había encontrado la llave y violado su intimidad. Durante unos instantes guardó silencio, pero de repente sus dedos se cerraron en torno a mi brazo.

—Belilla...

—Estoy aquí, tía.

—Si lo has leído, no me odies. Y no se lo cuentes a tu madre. No se lo cuentes a Josefa. Me odiarían si lo supieran.

—Yo nunca podría odiaros, tía. ¿Cómo podéis decir algo así? Siempre os he admirado y querido ser como vos.

Tía Juana cerró los ojos, pero advertí que sus pupilas se movían bajo la piel traslúcida de sus párpados, y sus dedos no aflojaron la presión. La madre Andrea rompió a llorar, lágrimas que cayeron sobre el cabello de tía Juana. En los últimos meses había encanecido casi por completo, pero su rostro había adelgazado tanto que ahora casi parecía una niña enfundada en un hábito.

–No, querida –susurró–. No sabes lo que dices. No puedes ser como yo; es una carga demasiado pesada.

Le sobrevino un acceso de tos, y la saliva ennegrecida le manchó los labios resecos.

–No te mortifiques, Juana –pidió la madre Andrea, mientras le acariciaba la frente.

Tía Juana abrió los ojos, y en ellos vi una expresión casi fiera.

–¡Belilla!

–No os inquietéis, tía, sigo aquí.

–Debes escribir a la condesa en mi nombre. Después de quemar la Caja de Pandora, debes escribirle –se humedeció los labios, y supe que intentaba recordar algo–. Bella ilusión por quien alegre muero, dulce ficción por quien penosa vivo. Dile a María Luisa que dije esto.

–Sí, tía.

Me oprimió el brazo, y yo le besé la mano. La fiereza se disipó, los ojos se cerraron y los dedos soltaron mi brazo. Permanecimos sentadas con ella durante una hora más, escuchando el murmullo de su último aliento. Y entonces, muy callada, se fue. Los sollozos de la madre Andrea sacudían el camastro.

Me desgarré el escapulario y le anudé una tira bajo la barbilla para que la mandíbula no se endureciera con la boca abierta. No podía permitir que ofreciera un aspecto indigno. Lavamos el cadáver y lo embalsamamos con vendas empapadas en agua de lima para evitar que la infección, si es que aún existe, prolifere en la cripta. Acto seguido la amortajamos en la túnica blanca y el velo de las novicias, pues según la madre Andrea, tía Juana inicia un nuevo noviciado. Le pusimos una corona de violetas y rosas, una vela, el misal de la Orden y el rosario enrollado a las muñecas. Sin que nadie me viera, tras llevar el cadáver al coro y justo antes de que las hermanas llegaran al velatorio, le escondí el anillo con el retrato de la condesa bajo la mano izquierda, y bajo la derecha puse una pequeña pluma azul marino que había encontrado en el patio. Siempre decía que se sentía incompleta sin una pluma.

En el cobertizo, la penumbra crece en torno a esta pequeña pira de ramitas y hojas. Arrojo las hojas del diario de tía Juana a las llamas, una a una, y las veo rizarse, resquebrajarse y teñirse de negro. Los escritos de tía Juana se desvanecen en humo. Las cartas de la condesa y las de la marquesa también deben arder, pues se lo prometí. Las campanas llaman a vísperas, pero no iré hasta terminar esta tarea, hasta que lo único que quede de los secretos de tía Juana sean las cenizas en que también ella se convertirá. Las cenizas de las que surgirá como la mítica ave cuyo nombre bendice el título de su primer libro: Fénix de México.

# LETANÍA EN SUBJUNTIVO

Si pudiera restregarme
a lo largo de tu pantorrilla,
sentir tu rodilla
romper las aguas de mi vergüenza;

si pudiera apoyar la mejilla
contra los tiernos tendones
de tu muslo,
oler el húmedo
algodón que Atenea
nunca llevó, las humeantes
huellas de su sangre sobre la nieve;

si pudiera olvidar
al diablo y al sacerdote
que vigilan mis ojos
con horca y hueste;

si pudiera saborear
el pan, la sangre, la sal
entre tus piernas
como saboreo los míos;

si pudiera transformarme
en abeja y liberar
esta alma, estos barrotes
tejidos en tu ventana
serían vanos esa tela negra,
el rosario, el crucifijo...
Nada te salvaría
de mi aguijón.

## POSDATA DE LA AUTORA

El 5 de marzo de 1694, hace unos trescientos años, sor Juana Inés de la Cruz renovó su profesión de fe en la Orden de San Jerónimo, firmando su nombre con sangre. En el día de hoy concluyo la primera novela biográfica en lengua inglesa sobre su vida,\* un libro que fue durante casi una década la sangre de mi vida. Recuerdo el modo en que nació la historia, mientras barría mi piso de Boston e intentaba imaginar cómo explicar la historia de esta increíble mujer, la primera feminista de América, décima musa de México, tatara-tatara-tatarabuela de mi ascendencia mexicana. De un solo escobazo, literalmente, concebí la historia entera, y he tardado nueve años en materializarla, investigar su vida, su época, su obra, aprender su voz, sentir sus palabras y comprender sus relaciones.

Casi todos los personajes son históricamente «reales», es decir, vivieron bajo los nombres mencionados y mantenían entre ellos las relaciones descritas. Sor Juana, algunas de sus hermanas reli-

---

\* Pese a ser la primera que se publica, es en realidad la segunda novela en lengua inglesa sobre la vida de sor Juana, pues la primera es obra de Dorothy Schons, *Sor Juana: A chronicle of Old Mexico*, que la autora califica de biografía «novelada». El manuscrito original se encuentra en el Archivo Dorothy Schons de la colección latinoamericana de la Biblioteca Benson, Universidad de Texas en Austin; dicha colección incluye asimismo el *Libro de profesiones* del convento de San Jerónimo, donde sor Juana estampó su firma con sangre.

giosas, casi toda su familia, los virreyes y virreinas, los arzobispos, el obispo de Puebla, Sigüenza y Góngora, Belilla, incluso Juana de San José, esclava de sor Juana. Todos ellos existieron. Si estos personajes eran tal y como los describo e interpreto, ya es harina de otro costal, la licencia que el escritor se toma en el dominio de la imaginación y la posibilidad. Nunca sabremos si sor Juana tuvo o no una secretaria, si bien es históricamente «cierto» que alojó en su celda a otras criadas y alumnas internas. Tal vez una de ellas fuera Concepción, si bien su personaje es del todo ficticio y protagonista de su propia historia en un libro venidero.

En otro contexto me enzarzo en un debate más directo con Octavio Paz acerca de su intepretación de las «inclinaciones sáficas»[*] de sor Juana, pero deseo expresar mi admiración por la riqueza de datos históricos y políticos relativos al México del siglo XVII que he recabado de su libro. Sin embargo, no coincido demasiado con su análisis de la poesía de sor Juana, en especial la poesía amorosa compuesta para las virreinas, pero la obra de Paz me retó a sumergirme de un modo más profundo en las estructuras barrocas de su verso, que, gracias a las magníficas traducciones de Margaret Sayers Peden, facilitaron en gran medida mis traducciones y me demostraron que, en verdad, sor Juana nos dejó pruebas fehacientes de sus deseos, por muy enclaustrados que estuviesen, incluso para su propio corazón.

Si bien ya en 1925, la experta en Latinoamérica Dorothy Schons le dio el epíteto de «primera feminista de América», la etiqueta feminista no resurgió entre los investigadores hasta 1974. Para mi deleite, durante la redacción de esta novela se publicaron traducciones feministas de las obras de sor Juana, así como lecturas críticas de sus textos basadas en criterios feministas. Aunque aportan escasa luz sobre el tema de la sexualidad de sor Juana, estos libros me ayudaron a situarla de forma inequívoca en el marco teórico y epistemológico del discurso feminista contemporáneo. Otros dos textos sobre la existencia documentada de monjas lesbianas antes

---

[*] Véase mi obra «The Politics of Location of the Tenth Muse of America: Interview with Sor Juana Inés de la Cruz», en *Living Chicana Theory*, Carla Trujillo (comp.) (Berkeley, Third Woman Press, 1998), págs. 136-165.

de la era moderna (*Immodest Acts*, de Judith Brown, acerca de una abadesa lesbiana en la Italia del siglo XV [trad. cast.: *Afectos vergonzosos*, Crítica, Barcelona, 1989], y las memorias de Catalina de Erauso, publicadas en inglés con el título *Lieutenant Nun: Memoir of a Transvestite in the New World* [Ed. esp.: *Historia de la Monja Alférez escrita por ella misma*, Hiperión, Madrid, 2000]), alentaron mis conclusiones sobre las «inclinaciones» de sor Juana. Huelga decir que mi opinión es diametralmente opuesta a la de Octavio Paz y los «sorjuanistas» homófobos a los que representa, pues considero que sor Juana no sólo rehusó someterse a las reglas que el hombre pretendía imponer a su sexo, según las cuales la mujer debía permanecer callada, ser ignorante y estar embarazada, sino que también rechazó lo que Adrienne Rich denomina la «heterosexualidad obligatoria» al ingresar en una comunidad excluyente y transvestirse de monja.

Espero que los lectores mexicanos comprendan que justamente la homofobia manifiesta, superada sólo por el nacionalismo mexicano, es la que se ve en la obligación de negar, justificar o estigmatizar este aspecto crucial de la subjetividad de sor Juana. Tal vez, si pueden superar este punto, comprendan que no es falta de respeto, sino un profundo amor y admiración por este símbolo cultural mexicano, por debajo sólo de la Virgen de Guadalupe, el que me induce a desvelar/des-velar lo que considero sus verdaderas inclinaciones.

Sor Juana ha visitado a muchas de nosotras en nuestro tiempo. Resulta interesante observar que varias de ellas somos fronterizas de El Paso-Ciudad Juárez, la frontera entre México y Texas. Me refiero a la artista Martha Arat, compañeras escritoras, como Estela Portilla-Trambley y Pat Mora, y a mí. Contad mi historia, dice sor Juana, vosotras que podéis narrarla en una lengua menos velada, que no tenéis Inquisición que vigile vuestros ojos y vuestra lengua. La difunta directora argentina María Luisa Bemberg creó una sensible y provocadora película con el título que la propia sor Juana se aplicó: *Yo (la peor de todas)* (1990). En el *compact disc Sor Juana hoy* (1995), Ofelia Medina, actriz y artista de *performance* mexicana, ha adaptado los poemas de sor Juana a los ritmos contemporáneos del romancero mexicano, dejando que los oyentes perciban el feminismo presciente, el erotismo omnipresente y las ironías posmodernas de esta nuestra Décima Musa de América Latina.

Querría dar las gracias a mi madre, Teyali Falcón, por regalarme este *compact*, por las otras muchas aportaciones a mi investigación que me ha brindado durante estos nueve años de danza con sor Juana, y sobre todo por el retrato de Juana Inés. Gracias también a mi amiga Emma Pérez por leer el primer borrador, aún más largo que este libro, y enviarme a diario correos electrónicos de aliento. Gracias a mi «Honey» por su modelo de una vida digna. Gracias a las Madres, diosas y mujeres de mi altar, que durante todos estos años han respondido a mis numerosas peticiones de energía física, mental y espiritual. Gracias a Emilie Bergmann por su sello de aprobación. Y gracias a mi editora, Andrea Otáñez, por hallar tanto alimento espiritual como yo en la historia de sor Juana.

Y lo más importante de todo, pido mil disculpas y ofrezco mi más sincera penitencia a mi compañera, Deena J. González, por haber descuidado hogar y corazón mientras me entregaba a la finalización de esta novela. Sin su apoyo, aliento e inspiración, sin esas cartas ocasionales que me escribía con la voz de la condesa (y que he citado a voluntad, percibiéndolas como las misivas de la virreina a su amada, aunque lejana e incorpórea Juana), sin los pacientes cuidados que ha administrado a mi ego de escritora, seguiría barriendo la narración por mi mente sin resultado alguno.

Un día, Coatlicue, diosa azteca de la creación y la destrucción, encontró una pluma de colibrí mientras barría el templo. Se la guardó en el pecho y siguió barriendo, para descubrir al cabo de unos meses que llevaba en su seno al dios de la guerra. En muchos sentidos, sor Juana ha sido mi diosa de la guerra.

A. G. A.
*5 de marzo de 1997*
Claremont, California

# AGRADECIMIENTOS

Puesto que este libro no habría sido posible sin investigar en profundidad la vida y la época de su protagonista, deseo expresar mi agradecimiento a los numerosos eruditos cuyas obras devoré en mi afán por conocer a sor Juana. Si bien son demasiado numerosos para mencionarlos a todos en este apartado, algunas fuentes destacan por su importancia crucial para mi investigación: *Sor Juana Inés de la Cruz o las trampas de la fe*, Octavio Paz (Seix Barral, Barcelona, 1982), así como su traducción a cargo de Margaret Sayers Peden (Cambridge, Mass., Harvard University Press, 1988); la traducción y el análisis crítico de *Primero sueño*, a cargo de Luis Harss (Lumen Books, Nueva York, 1986); *Baroque Times in Old Mexico*, de Irving Leonard (University of Michigan Press, Ann Arbor, 1986); *Sor Juana Anthology*, de Alan Trueblood (Harvard University Press, Cambridge, 1988); *Feminist Perspectives on Sor Juana Inés de la Cruz*, Stephanie Merrim (comp.) (Wayne State University Press, Detroit, 1991); la traducción feminista de la *Respuesta* de sor Juana, *La Respuesta/The Answer*, a cargo de Amanda Powell y Electa Arenal (Feminist Press, Nueva York, 1994); *Estampas de Sor Juana Inés de la Cruz*, de Margarita López-Portillo (Bruguera, México, 1979); y todas las lúcidas y líricas interpretaciones de los escritos de nuestra «abuelita», ahora disponibles en una antología, *Poems, Protest, and a Dream* (Penguin, Nueva York, 1997). Los artículos de investigación de Electa Arenal, Emilie Bergmann, Asunción Lavrin, Georgina Sabat-Rivers, Dorothy Schons y Nina M. Scott también han sido de inestimable valor. Otros cuatro textos de vital importancia fueron *The Limits of Racial Domination*, de R. Douglas Cope (Wisconsin University Press, Madison, 1994), *Two Hearts, One Soul: The Correspondence of the Condesa de Galve, 1688-1696* (University of New Mexico Press, Albuquerque, 1993), el catálogo de la exposición, *Baroque Mystique: Women of Mexico-New Spain, Seventeenth and Eighteenth Centuries* (Instituto Cultural Mexicano, San Antonio, Texas, 1994), y la traducción al inglés de un manual del siglo XVI sobre la educación religiosa de las novicias, *Instruction of Novices*, del venerable hermano Juan de Jesús y María Loughrea (M. S. Kelly, Galway, 1920). Los facsímiles de las firmas de sor Juana, su solicitud de firmar su testamento de fe, así como los pasajes de un documento legal relacionado con la donación de una esclava a sor Juana, proceden de *Testamento de Sor Juana Inés de la Cruz y otros documentos*, publicado en México en 1949. Por último, debo mencionar el Claustro de Sor Juana, una universidad privada situada en el recinto del restaurado convento de San Jerónimo, el convento de sor Juana, que mantiene vivo el mito y el recuerdo de nuestra décima musa. El Claustro publicó hace poco un magnífico tomo titulado *Sor Juana y su mundo*, editado por Sara Poot Herrera, para conmemorar el tercer centenario de su muerte (Universidad del Claustro de Sor Juana, México, D.F., 1995). La biblioteca del Claustro sigue siendo el mejor lugar para hallar una amplia selección de obras de y sobre sor Juana, desde un facsímil de edición limitada de *Carta atenagórica* hasta una versión en cómic de su vida.

A excepción de un poema, toda la poesía citada en este libro es de sor Juana, al igual que los fragmentos de *Respuesta a sor Filotea* y de la carta que escribió a su confesor en 1682, que aparece en el apéndice de la biografía de Paz. Las traducciones de los pasajes y poemas que no realicé yo misma son obra de Margaret Sayers Peden, Electa Arenal, Amanda Powell y Alan Trueblood.

Si bien en el texto se atribuyen a sor Juana, todas las entradas del diario y cartas personales que aparecen a lo largo del libro son creación mía. El último poema de la novela, «Letanía en subjuntivo», es también mío, y fue publicado bajo otro título en *Blue Mesa*

*Review*, n.º 2 (primavera de 1990). Se han publicado pasajes de la novela en *Growing Up Chicano/a* (William Morrow, Nueva York, 1993) y *Tasting Life Twice; Lesbian Literary Fiction by New American Writers* (Avon, Nueva York, 1995).